STEPHEN LAWHEAD

PENDRAGON

Tome IV du cycle de Pendragon

roman
traduit de l'anglais par Luc Carissimo

BUCHET/CHASTEL
18, rue de Condé – 75006 Paris

ISBN : 2-283-01737-8

PENDRAGON

BRETAGNE
Distances en Milles

0   20   40   60   80

TERRITOIRE
PICTE

LE MUR
• Luguvallium

• Eboracum

• Diganhwy   • Deva
Caer Seiont
• Caer Dyvi

• Maridunum
• Caer Legionis

MOR HAFREN

Londinium

Ynys Witrin
• Caer Cam

LLYONESSE

MARE ARMORICUM

GAULE

À Bruce

.

Dix sont les anneaux, et neuf torques d'or
ornent le cou des seigneurs d'antan ;
Il existe huit vertus cardinales, et sept péchés
pour lesquels mettre son âme à l'encan ;
Six est la somme de la terre et du ciel,
de tous objets futiles ou importants ;
Cinq est le nombre des nefs qui fuirent
la froide Atlantide perdue dans l'océan ;
Quatre rois se trouvèrent épargnés,
et trois royaumes demeurent en occident ;
Ils furent deux, dans le fort de Llyonesse,
qui s'aimèrent désespérément ;
Il est un monde, un Dieu, et un roi dont les étoiles
prédirent au Druide l'avènement.

SRL

Prologue

Que reste-t-il à dire d'Arthur après tant d'années ?

Vous connaissez les circonstances de sa naissance, et une partie de celles de sa fin. Vous connaissez ses batailles et ses victoires — du moins celles dont parlent les conteurs. Et le livre d'Aneirin est ouvert à ceux qui veulent se donner la peine de le lire. Pauvre Aneirin, il a tant œuvré à son Livre Noir. Et pourtant, même lui n'a fait qu'entrevoir l'homme qu'il avait l'intention d'honorer. Cela ne lui a finalement apporté que tourments.

La gloire d'Arthur, sa simple présence, tel l'étincelant éclat du soleil sur une eau limpide, en dissimulait davantage qu'elle n'en dévoilait. Ainsi, vous écoutez des récits et pensez connaître l'homme. Vous entendez un fragment et imaginez savoir le tout. Vous prêtez l'oreille à l'une des mille et mille spéculations de vagues et mornes rêveurs et croyez avoir saisi la vérité.

Mais connaissez-vous le plus grand exploit de la vie d'Arthur ? Savez-vous sa plus terrible épreuve, quand il s'est retrouvé seul sur le champ de bataille et que le sort de toute la Bretagne était en jeu ? Savez-vous comment il a lutté pour sauver le Royaume de l'Été de son plus terrible ennemi ? Non ?

Eh bien, je ne suis pas surpris. Cet âge ingrat a beaucoup oublié de ce qu'il vaudrait mieux se rappeler. Les hommes ne cessent de dilapider le meilleur de leur héritage pour le caprice du moment, ils vendent les trésors des âges passés contre une bouchée de pain, ils en foulent aux pieds les richesses. Hélas, il en a toujours été ainsi. Et, en ce qui concerne Arthur, une grande partie de ce qu'il faudrait savoir demeure dans l'ombre. Parce que, dans la confusion de ces premières années, Arthur lui-même était ignoré de presque tous.

Mais moi, Myrddin Emrys, je connais tous les récits perdus et oubliés, car j'étais avec lui dès le commencement. Et je me tenais à son côté en son heure la plus sombre. En un jour à nul autre semblable dans la longue histoire de notre race... un jour de duplicité, de terreur et, oh, de grande gloire. Oui ! De grande gloire. Car ce jour-là Arthur s'acquit le nom qu'il chérissait entre tous : Pendragon.

C'est une histoire digne d'être contée. Elle est peut-être oubliée, mais si vous voulez en entendre le récit, si vous voulez comprendre la grandeur d'un homme dont le nom survivra à cette triste époque, écoutez donc. Car en vérité, je vous le dis, vous ne connaissez pas Arthur tant que vous n'aurez pas entendu parler de la Guerre Oubliée.

LIVRE PREMIER

RÉCITS IGNORÉS

I

On dit que Merlin est un magicien, un enchanteur, un druide aux sombres pratiques. Si j'étais tout cela, je conjurerais des hommes meilleurs que ceux qui gouvernent aujourd'hui cette île ! Je ferais revenir ceux dont les seuls noms sont de puissants sortilèges : Cai, Bedwyr, Pelléas, Gwalchavad, Llenlleawg, Gwalcmai, Bors, Rhys, Cador. Et bien d'autres : Gwenhwyvar, Charis, Ygerna. Tous les hommes et les femmes qui ont fait de ce roc cerné par les flots l'Île des Forts.

Je n'ai pas besoin du Bol de Divination, ni de la sombre décoction de chêne, ni des braises ardentes pour les voir. Ils demeurent à jamais avec moi. Ils ne sont pas morts... simplement endormis. Écoutez-moi ! Il me suffit de prononcer à haute voix leurs noms pour les faire se lever. Grande Lumière, combien de temps vais-je devoir attendre ?

Je gravis, seul, les vertes collines de l'Île de Verre, et je porte un autre nom. Oh, j'ai eu bien des noms : Myrddin Emrys chez les Cymry, et Merlin Embries chez les habitants du Sud. Je suis Merlinus Ambrosius pour les peuples de langue latine : Merlin l'Immortel. Et le petit peuple noir des Collines du Nord désertique m'appelle Ken-ti-gern. Mais celui que je porte désormais est un nom que je me suis choisi, un nom ordinaire, sans signification pour quiconque. De cette façon, je préserve mon pouvoir. Un jour, les dormeurs se réveilleront, et l'identité de ceux qui veillent sur leur repos sera dévoilée. Et, ce jour-là, le Pendragon viendra réclamer son trône depuis si longtemps vacant. Ainsi soit-il !

Oh, je suis impatient ! C'est la malédiction de mon espèce. Mais il ne faut rien brusquer. Je dois m'en tenir au travail qui m'a été assigné : conserver vivante la souveraineté d'Arthur, jusqu'à son retour. Croyez-moi, en cette époque de voleurs et d'insensés, ce n'est pas tâche facile.

Non que ce le fût jamais. Depuis le tout début, il m'a fallu faire appel à tous mes talents pour protéger le sceptre de Bretagne à l'intention de celui dont la main a été faite pour le détenir. En fait, au cours des premières années, ce ne fut pas une mince affaire de protéger aussi ce qui n'était alors qu'une menotte. S'ils avaient su, les petits rois auraient rôti le garçon vivant et l'auraient fait servir sur un plateau.

Pourquoi ? Il vous est permis de le demander, maintenant que le temps a tout brouillé. Écoutez-moi donc, si vous voulez savoir : Arthur était fils d'Aurelius, et neveu d'Uther. Sa mère, Ygerna, avait été l'épouse de l'un et de l'autre. Et bien que la Bretagne n'eût pas encore succombé à la coutume de transmettre la couronne du père au fils, à l'instar des Saecsens, les hommes choisissaient de plus en plus souvent leur seigneur dans la famille du précédent roi — surtout si celui-ci était aimé, fortuné dans ses entreprises et heureux au combat. Ainsi Aurelius et Uther avaient-ils chacun légué à l'enfant un prodigieux héritage. Car jamais souverain ne fut plus aimé qu'Aurelius, ni plus heureux au combat qu'Uther.

Donc, Arthur, encore au berceau, avait besoin d'être protégé contre les chiens ivres de pouvoir qui auraient vu en lui une menace pour leurs ambitions. J'ignorais alors qu'il deviendrait un jour Pendragon. À en croire les récits des bardes, je le savais depuis le début. Mais non, je n'appréciais pas à sa juste valeur ce qui m'avait été donné. C'est rarement le cas, me semble-t-il. Mes propres faits et gestes me préoccupaient davantage que cette petite vie, tout simplement.

Pourtant, je me rappelle les premiers miroitements de la splendeur que nous devions connaître. Bien qu'elle fût longue à venir, quand elle se révéla enfin, cette gloire brilla avec un tel éclat que je crus qu'elle durerait à jamais.

Écoutez-moi, maintenant :

À la mort d'Uther Pendragon, les nobles de Bretagne se réunirent en conseil à Londinium pour choisir un nouveau Grand Roi — et ils étaient nombreux à se mettre sur les rangs. Quand il devint évident que tout accord était impossible — et plutôt que de voir un crapaud venimeux comme Dunaut ou une vipère comme Morcant s'emparer du trône — je plantai l'Épée de Bretagne dans la pierre qui attendait dans la cour de l'église de devenir la clef de voûte du porche en construction.

« Vous avez demandé un signe, m'écriai-je d'une voix pleine de fureur. Le voici : quiconque pourra retirer l'épée de cette pierre sera le roi légitime de toute la Bretagne. En attendant ce jour, le pays connaîtra des conflits tels que l'Île des Forts n'en a encore jamais vus et la Bretagne n'aura pas de roi. »

Puis je m'enfuis de la ville avec Pelléas, malade d'écœurement. Je ne pouvais plus supporter les mesquines intrigues des petits rois, et je quittai le Conseil en toute hâte pour aller retrouver Arthur. Mais même alors je ne comprenais pas pleinement ce qui me poussait avec une telle urgence. Je ne voyais pas en lui le futur roi, simplement un enfant qui avait besoin de protection — d'autant plus que le problème du trône suprême n'était pas résolu. Quoi qu'il en soit, j'éprouvais un désir presque irrépressible de le voir. L'*awen* du barde était sur moi et je ne pouvais que le suivre où il me menait.

Plus tard, oui. La compréhension vint en son temps. Mais lorsque je demandai, ce jour-là, au fidèle Pelléas de seller les chevaux, je lui dis simplement : « Viens, Pelléas, je veux voir l'enfant. »

Nous fûmes alors comme si nous étions poursuivis par tous les seigneurs ivres de colère que nous laissions derrière nous. Ce n'est qu'une fois sur la route de Caer Myrddin que je commençai à me demander si notre précipitation n'était pas motivée par autre chose que le simple désir de revoir Arthur.

De fait, quelque chose en moi avait changé. Peut-être était-ce le fruit de la tension consécutive à mon affrontement avec les petits rois. Ou peut-être était-ce survenu lorsque j'avais planté l'Épée de Bretagne dans la pierre. Quoi qu'il en soit, je savais une chose : le Merlin qui était entré dans Londinium si plein d'espoir n'était pas le même que celui qui en était ressorti. Je sentais au fond de mon âme que le cours de ma vie avait pris un tour inattendu et que je devais désormais m'armer pour un combat bien plus subtil que ceux que j'avais connus jusque-là.

Alea jacta est, avait autrefois dit César, un homme pour qui le pouvoir et ses perversités n'avaient plus de secrets. Pour le meilleur ou pour le pire, les dés étaient jetés. Soit !

Laissant derrière nous Londinium et les jappements des petits rois, nous chevauchâmes, Pelléas et moi, droit vers Caer Myrddin. La route fut bonne et le voyage agréable. Nul besoin de dire que notre arrivée par ce petit matin venteux d'hiver fut une surprise. Le loyal Tewdrig, qui avait sur ma demande offert asile à l'enfant, était encore au Conseil des Rois et nous n'étions pas attendus.

En arrivant à Caer Myrddin, nous fûmes accueillis par le spectacle du jeune Arthur et de chatons furieux. Je vis le garçon tenant ces deux jeunes chats, un dans chaque poing, et cela me sembla un signe. « Vois, l'Ours de Bretagne ! déclarai-je en contemplant l'enfant joufflu. Un petit chiot entêté, regarde-le. Pourtant, il va falloir le dresser, comme n'importe quel animal. Il est temps de nous mettre au travail, Pelléas. »

Comme nous descendions de cheval, les hommes de Tewdrig accoururent nous souhaiter la bienvenue. Caer Myrddin — Maridunum, en des temps plus anciens — paraissait éclater de richesse et je fus ravi de voir mon ancien royaume si prospère. Parmi les cris de bienvenue, le bruit d'un marteau de fer me parvint aux oreilles et j'en fis la remarque.

« Le seigneur Tewdrig s'est trouvé un forgeron, expliqua un des hommes en me prenant les rênes des mains. Et toute la journée nous ne cessons de courir pour lui.

— Mieux vaut cela que courir pour échapper aux Loups de Mer ! » s'exclama un autre.

Ces mots encore aux oreilles, je contemplai Arthur en écoutant le tintement de l'acier dans l'air. Je regardai de mes yeux dorés à travers le mince voile qui sépare ce monde de l'Autre et y vis la silhouette d'un homme, grand et élancé, né pour parcourir la terre en roi. En vérité, ce fut ma première prémonition de l'avenir d'Arthur. Croyez-moi !

Puis je revins à moi et me tournai pour saluer Llawr Eilerw, chef de guerre et conseiller de Tewdrig, qui gardait le caer en l'absence de son seigneur.

« Bienvenue, Myrddin Emrys ! Bienvenue, Pelléas ! » Llawr nous étreignit par les épaules. « Ah, qu'il est bon de vous revoir tous les deux. »

À cet instant, nous entendîmes un cri et nous nous retournâmes. Une jeune femme était apparue et se penchait sur Arthur pour le gronder. Elle lui frappa les mains pour lui faire lâcher les chats et l'enfant se mit à pleurer — de colère, et non de douleur — en obéissant à contrecœur. La femme se pencha pour prendre l'enfant dans ses bras, nous vit qui l'observions, rougit et s'éloigna en hâte.

« C'est elle qui s'occupe de l'enfant ?

— C'est elle, seigneur Emrys.

— Qu'est-il advenu d'Enid… la femme qui est venue avec moi ? »

Llawr me regarda, l'air franchement étonné. « Mais *c'est* Enid… celle-là même que tu as amenée. Il n'y en a jamais eu d'autre.

— Remarquable, avouai-je, fort surpris. Je ne l'aurais pas reconnue. Elle a changé, et en bien.

— Je la fais appeler, si tu veux.

— Plus tard, peut-être, répondis-je. Ce n'est pas nécessaire pour le moment.

— Bien sûr, dit Llawr, pardonne-moi. Vous avez eu une longue chevauchée, aujourd'hui, et vous êtes assoiffés. Nous allons partager la coupe de bienvenue. »

La bière était sombre et fraîche, et la grande salle de Tewdrig bien chauffée. La cruche passa plusieurs fois à la ronde tandis que nous bavardions avec Llawr et certains des hommes qui étaient venus nous accueillir. Naturellement, personne ne voulait nous demander d'emblée ce que nous étions venus faire : c'était impensable. Même s'ils savaient que nous avions assisté au conseil et mouraient de curiosité — *Qui est le nouveau Grand Roi ? Qui a été choisi ? Que s'est-il passé ?* — ils nous laissaient y arriver quand nous le jugerions bon.

« L'année a été calme, dit Llawr. Et maintenant que l'hiver est là, nous n'avons plus à nous inquiéter. La neige tiendra les Loups de Mer à l'écart.

— Effectivement ! s'exclama l'homme assis près de lui. Nous avons eu plus de neige que l'année dernière. Bien sûr, le bétail n'aime pas cela. Ce n'est pas facile pour lui.

— Mais c'est propice pour les récoltes, intervint un autre.

— Si celle de cette année est aussi abondante que la précédente, déclara Llawr, nous aurons un surplus de grain à vendre — même avec nos nouveaux magasins.

— Je les ai remarqués, dis-je. Quatre nouveaux greniers. Pourquoi ? Le caer s'est-il tant agrandi ?

— Nous sommes plus nombreux, c'est vrai, dit un des hommes, un certain Ruel. Mais surtout le seigneur Tewdrig désire commencer à entreposer plus de grain. « Plus nous en ferons rentrer aujourd'hui, moins nous en manquerons plus tard. » C'est ce qu'il nous a dit.

— Et je suis d'accord avec lui, dit Llawr d'un ton définitif. Les temps sont assez incertains. Nous ne pouvons plus nous contenter de vivre d'une moisson sur l'autre. Il faut nous préoccuper de l'avenir.

— Il y a de la sagesse en cela, leur dis-je. En ces jours sombres, seul un insensé s'attendrait à voir se perpétuer les bienfaits du passé. »

Les hommes me regardèrent d'un air méfiant. Llawr eut un sourire forcé et tenta de détendre l'atmosphère. « Ces jours sombres ? La situation n'est sûrement pas si mauvaise que cela, Emrys. Les Saecsens sont repartis et les Irlandais n'ont pas fait une seule incursion de l'année. Nous connaissons la paix et la prospérité… si cela continue ainsi, nous allons devenir mous et paresseux. » Les autres marquèrent leur approbation en hochant la tête.

« Profitez bien de cette paix et de cette prospérité, mes amis. C'est la dernière fois que vous en jouirez en cette vie. »

Le sourire s'effaça du visage de Llawr. Les autres me regardaient d'un air ahuri. Je devais de plus en plus provoquer ce genre de réaction à mesure qu'avançaient les années.

19

Mais les Cymry ne peuvent rester moroses bien longtemps. L'atmosphère se détendit de nouveau et je me déridai, moi aussi, tandis que la conversation se reportait sur d'autres sujets. Quand la bière fut terminée, les autres prirent congé et nous restâmes seuls avec Llawr.

« Si le seigneur Tewdrig était ici, dit-il, il ne fait pas de doute qu'il donnerait un festin en votre honneur. Mais... » — il écarta les bras d'un air impuissant — « ... je ne sais pas quand il rentrera. »

C'était sa façon d'orienter la conversation vers la raison de notre visite. Maintenant que nous étions seuls, je fus heureux de l'obliger. « Je pense que ton seigneur ne va pas tarder à nous rejoindre, dis-je. Comme tu l'as sans doute deviné, nous avons quitté le conseil avant les autres. »

Llawr hocha simplement la tête d'un air entendu — comme s'il connaissait bien l'esprit chicanier des rois, ce qui était probablement le cas.

« Je peux aussi bien te le dire, poursuivis-je, car tu l'apprendras bientôt et ce n'est en rien un secret : il n'y aura pas de nouveau Grand Roi. Le conseil s'est retrouvé dans une impasse. Il a été impossible de parvenir à un accord, personne n'a été désigné.

— C'est bien ce que je craignais, soupira Llawr. Des jours sombres, as-tu dit. Oh oui ! Tu avais raison. » Il réfléchit un moment, puis demanda : « Que va-t-il se passer, maintenant ?

— Cela reste à voir », répondis-je.

Llawr aurait pu demander : *Et tu l'as vu ?* Mais si la question lui tournait bien dans la tête, il se retint. « Enfin, dit-il avec flegme, nous avons vécu sans Grand Roi pendant des années, nous n'aurons qu'à continuer comme avant. »

À ces mots, je secouai doucement la tête. « Rien », murmurai-je en regardant derrière lui par la porte ouverte — comme si je plongeai mon regard au cœur même de l'avenir — « *rien* ne sera plus jamais comme avant. »

Ce soir-là, nous mangeâmes simplement et allâmes nous coucher tôt. Le lendemain matin, après avoir déjeuné, je fis appeler Enid. Nous l'attendîmes dans la chambre de Tewdrig en bavardant. « Nous avons eu raison de venir ici, dis-je à Pelléas. Il y a longtemps que je ne m'étais pas senti aussi bien que ce matin.

— Je suis heureux de l'entendre » répondit-il.

À cet instant, la jeune Enid apparut. Elle était venue avec Arthur dans ses bras et demeura timidement dans l'encadrement de la porte. Elle serrait l'enfant contre elle, comme si elle avait peur que nous le lui enlevions.

« Approche, Enid, lui dis-je doucement. Laisse-moi vous regarder tous les deux. »

Telle une biche, elle s'avança d'un ou deux pas craintifs. Je souris et lui fis signe. Je sais être persuasif quand je le veux : ne suis-je pas du Peuple des Fées, après tout ? Enid me rendit mon sourire et je vis ses épaules se détendre légèrement.

« Quand je t'ai aperçue hier, je ne t'ai pas reconnue. Tu es devenue une très jolie jeune femme, Enid », lui dis-je. Elle inclina modestement la tête. « Et je suis heureux de voir que tu t'es bien occupée de l'enfant. »

Elle hocha la tête, mais ne releva pas les yeux.

« Que dirais-tu si je t'annonçais qu'il doit partir ? »

Elle se redressa brusquement et ses yeux lancèrent des éclairs. « Non ! Il ne faut pas ! Sa place est ici. » Elle serra l'enfant plus fort. Arthur se débattit dans son étreinte. « Je... il est chez lui, ici. Il ne serait pas heureux ailleurs.

— Tu aimes donc tant cet enfant ?

— Il est chez lui », plaida Enid — comme si c'était la chose qui lui tenait le plus à cœur. « Il doit rester ici.

— Il a des ennemis, Enid, expliquai-je doucement. Ou il en aura bientôt... quand ils se souviendront de lui. Et, maintenant, ils ne tarderont pas à le faire. Il n'est plus en sécurité ici. Les plus astucieux d'entre eux me chercheront dans l'espoir que je les mette sur sa piste. »

Enid baissa la tête sans rien dire. Elle tenait Arthur contre elle, joue contre joue. L'enfant passa sa petite main dans ses boucles brunes.

« Je ne t'ai pas fait venir pour te tourmenter, dis-je en me levant. Je désirais simplement prendre des nouvelles de l'enfant. » Je m'approchai d'elle et Arthur tendit la main pour agripper le bord de mon manteau. « Assieds-toi, veux-tu. Ne parlons plus de départ pour l'instant. »

Nous nous assîmes et Enid posa Arthur à terre. L'enfant se dirigea vers Pelléas et s'arrêta, les yeux levés vers lui. Pelléas sourit, tendit le bras pour lui prendre la main et, mû par une soudaine inspiration, décida de tenter une expérience. Laissant Arthur lui saisir un doigt de chaque main, il releva lentement les bras, soulevant l'enfant dans les airs. Le jeu plut à ce dernier qui poussa un petit cri pour montrer son plaisir.

Puis Pelléas se mit à le balancer doucement de droite à gauche — Arthur, sans lâcher prise, se mit à glousser. Pelléas le balança plus vite et Arthur éclata de rire. Pelléas accéléra le mouvement, et Arthur rugit de joie. Délibérément, Pelléas libéra une de ses mains. L'enfant s'accrocha plus fermement à l'autre et rit encore plus fort. De l'avoir vu la veille avec les chats, j'aurais dû m'y attendre, et pourtant la poigne de ce garçon me surprit. La force de ses petits doigts était considérable.

21

Finalement, Pelléas reposa Arthur à terre, malgré ses vigoureuses protestations : il voulait continuer ! M'agenouillant devant lui, je pris une de ses petites mains dans la mienne, l'ouvris et y regardai comme si je plongeais mon regard dans le Bol de Divination.

« Cette main est faite pour tenir une épée », murmura Pelléas.

Je contemplai longuement le visage innocent du garçon et ses grands yeux bleus, puis je retournai à ma conversation avec Enid.

Ce fut tout. Cela n'avait duré qu'un instant, mais depuis ce jour, Pelléas ne parla plus jamais d'Arthur comme de « l'enfant » et se mit à le désigner par son nom.

« J'ai l'intention d'en parler à Tewdrig quand il sera là, poursuivis-je en me tournant vers Enid. En attendant, ne te tourmente pas. Je peux m'être trompé. Qui sait ? Quoi qu'il en soit, il n'y a pas de danger pour le moment. » Je lui adressai un sourire pour la rassurer. « Tu peux aller, maintenant, Enid. »

La jeune femme se leva, prit Arthur dans ses bras et se dirigea vers la porte. « Enid », dis-je en me levant et en faisant quelques pas vers elle tandis qu'elle se retournait sur le seuil, « tu n'as rien à craindre de moi. Je ne t'enlèverai pas Arthur. Pas plus que je ne permettrai qu'il vous arrive le moindre mal à l'un ou à l'autre. »

Enid inclina solennellement la tête, puis elle s'éloigna rapidement. « J'espère que Tewdrig va bientôt rentrer, dit Pelléas. Je pense qu'il aura des choses à nous raconter.

— Tu es curieux de savoir ce qui s'est passé au conseil après notre départ, répondis-je.

— Effectivement, je le suis, reconnut-il avec un sourire forcé. Mais ce n'est pas une vaine curiosité, Emrys.

— Ai-je suggéré autre chose ? »

Nous n'eûmes pas longtemps à attendre. Tewdrig arriva le lendemain. Il fut heureux de nous trouver là et convoqua, sans perdre un instant, ses seigneurs dans sa chambre. « Je veux mes conseillers et je veux ma coupe. J'ai chevauché toute la journée et je meurs de soif. » Il me fit signe de le rejoindre et gagna directement sa chambre, au fond de la grande salle.

Meurig, qui s'était rendu à Londinium avec son père, ordonna qu'on apporte de la bière. Le jeune homme murmura : « On aurait cru que son palais était en feu ! Nous sommes en selle depuis l'aurore, Myrddin. Je n'ai rien avalé de la journée. »

À cet instant, la voix de Tewdrig s'éleva derrière la courtine. « Meurig ! J'attends ! »

Le jeune homme soupira et s'apprêta à obéir. « Pelléas va aller chercher la bière, lui dis-je en faisant signe à mon compagnon de s'en occuper. Allons rejoindre le seigneur Tewdrig.

— Je te le dis, Myrddin, cette fois tu as donné un sérieux coup de pied dans la fourmilière, fit Tewdrig en me voyant. Coledac était si furieux qu'il ne pouvait plus articuler un son. Dunaut était tout congestionné, quant à Morcant... eh bien, j'ai cru que ce vieux serpent allait éclater. » Il eut un rire amer. « Que n'aurais-je donné pour assister à un tel spectacle.

» Je n'ai jamais vu semblable colère qui ne se terminât pas les armes à la main. » Meurig se massa la nuque. « Mais tu avais disparu, Myrddin Emrys. Que pouvaient-ils faire ?

» En vérité, je te le dis, poursuivit Tewdrig d'un ton solennel, si tu n'étais pas parti, tu serais aujourd'hui un homme mort. Je le jure sur l'autel de Dafyd, ta tête se balancerait au-dessus des portes de Londinium. Dunaut s'en serait chargé en personne.

— Savent-ils où je suis allé ? » demandai-je.

Tewdrig secoua la tête. « Je ne vois pas comment quiconque le saurait : moi-même, je l'ignorais.

— Dans ce cas, nous avons encore du temps devant nous », répondis-je. À cet instant, Pelléas apparut avec les coupes.

Meurig claqua des mains. « Ah, voici la bière. Bien ! Remplis les coupes, Pelléas, et n'arrête pas tant que je ne crierai pas que cela suffit !

— Du temps pour quoi ? s'enquit Tewdrig tandis que Pelléas nous servait.

— Pour disparaître. »

Tewdrig me regarda avec curiosité. « Sage décision, sans nul doute. Où iras-tu ?

— À Goddeu, en Celyddon. Arthur sera plus en sécurité auprès de Custennin.

— Tu crois donc toujours que l'enfant court un danger ? s'enquit lentement Tewdrig.

— Que peut offrir Custennin que l'on ne puisse trouver ici ? demanda Meurig en s'essuyant la moustache du dos de la main. Qu'ils viennent. S'il y a un endroit sûr dans toute l'Île des Forts, c'est bien Caer Myrddin. Nous sommes capables de protéger les nôtres.

— Non, lui dis-je. Il ne peut en être ainsi.

— Quand partiras-tu ? demanda Tewdrig.

— Bientôt... cela dépendra de ce qui s'est passé au conseil », répondis-je.

Tewdrig leva sa coupe et me regarda d'un air incrédule. « Ha ! grogna-t-il. Tu le sais aussi bien que moi !

— Je voulais simplement savoir s'ils avaient décidé de se soumettre à l'épreuve de l'épée, expliquai-je.

— Eh bien, la chose a été délicate. Tu ne nous as pas facilité la tâche. » Le chef de guerre se passa la main dans les cheveux. « Mais, à la fin, il a été décidé que nous relèverions ton défi. » Tewdrig secoua lentement la tête. « Oh, tu as été habile, Myrddin. Je pense que Dunaut, Morcant et les autres croyaient pouvoir arracher l'épée à la seule force de leurs bras. Ces idiots auraient dû savoir que ce ne serait pas si facile. »

Tewdrig but une longue gorgée. Quand il reposa sa coupe, il éclata de rire et dit : « Tu aurais dû les voir ! Ils auront plus vite fait de déraciner le puissant Yr Widdfa que d'ébranler cette épée. Elle est solidement plantée… et je le sais : je m'y suis essayé moi-même. Deux fois ! »

Meurig sourit tristement et dit : « Je l'avoue, Myrddin, je m'y suis aussi risqué. Mais, eussé-je été le géant Ricca en personne, je n'aurais pas pu retirer cette épée de la pierre.

— Tu as dit qu'ils se soumettraient à l'épreuve… en es-tu certain ?

— Que peuvent-ils faire d'autre ? répondit Tewdrig. Au début, ils espéraient que l'un d'entre eux réussirait à s'emparer de l'épée, réglant ainsi la question une fois pour toutes. Le temps qu'ils prennent conscience de leur erreur, il était trop tard… nous avions tous juré de respecter la décision de l'épée. Aucun d'eux ne se doutait que ce serait si difficile, sinon ils n'auraient pas prêté ce serment. Revenir sur leur parole aurait été avouer leur défaite. Dunaut et ses semblables préféreraient mourir plutôt que d'admettre que tu aies raison, Myrddin. Les choses en sont donc resté là.

— Comme personne n'y arrivait, ajouta Meurig, l'évêque Urbanus a déclaré que les seigneurs devraient se réunir à la Nativité du Christ pour essayer à nouveau. »

Oui, c'était bien là Urbanus : avide de la moindre miette que pourraient lui jeter les rois. Eh bien, cela leur donnerait au moins une occasion de retourner à l'église. Je ne voulais plus rien avoir à faire avec eux. Je voyais un autre chemin s'ouvrir devant moi et j'étais impatient de voir où il menait.

« Tu penses qu'ils le feront ? » demanda Pelléas.

Tewdrig haussa les épaules. « Qui sait ? L'hiver est encore loin… il peut se passer bien des choses. Ils peuvent tout oublier de l'épée dans la pierre. » Il eut encore un rire forcé. « Mais, par le Dieu qui m'a créé, Myrddin Emrys, *toi*, ils ne t'oublieront pas ! »

II

Nous passâmes tout le printemps chez Tewdrig, et nous serions restés plus longtemps si Bleddyn ap Cynfal, de Caer Tryfan dans le Nord, ne nous avait rendu visite. Les seigneurs du Rheged et ceux du Dyfed avaient scellé de solides alliances pour leur protection mutuelle. Tewdrig et Bleddyn étaient parents, ils se voyaient souvent pour commercer et pour parler de leurs affaires.

Je n'avais jamais rencontré Bleddyn, mais lui me connaissait. « Salutations, seigneur Emrys », dit-il. Il me fit l'honneur de se toucher le front du dos de la main en signe de respect. « Il y a longtemps que je désire te rencontrer. En fait, j'espère avoir un jour l'occasion de t'offrir l'hospitalité.

— Ton invitation est des plus aimables, seigneur Bleddyn, répondis-je. Sois assuré que, si jamais j'ai besoin d'un ami dans le Nord, je saurais m'en souvenir.

— Nous sommes cousins et amis, dit Tewdrig. Tu peux te fier à Bleddyn comme tu te fierais à moi. »

Bleddyn accepta le compliment de Tewdrig avec une tranquille déférence. « Il se pourrait, seigneur Emrys, que tu aies besoin d'un ami dans le Nord plus tôt que tu ne le penses. »

Je perçus le subtil avertissement de son propos. « Comment cela ?

— On raconte que Morcant et Dunaut retournent le pays pierre par pierre pour retrouver le bâtard d'Uther. Ils prétendent le chercher dans l'intention d'assurer sa protection... mais pour les croire il faudrait être encore plus idiot qu'Urbanus.

— Nous y voilà donc enfin. Il leur a fallu plus de temps que je ne m'y attendais pour se souvenir d'Arthur.

— À ce propos, dit Bleddyn, l'épouse d'Uther vient de donner naissance à une fille. Ils attendaient sans doute simplement de savoir de quel côté se tourner. Bien sûr, cela ne me concerne pas personnellement. Mais si c'est bien le fils d'Uther et que nous laissions l'un de ces deux-là mettre la main sur lui, la honte rejaillirait sur nous tous. Ce serait, je pense, une bien brève tutelle. Trop brève, peut-être, à ton goût... ou à celui du garçon. »

À l'époque, beaucoup de nobles maisonnées suivaient encore la coutume du fostérage, qui consistait à placer les jeunes gens chez des parents pour y être élevés. Les avantages de cette pratique étaient nombreux : et tout d'abord le renforcement des liens de parenté. En fait, Bleddyn venait d'amener à Caer Myrddin son plus jeune fils, Bedwyr, un garçon de cinq ou six étés, pour y commencer son éducation.

Je réfléchissais encore à ses paroles, quand il dit : « Viens, seigneur Emrys. Accompagne-nous quand nous rentrerons sur nos terres. Tu y seras le bienvenu.

— Cela fait bien longtemps que je n'ai pas séjourné dans le Nord, lui dis-je, prenant aussitôt ma décision. Très bien, nous viendrons avec toi. Que Morcant essaie de nous trouver. »

Ainsi donc, quand Bleddyn repartit pour Caer Tryfan, nous fûmes quatre de plus à l'accompagner : Pelléas, Enid, Arthur et moi. Nous campions au bord de la route, évitant autant que possible les habitants des terres que nous traversions, et plus encore les citadelles des seigneurs et de leurs chefs. Nous y aurions peut-être reçu un accueil chaleureux, assurément, mais il valait mieux que personne ne fût au courant de mes déplacements.

Caer Tryfan s'avéra pour nous une bonne retraite. Eussé-je exploré chaque vallon du Nord, je n'aurais pu trouver mieux : protégé par de hautes murailles de roc, abrité aussi bien des âpres vents glacés que des yeux fureteurs des hautains seigneurs du Sud. Bleddyn nous fit bon accueil et se révéla le seigneur bienveillant d'un peuple franc et généreux.

Nous établîmes chez lui notre demeure. L'automne, l'hiver, le printemps, l'été... les saisons se succédaient sans incidents. Enid continuait de veiller sur Arthur et paraissait heureuse de son nouveau foyer. Elle finit même par s'y marier et par fonder une famille. Arthur grandissait, sain et vigoureux, croissant en force à mesure qu'il franchissait les différentes étapes de l'enfance. Très vite, sembla-t-il, le plus jeune fils de Bleddyn revint de Caer Myrddin et trouva en Arthur un ami tout désigné. Bedwyr — un jeune garçon mince et gracieux, aussi brun qu'Arthur était blond... ombre intrépide de l'éclatant soleil qu'était son cadet — prit celui-ci sous son aile.

Tous deux devinrent des amis inséparables : l'hydromel doré et le vin sombre mêlés dans une même coupe. C'était la joie même de les voir jouer ensemble. La ferveur de leur détermination n'en était pas moindre du fait que leurs épées étaient de bois. Oh, ils étaient aussi féroces que des chats sauvages, et tout aussi acharnés. Chaque jour, ils rentraient nimbés de gloire de leur entraînement aux armes.

Par égard pour leur amitié, Bleddyn retardait le moment d'envoyer Bedwyr parfaire son éducation dans une autre maison. Mais cela ne pouvait être indéfiniment repoussé. Tôt ou tard, Arthur et Bedwyr devraient être séparés. J'appréhendais ce jour. Puis, dans la septième année d'Arthur, juste après les moissons, nous emmenâmes les deux garçons à la Rencontre des Guerriers.

Une fois l'an, les seigneurs du Nord rassemblaient pendant quelques jours leurs armées pour festoyer et s'affronter en des joutes. Dans un but de simple distraction, bien sûr, mais cela présentait l'avantage considérable de permettre aux plus jeunes de se mesurer à des guerriers expérimentés et de mettre leur courage à l'épreuve avant les véritables combats… quoique parfois de douloureuse façon. Mieux valait néanmoins une meurtrissure de la main d'un ami qu'une blessure de celle d'un ennemi. Et les Saecsens n'étaient pas connus pour s'arrêter au cri de : « Je me rends ! »

Bedwyr et Arthur savaient que nous devions nous y rendre et ils entreprirent de me harceler. « S'il te plaît, Emrys, emmène-nous, implora Bedwyr. Nous ne resterons pas dans vos jambes. Vous ne vous rendrez même pas compte que nous sommes là. Personne ne s'en rendra compte. Dis oui, Myrddin. »

Les Rencontres étaient réservées aux guerriers qui faisaient déjà partie d'une armée. Les jeunes garçons n'étaient normalement pas autorisés à y assister, et ils le savaient tous les deux. J'étais donc sur le point de leur répondre non.

« Cela nous fera du bien de venir, insista Arthur avec le plus grand sérieux. Cela nous servira pour notre entraînement. »

Je ne pouvais réfuter cette logique : ce n'était en rien une mauvaise idée. Mais ce n'était pas la tradition, et je demeurai dubitatif. « Je vais demander à Bleddyn, leur dis-je, si vous me promettez de vous soumettre à sa décision. »

Les traits de Bedwyr s'affaissèrent. « Alors nous allons devoir attendre *encore* un an. Mon père ne nous laissera jamais y aller.

— Encore un an ? m'étonnai-je. Je ne me rappelle pas que vous ayez demandé à venir l'année dernière. »

Le jeune prince haussa les épaules. « Je voulais le faire, mais Arthur a dit non. Il a dit que nous étions encore trop jeunes et que cela ne nous ferait aucun bien d'y aller. Alors nous avons attendu cette année. »

Je me tournai vers Arthur. « Tu as attendu toute l'année ? »

Il acquiesça. « Il m'a semblé que c'était mieux. »

Plus tard dans la soirée, je défendis leur point de vue devant Bleddyn. « Une telle réflexion dénote de la sagesse et devrait être récompensée. Indubitablement, ils apprendraient beaucoup. Je pense que nous devrions les laisser nous accompagner. »

Bleddyn réfléchit un moment et demanda : « À supposer que je le permette, que feraient-ils à la Rencontre ?

— Franchement, je l'ignore, répondis-je en riant. Mais je ne pense pas que cela les dérangerait trop de se contenter de rester plantés à regarder. Et Arthur a raison : cela leur servirait pour leur entraînement.

— L'année prochaine, qui sait ? Ils seront alors peut-être prêts, déclara Bleddyn. Ils sont encore trop jeunes.

— C'est ce que je leur ai dit, mais Bedwyr m'a appris qu'ils avaient déjà attendu un an. » Bleddyn haussa les sourcils de surprise, aussi lui expliquai-je en hâte : « C'est la vérité. Ils voulaient venir l'année dernière, mais Arthur a décidé qu'ils auraient une meilleure chance s'ils remettaient leur demande à cette année, quand ils seraient un peu plus âgés. Alors ils ont attendu.

— Remarquable, fit Bleddyn, songeur. Une telle patience et une telle prévoyance sont effectivement rares chez d'aussi jeunes gens. Tu as raison, Myrddin, cela mérite récompense. Fort bien, je les y autorise. Mais Pelléas et toi devrez les surveiller afin qu'il ne leur arrive rien. Moi, je serai trop occupé par mes affaires avec les autres seigneurs. »

C'est ainsi que nous devînmes, Pelléas et moi, les bergers de deux jeunes garçons montés sur des poneys hirsutes pour la durée de la Rencontre des Guerriers.

L'armée de Bleddyn, la plus nombreuse parmi les clans nordiques, comptait plus de cent guerriers, mais les cinq seigneurs qui lui devaient allégeance possédaient chacun une armée presque aussi importante. La Rencontre de Celyddon n'était donc en aucune manière une mince affaire. Bien des années plus tard, les Rencontres attireraient des villages, des chefferies, des clans entiers venus assister au spectacle. Mais, à l'époque, elles étaient réservées aux nobles et à leurs armées... et à deux jeunes futurs guerriers qui avaient obtenu du roi la permission de s'y joindre.

Dans la forêt de Celyddon elle-même, il n'y avait pas de clairière assez grande pour accueillir une réunion de cette importance. Mais plus au nord, là où la forêt cédait la place à des landes balayées par les vents, s'ouvraient de larges vallées idéales pour un tel rassemblement.

Par une belle journée d'automne, peu après avoir rentré les moissons pour l'hiver, Bleddyn prit la tête de son armée et partit pour les collines. Nous nous enfonçâmes dans la forêt de Celyddon, chassant en cours de route pour nous nourrir.

Les guerriers étaient pleins d'entrain, plaisantant et se bousculant dans la bonne humeur. La forêt retentissait de rires et de chants. Le soir, les hommes faisaient de grands feux et réclamaient à grands cris des récits de bravoure. Je demandais à Pelléas d'apporter ma harpe et chantais pour l'assemblée. Arthur et Bedwyr étaient au premier rang, bien entendu, l'œil brillant, attentifs jusqu'à ce que s'éteigne la toute dernière note.

Le matin du cinquième jour, nous atteignîmes la lisière de la forêt et, au crépuscule, nous parvînmes au lieu du rassemblement : une large vallée au confluent de deux rivières. Le soleil avait déjà sombré derrière l'épaulement des collines, mais le ciel diffusait la douce lumière dorée propre aux contrées nordiques.

Baignés de cette lumineuse coulée de miel, nous franchîmes une longue crête et fîmes halte pour contempler le fond de la vallée. Trois ou quatre armées étaient déjà là, et la fumée de leurs feux de camp planait, argentée, dans l'air immobile du soir.

À la vue de ces feux, étincelants telles des étoiles tout juste tombées à terre, les garçons demeurèrent bouche bée. « Je n'avais jamais imaginé qu'ils puissent être si nombreux, hoqueta Bedwyr. Ils doivent bien être dix mille !

— Pas autant que cela, lui assurai-je. Mais c'est plus que depuis bien des années. »

Bedwyr fouetta sa monture et s'élança pour rejoindre les premiers guerriers qui descendaient déjà vers la vallée. « Arthur ! cria-t-il. Viens ! Vite ! »

Les deux garçons dévalèrent le flanc de la colline au galop, poussant des cris dignes des bhean sidhe. « J'espère que nous n'avons pas fait une erreur », dit Pelléas en les regardant disparaître. Quand nous finîmes par les rattraper, ils étaient assis près d'un feu à écouter un barde chanter *La Bataille des Arbres*. Comme il n'y avait aucun espoir de les déloger tant que l'histoire ne serait pas terminée, nous nous assîmes par terre à côté d'eux.

Le harpiste appartenait à la maisonnée d'un parent de Bleddyn qui portait un nom romain, Ectorius, et dont les terres se trouvaient au nord-est de Celyddon, au bord de la mer. Une région difficile à protéger, car les Saecsens et leurs acolytes — Frisons, Angles, Jutes et autres — cherchaient souvent à accoster dans l'une de ses innombrables anses et baies cernées de rocs.

Ectorius était un homme robuste à la flamboyante barbe rousse et aux cheveux couleur de cuivre qu'il portait attachés sur la nuque. Bien qu'il ne fût pas de grande taille, il était campé sur des jambes épaisses comme des troncs de chêne et était réputé avoir une fois fracassé une barrique entre ses bras puissants. Si ses exploits physiques faisaient l'objet de maints récits, son adresse au maniement des armes était légendaire. Un simple coup de son épée était capable de séparer le violet d'une tête de chardon comme de trancher tout aussi facilement un homme en deux.

Ectorius était aussi jovial qu'il était courageux. Jamais nul ne riait plus fort ni plus longtemps que lui. Et nul n'appréciait davantage une chanson, une coupe de bière ou la bonne chère. S'il ne manifestait pas un grand discernement dans ses goûts, du moins faisait-il preuve de la plus large tolérance.

Nul harpiste, aussi médiocre fût-il, ne se voyait jamais chassé de sa demeure. Du moment que le misérable parvenait à marmonner un conte jusqu'à sa conclusion, son hôte était au comble du bonheur. Sa générosité envers les bardes était donc bien connue et rares étaient les soirées où il manquait de distraction. Les meilleurs se disputaient l'occasion de chanter pour lui.

C'était donc le feu de camp d'Ectorius qui avait attiré les garçons. Ils y avaient été bien accueillis et leur jeune âge ne leur avait pas été inutilement rappelé.

Le harpiste connaissait son conte et chantait avec ferveur, quoique singulièrement faux. Mais personne ne paraissait s'en soucier — moins que quiconque Arthur et Bedwyr, dont les visages rayonnaient de plaisir à la lueur du feu.

Quand la chanson fut enfin terminée, des acclamations s'élevèrent. Le harpiste accepta les applaudissements en s'inclinant modestement devant ses auditeurs. Ectorius se fraya un passage à coups de coudes et asséna une claque dans le dos du chanteur qu'il félicita bruyamment. « Bien dit ! Bien dit, Tegfan. *La Bataille des Arbres…* Splendide ! »

Puis, comme nous nous levions pour rejoindre notre propre campement, son regard se posa sur les garçons. « Holà ! s'écria-t-il. Attendez un peu, vous autres ! Qu'avons-nous là ?

— Seigneur Ectorius, dis-je, permets-moi de te présenter le fils du roi Bleddyn, Bedwyr, et son frère d'armes, Arthur. »

Bedwyr et Arthur saluèrent le seigneur en se touchant le front du dos de la main, selon l'immémoriale attitude de respect.

Avec un large sourire, il leur posa la main sur l'épaule. « Vaillants garçons ! Je vous présente mes salutations ! Bonne chance parmi nous. »

Arthur et Bedwyr échangèrent un clin d'œil complice et Arthur déclara hardiment : « Nous ne venons pas participer aux joutes, seigneur Ectorius.

— On ne nous estime pas assez âgés pour nous y essayer », expliqua Bedwyr en me jetant un regard noir — comme si c'était *moi* la cause de tous ses problèmes.

« Vraiment ? répondit Ectorius dont le sourire s'élargit encore. Eh bien, peut-être pourrions-nous changer cela. Venez me trouver demain et je verrai ce que l'on peut faire. »

Les garçons le remercièrent et partirent en courant, impatients de se mettre au lit afin de se réveiller à la première heure le lendemain. Juste avant de fermer les yeux, tous deux me remercièrent encore une fois de les avoir laissés nous accompagner.

« Je suis heureux d'être ici, dit joyeusement Bedwyr en bâillant. Ce sera une Rencontre mémorable. Tu verras, Arthur.

— Je suis sûr que je ne l'oublierai jamais », affirma solennellement Arthur.

Assurément, je ne pense pas qu'il l'ait jamais oubliée.

III

Les jours qui suivirent, je n'eus guère l'occasion de voir Bleddyn. Il vaquait à ses affaires avec les autres seigneurs, et moi aux miennes. Après m'être assuré que personne ne portait un intérêt particulier à Arthur — aux yeux des chefs du Nord, ce n'était qu'un garçon comme un autre — je laissai Bedwyr et Arthur aux soins de Pelléas pour m'enfoncer seul dans les collines. Là, je cherchai ceux dont le regard était plus perçant que le mien, et dont les conseils pourraient se révéler précieux. La tâche aurait été impossible pour n'importe qui d'autre, et il me fallut plusieurs jours pour relever une trace du passage du Petit Peuple Noir.

À force de chercher parmi les collines désertes balayées par les vents les pistes que je savais devoir y trouver, je tombai sur une faible trace au crépuscule du deuxième jour. Je montai le camp à côté de façon à ne pas la perdre et, le lendemain, je suivis le long des crêtes la piste presque invisible jusqu'à une colonie du Peuple des Collines : les monticules bas d'abris recouverts de terre, ou *raths*, nichés dans un repli discret d'un vallon caché. Mais la colonie semblait déserte.

La journée était bien avancée, aussi dressai-je le camp. Après avoir attaché mon cheval devant un des raths, j'allai chercher de l'eau au torrent qui coulait au fond de la vallée. Je bus mon content, remplis mon outre et regagnai mon camp — pour découvrir ma monture entourée de sept petits hommes montés sur des poneys ébouriffés. Je ne les avais ni vus ni entendus approcher : ils auraient aussi bien pu surgir des bruyères qui nous entouraient. Arcs et flèches à la main, ils m'observaient d'un air glacial, une profonde méfiance dans leurs yeux sombres.

Je levai les mains pour les saluer. « *Sámhneach, breáthairin* », criai-je dans leur langue. « Paix, mes frères. » Je touchai du bout des doigts la marque bleue à demi effacée de ma joue. «*Amsaradh Fhain*», ajoutai-je. « Le fhain du Faucon. »

Ils me dévisagèrent, puis s'entre-regardèrent d'un air stupéfait. Qui était cet étranger qui parlait leur langue et prétendait être membre d'un de leurs clans ? L'un d'eux, pas plus grand qu'un garçon de douze printemps, se laissa glisser de sa monture et s'avança à ma rencontre. «*Vrandubh Fhain*», dit-il en effleurant sa marque de fhain. « Le fhain du Corbeau.

— Lugh-soleil soit bon pour toi, répondis-je. Je suis Myrddin. »

Il ouvrit de grands yeux et se tourna vers ses frères. « Ken-ti-Gern ! s'écria-t-il. Ken-ti-Gern est revenu ! »

À ces mots, les autres sautèrent de leurs montures pendant que femmes et enfants jaillissaient des raths. En l'espace de trois battements de cœur, je me retrouvai entouré d'Êtres des Collines qui tendaient tous vers moi des mains avides de me toucher.

Le chef du clan apparut, une jeune femme vêtue d'une peau de daim avec des plumes de corbeaux piquées dans sa chevelure noire soigneusement tressée. « Salutations, Ken-ti-Gern », dit-elle en souriant de plaisir. Ses dents blanches et régulières contrastaient avec son teint hâlé. « Je suis Rina et je te souhaite la bienvenue. Viens t'asseoir avec nous, m'invita-t-elle, et partage notre repas du soir.

— Je vais prendre place avec vous, Rina, et partager votre repas », répondis-je.

Parmi force cris et démonstrations de joie, je fus conduit vers le plus grand des trois raths. À l'intérieur, assise devant un feu de tourbe, se trouvait une vieille femme aux longs cheveux blancs et au visage si ridé que je me demandai si elle arrivait à y voir à travers les replis de peau. Mais elle pencha la tête et me regarda d'un œil acéré lorsque je m'agenouillai devant elle.

« Ken-ti-Gern est venu partager notre repas », dit Rina à la femme qui hocha silencieusement la tête — comme si elle savait que j'apparaîtrais un jour dans sa demeure.

« Salutations, Gern-y-fhain. Lugh-soleil est bon pour toi », dis-je et, plongeant la main dans la bourse à ma ceinture, j'en sortis un petit bracelet d'or que j'avais apporté pour semblable occasion. «Prends ceci, Gern-y-fhain. Puisse-t-il t'apporter des échanges profitables. »

La devineresse sourit d'un air royal et accepta le cadeau d'un lent hochement de tête. Puis, me tournant vers Rina, je sortis un petit poignard de bronze à manche en corne de cerf. Les yeux de Rina s'illuminèrent à sa vue d'un plaisir innocent. «Prends ceci, Rina, dis-je en plaçant le présent sur sa paume étendue. Puisse-t-il te faire bon usage.»

Ses doigts se refermèrent sur la dague qu'elle éleva devant ses yeux brillants, manifestement comblée par sa bonne fortune. En vérité, ce n'était rien... un morceau de bronze et d'os. Un couteau en acier lui aurait fait bien meilleur usage, mais les Prytani redoutent le fer et se méfient de l'acier : ces métaux rouillent, ce qui évoque à leurs yeux la maladie et la pourriture.

Gern-y-fhain claqua deux fois dans ses mains et une femme apporta un bol empli d'un odorant liquide mousseux. La devineresse but, puis elle me passa le récipient. Je pris celui-ci entre mes mains et bus longuement, savourant la douce amertume de la bière de bruyère. Ce goût m'amena les larmes aux yeux tandis que les souvenirs déferlaient en moi. Je me rappelai la dernière fois que j'avais bu de cet entêtant breuvage : le soir de mes adieux au Fhain du Faucon.

Je bus comme si je goûtais à mon ancienne vie, avalant les riches souvenirs, avant de passer à regret le bol à Rina. La cérémonie de la coupe de bienvenue dûment observée, les membres du clan qui se tenaient attroupés à l'entrée s'engouffrèrent dans le rath. Des enfants, minuscules et basanés, agiles comme des faons, apparurent parmi nous. Des jeunes femmes, tenant dans leurs bras des nourrissons au crâne duveteux, vinrent s'installer derrière la devineresse du clan. À cela, je compris qu'il m'était accordé de contempler le bien le plus précieux du fhain — leurs *eurn*, leurs enfants-trésors — honneur inestimable pour un étranger du peuple des Grands.

Les hommes se mirent à préparer le repas, taillant dans le cuissot d'un petit chevreuil des lanières de viande qu'ils enroulèrent autour de brochettes de bois et plantèrent dans le sol autour du feu de tourbe. Pendant que cuisait la viande, que l'un ou l'autre allait négligemment tourner de temps en temps, nous parlâmes des événements de l'année.

L'hiver avait été humide, mais pas trop froid, me dirent-ils. De même que le printemps. L'été avait été plus sec, et plus chaud, et les moutons avait bien engraissé. Le Fhain du Corbeau était au courant de la Rencontre, il savait combien de personnes y assistaient et d'où venaient les participants. La présence des guerriers ne semblait pas inquiéter le Peuple des Collines. « Ils ne pillent pas comme les Seaxons, expliqua Rina.

— Les Longs Couteaux volent nos moutons et tuent nos enfants, ajouta amèrement Gern-y-fhain. Bientôt les Parents nous ramèneront chez nous.

— Vous avez vu les Longs Couteaux ? » demandai-je.

La devineresse eut un petit mouvement de tête. « Pas cette saison, dit-elle. Mais ils reviendront bientôt. »

Un des hommes prit la parole. « Nous avons vu les navires des Picti s'éloigner sur la mer vers le nord-est. Le Cran-Tara est lancé et les Seaxons vont arriver. »

C'était dit sans haine ni amertume, mais je sentis le poids du chagrin dans ces paroles. Le Petit Peuple Noir voyait son monde se transformer, rétrécir sous ses yeux. Ils croyaient néanmoins que leurs Parents — la déesse Terre et son époux, Lugh-soleil — les ramèneraient vers leur véritable patrie : un paradis situé dans la mer d'Occident. Après tout, n'étaient-ils pas les Premiers-nés des enfants-trésors de la Mère ? Ils avaient une place de choix dans son vaste cœur aimant et elle leur avait préparé un pays loin, très loin des démoniaques Grands Êtres. Ils attendaient avec impatience ce jour qui, à en juger par les rapines toujours plus nombreuses dont ils étaient victimes, ne devait plus tarder.

J'écoutais la litanie de leurs ennuis et aurais souhaité pouvoir les aider. Mais la seule chose qui eût pu le faire aurait été une longue saison de paix et de stabilité dans le pays, et c'était là un présent que je n'étais pas en mesure de leur offrir.

Pelléas veillait sur Bedwyr et Arthur en mon absence. Se levant tôt pour profiter de leur journée et résistant jusqu'au tout dernier moment au sommeil pour prolonger leur participation, ils auraient voulu se trouver partout à la fois : jeunes loups avides de dévorer de la vie guerrière tout ce dans quoi ils pouvaient planter leurs crocs.

Ils suivaient les joutes de force et d'adresse avec un grand enthousiasme — principalement en compagnie du seigneur Ectorius, qui les traitait tels des seigneurs et des frères d'armes. Leurs glapissements de plaisir parvenaient même à couvrir les hurlements approbateurs d'Ectorius quand un coup habile était porté ou une manœuvre audacieuse accomplie. Ils ne manquaient jamais une occasion d'assister aux épreuves et, quand aucune n'était en cours, ils s'entraînaient entre eux, imitant tout ce qu'ils avaient vu.

Le beau temps se maintint toute la semaine et, alors que la Rencontre touchait à sa fin, je regagnai le camp et observai de loin les garçons sans me faire remarquer.

« Qu'y a-t-il, maître ? Tu es préoccupé ? » me demanda Pelléas quand il me vit seul. Les garçons suivaient une épreuve d'adresse à la lance sur le dos d'un cheval au galop.

Je ne quittai pas des yeux la scène. « Je ne suis pas préoccupé. Je voudrais qu'il y ait un moyen pour eux de rester ensemble. » Je montrai les deux garçons, de l'autre côté de la lice.

« Il serait bon qu'ils restent ensemble, acquiesça Pelléas. Ils s'aiment beaucoup.

— Mais ce n'est pas possible.

— Non ?

— Non. Après la Rencontre, Bedwyr ira chez Ennion, dans le Rheged, et nous devrons rentrer à Caer Tryfan.

— Arthur préférerait peut-être aller chez Ectorius », suggéra Pelléas d'un air innocent. Je pouvais voir qu'il y avait longuement réfléchi.

« Cela pourrait s'arranger », fis-je, songeur. Bleddyn n'y verrait pas d'objection, me dis-je, et à en juger par ce que j'avais vu d'Ectorius, le jeune Arthur serait le bienvenu dans sa demeure.

« Mais ce n'est pas cela qui t'a tenu éloigné du camp ces derniers jours, dit Pelléas, tournant vers moi un regard patient.

— Tu as raison, Pelléas. Les Picti et les Scoti ont lancé le Cran-Tara — l'appel à la guerre. Au printemps, ils rassembleront leurs forces, puis ils attaqueront le Sud.

— C'est une chose que tu as vue ?

— C'est une chose qu'ont vue les Premiers Enfants. » Je lui expliquai où j'étais allé ces derniers jours : à la recherche du Petit Peuple Noir dans les collines caverneuses. « J'espérais trouver un de leurs groupes et j'ai réussi... ou plutôt ils se sont laissé trouver.

— Le fhain du Faucon ?

— Non, un autre : le fhain du Corbeau. Mais ils ont reconnu ma marque de fhain. » J'effleurai la petite spirale bleue de ma joue — souvenir de mon séjour chez le Peuple des Collines — et ne pus m'empêcher de sourire. « Ils m'ont reconnu, Pelléas. Ils se souvenaient. Ken-ti-Gern, c'est sous ce nom qu'ils me connaissent maintenant. Cela signifie Sage Guide des Grands Êtres.

— Ils t'ont parlé du Cran-Tara ? Ils en sont sûrs ?

— Leur gern, la devineresse de leur fhain, m'a dit : " Nous avons vu les navires s'éloigner à l'ouest vers Ierne et à l'est vers la Saecsenie, volant comme des mouettes, comme une fumée se dissipant sur les vastes eaux. Nous avons entendu les sanguinaires serments portés par le vent. Nous avons vu le soleil se lever noir au nord ". » Je marquai un temps. « Oui, ils en sont sûrs.

— Mais, maître, dit Pelléas, je ne comprends pas en quoi cela devrait empêcher les garçons de rester ensemble.

— Ce qu'ils doivent apprendre, ils l'apprendront mieux seuls, expliquai-je. Ensemble, ils ne feraient que se gêner. Leur amitié est une grande et sainte chose et elle doit être soigneusement préservée. La Bretagne aura besoin de sa force dans les années à venir. »

Pelléas accepta cela. Il avait l'habitude de mes raisonnements.
« Veux-tu que je le leur annonce ?
— Merci, Pelléas, mais non. C'est moi qui le leur dirai. » Je tournai
les talons. « Mais je crois que cela pourra attendre jusqu'à demain. Viens,
nous devons aller parler à Bleddyn et à ses seigneurs. Ils nous attendent. »

Bleddyn nous reçut sous sa tente et nous offrit du vin et des
galettes d'orge. Après avoir échangé nos impressions sur la Rencontre,
Bleddyn nous présenta à un des seigneurs qui se trouvaient là, un
certain Hymel qui, après nous avoir salués, dit : « J'apporte une nouvelle
qui pourrait avoir pour toi une certaine valeur.

— Dans ce cas, tu as toute mon attention », répondis-je en
m'installant pour écouter.

Hymel se pencha en avant. « Nous avons vu des campements
barbares en Druim et sur les rivages de Cait. Cinq en tout — certains
assez vastes pour trois cents hommes. Ils étaient abandonnés, mais
pas depuis longtemps. Ils paraissaient avoir servi au début de l'été.

— Le Cran-Tara, dis-je, hochant la tête à cette confirmation des
paroles de Gern-y-fhain.

— Tu le savais déjà ? s'étonna Bleddyn.

— Uniquement que l'appel à la guerre avait été lancé. Il reste à
voir si quelqu'un y répondra. »

Hymel me regarda fixement un long moment. « Je pensais t'être
utile, mais il semblerait que tu sois mieux informé que moi.

— Il y a encore une chose que tu peux faire, si tu le veux.

— Tu n'as qu'à la nommer, seigneur Emrys.

— Monte bonne garde au printemps et avertis Caer Edyn si les
conséquences du Cran-Tara se font sentir.

— Ce sera fait, seigneur Emrys.

— Pourquoi Caer Edyn ? demanda Bleddyn quand nous nous
retrouvâmes seuls.

— Parce que c'est là que je serai », répondis-je. Voyant sa surprise,
je lui expliquai : « Le temps du fostérage de Bedwyr est arrivé et Arthur
doit commencer le sien. Je ne saurais louer suffisamment ta générosité, ni te remercier assez de tout ce que tu as fait pour Arthur.

— Je comptais me charger de son éducation, protesta-t-il.

— Et tu t'en serais admirablement occupé, je n'en doute pas, lui
dis-je. Ces dernières années ont été bonnes, mais il ne faut pas nous
laisser endormir. Je pense que nous devons nous remettre en route. »

Bleddyn accepta la chose, mais il en fut néanmoins attristé. « Mon
dommage sera le profit d'Ectorius, dit-il. Je redoutais que vienne ce
jour. J'avais espéré le retarder encore un peu.

— J'aimerais qu'il en soit autrement, répondis-je. Mais le monde n'attendra pas. Nous devons avancer avec lui si nous ne voulons pas nous laisser distancer.

— Je regrette de vous voir partir. » Le roi me regarda tristement. « Tu connais le chemin de Caer Edyn, lui dis-je. Tu n'as qu'à seller un cheval et tu y es. Mais il vaudrait mieux que tu oublies avoir jamais entendu parler d'Arthur… au moins pour un moment. »

Le lendemain — dernier jour de la Rencontre — je regagnai au crépuscule notre tente, devant laquelle les deux garçons étaient en train de souper auprès d'un petit feu que Pelléas avait préparé. Arthur me salua chaleureusement et, quand je me fus assis à terre près de lui, il dit : « Tu t'es fait aussi rare que les plumes de sanglier, Myrddin. Et tu as raté la plupart des épreuves. Je t'ai cherché. Où étais-tu ? »

Je passai mon bras autour de ses épaules. « Je suis allé ici et là pour apprendre l'état de l'Île des Forts. J'ai eu mon content d'épées, de lances et de manœuvres équestres.

— Ton content ? s'étonna Bedwyr. Tu ne chevauches jamais avec les guerriers, Myrddin. »

Je secouai lentement la tête. « Tu as raison, cela fait bien des années que je n'ai pas chevauché au sein d'une armée. Mais je l'ai fait, autrefois. »

L'air ahuri de Bedwyr ne m'échappa pas. « Est-ce si difficile à croire ? lui demandai-je. Alors je vais te dire une chose encore plus incroyable : j'ai jadis *commandé* l'armée du Dyfed.

— Je le crois, dit Arthur d'un ton convaincu.

— Bien, je ne suis pas venu parler de *ma* vie de guerrier, mais de la vôtre. » Les garçons se penchèrent en avant, les oreilles grandes ouvertes. « Demain se termine la Rencontre et chacun rentrera chez soi… chacun sauf nous quatre. »

C'était là une nouvelle. Les garçons se regardèrent nerveusement, jetant des coups d'œil à Pelléas. Qu'avais-je voulu dire ?

« Un prince doit être élevé dans la demeure d'un roi, déclarai-je sans circonlocutions. N'est-ce pas vrai ?

— Si, répondit Bedwyr avec un hochement de tête affirmatif.

— Depuis des temps immémoriaux, les seigneurs se chargent de l'éducation des fils de leurs frères. C'est ainsi qu'il doit en être. Vous êtes tous deux en âge de commencer cette éducation. Nous avons donc pris nos dispositions à cet effet. »

L'excitation initiale déclenchée par cette annonce s'évanouit rapidement lorsque les conséquences commencèrent à leur apparaître. Bedwyr exprima son appréhension : « Nous ne resterons pas ensemble, n'est-ce pas ? »

Je secouai de nouveau lentement la tête. « Non. Ce ne serait pas dans votre intérêt. »

Comme l'humeur de la jeunesse peut vite changer. Un sombre désespoir s'abattit sur les garçons. C'était comme si je venais de leur annoncer qu'ils devaient choisir entre eux lequel allait être vendu comme esclave aux Saecsens.

Bien que cela me fît mal, je les laissai vivre un moment avec leur tristesse avant de leur apporter une consolation.

Puis, d'une voix douce, je dis : « Vous serez de grands seigneurs, tous les deux. Je l'ai vu. Qui plus est, vous passerez vos jours en compagnie l'un de l'autre. Je l'ai vu aussi.

» Reprenez donc espoir. Consacrez-vous avec application aux tâches qui vous attendent et le temps n'en passera que plus vite. Bientôt vous chevaucherez ensemble comme deux vrais frères d'armes. Et le monde tremblera sur votre passage. »

Cela leur fit un énorme plaisir. Arthur se releva d'un bond et, faute d'une épée, brandit le poing en l'air. « Salut, mon frère ! Gagnons le cœur joyeux nos nouveaux foyers, puisque c'est pour notre bien. »

Bedwyr, à présent debout lui aussi, lui fit écho. « N'oublie pas, poursuivit Arthur, nous nous retrouverons à la Rencontre de l'an prochain.

— Et à la suivante ! » s'écria Bedwyr. Leur joie fit place à l'enthousiasme. « Salut Arthur ! s'écrièrent-ils bruyamment en levant le poing. Salut Bedwyr ! »

Je me levai. « Bien parlé, leur dis-je. Tous les ans, à la Rencontre, vous vous retrouverez pour chevaucher et festoyer… jusqu'au jour où vous ne serez plus séparés. »

Le lendemain matin, quand nos dispositions leur furent officiellement expliquées, les garçons acceptèrent de bonne grâce les décisions de leurs aînés. Pendant qu'on levait le camp et que les premières armées repartaient chez elles, les deux garçons s'attardèrent l'un avec l'autre, renouvelant leurs serments d'amitié, jusqu'à ce que l'on appelle Bedwyr.

« Je dois y aller, dit-il d'une voix légèrement tremblante. Tu me manqueras, Artos.

— Tu me manqueras aussi, Bedwyr.

— L'armée du seigneur Ectorius est une bonne armée. Tu t'y plairas.

— Et celle du seigneur Ennion ne le cède à aucune autre. Veille bien à apprendre tout ce que tu pourras. » Arthur asséna une claque dans le dos de Bedwyr.

La lèvre inférieure de Bedwyr trembla légèrement quand il prit Arthur dans ses bras. Les deux garçons restèrent un long moment enlacés avant de reprendre leur dignité. « Porte-toi bien, Arthur, dit Bedwyr en ravalant une larme.

— Porte-toi bien, mon frère, répondit Arthur. À l'année prochaine !

— À l'année prochaine ! »

Ennion se mit en route peu après. Arthur monta sur la crête de la colline pour les voir s'éloigner. Un moment plus tard, j'allai le chercher et le trouvai là, toujours en train de regarder au loin, bien qu'Ennion et son armée eussent disparu, et Bedwyr avec eux.

« Il est temps, Arthur. Le seigneur Ectorius est en train de prendre congé. » Il ne répondit pas. « L'année passera vite, lui dis-je, me méprenant sur son silence. Tu reverras Bedwyr avant de t'en être aperçu. »

Il se tourna vers moi, ses yeux bleus solennels et sombres comme l'ardoise. « Jusqu'à maintenant, je n'avais pas compris que Pelléas et toi ne veniez pas avec nous. Pourtant, je pensais que nous resterions toujours ensemble…

— Mais nous serons ensemble, répondis-je. Du moins la plupart du temps. »

Il s'épanouit à ces paroles. « Tu le penses, Myrddin ? Vraiment ? Et Pelléas ? Il vient, lui aussi ?

— Bien sûr. »

Il devint soudain pensif. « Tu as dit que nous serions des seigneurs. Tu pensais aussi à moi ? »

L'incertitude de sa naissance rôdait derrière ses paroles : il ne savait pas qui était son père.

« Tu connais Myrddin depuis longtemps, mon garçon. M'as-tu jamais entendu faire une fausse prophétie, ou bien plaisanter en ces matières ? »

Ma réponse le ravit. Rayonnant, il fit claquer les rênes sur l'encolure de sa monture et dévala la colline, impatient de commencer sa nouvelle vie dans la forteresse d'Ectorius.

Je le suivis, mais plus lentement, honteux d'avoir éludé la réponse à sa question innocente. Au moment où je les prononçais, mes paroles avaient semblé vraies. Mais pourquoi hésitais-je maintenant ? Pourquoi ne pas lui parler de mes rêves concernant son avenir ? Pourquoi ne pas lui exposer ma vision et le laisser en voir les possibilités par lui-même ?

La tentation était forte, mais non. Non. Le temps n'était pas venu. Il était encore trop jeune pour endosser un tel fardeau. Une fois qu'il l'aurait fait, il le porterait jusqu'à la tombe. Qu'il vive libre encore un peu.

IV

Caer Edyn se dressait sur un éperon rocheux surplombant Muir Guidan, une vaste baie miroitante s'ouvrant vers l'est sur ce qui portait désormais le nom de Mer des Saecsens. Le seigneur Ectorius gouvernait son royaume d'une main ferme. Généreux, équitable, toujours aussi prêt à combattre qu'à festoyer, il descendait d'une longue lignée d'officiers romains — centurions, pour la plupart, mais aussi un tribun ou deux — qui avaient servi dans les garnisons de la côte orientale.

Ectorius poursuivait la tradition ancestrale de sa famille : surveiller la mer, à l'affût des sombres coques en lame de couteau des navires ennemis.

Le bourru Ector le faisait cependant en tant que roi, et non en tant que légat : il servait à vie, pas pour l'engagement de vingt ans dans l'armée romaine, et, au lieu du Mithra des légionnaires, il adorait le Christ des Bretons. En dehors de ces détails mineurs, la vie d'Ectorius n'était guère différente de celle que devaient avoir connue ses ancêtres romains.

Sa citadelle aux murailles de pierre se trouvait à trois jours de cheval du lieu de la Rencontre. Ce fut un agréable voyage à travers les monts Eildon, jusqu'à la mer. Arthur resta tout le temps près de moi. Non par appréhension, je pense. Il paraissait simplement heureux d'être en compagnie familière. Nous parlions de ce que nous avions vu à la Rencontre : les guerriers, leur adresse au maniement des armes, leurs différentes façons de se battre.

Arthur était un observateur subtil — qualité qui ne lui serait pas habituellement associée par la suite. Il était capable de deviner si le mors d'un cheval était de section ronde ou carrée à la façon dont se comportait l'animal lorsque son cavalier manœuvrait sur le terrain.

Ou bien de quel bois était fait le fût d'une lance au bruit qu'il produisait en frappant un bouclier.

Parler avec Arthur ne ressemblait en rien à une conversation avec un autre garçon de son âge. À huit ans, il avait déjà acquis de vastes connaissances sur de nombreux sujets. Il savait lire et écrire un bon latin, et le parlait assez bien pour se faire comprendre par le plus exigeant des clercs.

Il connaissait aussi les secrets des bois et des champs : les différents arbres et arbustes et leurs usages... les simples pouvant servir à confectionner remèdes et potions... les plantes comestibles et les endroits où les trouver... les mœurs de tous les animaux... et bien d'autres choses.

J'en étais responsable, certes. Dès les premiers jours, Pelléas et moi avions enseigné au garçon, lui emplissant la tête des merveilles du monde qui l'entourait. Et Arthur, le petit Arthur, avait pris la chose comme il prenait tout le reste : avec une passion et une détermination fiévreuses.

En cela, son sang parlait. Il avait hérité toute l'ardeur d'Aurelius et la vive intelligence d'Ygerna. Il possédait également une bonne part de l'intrépide ténacité d'Uther... ce qui se manifestait tantôt par du courage, tantôt par une obstination butée.

Il possédait aussi l'étrange innocence d'Aurelius au combat : le téméraire oubli de soi qui le poussait à tenter et à accomplir l'impossible. Bien sûr, cela ne devait éclater que beaucoup plus tard aux yeux du monde. Mais, déjà, on pouvait voir qu'il faisait preuve d'un certain mépris pour sa propre sécurité. Je reconnaissais bien cela, et j'en connaissais la source, car j'avais chevauché avec Aurelius.

Chez n'importe qui d'autre, ce serait passé pour de l'insouciance. Voire de l'imprudence. Mais il n'en était rien. Arthur ignorait tout simplement la *peur*. Le courage, la bravoure, la hardiesse, la valeur... ce sont là des qualités qui aident à surmonter sa peur.

Qu'est-ce donc quand il n'y a *pas* de peur ?

Comme je l'ai dit, nous parlâmes de la Rencontre et de l'année à venir. Je pouvais voir qu'Arthur était déterminé à tirer le meilleur parti de son nécessaire exil. Il aimait bien Ectorius, et le respectait comme chef et comme guerrier. Il était avide d'apprendre ce qu'il pourrait lui enseigner.

Le soir du troisième jour, nous parvînmes à Caer Edyn, approchant de l'ouest par une large vallée sinueuse. Au sortir de celle-ci, nous entamâmes l'ascension de l'éperon. La forteresse se dressait au sommet d'un énorme roc, surplombant la plus grande partie de la baie, loin en dessous.

Les murailles de pierre surmontées d'une palissade de bois et ceintes d'un vaste et profond fossé attestaient que Caer Edyn avait vu plus que sa part d'attaques saecsennes... et avait survécu.

Dans la lumière dorée d'un flamboyant crépuscule, la pierre et le bois brillaient tel du bronze : solide, invincible. Et, si les terres entourant la forteresse paraissaient assez agréables — abritées qu'elles étaient derrière les hautes falaises du littoral — je savais que les cieux nordiques pouvaient se montrer impitoyables.

Les mouettes qui tournoyaient sans fin dans les airs et la vue qui se perdait au loin parmi les vastes étendues marines conféraient à Caer Edyn l'apparence d'un lieu solitaire. Arthur dut aussi le sentir, car il se renferma dans ses pensées tandis que nous gravissions l'étroit sentier menant à la forteresse. Mais toute mélancolie se dissipa d'un coup quand il atteignit le sommet.

« Myrddin ! » Il me fit signe de le rejoindre. « Regarde ! »

Je le rattrapai et nous contemplâmes côte à côte la longue bande incurvée d'eau bleue de Muir Guidan. De l'autre côté de la baie, des collines boisées, sombres et abruptes, descendaient jusqu'au rivage. Plus au nord, nous vîmes monter dans les airs les fumées d'un petit village côtier.

« Peanfahel », nous dit un des guerriers. Il s'était arrêté près de nous pour regarder la vue. « Et plus loin, là-bas, poursuivit-il en tendant le bras vers le nord-ouest, c'est Manau Gododdin. Les Saecsens tentent sans cesse de s'y installer. Nous y avons livré bataille bien des fois, et nous le ferons encore. »

L'homme se remit en route vers le caer. D'autres guerriers nous dépassaient. « Que penses-tu de ta nouvelle demeure, Arthur ? demandai-je.

— Elle me convient, je pense. C'est plus dégagé que Caer Tryfan... plus proche de Caer Myrddin. » Il se tourna sur sa selle pour me faire face. « Et je n'y suis pas si loin de Bedwyr. Peut-être pourrons-nous nous voir de temps en temps.

— Peut-être, acquiesçai-je. Mais le voyage vers le Rheged est encore très difficile.

— Eh bien, une fois... peut-être... » Il regarda les collines de l'autre côté de la baie, comme s'il contemplait les îles d'Orcadie et se demandait comment s'y rendre. Puis il reprit ses rênes, pressa son cheval, et nous poursuivîmes notre chemin vers le caer.

Quand nous entrâmes dans la cour pavée, Ectorius nous y attendait. « Bienvenue, mes amis ! s'exclama-t-il d'une voix qui éveilla les échos des murailles de pierre. Bienvenue à Caer Edyn, ultime avant-poste de l'Empire ! »

Ainsi débuta notre long séjour dans le Nord.

Cette première nuit à Caer Edyn, Arthur ressentit cruellement l'absence de Bedwyr. Cela faisait des années qu'ils n'avaient pas été séparés l'un de l'autre. Il dormit mal, se réveilla tôt et trouva le chemin des écuries pour aller voir son poney. Après avoir constaté que tout était en ordre, il revint à pas lents vers la grande salle où son hôte l'attendait avec une surprise.

« Mon fils, Caius ! » annonça le seigneur Ectorius avec une fierté manifeste en présentant un garçon robuste et courtaud, de quelques années plus âgé qu'Arthur. Il fronçait les sourcils, ne sachant trop s'il devait nous faire confiance. « Voici Arthur, dit Ectorius à son fils. Il va vivre avec nous, désormais. Souhaite-lui la bienvenue, mon fils.

— B-bienvenue, A-A-Arthur », bégaya Caius. Puis il tourna le dos et s'éloigna rapidement, traînant sa jambe droite derrière lui.

« Tout jeune, il s'est cassé la jambe en tombant d'un rocher, expliqua Ectorius à voix basse. L'os s'est mal ressoudé, de sorte que, depuis, Caius boite. » Son père ne fit pas allusion à son bégaiement… affliction qui ne se remarquait que lorsqu'il était excité, frustré ou, comme maintenant, anxieux.

Manifestement, Ectorius espérait que tout se passerait pour le mieux entre les deux garçons. « C'est un endroit bien solitaire pour un jeune garçon, expliqua-t-il. Ils apprendront à s'apprécier, je pense. Oui. »

Je me demandais moi aussi comment Arthur s'entendrait avec le maussade Caius. Mais, comme il n'est pas une force au monde qui puisse faire des amis de deux garçons qui ne le désirent pas, je laissai faire.

Il se trouve que la question fut assez vite réglée. Car, plus tard dans la journée, Arthur persuada un Caius fort réticent de lui faire visiter les environs du caer.

Ils se rendirent au petit village côtier de Peanfahel et, en route, Arthur apprit une chose remarquable sur son nouvel ami : celui-ci chevauchait comme un jeune dieu, ou comme les *bhean sidhe* des collines caverneuses, dont les chevaux descendent des montures des Immortels de l'Île de Verre, dans la mer d'Occident.

Caius avait plus que surmonté son infirmité en apprenant à monter à cheval avec une telle grâce que, une fois en selle, il devenait une tout autre personne… un de ces êtres mi-hommes mi-chevaux des livres latins. Il pouvait tirer des miracles de n'importe quel cheval qu'il enfourchait. Même la pire des haridelles se comportait mieux qu'au meilleur de sa forme avec Caius sur le dos.

Comme la journée était chaude, tous deux firent halte au village pour abreuver leurs chevaux au gué. Des enfants qui jouaient à proximité, voyant les deux garçons mettre pied à terre, se rassemblèrent autour d'eux et, fatalement, remarquèrent l'infirmité de Caius.

Il n'en fallut pas davantage. Aussitôt, ils se mirent à le railler. « Estropié ! Estropié ! » s'écrièrent-ils en contrefaisant sa démarche claudicante. Ils ricanaient et Caius baissait la tête.

Arthur les regarda faire un moment, effaré. Jamais il n'avait été témoin d'une telle cruauté calculée. Les moqueries étaient déjà assez pénibles, mais quand les plus âgés des garçons se mirent à jeter des pierres à Caius, Arthur décida que les choses étaient allées trop loin.

Serrant les poings, il poussa un hurlement sauvage et chargea le plus grand tête baissée, l'atteignant en plein ventre. Stupéfaite, la brute tomba en arrière, battant des jambes, Arthur sur la poitrine. Bien que le garçon eût au moins trois ans de plus que lui, la taille d'Arthur compensait largement cet avantage.

La bagarre fut promptement terminée. Le souffle coupé — et incapable de respirer avec Arthur assis sur la poitrine — le jeune garçon perdit brièvement conscience.

Les railleries cessèrent. Les enfants regardaient, frappés de stupeur. Arthur se releva lentement et, fulminant de rage, demanda si quelqu'un d'autre avait quelque chose à dire. Personne ne répondit. La jeune canaille reprit ses esprits et s'enfuit. Les autres s'éparpillèrent rapidement. Caius et Arthur remontèrent à cheval et repartirent le long du littoral.

Quand ils rentrèrent au caer, plus tard dans la journée, ils étaient les meilleurs amis du monde et Arthur avait donné au nom de Caius une tournure plus celtique. Il devait désormais s'appeler Cai.

Je suppose que, en raison de son admiration pour les prouesses équestres de Cai, il ne vint jamais à l'esprit d'Arthur de se moquer de la façon dont il marchait ou dont il parlait… chose que les autres étaient trop nombreux à faire, et avec une désespérante régularité.

Mais jamais Arthur. Ce dont il fut récompensé par le dévouement et l'indéfectible loyauté de Cai.

Cai, Dieu le bénisse ! Avec sa flamboyante chevelure rousse et son tempérament de feu. Lui dont les clairs yeux bleus pouvaient s'assombrir aussi vite que le ciel d'été au-dessus de Caer Edyn pour laisser place à la fureur de la tempête. Dont le rare sourire, quand il l'accordait, était capable de réchauffer le cœur le plus froid... dont la voix d'airain portait telle une corne de chasse à travers les vallées, comme un jour elle rassemblerait les hommes sur le champ de bataille... Cai l'intrépide, Cai l'obstiné, prêt à lutter et lutter encore longtemps après qu'un autre aurait considéré le combat comme perdu.

Nous passâmes les premiers jours de ce bel automne à découvrir Caer Edyn et ses environs. Arthur en avait fait un jeu : voir jusqu'où il pouvait chevaucher au loin du Rocher, comme il l'appelait, avant d'essayer de retrouver son chemin. Pelléas et moi chevauchions parfois avec lui. Plus souvent, c'était Cai qui l'accompagnait.

C'était, ne tarda-t-il pas à apprendre, un pays étrange, riche en surprises. La première de celles-ci était le grand nombre de personnes vivant dans les étroites et tortueuses vallées qui sillonnaient les collines au relief tourmenté. Il y en avait des centaines, chacune abritant son petit village ou son hameau. Nous en vînmes bientôt à les attendre : quelques cabanes de pierre et de terre, d'étroits champs de seigle, d'orge et d'avoine étirés le long d'une rivière, un enclos pour les vaches et les moutons, le dos arrondi d'un grenier de pierre, un ou deux fours où brûlaient du bois ou de la tourbe odorante. De petits groupes de gens étaient disséminés dans tout le pays, séparés les uns des autres par les hauteurs désertiques des collines.

Il y avait aussi de vastes forêts où la chasse était bonne : ours et sangliers, cerfs, chevreuils, mouflons et lièvres, ainsi que toutes sortes d'oiseaux — dont certains, telle la grouse, ne se trouvaient pas dans le Sud. Les aigles et les faucons abondaient, et il y avait une infinie variété de poissons dans les lacs, la mer et les rivières.

Bref, Arthur en vint très vite à considérer Caer Edyn et ses terres comme une sorte de paradis... et certainement pas le lieu d'exil auquel il s'était attendu. Tout aurait été parfait, s'il n'y avait eu l'indescriptible hiver.

Mais nous y survécûmes et nous enivrâmes du court et lumineux printemps. Dans l'ensemble, Caer Edyn s'avérait un splendide séjour pour un jeune garçon. À mon instigation, Ectorius s'attacha les services d'un précepteur pour Cai et Arthur — un des frères de l'abbaye nouvellement construite à Abercurning. Arthur se remit donc à l'apprentissage du latin, ainsi que de la lecture et de l'écriture, sous l'indulgente férule de Melumpus.

En plus de cela, Ectorius entreprit de lui enseigner l'art d'être roi : tout ce qu'il fallait savoir pour gouverner un royaume et commander aux hommes. Il reprit aussi l'entraînement au maniement des armes, lequel se faisait de plus en plus exigeant à mesure qu'il progressait en force et en adresse.

Ainsi la vie s'installa dans un rythme tranquille de loisirs et d'étude, de travail et de jeu. Les saisons passèrent et Arthur cessa de regretter l'absence de Bedwyr. Il apprenait ses leçons avec diligence, sinon avec ferveur, pour devenir un bon lettré.

Cela aurait dû être pour moi une bonne période. Mais j'étais insatisfait. La pensée du Cran-Tara me taraudait et je ne parvenais pas à l'écarter. À l'approche de l'hiver, je commençai à me sentir prisonnier sur le roc de Caer Edyn. Il se passait, devinais-je, des événements dans le monde extérieur... des événements dont j'ignorais tout. Après des années d'activité, cette réclusion forcée me pesait. Jour après jour, je me renfermais en moi-même. Et, par les froides et grises journées de vent et de pluie, j'arpentais la grande salle devant la cheminée, l'humeur, je le crains, aussi maussade que le temps.

Je finis par m'imaginer que les petits rois, menés par Morcant et Dunaut, avaient découvert où nous nous cachions et faisaient mouvement vers nous. J'avais beau savoir qu'Ector aurait été amplement averti si un ennemi approchait des frontières de son royaume, je m'inquiétais, et la peur — irrationnelle, certes, mais non moins puissante pour autant — enserrait mon cœur de ses anneaux.

Pelléas m'observait et s'inquiétait. « Qu'y a-t-il, maître ? finit-il par demander, incapable de supporter plus longtemps mon agitation désordonnée. Ne veux-tu pas en parler ?

— Je suffoque, ici, Pelléas, lui dis-je d'un ton brusque.

— Mais Ectorius est un seigneur fort généreux, il...

— Ce n'est pas ce que je voulais dire, rétorquai-je. Je suis inquiet et je ne parviens pas à trouver la paix. Je crains que nous n'ayons fait une erreur en venant ici, Pelléas. »

Il ne doutait pas de mes paroles, mais il ne les comprenait pas non plus. « Nous n'avons eu aucun écho de troubles dans le Sud. J'aurais pensé que cela te rassurerait.

— Loin de là ! m'écriai-je. Cela ne fait qu'éveiller mes soupçons. Ne te leurre pas, Dunaut et son engeance n'ont jamais de repos. En ce moment-même, ils sont en train de comploter pour s'emparer du trône... je le sens. » Je me frappai la poitrine du poing. « Je le sens et cela m'emplit de crainte. »

Le feu bondit dans la cheminée sous l'effet d'une rafale de vent qui s'était engouffrée sous la porte. Un chien, près de l'âtre, releva la tête et regarda lentement autour de lui avant de reposer son museau sur ses grosses pattes.

Une coïncidence sans aucune signification : je ne crois pas aux présages. Un frisson me passa néanmoins dans le dos et il me sembla que la lumière avait baissé dans la salle.

« Que vas-tu faire ? » demanda Pelléas au bout d'un moment.

Un long silence s'attarda entre nous. Le vent gémit et le feu crépita, mais l'étrange sensation ne revint pas. Telle une vague déferlant sur un rocher, elle avait reflué.

Comme je ne répondais pas, Pelléas demanda : « De quoi as-tu peur : que les petits rois nous trouvent ici, ou bien qu'ils ne se soucient plus de le faire ? »

Regardant dans le feu, je vis les flammes s'entrelacer et il me sembla que des forces se rassemblaient, s'amassaient quelque part, et que je devais les trouver pour les orienter dans la bonne direction. « Les deux, Pelléas. Et je ne saurais dire ce qui me trouble le plus. »

Sa solution était simple : « Dans ce cas, nous devons aller voir quelle est la situation dans le Sud. Je vais préparer les chevaux et les provisions. Nous partons au point du jour. »

Je secouai la tête et me forçai à sourire. « Comme tu me connais bien, Pelléas. Mais j'irai seul. Ta place est ici. Arthur a besoin de toi.

— Bien moins que de toi, répondit-il d'un ton mordant. Ectorius est un seigneur fort compétent. Il remplira ses devoirs envers Arthur en tout honneur… que nous restions ou non. »

À dire vrai, je n'avais guère envie de passer un hiver seul sur la route, de sorte que je cédai. « Comme tu voudras, Pelléas. Nous partons ! Et puisse Dieu être avec nous. »

V

Nous quittâmes Caer Edyn dès que Pelléas eut terminé ses préparatifs. Ector nous conseilla d'attendre que les routes soient dégagées, mais le printemps arrive toujours tard dans le nord et je n'osais attendre que cessent les neiges et les pluies. Arthur demanda à venir, mais il ne manifesta pas de dépit quand je refusai.

Le jour du départ se leva gris et froid, et le temps ne s'améliora pas. Nous campâmes cette nuit-là à l'abri de la colline, nous levâmes tôt et poursuivîmes notre route. Le ciel resta couvert et le vent se fit mordant, mais la neige ne tomba pas et nous pûmes couvrir une bonne distance, cheminant au fond des vallées et franchissant les froides collines dénudées — quoique plus lentement que je n'aurais aimé.

La prudence requérait la discrétion. La sécurité d'Arthur dépendait de ma capacité à maintenir cachés son identité et l'endroit où il se trouvait. Le secret était mon plus puissant allié, mais comme nous ne pouvions éviter chaque ferme et chaque village, je me rendis le plus invisible possible. Ainsi débuta ce qui allait devenir une habitude lorsque je me déplacerais dans le pays : adopter divers déguisements pour faciliter mon passage parmi les hommes, tantôt vieillard, tantôt jeune homme, tantôt berger, tantôt mendiant ou ermite.

J'embrasserais l'humilité et m'en revêtirais comme d'un manteau. Parmi les hommes sans soupçons, je tiendrais commerce avec les humbles de ce monde, et je me déplacerais ainsi sans me faire remarquer par toute l'Île des Forts. Car les hommes prêtent rarement attention aux petites gens qui les entourent. Et ils ne dressent pas d'obstacles à qui ils ne prêtent pas attention. De cette façon, nous traversâmes le Nord et franchîmes le Mur au sud de Caer Lial, où nous

nous engageâmes sur une vieille voie romaine. La chaussée était encore en bon état et Pelléas s'en émerveilla. « Pourquoi ? lui demandai-je. Pensais-tu que ces dalles de pierre avaient disparu avec les Légions ? Ou que l'Empereur avait fait emballer les routes pour les remporter à Rome ?

— Vois ! s'écria-t-il en tendant une main vers l'étroit ruban qui s'étirait droit devant nous, assailli par la végétation. Le chemin a été aplani pour nous, notre voie est tracée dans le désert. » Je souris à cette allusion. « Cela convient à merveille à nos desseins, Emrys. Nous voyagerons plus rapidement et personne ne remarquera notre passage. »

C'était vrai, la route dallée de pierre était aussi lisse et plane que jamais : si les buissons, les arbrisseaux et les ronces de toutes sortes poussaient si serrés qu'ils la dissimulaient aux regards, la végétation n'avait pas envahi la chaussée. Et comme les autres hommes avaient depuis longtemps oublié les vieilles routes, préférant des voies plus dégagées, cette même végétation luxuriante nous accorderait toute liberté de mouvement. Nous voyagerions sans être vus — apparaissant ici ou là quand nous le choisirions, ou quand le besoin s'en ferait sentir, avant de redisparaître… pour réapparaître autre part.

Je devais bien l'avouer, les vieilles voies romaines semblaient un cadeau du ciel à notre intention, et j'en remerciai la Grande Lumière. J'ai souvent remarqué que, quand il est besoin d'une route, elle nous est accordée. Il ne faut pas s'en étonner, pas plus qu'il ne faut le négliger.

Nous voyageâmes donc d'un cœur plus léger, quoique la plupart du temps privés de compagnie humaine, puisque nous restions à l'écart des villages et des habitations, campant seuls, dormant sous les étoiles. De temps en temps, nous nous aventurions dans un village pour renouveler nos provisions. Partout j'écoutais ce que disaient les gens et pesais soigneusement leurs paroles, passant au crible tout ce que j'entendais, en quête d'un indice des troubles que j'appréhendais.

Lorsque nous arrivâmes dans le Sud, le temps plus chaud annonçait un printemps précoce, et bientôt une douce brise soupira dans les arbres en bourgeons. Les premières fleurs ne tardèrent pas à éclore, répandant leur suave et entêtant parfum. Les eaux étaient hautes : rivières, lacs et torrents étaient gonflés à déborder. Le flanc des collines se recouvrit de couleurs éclatantes : jaune, écarlate et bleu. Le soleil tournait dans un ciel pommelé de nuages, et la lune suivait sa course dans une nuit constellée d'étoiles.

La paix semblait régner sur le pays, mais je n'en tirais aucun réconfort. En vérité, plus nous descendions dans le sud, plus mon anxiété croissait.

« Je suis toujours inquiet, Pelléas, avouai-je un soir devant le feu de camp. Je n'aime pas ce que je sens ici.

— Ce n'est pas une surprise, répondit-il. Sans cela, nous ne serions pas allés aussi loin. Cela signifie peut-être que nous approchons du terme de notre quête.

— Peut-être, accordai-je. Les terres de Morcant sont proches. Je donnerais volontiers ma harpe pour savoir ce qu'il fait.

— Il y a certainement un village non loin d'ici. Quelqu'un nous y apprendra peut-être quelque chose. »

Le lendemain, nous partîmes à la recherche du plus proche village et en trouvâmes un à cheval sur le gué d'une rivière aux eaux rapides. Un chemin boueux reliait les deux moitiés du village aux rustiques habitations de torchis à toit de chaume. Mais les deux vastes enclos à bétail dénotaient une certaine prospérité.

Déguisé en moine errant — vêtu d'une longue et informe robe de laine écrue que Pelléas avait achetée pour moi dans une abbaye, le long de la route, la chevelure ébouriffée, le visage maculé de terre et de suie — j'examinai les lieux du haut d'une colline. « Cela conviendra. Les gens qui vivent là sont des marchands de bétail, ils sauront ce qui se passe dans la région. »

À l'approche des maisons, je sentis sur ma nuque un picotement annonciateur de danger. Je me penchai vers Pelléas pour lui faire part de mes craintes, mais il m'intima le silence et arrêta son cheval. Se dressant sur sa selle, il cria d'une voix forte : « Y a-t-il quelqu'un ? »

Nous attendîmes. Aucun son ne nous parvint des habitations. Pelléas cria de nouveau : « Nous attendons et nous ne repartirons pas tant que nous n'aurons pas abreuvé nos chevaux. »

J'imaginais des murmures sournois derrière les murs de terre qui nous entouraient : des insinuations, brèves et sèches, lancées telles des dagues dans notre dos.

« Peut-être devrions-nous essayer ailleurs, suggéra Pelléas à mi-voix.

— Non, répondis-je avec fermeté. Nous sommes venus en tout honneur et je ne me laisserai pas renvoyer. »

Nous attendîmes. Les chevaux renâclaient et piaffaient impatiemment.

Finalement, alors que nous pensions devoir repartir, un homme au cou épais apparut, une massue en bois de chêne à la main. Il se redressa en émergeant de la porte basse de la demeure centrale et s'avança d'un air faraud.

« Salutations, dit-il, plus sur le ton d'une menace que d'une formule de bienvenue. Nous n'en voyons pas beaucoup dans votre genre, par ici. Voyager est difficile, ces jours-ci.

— Assurément, répondis-je. Si le besoin n'était pas si grand, nous n'abuserions pas de ton hospitalité.

— Mon hospitalité ? » Manifestement, ce mot n'avait pour lui aucun sens. Ses yeux aux paupières lourdes se rétrécirent d'un air soupçonneux.

Pelléas feignit l'indifférence devant sa grossièreté et se laissa glisser de sa selle. « Nous te demandons un peu d'eau pour nous et pour nos chevaux. Puis nous passerons notre chemin. »

L'homme se hérissa. « De l'eau, c'est tout ce que vous aurez, sachez-le bien.

— Le précieux don de Dieu... nous ne demandons rien de plus, répondis-je avec un sourire dégagé.

— Hum. » L'homme se retourna brusquement. « Par là. » Pelléas me lança un regard sombre et je lui emboîtai le pas. Je pris les rênes pour guider les chevaux. L'homme nous conduisit à une auge de pierre alimentée par un filet d'eau qu'une antique canalisation de terre cuite allait capter auprès d'une source à flanc de colline.

Pelléas but le premier dans ses mains en coupe. Quand il eut terminé, je me penchai et bus. « Doux sont les bienfaits de Dieu, dis-je en m'essuyant les mains sur le devant de ma robe. Sois remercié de ta générosité. »

L'homme poussa un grognement et balança sa massue contre sa jambe.

« Nous étions dans le nord, dis-je tandis que Pelléas s'occupait d'abreuver les chevaux. À qui appartiennent ces terres ?

— Au roi Madoc, cracha l'homme.

— Et c'est un bon roi ?

— Certains le diraient... d'autres non.

— Et toi, que dirais-tu ? »

La brute cracha de nouveau, et je crus qu'il n'allait pas répondre. Mais ce n'était qu'une manière d'échauffement. « Je dis que Madoc est un lâche et un imbécile !

— L'homme qui traite son frère d'imbécile s'expose au courroux de Dieu, lui rappelai-je. Tu as sûrement une bonne raison pour porter un si dur jugement.

— Une assez bonne raison, renifla l'homme. Je traite d'imbécile celui qui en laisse un autre voler ses terres et ne lève pas la main pour l'en empêcher ! Je traite de lâche celui qui regarde sans réagir son fils se faire massacrer et ne réclame pas le prix du sang.

— C'est une grave accusation. Le vol de terres, le meurtre d'un prince : qui a commis de tels forfaits ? »

Mon ignorance lui arracha une grimace de dégoût. « Morcant de Belgarum, bien sûr ! Qui d'autre ? Les choses ont commencé il y a deux étés, et depuis, chaque village doit se défendre, car nous ne pouvons espérer aucune protection de Madoc. »

Je secouai tristement la tête. « Cela me chagrine d'entendre une telle chose.

— Ha ! aboya l'homme d'un air méprisant. Puisse ton chagrin te protéger ! J'ai l'intention de défendre ce qui m'appartient ! » Ses lèvres se retroussèrent en une horrible grimace. « Vous avez eu votre eau, maintenant partez d'ici. Nous n'avons pas besoin de prêtres.

— Je pourrais vous donner ma bénédiction... »

En guise de réponse, l'homme leva sa massue.

« Soit. » Je haussai les épaules et pris mes rênes des mains de Pelléas. Nous remontâmes en selle et repartîmes par où nous étions venus. Une fois hors de vue du village, nous fîmes halte pour réfléchir à ce que nous avions appris.

« Ainsi, Morcant guerroie contre ses frères rois, dis-je. Dans quel but ? Un peu de terre, un peu de butin ? Cela n'a pas de sens.

— Iras-tu trouver Madoc ?

— Non, je ne puis rien faire ici. Morcant a ouvert les hostilités contre ses voisins et je veux savoir pourquoi. Puisque je suis aujourd'hui prêtre, nous allons agir ainsi qu'il sied à un prêtre et chercher les lumières d'une instance supérieure. »

Les Belgæ étaient une très vieille tribu dont le siège se trouvait à Caer Uintan. Conclure la paix avec Rome leur avait permis de s'installer dans la région. L'ancien Uintan Caestir avait prospéré et s'était développé au service des légions. Mais celles-ci étaient depuis longtemps reparties et la cité s'était ratatinée sur elle-même — comme une pomme trop mûre tombée à terre.

De même que Londinium, au sud-est, Caer Uintan était ceint d'une muraille de pierre. Mais ce *vallum* n'avait jamais été aussi haut qu'à Londinium, parce que la ville n'avait jamais eu à subir d'attaque. Il servait de rappel de la puissance des Belgæ plutôt que de véritable défense.

Nous fûmes donc stupéfaits, Pelléas et moi, en parvenant devant la cité au crépuscule : la muraille de Caer Uintan avait été considérablement rehaussée. Et un profond fossé avait été creusé à son pied. La ville de Caer Uintan était maintenant une forteresse.

Les portes étaient déjà fermées pour la nuit, bien que le ciel fût encore clair. Nous fîmes halte devant elles sur l'étroite chaussée et appelâmes les gardes. Ils nous firent attendre avant de nous répondre grossièrement.

Revêches, ils rechignaient à nous laisser entrer, mais comme je prétendais avoir à faire à l'église — cette même église qu'Aurelius avait fait édifier — ils déverrouillèrent les portes à contrecœur, et en jurant d'importance, pour nous laisser entrer, de crainte d'incommoder l'évêque Uflwys, dont l'esprit vif, et la langue encore plus leste, étaient célèbres dans la région.

« Nous rendrons-nous directement à l'église ? » demanda Pelléas sitôt que nous eûmes franchi la porte. Les rues de la cité disparaissaient sous les ombres et la fumée des foyers qui commençaient à luire à travers le verre épais des étroites fenêtres. Caer Uintan était encore une ville prospère : ceux de ses habitants qui pouvaient se permettre de vivre à l'ancienne mode romaine menaient une existence confortable.

« Oui, je désire parler à l'évêque, répondis-je. Uflwys pourrait avoir des choses à nous apprendre. »

L'évêque Uflwys était un homme austère, de grande taille, aux pensées profondes et aux convictions bien ancrées. On racontait que ceux qui venaient solliciter de lui le pardon divin pour leurs crimes et leurs péchés repartaient fort châtiés, mais également fort pardonnés. En tant qu'évêque, il ne craignait ni les rois de la terre ni les démons de l'enfer, et il traitait tous les hommes sur un pied d'égalité — c'est-à-dire sans ménagements.

Il était venu à Caer Uintan pour participer à la construction de l'église et y était resté pour la diriger d'une main ferme. L'église, à l'image de son chef, se dressait, austère, au-dessus de la ville, attestant d'une foi inébranlable. J'étais intéressé par ce qu'il avait à dire de Morcant.

L'évêque nous réserva un accueil cordial. Il conservait encore pour moi un certain respect, semblait-il, car il avait aimé Aurelius. En fait, Uflwys eut l'air sincèrement heureux de nous voir. « Merlinus ! Mon cher frère, je ne t'aurais pas reconnu ! » Il se leva à notre entrée et vint à nous les bras grands ouverts. Je m'avançai à sa rencontre et le pris par les épaules dans l'antique salutation celtique. « Viens, viens, assieds-toi. As-tu faim ? Nous allons manger. Je me suis souvent demandé où tu étais passé. Quelle joie de te revoir ! Pourquoi es-tu vêtu comme un mendiant ?

— Je suis heureux de te voir, Uflwys. À vrai dire, je ne pensais pas venir à Caer Uintan. Mais maintenant que je te vois, je crois que quelque chose a dirigé mes pas jusqu'ici.

— Où conduit le bon Seigneur, ses serviteurs doivent le suivre, n'est-ce pas ? Et à te voir, je dirais que le parcours a été mouvementé. Quels sont tes projets, Merlinus ? » Uflwys montra mon vêtement. « Pas de prononcer enfin les saints vœux ? »

Avant que je n'eusse pu m'expliquer, Uflwys leva les mains. « Non, ne me dis rien pour le moment. D'abord, nous allons manger. Vous êtes tous deux fatigués de votre voyage. Rompez le pain avec moi, voulez-vous ? Nous aurons tout le temps de parler plus tard. »

La table de l'évêque Uflwys était aussi frugale que lui : une chère simple — pain, bière, viande, fromage — mais bonne. Pelléas prit place avec nous et nous fûmes servis par deux jeunes frères du monastère voisin. La conversation porta sur les considérations habituelles des voyageurs : le temps, les moissons, le commerce, les nouvelles glanées en chemin. Le repas terminé, l'évêque se leva de sa chaise. « Nous prendrons l'hydromel dans ma chambre, dit-il aux moines. Apportez une cruche et des coupes. »

Nous le suivîmes dans une cellule dépouillée, au sol de terre battue et aux murs blanchis à la chaux, qui prenait la lumière par une étroite fenêtre. En face de celle-ci, une simple banquette de pierre recouverte d'une litière de paille fraîche lui servait de lit. Mais il était habitué à recevoir des visiteurs et, par déférence envers eux, la pièce était meublée de quatre grandes et belles chaises et il s'y trouvait une petite cheminée.

Nous ne fûmes pas plus tôt assis que les moines firent leur apparition. L'un d'eux portait un plateau de bois supportant une cruche et des coupes, l'autre une petite table à trois pieds. Ils placèrent celle-ci près de la chaise de l'évêque Uflwys, y posèrent le plateau et, après avoir versé l'hydromel et allumé le feu, ressortirent sans un mot.

Uflwys nous tendit les coupes en disant : « Dieu vous accorde une bonne santé ! » Il savoura un moment en silence le doux breuvage au parfum de bruyère. « Alors, mes amis. Ne voulez-vous pas me dire ce qui me vaut le plaisir de votre visite ? »

Je posai ma coupe et me penchai en avant. « Nous avons appris que Morcant guerroyait contre son voisin Madoc. J'aimerais entendre ce que tu peux me dire à ce sujet. »

Le visage du saint homme se fit grave. « Morcant, en guerre ? Il faut me croire si je te dis que, avant de t'entendre prononcer ce mot haïssable, je n'en savais rien. » Il me quitta des yeux pour regarder Pelléas avant de les reposer sur moi. « Rien.

— Dans ce cas, je vais te dire le peu que je sais », répondis-je. Je lui relatai ce que Pelléas et moi avions appris, et je lui expliquai comment nous avions obtenu cette information.

Uflwys s'était levé et marchait de long en large devant la cheminée. « Oui, dit-il lorsque j'eus fini, je suis sûr que ce que tu dis est vrai, car cela explique bien des choses. Morcant a dû se donner beaucoup de mal pour que je n'en apprenne rien, mais c'est bien terminé. » Il se tourna brusquement vers la porte. « Viens, nous allons confronter le roi à ce péché abominable. Je n'aurai pas de repos tant que je n'aurai pas déposé ce crime à ses pieds. Il ne doit pas penser que l'église restera indifférente à cet outrage. »

VI

Importante *civitas* sous l'administration romaine, Venta Belgarum était déjà la citadelle des Belgæ bien avant l'arrivée des légions. Morcant ne permettait jamais à quiconque d'oublier que sa lignée avait entretenu une longue et lucrative coopération avec César et que les seigneurs des Belgæ étaient fiers de leur passé. Et, s'il avait réquisitionné la basilique et le forum pour son usage personnel, il les entretenait convenablement. De fait, malgré ses grands discours sur la Bretagne, il se donnait toujours le titre de gouverneur provincial.

Les portes étaient fermées pour la nuit, mais Morcant nous reçut. L'évêque Uflwys était un personnage trop important à Caer Uintan pour être traité à la légère. Sinon, je doute que j'eusse été ainsi accueilli. Quoi qu'il en soit, nous fûmes introduits dans une chambre aux murs recouverts de tapisseries, éclairée par des lampes à mèche de jonc.

« Il est bien tard pour un prêtre, non ? » demanda Morcant en souriant, comme si recevoir l'évêque en pleine nuit était pour lui la chose la plus naturelle. « Je croyais savoir qu'un moine se levait et se couchait avec le soleil.

— De même que notre Seigneur le Christ ne cesse jamais de veiller sur ses créatures, ses serviteurs doivent eux aussi se tenir prêts à le servir quand le besoin s'en manifeste, de jour comme de nuit, lui répondit l'évêque.

— Et Merlin… », dit Morcant, daignant enfin me reconnaître. Bien que j'eusse ôté mon habit religieux, j'étais toujours humblement vêtu. « Je suis surpris de te voir. Je te croyais mort. »

Nul doute que c'était là son plus cher désir. « Seigneur Morcant, répliquai-je froidement, tu n'irais pas imaginer que je quitterais la Bretagne sans un mot d'adieu. Quand je partirai, le monde entier en sera informé. »

J'avais répondu d'un ton assez léger, mais mes paroles avaient une tonalité inquiétante et elles furent accueillies dans un silence embarrassé.

« Dans ce cas, déclara Morcant en esquissant un sourire suffisant, nous pouvons nous attendre à profiter encore un bon moment de ta présence. Maintenant, boirez-vous une coupe de vin en ma compagnie ? Ou bien les affaires de votre Seigneur requièrent-elles plus de sobriété ? » Le roi croisa les mains et ne fit pas un geste pour faire apporter le vin. Au contraire, nous dévisageant tour à tour, il regagna son fauteuil et s'assit pour attendre la suite.

L'évêque Uflwys ne perdit pas de temps. « Garde tes rafraîchissements, dit-il d'un ton sec. Ce serait pur gaspillage de servir du bon vin ce soir. Merlinus m'informe de cette guerre à laquelle tu t'adonnes. Est-ce vrai ? »

Morcant nous regarda d'un air innocent. Oh, il avait soigneusement préparé ses réactions. « Une guerre ? dit-il comme si ce mot lui était inconnu. Il doit y avoir erreur. Je n'ai entendu parler d'aucune guerre. Eh quoi, nous sommes en paix. Ces diables de Saecsens sont…

— Ne mêle pas les Saecsens à cela, rétorqua Uflwys. Il se dit dans les villages des environs que tu as attaqué le roi Madoc, que tu lui as pris des terres et tué son fils. Est-ce la vérité ? »

Morcant adopta une expression peinée. « Est-ce Madoc qui t'envoie ? » Il poussa un soupir et frappa les bras de son fauteuil d'un air exaspéré. « Pourquoi propage-t-il de telles rumeurs ? »

Mais l'évêque Uflwys ne lâchait pas si facilement prise. « Je te repose la question et j'exige une réponse, Morcant : cette accusation est-elle vraie ? Je t'avertis de bien réfléchir avant de répondre, car un mensonge mettrait ton âme en péril. »

Si cela inquiétait Morcant, il n'en laissa rien paraître. Il se composa une expression peinée. « Comment peux-tu croire que je ferais pareille chose.

— C'est bien l'ennui, Morcant : je le crois, insista Uflwys. Et je ne t'ai pas encore entendu dire le contraire. »

Sentant que sa position était indéfendable, Morcant passa à l'attaque. « *Toi !* » Il bondit de son fauteuil et m'agita un doigt sous le nez. « C'est toi ! Tu as inspiré à Madoc de faire courir ces rumeurs sur mon compte ! »

Mais je répondis d'un ton ferme : « Non, Morcant. Je n'ai rien fait.

— Alors c'est l'œuvre de Madoc, répliqua Morcant d'un air irrité. Oh, j'y vois clair, maintenant.

— Tu n'as pas répondu à l'accusation, Morcant, déclara l'évêque en se levant. Je prends ton silence pour une preuve de ta culpabilité.

Je ne resterai pas ici plus longtemps, de crainte que tu ne fasses davantage violence à ton âme. » Il se dirigea vers la porte où il fit halte et se retourna. « Je vais prier pour toi, afin que tu reprennes promptement tes esprits et que tu te repentes avant qu'il soit trop tard. »

Morcant ne fit pas un geste pour le retenir, campé au milieu de la pièce, l'air furibond. Le bon évêque le tenait pieds et poings liés. Il ne pouvait rien faire d'autre que se débattre, quitte à resserrer les nœuds à chaque contorsion.

Nous suivîmes Uflwys hors du palais et traversâmes la cour. « J'avais espéré mieux de sa part, soupira l'évêque.

— Mais tu n'es pas surpris ?

— Non, je connais trop bien Morcant pour cela. Je ne suis pas surpris. Et pourtant je garde toujours espoir. Comme je l'ai dit, son silence le condamne. Il a commis ce forfait. » Uflwys fit halte et se tourna vers moi. « Que faut-il faire, maintenant ?

— Nous verrons. Si Madoc endure son mal en silence, cela pourrait s'arrêter là. Sinon… » Je levai les yeux vers le ciel nocturne. « La guerre continuera, et d'autres y seront entraînés. Ce qui est, je suppose, l'intention de Morcant. »

Nous retournâmes à l'église, mais nous ne parlâmes plus de cela avant le lendemain matin, lorsque nous nous présentâmes devant l'évêque pour prendre congé. « Essayeras-tu d'empêcher la guerre d'aller plus loin ? demanda Uflwys, plein d'espoir.

— Oui. Il faut leur faire comprendre que, si nous nous battons entre nous, personne d'autre ne peut gagner que les Saecsens : ils nous regarderont nous entre-tuer, puis ils fondront sur nous pour dépecer les restes.

— Alors, je te laisse à ta tâche, dit l'évêque Uflwys. Je ferai ce que je peux de mon côté, bien sûr, et je prierai pour une issue rapide et heureuse. » Il leva la main droite pour nous bénir. « Allez sous la garde de Dieu, mes amis, et puisse notre Seigneur vous soutenir par sa grâce. »

À l'ouest de Caer Uintan, le pays est tout en collines escarpées et en vallées profondes. Les forêts y sont moins denses, les villages plus nombreux et plus prospères que dans le nord. Le Pays de l'Été s'étend à l'ouest et, un peu plus loin, Ynys Witrin, l'Île de Verre d'antan, également nommée Ynys Avallach : demeure d'Avallach, le Roi Pêcheur, et de sa fille Charis, ma mère.

Le peuple de Taliesin avait disparu du Pays de l'Été — ainsi que l'on appelait désormais la région située entre le Belgarum et Ynys Avallach — et le royaume était tenu par un nommé Bedegran. Jeune homme, il avait combattu aux côtés d'Aurelius, et j'avais gardé le souvenir d'un seigneur juste et franc.

Le lendemain, nous nous présentâmes à Sorvym, la citadelle de Bedegran. Son royaume était vaste et, comme il s'ouvrait sur la mer par le cours de l'Afen — où les Loups de Mer cherchaient souvent à débarquer — il avait appris la valeur de la vigilance.

Bedegran était en patrouille avec une partie de son armée lorsque nous arrivâmes. Son intendant nous souhaita la bienvenue et nous convia à attendre le retour de son maître. Me trouvant si près d'Ynys Avallach, j'étais tenté de poursuivre ma route, mais j'acceptai de rester, au cas où je pourrais apprendre quelque chose de la bouche de Bedegran.

On nous servit à manger et je dormis un peu, tandis que Pelléas passait le temps en compagnie de l'intendant de Bedegran, lequel lui dit beaucoup de choses que son maître confirma plus tard : Morcant menaçait depuis quelque temps ses terres, essayant de l'inciter à entrer en guerre.

Ce n'étaient jusque-là que de petites contrariétés — vol de quelques têtes de bétail, champs piétinés et choses de ce genre. Bedegran avait réussi à garder la tête froide et à éviter la confrontation ouverte que recherchait manifestement Morcant.

Mais ce semblant de paix ne pouvait guère durer davantage, car, lorsque Bedegran revint à la tombée de la nuit, la fureur le vêtait à la manière d'un manteau embrasé.

« Je vous le dis, j'ai trop longtemps supporté les insultes de Morcant ! » s'exclama-t-il en entrant en trombe dans sa chambre. « J'ai évité les effusions de sang et la confrontation en affectant de ne rien voir. Mais quand il se met à chasser mes gens de leurs villages, je ne peux plus fermer les yeux ! »

Il cessa de tempêter en s'apercevant de notre présence. « Salutations, Merlin Embries. Pelléas. Salutations et bienvenue. C'est un plaisir de vous revoir. Veuillez pardonner cet éclat. Je ne savais pas que j'avais des hôtes dans ma demeure. »

J'écartai ses excuses d'un revers de la main. « Nous sommes au courant des félonies de Morcant, dis-je. Ta colère est justifiée.

— Il veut la guerre, expliqua Bedegran. Je me suis retenu jusqu'ici, mais pour préserver la paix il faut être deux. Si c'est la guerre, alors je me battrai… quoi qu'il m'en coûte. » Il se mit à marcher de long en large. « Mais cela… cet affront ! Merlin, je ne puis rester sans réagir. Je dois protéger mon peuple. N'essaie pas de me persuader du contraire.

— Protège-le comme tu le jugeras bon, répondis-je. Je ne suis pas venu t'apprendre à mener tes affaires.

— Mais je divague ! Si tu as des conseils à me prodiguer, je suis prêt à les entendre. Tu es bien le seul homme que je sois disposé à écouter. » Bedegran sourit pour la première fois depuis son arrivée. « Alors ? J'écoute. Parle.

— Je n'ai pas grand chose à dire. Je te confierai néanmoins ce que je sais : Morcant se livre au pillage en Dubuni. Il s'est emparé de terres appartenant à Madoc et a tué son fils, dit-on. Mais jusqu'ici Madoc a refusé de se battre.

— Madoc se fait vieux. Il sait qu'il ne peut vaincre Morcant. D'autant plus qu'il doit compter avec Dunaut sur son autre flanc. Ah ! Pire que des vipères, ces deux-là.

— Sont-ils complices en cette affaire ? »

Bedegran secoua la tête. « S'ils le sont, je n'en ai pas eu d'écho. Mais il faut dire que, jusqu'ici, je n'étais pas non plus au courant des ennuis de Madoc. » Il marqua un temps. « Je suis désolé pour son fils.

— Quel haïssable gâchis », dis-je songeur, et il me sembla voir apparaître devant moi la silhouette d'un jeune garçon qui tendait la main comme pour réclamer de l'aide. Mais ce n'était pas le fils de Madoc : ce garçon était plus jeune — l'âge d'Arthur, tout au plus. « Le fils... *le fils*... je n'avais pas pensé au fils... »

Bedegran haussa les sourcils. « Merlin ?

— Morcant a-t-il un fils ?

— Oui, répondit Bedegran. Un tout jeune garçon. Je crois qu'il s'appelle Cerdic. C'est cela, Cerdic. Pourquoi ? »

Ce fut comme une illumination. Je compris ce qu'avaient voulu dire les sujets de Madoc en parlant de dette de sang. Comme j'avais été stupide ! Morcant s'occupait activement de se débarrasser des rivaux afin de dégager la voie pour son fils. Heureusement, Arthur était en sécurité dans le Nord. J'avais eu raison de l'y emmener.

Nous passâmes alors à d'autres sujets et ce fut bientôt l'heure du souper. Au cours du repas, Bedegran demanda : « Que vas-tu faire, Merlin Embries ?

— Tout ce que je pourrais. Pour le moment, j'ai l'intention d'empêcher la guerre de ravager le Sud. Ai-je ta promesse de rester en paix ?

— Tu l'as, Merlin », répondit Bedegran, mais il ajouta : « Si tu peux faire rester Morcant et ce serpent de Dunaut sur leurs terres, tout ira bien. »

Plus tard, quand nous fûmes seuls dans notre chambre, je dis à Pelléas : « La situation est aussi mauvaise que je le craignais. Mais, par bonheur, nous ne sommes pas arrivés trop tard. Tout repose sur mes épaules, Pelléas. Qui d'autre peut aller impunément de roi en roi ? Je me dresse entre la Bretagne et le désastre. »

Oh, j'en avais la tête qui tournait ! Et je croyais ce que je venais de dire... tout comme je croyais possible de négocier la paix entre ces petits chiens jappeurs qui se prétendaient nobles. Je dormis bien, cette nuit-là, et me mis en route le lendemain plein de confiance et de généreuses intentions, décidé à empêcher la Bretagne de s'enliser dans une guerre qui ne pouvait que bénéficier aux Saecsens.

Madoc — maussade, effrayé et accablé par la perte de son fils — nous reçut avec toute la bonne grâce qu'il put rassembler en la circonstance. Il souffrait et j'espérais lui être de quelque consolation.

« Eh bien ? demanda-t-il lorsque furent accomplies les formalités d'usage. Que vient demander d'un vieil homme le sublime Ambrosius de Bretagne ? »

Puisqu'il était disposé à se montrer direct, je lui répondis de même. « Ne laisse pas Morcant t'entraîner dans la guerre. »

Il releva brusquement le menton. « M'entraîner dans la guerre ? Je n'ai aucune intention d'entrer en guerre avec lui, mais si tu penses me dissuader d'acquitter ma dette de sang, épargne ta salive. J'obtiendrai satisfaction.

— C'est exactement sur cela que compte Morcant. Il attend simplement que tu lui donnes une bonne raison de frapper ouvertement.

— Qu'est-ce que cela peut bien te faire, grand Ambrosius ? Hein ? grogna le vieux roi. En quoi cette affaire te concerne-t-elle ?

— La sécurité de la Bretagne est le souci de tout homme de bon sens. Je ferai tout ce que je peux pour préserver la paix.

— Alors va voir chez les Saecsens ! s'écria-t-il. Va donc leur parler de paix. Laisse-moi tranquille ! »

Il n'y avait pas moyen de le raisonner. Je partis donc, disant : « Tu ne peux vaincre Morcant. Et il y a toutes les chances que Dunaut soit à son côté dans cette affaire. Ne pense pas faire de Bedegran ton allié : je lui ai parlé et il ne t'aidera pas.

— Je n'ai besoin de l'aide de *personne* ! Entends-tu ? »

Nous allâmes ensuite voir Dunaut pour lui reprocher sa duplicité. Comme Morcant, il nous souhaita une bienvenue aussi cordiale que mensongère. Assis dans son grand fauteuil, il souriait comme un chat qui vient de voler un rôti, mais il ne voulut répondre sérieusement à aucune de mes questions. Je finis par perdre patience.

« Nie donc que Morcant et toi vous chevauchez côte à côte, le défiai-je. Nie donc que vous portez la guerre contre les royaumes voisins. »

Le matois Dunaut fit la moue et prit l'air étonné. « Je ne te comprends pas, Merlin, répondit-il. Nous nous soumettons depuis des années à ton épreuve absurde. Aujourd'hui encore, l'Épée de Bretagne attend dans la pierre que quelqu'un l'en retire. T'en montres-tu satisfait ? Non ! Tu viens nous accuser de menées guerrières. Tu voltiges de ci de là pour attiser colère et suspicion. » Il se tut, apparemment peiné. « Retourne dans ton Île de Verre… retourne en Celyddon, retourne là où tu peux bien demeurer. Nous n'avons pas besoin de toi ici, intrigant ! »

Comme je ne pouvais rien obtenir de plus de lui, je secouai la poussière de mes pieds et laissai la vipère dans son nid. Morcant et Dunaut étaient décidés à faire la guerre, c'était évident. Aveuglés par l'ambition et abrutis par la convoitise, ils conspireraient à la chute de la Bretagne.

Dieu nous aide ! C'est toujours pareil avec les petits rois. Sitôt que les Saecsens leur laissent un instant de répit, ils entreprennent de se tailler mutuellement en pièces. Il y a de quoi désespérer !

« Cela me désole, Pelléas. J'en suis malade », lui avouai-je une fois que nous nous fûmes éloignés. Nous poursuivîmes notre chemin, retournant la question dans nos esprits.

« Et Tewdrig ? demanda Pelléas au bout d'un moment. Assurément, il est de taille à mettre au pas Morcant et ses semblables. Peut-être, suggéra-t-il, devrais-tu le laisser régler cette histoire une bonne fois pour toutes. »

J'y réfléchis, mais juste un moment. « Non, le prix en serait trop élevé. Nous ne sommes pas assez forts pour nous battre entre nous tout en nous défendant contre les Saecsens. » Ce simple fait était évident à mes yeux. Le moyen d'imposer la paix l'était moins. « Nous devons le leur faire comprendre, Pelléas. »

Nous passâmes tout l'été à tenter désespérément d'expliquer aux petits seigneurs du Sud que guerroyer entre eux affaiblissait la Bretagne et nous condamnait tous. « Combien de temps pensez-vous que les Saecsens attendront pour s'emparer des terres que vous laissez sans protection ? Combien de temps pensez-vous qu'ils se battront contre les seigneurs du Nord alors qu'un Sud affaibli les appelle ? »

Mes questions, comme mes accusations, demeuraient sans réponse. J'énonçais des vérités et ne recevais que mensonges en retour. Je persuadai et cajolai, menaçai et flattai, plaidai, suppliai et aiguillonnai. Morganwg me rabroua, Coledac se fit hautain, et les autres… Madoc, Ogryvan, Rhain, Owen Vinddu et le reste feignirent l'innocence ou l'indifférence, tout en nourrissant la félonie dans leur cœur. Mes efforts n'aboutirent à rien.

Physiquement et mentalement épuisé, je finis par diriger mes pas vers Ynys Avallach. Cela faisait trop longtemps que je n'avais pas séjourné dans ce royaume béni. Je languissais de revoir Charis et Avallach, et j'espérais y trouver consolation. En vérité, j'avais besoin d'un baume pour apaiser mon esprit agité.

Le palais du Roi Pêcheur demeurait inchangé, comme toujours. Le vert monticule du Tor se dressait au-dessus du lac, se mirant dans les eaux paisibles. Les pommiers recouvraient ses pentes escarpées jusqu'au pied des hautes et élégantes murailles. La paix nimbait l'île telle une brume au-dessus du lac frangé de roseaux et l'enveloppait d'une atmosphère de tranquillité aussi douce que la lumière baignant ses sentiers ombragés. Le soleil couchant, qui venait frapper tours et remparts, transformait la pierre blanche en une coulée d'or en fusion. La qualité de ce rayonnement diffusait dans l'air lui-même, de sorte qu'il semblait vous picoter la peau — lumière vivante, transformant les éléments les plus vils en une matière plus belle, plus pure.

Avallach, sombre et royal, la barbe frisée et huilée, nous accueillit avec effusion. Charis, Dame du Lac, rayonnait littéralement d'amour pour moi. Ses yeux verts étincelaient et sa longue chevelure dorée scintillait tandis qu'elle me conduisait, un bras passé sous le mien, parmi les pommiers dont elle s'occupait avec tant de soin. Nous nous promenions dans les bosquets ombragés, ou bien nous glissions en barque sur le lac à la surface de miroir, le soir avant d'aller dormir, le chant des rossignols à nos oreilles dans l'air nocturne.

Malgré tout, je mangeais et je dormais mal. Je rongeais mon frein. Même quand j'allais pêcher avec Avallach au pied du Tor, je ne trouvais pas le repos. Pas plus que je ne pouvais me décharger de mon fardeau auprès de ma mère. Charis, dont la compassion ne connaissait aucune limite, me réconfortait de son mieux. Mais je ne voulais pas être réconforté. À la vérité, ce n'était pas d'aide dont j'avais besoin, mais d'une vision. Et il ne m'en venait aucune.

Je te le demande, Ô Âme de Sagesse, dis-moi si tu le peux : quel remède y a-t-il à l'absence de vision ?

Jour après jour, mon esprit se faisait plus froid. J'avais l'impression de geler de l'intérieur, comme si mon cœur durcissait en moi. Je sentais mon âme elle-même devenir insensible et lourde comme un membre mort. Charis s'en apercevait. Comment aurais-je pu le cacher à celle qui me connaissait mieux que tout autre ?

Un soir, assis à table devant mon assiette à laquelle je n'avais pas touché, j'écoutais Charis expliquer le travail des bons frères de l'abbaye voisine. Ils projetaient, me disait-elle, de construire un endroit où soigner les gens. « C'est tout indiqué, poursuivit-elle. Taliesin voyait le Royaume de l'Été comme un endroit d'où la maladie et l'infirmité seraient à jamais bannies. Et beaucoup viennent ici chercher de l'aide pour leurs afflictions. L'abbé a fait venir des moines de Gaule et d'ailleurs — des hommes fort savants en matière de médecine et de guérison. »

Je n'écoutais qu'à moitié. « Bien sûr. »

Elle se tut et posa une main sur mon bras. « Merlin, qu'est-ce qui ne va pas ?

— Ce n'est rien. » Je poussai un soupir. J'essayai de sourire, mais même cet effort me parut trop difficile. « Je suis désolé. L'abbé ? Tu disais…

— Simplement qu'ici le travail de guérison se poursuit, répondit-elle vivement. Mais nous parlons de toi, maintenant. Tu es malheureux. Je pense que c'était une erreur pour toi de venir ici.

— Un séjour dans le Royaume de l'Été n'est jamais une erreur, répliquai-je. Je suis simplement fatigué. Dieu sait si j'ai des raisons pour cela… je n'ai cessé de chevaucher tout l'été. »

Elle se pencha vers moi et prit ma main dans les siennes. « Il se peut que l'on ait besoin de toi ailleurs, poursuivit-elle, écartant mon objection.

— On n'a besoin de moi nulle part ! » m'emportai-je, et je le regrettai aussitôt. « Je suis désolé, Mère. Pardonne-moi. »

Elle serra ma main plus fort. « Arthur a besoin de toi, dit simplement Charis. Rentre en Celyddon. Si ce que tu dis est vrai, c'est là que se trouve l'avenir.

— À moins que les seigneurs du Sud ne renoncent à leurs manières belliqueuses, il n'y a pas d'avenir », déclarai-je d'un ton sinistre. Je marquai un temps, me rappelant le tempérament enflammé d'Uther. « Nous avons besoin d'un nouveau Pendragon.

— Va, mon Faucon, dit-elle. Reviens quand tu l'auras trouvé. »

Je dormis mal, cette nuit-là, et me réveillai avant l'aube, les nerfs à vif. « Prépare les chevaux, Pelléas, lui dis-je d'un ton sec. Nous partons dès que nous aurons déjeuné.

— Allons-nous à Londinium ?

— Non, nous en avons terminé ici. Le Sud devra se défendre seul. Nous rentrons chez nous. »

VII

Le chemin est long jusqu'à Caer Edyn, et il vous laisse le temps de songer à la folie des hommes imbus de leur importance. Le désespoir m'étreignait contre sa poitrine décharnée, la détresse s'était nichée dans mon âme. La route nous emmenait vers l'est avant d'obliquer vers le nord, longeant les anciennes terres des Cantii. Cette région s'appelle Côte des Saecsens, ainsi nommée par les Romains en raison du système de phares et d'avant-postes érigés contre les farouches envahisseurs venus du large. Une tribu de Loups de Mer, sous la conduite d'un chef de guerre du nom d'Aelle, s'était emparée de plusieurs des forteresses abandonnées le long du littoral sud-est, entre le Wash et la Thamesis.

C'était le long de cette même bande côtière que Vortigern avait autorisé Hengist et Horsa à s'établir avec leurs tribus dans le vain espoir de mettre un terme aux raids incessants qui saignaient à blanc la Bretagne. Et c'était depuis cette côte que les barbares s'étaient répandus pour submerger les régions environnantes, avant qu'Aurelius ne les en chasse.

Ils étaient maintenant de retour sur les terres autrefois tenues par Hengist... la Côte des Saecsens — ce nom resterait, mais pour une autre raison. Contrairement à leurs pères, ces envahisseurs avaient l'intention de rester.

Je songeai à cela et sentis le soudain déferlement de l'*awen*. J'arrêtai mon cheval et me retournai pour regarder les terres qui s'élevaient en pente douce derrière nous. Je vis le paysage s'effacer comme dans une brume vespérale et il me vint à l'esprit que, en dépit de tous mes efforts, la nuit s'était déjà abattue sur le Sud. L'ère qui s'ouvrait s'annonçait sombre : malgré les voraces Loups de Mer qui se pressaient à ses frontières, Morcant continuerait à mener sa guerre stupide. Madoc, Bedegran et bien d'autres se verraient contraints de renforcer leurs armées et des flots de sang se répandraient de la plus absurde des façons.

J'avais imploré une vision et je l'avais obtenue. Oh, mais comme elle était sinistre ! Grande Lumière, aie pitié de ton serviteur !

Me détournant de cette sombre perspective, je me remis en route le long du chemin envahi de ronces comme sur les sentiers confus de l'avenir. Il y avait peu d'espoir dans ce que j'avais vu, aucune consolation à laquelle se raccrocher contre les ténèbres envahissantes. L'obscurité doit avoir sa saison et la terre doit subir son épreuve. C'est ainsi !

Tournant enfin le dos au Sud, nous nous enfonçâmes dans les larges vallées vers les profonds vallons verdoyants, les frais torrents d'eau vive et les sauvages plateaux où gémit le vent. Le froid envahissait le monde, me semblait-il, et c'était plus qu'une vaine spéculation, car nous nous réveillâmes plusieurs fois sous la neige, et Samhain n'était pas encore passé.

Finalement, nous arrivâmes en vue du Rocher d'Ector, las et découragés, la futilité de notre long séjour nous collant à la peau tout autant que nos manteaux trempés. Ector, qui revenait de faire la tournée de ses terres avec Cai et Arthur, croisa notre chemin non loin de Caer Edyn.

Arthur poussa un grand cri et s'élança à notre rencontre. « Myrddin ! Pelléas ! Vous êtes de retour. » Il sauta de selle et courut vers moi. « Je pensais que vous ne reviendriez jamais. Je suis heureux de vous voir. Vous m'avez manqué, tous les deux. »

Avant que j'eusse pu répondre, Ectorius arriva au galop, criant : « Salut, Emrys ! Salut, Pelléas ! Si vous m'aviez prévenu, nous serions venus à votre rencontre. Bienvenue !

— Salut, Ector ! Je te présente mes respects », répondis-je. Mon regard se posa sur le jeune Arthur, debout à la tête de mon cheval. Il dansait pratiquement sur place, sautillant d'un pied sur l'autre, en tenant les rênes de nos chevaux. « Tu m'as manqué, mon garçon, lui dis-je.

— Les choses vont-elles bien, dans le Sud ? demanda Ector.

— Le Sud est perdu, répondis-je. La folie règne. Tout au long du jour, les petits rois s'adonnent à la guerre et à la félonie. Ce qu'ils ne détruisent pas, les Saecsens se tiennent prêts à le voler. »

Ectorius, le sourire jouant toujours sur ses lèvres, nous regarda tous les deux tour à tour, comme s'il avait du mal à me croire. De fait, la pluie avait cessé, le soleil brillait et les paroles de désespoir semblaient impuissantes contre cela. Il jeta un coup d'œil vers les cieux éblouissants. « Eh bien… » — il haussa légèrement les épaules — « … vous avez eu un long et difficile voyage, assurément. Peut-être vous trouverez-vous d'humeur moins chagrine après vous être rincé la gorge de la poussière du chemin. Venez, il y a toute la bière qu'il faut pour cela. »

Il se retourna pour interpeller Cai et Arthur. « Alors ? Vous traînez encore par ici, petits paresseux ? Sautez en selle et allez annoncer la nouvelle. Nos amis ont retrouvé le chemin de la maison, nous devons fêter leur retour. Dites aux cuisines de préparer ce que nous avons de meilleur. Ectorius veut un festin, dites-le leur. Allez ! En route ! »

Arthur était en selle avant que le seigneur Ectorius ait fini de parler. Et il attendait à la porte quand nous arrivâmes à la forteresse, un large sourire aux lèvres, criant nos noms. « Myrddin ! Pelléas ! Je suis là ! »

Le simple fait de voir l'enthousiasme illuminer son jeune visage me fit rire… et je n'avais pas ri depuis fort longtemps. Ainsi Arthur, par sa seule présence, réconforta l'Âme de la Bretagne — exploit passé sous silence, mais non moins admirable que tous ceux chantés par les bardes.

Et pourtant l'inquiétude que j'éprouvais n'était pas le fruit de ma seule imagination. La sensation d'oppression était bien réelle, et aussi forte que je le croyais. N'en connaissais-je pas intimement la source ?

Ce jour-là, il n'y avait plus que le jeune Arthur qui exaltait nos cœurs de sa joie sans borne de nous voir de retour.

« J'ai eu tort de le quitter, Pelléas, avouai-je. Toutes nos pérégrinations n'ont servi à rien. Au contraire, j'ai sans nul doute aggravé les choses par mes interventions intempestives. » Je me tus, regardant Arthur qui accourait vers nous.

« Myrddin ! Pelléas ! Vous êtes restés si longtemps absents… presque une année ! Vous m'avez manqué ! Voulez-vous me voir manier la lance ? » Il avait passé de longues heures d'été à se perfectionner et était fier de ses progrès.

Je mis pied à terre. « Tu m'as aussi manqué, Arthur, dis-je en l'attirant à moi.

— C'est le Ciel et la Terre de te voir ! Oh, Myrddin, je suis si heureux que tu sois revenu ! » Il jeta ses bras autour de ma taille.

« Et c'est la joie même de te voir, Arthur, murmurai-je. Je suis désolé d'être resté si longtemps au loin. Mais il n'y avait pas moyen de faire autrement.

— Tu as raté Lugnasadh, dit Arthur en s'écartant. Mais tu arrives juste à temps pour la chasse d'automne ! J'avais peur que tu la manques. Le seigneur Ector a dit que Cai et moi pourrions y participer cette année. Je veux chevaucher avec toi, Myrddin, pour que tu puisses me voir. Certains des seigneurs du Nord vont venir et le seigneur Ector a dit que nous pourrions…

— Du calme, Arthur ! Et la Rencontre ? demandai-je. Avons-nous aussi manqué cela ? »

Le fugace froncement de sourcils d'Arthur me donna la réponse. « Il n'y a pas eu de Rencontre cette année, répondit-il. Custennin a dit qu'elle ne pouvait avoir lieu en raison de troubles je ne sais où.

— Oh, dis-je avec un hochement de tête. C'est bien triste.

— Mais, poursuivit-il, soudain épanoui, Ectorius a dit que l'année prochaine, nous aurions une Rencontre encore plus grande… deux fois plus grande ! Cela en vaudrait presque la peine d'attendre. » Il tourna les talons et partit en courant. « Viens, je vais te montrer comme je jette bien la lance ! Je me suis entraîné tout l'été ! »

Il disparut en un instant.

« Eh bien ? » Je me tournai vers Pelléas. « Il semblerait que nous allions assister à une démonstration de lancer de javelot. La bonne bière d'Ectorius devra attendre un peu, je crois. C'est plus important. Présente nos regrets au seigneur : dis-lui qu'une affaire de la plus haute importance s'est présentée et que nous le rejoindrons au plus vite. »

Pelléas se hâta de faire ce que je lui demandais et vint nous retrouver, Arthur et moi, sur le terrain d'exercice, derrière la maison des garçons. Là, nous regardâmes Arthur démontrer son adresse en atteignant la cible à tous les coups — exploit d'autant plus remarquable qu'il lançait le long javelot des guerriers, et non le plus court utilisé pour l'entraînement des jeunes garçons.

Le jour finissant étirait nos ombres sur le pré et nous regardions Arthur jeter et aller rechercher inlassablement sa lance, le visage empourpré de fierté. Nous applaudissions ses prouesses tandis que le soleil incandescent descendait dans notre dos.

Un dernier « Bien joué » et je pris le garçon sous mon bras. Nous retournâmes vers la grande salle où l'on était en train de préparer le festin. « Tu as l'étoffe d'un champion.

— Tu le penses vraiment ? Je peux faire mieux… je sais que je le peux.

— Je te crois. » Je fis halte et posai les mains sur ses épaules. « Je ferai de toi un roi, Arthur. »

Le garçon écarta la promesse d'un haussement d'épaules. « C'est ce que tu dis. Je veux juste combattre les Saecsens !

— Oh, tu les combattras, mon fils, lui assurai-je. Tu seras un guerrier… le plus grand guerrier que le monde ait jamais vu ! Et bien d'autres choses. »

Arthur fut heureux de cette prophétie. Mais il faut dire qu'il aurait été tout aussi content d'avoir une nouvelle lance ou une épée à lui. Il courut rapporter sa lance à l'armurerie et revint hors d'haleine quelques instants plus tard.

Je l'attendais, observant sa course. « Regarde-le, Pelléas. Il ne sait rien des puissances liguées contre nous. Et même s'il savait, je pense que cela aurait autant d'importance pour lui que la poussière sous ses pieds. »

C'est une chose étrange et subtile, mais je crois maintenant que je *devais* échouer — comprendre que tous mes efforts pour ramener la paix étaient vains — avant de pouvoir prendre conscience de la réalité qui se tenait devant moi, hardie comme la vie. Pour saluer la rédemption, il faut d'abord avoir connu le total désespoir de l'échec. Car comment un homme peut-il chercher un secours à moins de savoir qu'il est vraiment perdu ? C'était là devant moi — depuis toujours ! — mais j'avais été aveugle. Je le voyais maintenant pour ce que c'était et, oh, pour tout ce que cela deviendrait. Oui ! Je me rappelle bien ce moment. En vérité, cet après-midi doré avec Arthur si heureux près de moi reste un des plus glorieux dont je me souvienne. Car, dans ce bref instant, je contemplai la forme que prendrait notre salut. Grande Lumière, penser que j'aurais pu le laisser échapper !

Tristement, ma joie fut éphémère. De mauvaises nouvelles nous attendaient. Ector leva les yeux, les sourcils froncés, à notre entrée dans sa chambre. Il était assis à sa place préférée — un fauteuil fait de défenses de sanglier et de bois de cerf entrelacés. « Te voilà ! » s'écria-t-il, et il me mit sous le nez un rouleau de parchemin. « Lis ! » On aurait cru que ce qu'il y avait d'écrit était mon fait.

« Voilà ce qui m'attendait à mon retour… de la part de Lot. On a aperçu des bandes de Saecsens dans le Nord. Ils ont avec eux des femmes et des enfants. » Chacun de ses mots portait son poids de menace. « Ils s'installent. Les Picti les ont accueillis à bras ouverts. Lot pense qu'ils ont formé une alliance, et c'est bien ce qu'il semblerait.

— Où est l'homme qui a apporté cette lettre ? demandai-je.

— Reparti, répondit Ectorius. Lui et ceux qui l'accompagnaient ne sont restés se reposer qu'une journée avant de rentrer chez eux.

Nous les avons manqués d'un cheveu. » Il rapprocha le pouce de l'index pour appuyer ses paroles.

« Des Saecsens qui s'installent dans le Nord, murmurai-je sombrement. Ainsi, cela recommence. La tourmente que je redoutais est sur nous. »

Ectorius, qui avait espéré que je le rassurerais, chercha alors à amortir lui-même le coup. « Eh bien, la situation pourrait être pire. Quelques fermiers. C'est tout. Sûrement, ils ne peuvent faire aucun... » commença-t-il d'un ton hésitant.

Mais je lui coupai la parole. « Ce ne sont *pas* quelques fermiers, tu le sais parfaitement ! »

Ectorius me regarda d'un air furibond. Sa mâchoire se crispa dangereusement, mais il retint sa langue.

« Réfléchis donc ! Dans le Nord comme dans le Sud : les premières des puissantes vagues qui vont déferler sur cette île ont éclaté sur nos rivages, et avec elles sont arrivés les premiers des grands chefs de guerre qui vont chercher à s'emparer de la Bretagne.

— Tu es fou de parler ainsi ! » Ectorius bondit de son fauteuil. « Tu n'en sais rien.

— C'est la vérité, Ector. La Côte des Saecsens est tombée. En ce moment-même, les barbares établissent des forteresses où rassembler leurs armées, et de là ils se répandront pour ravager le pays.

» Et ensuite, conclus-je d'un air sinistre, quand ces païens auront volé de quoi assurer leur subsistance, ils chercheront à mettre toute la Bretagne sous leur coupe. »

Ses pires craintes confirmées, Ectorius regarda un moment le parchemin en fronçant les sourcils, puis il le jeta à terre.

« Tu n'es pas très encourageant, dit-il d'un ton bourru. Ce n'en est pas moins ce que me disait mon propre cœur. Mais j'avais espéré qu'Aurelius et Uther leur avaient fait passer l'envie de se battre.

— Ils l'avaient fait, mais seul un idiot aurait pensé que cela durerait à jamais. Du moins avons-nous connu quelques années de paix relative. Malgré tout, avec beaucoup de chance, ils pourraient se contenter d'aménager leurs colonies pendant un certain temps avant de lancer leurs attaques.

— Qu'ils y viennent quand ils veulent, déclara le seigneur Ectorius. Par le Dieu qui m'a créé, Emrys, j'ai l'intention de défendre mon bien. Je ne me laisserai pas chasser de mes terres.

— Courageusement parlé, répondis-je. Mais cette fois la seule force ne suffira pas à les vaincre.

— Comment cela ? Que pouvons-nous faire d'autre ?

— Prier, mon bon Ector, l'exhortai-je doucement. Prier que Dieu soit de notre côté. Prier que prévalent la force du bon droit et la valeur de la justice. Car je te le dis sans détours : sans cela, nous ne tiendrons pas la Bretagne un jour de plus qu'il ne nous est accordé. »

Ectorius, l'air maussade, secoua lentement la tête tandis que la vérité de ces paroles faisait son chemin en lui. « C'est une amère potion, Emrys. Je te le dis, et cela ne me réjouit en rien.

— Que ceci te soit alors un espoir, mon ami. Il en est un, en ce moment même, sous ta garde, qui porte en lui tout ce qui sera exigé au jour de l'épreuve. Un qui est venu à la vie en ce monde sans nul autre dessein. »

Ectorius ouvrit de grands yeux. « Ce n'est qu'un enfant.

— Aujourd'hui même j'ai vu l'avenir, Ector, lui assurai-je. Et il resplendissait dans le joyeux sourire de bienvenue de cet enfant. »

VIII

Les jours suivants furent consacrés aux préparatifs de la chasse d'automne. Il fallait referrer les chevaux, affûter les épieux, préparer les chiens. Chacun, dans la citadelle, était occupé. Du petit matin jusque tard dans la nuit, Caer Edyn résonnait de cris, de rires et de chansons. C'était comme une fête... mais une fête organisée dans un but résolument sérieux : nous chassions pour le fumoir et pour la table d'hiver. Nous avions besoin de viande pour traverser les longues journées de froidure.

Il fallait veiller avec minutie à chaque détail, car une mauvaise chasse signifiait un hiver de disette. Et, au nord du Mur, un hiver de disette est un hiver meurtrier.

Le matin de la chasse, Arthur se leva avant l'aube et s'assura que Pelléas et moi étions bien réveillés. Nous fîmes notre toilette et nous vêtîmes, puis nous gagnâmes en hâte la grande salle où étaient déjà rassemblés certains des invités et des hommes d'Ectorius, attendant que l'on serve à manger. Ce matin-là, nous déjeunerions de ragoût de porc, de pain noir et de bière, car nous serions toute la journée en selle.

Ce fut tout juste si Arthur parvint à avaler une bouchée. Il ne cessait de quitter sa place à mon côté, sur le banc, impatient d'aller voir son cheval, ou son harnachement, ou ses épieux.

« Mange, mon garçon, lui répétait Pelléas. Tu n'auras rien d'autre avant le souper.

— Je n'arrive pas à manger. Je dois aller m'occuper de mon cheval.

— Ton cheval peut attendre. Maintenant, mange ce qui est devant toi.

— Regardez ! Voici Cai ! Il faut que j'aille lui parler ! » Il était debout avant que nous eussions pu le retenir.

73

« Laisse-le, Pelléas, conseillai-je. Tu essaies de contenir la marée avec un balai. »

Après le repas, nous sortîmes dans la cour où nous attendaient les chevaux. Le jour s'était levé, gris et froid, voilé d'une brume épaisse et humide… âpre avant-goût du long et morne hiver à venir. Les valets de chiens — six hommes qui s'occupaient chacun de quatre limiers — s'efforçaient de calmer leurs bêtes et de les empêcher d'emmêler leurs laisses. La cour sentait le cheval et le chien mouillé. Il régnait une joyeuse confusion, une excitation décuplée par l'expectative.

Les chevaux renâclaient et piaffaient impatiemment tandis que les chasseurs complétaient leur harnachement. Les plus jeunes garçons couraient çà et là, excitant les chiens et les faisant aboyer. Et les femmes, venues assister au départ de leurs époux ou galants, taquinaient gentiment leurs hommes qu'elles mettaient au défi de rapporter le plus gros cerf ou sanglier, ou, à défaut, un lièvre pour la marmite.

Pelléas et moi devions chevaucher avec Ectorius. Nous le trouvâmes près de la porte, en pleine conversation avec son maître veneur — un colosse au crâne chauve nommé Ruddlyn, capable, disait-on, de sentir un cerf avant que celui-ci ne le sente… ce qui n'était pas un mince exploit, assurément, car même moi je percevais fort distinctement son odeur. Il portait une grossière tunique de cuir d'où surgissaient deux gros bras poilus. Ses jambes robustes comme des troncs d'arbre disparaissaient dans de grandes bottes de fourrure. Ectorius et Ruddlyn parlaient du temps.

« Non, non, disait Ruddlyn, ce *liath* va vite se lever. Ce n'est rien du tout, ne t'inquiète pas. Le temps qu'on arrive, les vallées seront dégagées. La brume ne durera pas, je te le dis.

— Alors, sonne de ton cor, lui dit Ectorius, se décidant soudain. C'est péché de retenir les chiens plus longtemps.

— Oui, seigneur », acquiesça Ruddlyn, qui s'éloigna d'un pas pesant en portant à ses lèvres la corne de chasse attachée autour de son cou.

Nos chevaux étaient prêts et nous montâmes en selle. Ectorius, souriant, le visage trempé par la bruine, salua les chasseurs impatients. « Mes amis ! Nous avons l'assurance d'une belle journée. L'été a été beau, les halliers regorgent de gibier. Je vous souhaite bonne chasse. »

À cet instant, le maître veneur sonna de sa corne… une longue et puissante note grave à laquelle les chiens répondirent par des aboiements. Les portes s'ouvrirent et nous nous élançâmes.

Les terrains de chasse du seigneur Ectorius étaient tout proches, au nord-ouest de Caer Edyn, où la forêt était touffue. À partir de la vallée de la Carun, les coulées de gibier s'enfonçaient dans la forêt en suivant la rivière sur une bonne distance avant de se diviser.

Sur notre droite, les pistes s'élevaient en pente douce vers les collines et les falaises surplombant le Fiorthe et Muir Guidan. Sur notre gauche, elles s'incurvaient vers l'ouest, montant à l'assaut d'une crête abrupte et traîtresse qui marquait le début de la région aride et désolée nommée Manau Gododdin.

Le fond des vallées était recouvert de denses futaies de chênes et de frênes aux sous-bois envahis de ronces. Sur les collines et les plateaux, le genêt et la bruyère s'accrochaient au roc dénudé : une rude contrée. Mais la chasse y était sans égal.

Nous nous dirigeâmes vers la vallée, laissant les plus impatients nous distancer. À l'entrée de la menée, la première meute fut lâchée et les chiens bondirent en avant, aboyant et bavant, l'odeur du gibier leur brûlant déjà les narines. Le premier groupe de chasseurs s'élança à leur suite.

« Laissez courre ! Laissez courre ! cria Ectorius. Myrddin, Pelléas ! Restez près de Ruddlyn et il nous trouvera un rare trophée. Vous avez ma parole. »

Nous poursuivîmes notre chemin dans le vallon qui résonnait des cris des chiens et des chasseurs. Cai et Arthur nous dépassèrent en braillant comme des *bhean sidhe*, franchirent au galop la Carun et s'enfoncèrent dans la forêt.

« Je chevauchais jadis ainsi, s'esclaffa Ectorius en secouant la tête, mais quand on a contemplé une fois ou deux la table vide en hiver, on apprend bien vite à refréner sa fougue. Oh... » Il rit de nouveau. « ... mais comme c'était amusant. »

Ruddlyn arriva à ce moment-là, mit pied à terre et, prenant les laisses des cinq chiens qu'il avait avec lui — de grandes brutes noires au museau carré — il enroula les cinq lanières de cuir autour de sa main et dit : « J'ai aperçu un cerf de belle taille un peu plus loin. Cela vaudrait la peine de ménager les chiens pour lui. »

Sur ces mots, il repartit, courant avec ses chiens, ses jambes robustes le portant avec une vitesse surprenante sur la piste envahie de broussailles. Curieusement, les chiens n'aboyaient pas, mais trottaient la tête basse, la queue droite.

Ectorius vit mon air étonné et expliqua : « Il les a dressés à rester silencieux. Ils ne donnent jamais de la voix tant que l'animal n'a pas été repéré. Nous pouvons ainsi nous approcher plus près. » Il fouetta son cheval et s'élança à la suite du chasseur et de ses chiens.

Pelléas le suivit et je lui emboîtai le pas, couché sur l'encolure de ma monture pour éviter les basses branches. La piste était sombre et humide, la brume en suspension dans l'air immobile. Peu à peu, les échos des autres groupes de chasseurs s'éloignèrent, étouffés par la végétation touffue.

Ruddlyn, se mouvant avec l'agilité de ses chiens, disparut bientôt dans l'obscurité du sombre tunnel qui s'ouvrait devant nous. Nous le suivions, taillant à travers les fougères odorantes qui s'accrochaient à nous comme pour nous retenir. En quelques instants nos chevaux et nos vêtements furent trempés.

La piste ne cessait de tourner vers la gauche et je compris bientôt que nous suivions une gorge qui s'enfonçait dans les collines rocailleuses de Manau Gododdin. Nous chevauchions, le bruit de notre course assourdi par l'air lourd et humide.

Nous rattrapâmes Ruddlyn dans une clairière où il avait fait halte pour nous attendre. À peine essoufflé, il se tenait debout, entouré de ses chiens, le visage tourné vers les nuages bas et plombés. « Cela va se dégager, annonça-t-il.

— Qu'as-tu trouvé ? demanda Ectorius. C'est notre cerf ?

— Oui.

— Le verrons-nous bientôt ?

— Très bientôt, seigneur. »

Sur ce, il tourna le dos et repartit. Le terrain, remarquai-je, commençait à s'élever et, un peu plus loin, la forêt s'éclaircissait légèrement. Nous arrivions sur les hauteurs : la piste se faisait plus inégale.

Notre allure n'était pas très rapide, mais je ne quittais pas le sentier de l'œil, à l'affût du moindre obstacle. À la chasse, même les plus petits dangers — une pierre coupante, une branche morte, un trou dans le sol — peuvent entraîner un désastre si l'on n'y prend garde.

Je m'étais laissé bercer par le bruit de la course, lorsque je fus soudain tiré de ma rêverie par les aboiements des chiens. Je relevai la tête et vis devant nous Ruddlyn qui montrait les broussailles, et les chiens qui tiraient sur leurs laisses, le museau pointé vers les cieux.

Je regardai l'endroit qu'il indiquait et aperçus la tache rousse d'un cerf en train de disparaître. Un instant plus tard, les chiens étaient lâchés et se lançaient à sa poursuite, Ruddlyn sur les talons.

« Sus ! s'écria Ectorius. Dieu nous bénisse, la bataille nous attend ! L'avez-vous vu ?

— Un véritable seigneur de sa race » cria Pelléas en faisant claquer ses rênes. Son cheval bondit sur les traces des chiens.

Je le suivis, exultant, le vent humide cinglant mon visage, les aboiements frénétiques de la meute aux oreilles. La forêt s'éclaircissait. Les arbres défilaient de part et d'autre. Mon cheval et moi nous mouvions comme si nous ne faisions qu'un, sautant par-dessus les troncs morts et les rochers, plongeant à travers les fourrés.

J'apercevais de temps en temps l'un ou l'autre devant moi — tantôt Pelléas, tantôt Ectorius — tandis que la forêt défilait dans une confuse masse grise. Le sentier était maintenant plus raide, jonché de rocs et de mottes d'herbe. Nous volions presque au-dessus, sans cesser de monter.

Soudain, nous nous retrouvâmes en terrain découvert : la forêt disparut derrière nous. Devant s'élevaient les pentes abruptes plongées dans l'ombre de la crête rocheuse. Au même instant, les nuages se déchirèrent et, immobile dans un rayon de lumière miroitante, la tête haute, nous contemplant d'un air indifférent... un cerf magnifique — énorme, peut-être le plus grand que j'eusse jamais vu. Douze cors, sinon plus, à chaque bois, une épaisse et sombre toison couvrant son puissant garrot, les flancs solides et l'arrière-train robuste — un vrai Seigneur de la Forêt.

Ectorius poussa un cri. Pelléas salua la créature d'une exclamation de joie. Les chiens, voyant la proie à leur portée, aboyèrent avec une vigueur renouvelée. Ruddlyn porta le cor à ses lèvres et lança une longue note éclatante.

Le cerf tourna la tête, prit son élan et s'enfuit d'un bond, gravissant la pente aussi légèrement que l'ombre d'un nuage. Les chiens, oreilles couchées sur le crâne, s'élancèrent à sa poursuite, suivis de près par leur maître.

Nous gravîmes la pente en ligne droite. Parvenu à son sommet, je découvris qu'il ne s'agissait que du contrefort d'une plus haute colline dont la cime se perdait toujours dans le brouillard. Le cerf obliqua et se mit à courir tranquillement le long de ce large épaulement herbeux, qui s'élevait vers l'ouest à la rencontre de la crête.

Comme je faisais tourner ma monture pour suivre les autres, j'entrevis un mouvement plus bas, à l'orée de la forêt. Je jetai un coup d'œil dans la vallée que nous venions de quitter. Deux cavaliers et un chien venaient de sortir du couvert et gravissaient au grand galop la colline. Je n'eus pas besoin d'y regarder à deux fois : j'avais reconnu Cai et Arthur. Je fis halte pour les laisser nous rejoindre.

« Il est à nous ! cria Arthur quand il m'eut rattrapé.

— Nous l'avons vu les premiers ! m'informa Cai. Nous sommes sur sa piste depuis que nous avons traversé la rivière. »

Les deux garçons me foudroyaient du regard comme si j'avais conspiré à les déposséder de leur virilité. Le chien tournait autour de nous en jappant, impatient, la riche odeur du cerf à ses narines.

« Paix, mes frères, leur dis-je. Je ne doute pas que vous ayez croisé sa piste un peu plus tôt. Mais il se trouve que nous l'avons vu avant vous.

— C'est injuste ! brailla Cai. Il est à nous !

— Quant à cela, lui dis-je, le trophée appartient à celui qui le met à mort. Et il va réussir à s'échapper pendant que nous perdons notre temps à agiter nos langues.

— C'est vrai ! » s'écria Arthur en pivotant sur sa selle pour regarder le sentier. Ses yeux suivirent l'épaulement de la colline, puis se portèrent sur la pente recouverte d'éboulis, sur sa droite. « Par ici ! » cria-t-il en lançant son cheval au galop.

Cai me jeta un regard menaçant et bondit sur ses traces. « C'est la mauvaise direction ! » leur criai-je, mais ils étaient déjà trop loin pour entendre. Je les regardai pendant un moment, puis j'entrepris de rattraper Pelléas et Ectorius.

Je les retrouvai un peu plus tard dans une gorge encaissée envahie d'ajoncs et d'églantiers. Je ne vis pas Ruddlyn, mais j'entendais un peu plus loin aboyer les chiens. « L'animal a disparu, m'apprit Ectorius quand je fis halte près de lui. Je l'ai quitté des yeux le temps d'un battement de cils et il n'était plus là.

— Les chiens vont retrouver sa piste, dit Pelléas. Il ne peut pas être allé loin.

— Non, nous ne pouvons pas l'avoir perdu, dit Ectorius. Nous aurons notre prise.

— Pas si Arthur et Cai arrivent à leurs fins, rétorquai-je.

— Comment cela ? demanda Ectorius, surpris.

— Je les ai rencontrés plus bas sur la piste. Ils traquaient aussi ce cerf. Ils prétendent l'avoir vu en premier. »

Ectorius éclata de rire et secoua la tête. « Dieu les garde, toute la forêt pour chasser, et ils tombent sur notre bête. Eh bien, il leur faudra la tuer s'ils espèrent avoir le trophée.

— C'est ce que je leur ai dit, répondis-je.

— Où sont-ils passés ? demanda Pelléas en regardant derrière moi.

« — Arthur les a entraînés sur les hauteurs.

— Il n'y a là que ronces et rochers, fit remarquer Ectorius. Aucun endroit où se mettre à couvert. Ces gredins devraient le savoir. »

Ruddlyn revint vers nous au pas de course, sa large figure ruisselant de sueur. Il avait rattaché les chiens et ceux-ci tiraient sur leurs laisses. « Le cerf n'y était pas, haleta-t-il en montrant la cuvette envahie d'ajoncs, mais il y est passé. Son odeur était partout, nous n'avons pas pu trouver de piste nette.

— Il doit avoir bondi au détour du chemin, dit Ectorius.

— Oui, sans doute, acquiesça le chasseur. C'est là une rusée créature. Il faut revenir en arrière, nous ne pouvons pas continuer par ici. »

Nous revînmes sur nos pas, tenant les chiens court en attendant qu'ils aient trouvé une piste fraîche. Et, à l'endroit qu'avait suggéré Ectorius, nous croisâmes de nouveau le chemin suivi par le cerf. Les chiens se mirent à hurler en tirant sur leurs laisses. Ruddlyn avait grand peine à les empêcher de s'élancer à l'assaut de la colline.

« C'est par ici que sont passés Cai et Arthur ? demanda Ectorius.

— Oui, répondis-je, mais je les ai rencontrés un peu plus bas, où la pente n'est pas si raide.

— Cela fait trois rusées créatures, fit remarquer Pelléas.

— Il semblerait que nous devions suivre les garçons, répondit Ectorius. Dieu sait que nous ne pouvons pas monter par ici. Nous risquerions de nous rompre le cou.

— Montre-nous l'endroit », cria Ruddlyn, redescendant déjà le sentier. Je tournai bride et chevauchai jusqu'à l'endroit où j'avais vu Cai et Arthur pour la dernière fois.

« Ils sont montés par ici ! » criai-je en m'engageant sur la pente. L'ascension était difficile et, une fois au sommet, la progression n'était pas plus aisée. Comme l'avait dit Ectorius, ce n'étaient que ronces et rochers. Une falaise abrupte se dressait au-dessus de nous et le sol était recouvert d'éboulis, de sorte que s'y aventurer à cheval était dangereux. Je mis pied à terre pour attendre les autres.

« Nous allons devoir continuer à pied, déclara Ectorius en se laissant glisser de sa selle. Nous risquerions de blesser les chevaux.

— De quel côté sont-ils passés ? » se demanda Pelléas. Il scruta les grands rocs qui nous dominaient, noirs et luisants de l'humidité déposée par la brume. Il n'y avait aucun signe des garçons.

À cet instant, un des chiens donna de la voix et se mit à tirer sur sa laisse. « Par ici ! » s'écria Ruddlyn. D'un coup de sifflet perçant, il rassembla les chiens et partit au pas de course.

Nous attrapâmes chacun deux épieux et le suivîmes en hâte. Le sol était jonché de cailloux rendus glissants par la pluie et le brouillard. Je coinçai mes épieux sous mon bras et courus le plus vite possible sur cette surface traîtresse.

Les chiens nous entraînèrent dans un étroit défilé menant à un couloir d'éboulement. Je jetai un coup d'œil vers le sommet et vis, gravissant au galop la pente rocailleuse, Cai et Arthur... le cerf en pleine course devant eux. À cet instant, l'animal atteignit la crête et disparut.

Ectorius et Ruddlyn les virent au même moment. Ectorius leur cria de nous attendre, mais ils étaient trop loin pour l'entendre. « Ces jeunes imbéciles vont se tuer ! hurla Ectorius. Et leurs chevaux avec eux ! »

Il n'y avait rien d'autre à faire que de les suivre au plus vite, ce que nous fîmes.

En haut de la gorge, la pente était plus raide qu'elle ne le paraissait de loin. La gravir à pied était déjà assez difficile. Je ne sais pas comment Cai et Arthur y étaient arrivés à cheval.

La crête formait une chaussée naturelle d'est en ouest entre les pentes qui tombaient à pic de chaque côté. Derrière nous, dans les basses terres, la forêt semblait une peau de bête sombre et fripée au-dessus de laquelle se dressait au loin Caer Edyn.

Ici, la brume était plus épaisse, les nuages plus denses. L'eau se condensait sur mon front et me ruisselait dans le cou. Malgré la fraîcheur des sommets, j'étais en sueur et mes vêtements étaient trempés. Seuls mes pieds étaient encore secs.

Les chiens nous entraînèrent vers l'est, le long de la crête, et nous les suivîmes... plus lentement, maintenant que la fatigue commençait à nous gagner. Même les longues enjambées de Ruddlyn ralentissaient, bien qu'il poursuivît implacablement son chemin.

La chaussée serpentait le long de la ligne de crête... chemin le plus inégal et périlleux que j'eusse jamais vu. Nous courions. Le sol montait légèrement sous nos pieds et devant nous se dressait un piton de granit dénudé, telle une tête fracassée, qui nous barrait le chemin. Sur la droite s'élevait une muraille de pierre dentelée, sur la gauche le précipice plongeait vers une corniche déchiquetée. Droit devant se tenaient Cai, Arthur et le cerf.

Voici ce que je vis :

Arthur est assis, tendu, sur sa selle, la tête baissée, carrant les épaules, le dos droit. Il étreint l'épieu dans sa main droite. Comme je connais bien la puissance de cette étreinte ! Cai se tient à quelques pas de lui, l'épieu brandi. Tous deux regardent le cerf, le souffle court.

Le cerf… quel champion ! Il est encore plus grand que je le pensais… presque aussi gros qu'un cheval. Acculé, il s'est retourné pour faire front à ses poursuivants, la tête droite : ses flancs luisants se soulèvent régulièrement. Une écume mêlée de sang coule de son mufle. Les pointes de ses andouillers s'étalent telles les branches d'un chêne centenaire… dix-huit cors.

Oh, c'est un superbe trophée !

Le limier noir de Cai tourne autour de lui en aboyant sauvagement. Il voit une ouverture et attaque. Le cerf fait volte-face et baisse la tête. Le chien jappe en faisant un bond de côté, mais il ne peut éviter les cornes qui le transpercent et le projettent, mourant, sur les rochers.

À cette vue, nous nous mettons à courir. Nous nous approchons, mais Ruddlyn nous retient. « Arrêtez ! s'écrie-t-il. Laissez les chiens faire leur travail ! »

Il pense que c'est trop risqué. Si nous intervenons, le cerf pourrait charger l'un des garçons et le tuer. Il va lâcher les chiens pour qu'ils encerclent le cerf et le harcèlent.

Puis, quand la bête épuisée aura perdu de sa combativité, nous nous rapprocherons avec nos épieux pour la mise à mort. C'est brutal, oui. Mais c'est ainsi que l'on agit avec un gibier acculé. Toute autre méthode est mortellement dangereuse.

Détachés, les chiens poussent un puissant glapissement et s'élancent.

Mais le cerf est un vieux guerrier. La rusée créature n'attend pas que les chiens attaquent. Elle baisse la tête et charge !

Je vois s'incliner sa tête… ses sabots se planter dans le sol… les muscles de ses épaules et de ses flancs se contracter… son arrière-train s'abaisser tandis que ses pattes arrière se détendent, projetant l'animal en avant.

La mortelle ramure fend l'air en direction d'Arthur.

Cai pousse un cri.

Et Arthur…

Arthur pointe sa lance. Elle est comme un frêle roseau dans sa main. Ses yeux sont durs et fixes. Il est aussi impassible que la mort qui se précipite vers lui.

Mais pas sa monture. Elle prend peur et fait volte-face au dernier moment. Arthur tire de toutes ses forces sur les rênes pour la faire retourner, mais il est trop tard.

Le cerf baisse la tête, les pointes de ses bois frôlent le sol... puis se relèvent ! Telle l'épée d'un Saecsen, elles s'enfoncent dans le ventre du cheval.

L'animal blessé hennit de souffrance et de terreur. Le cerf secoue la tête. Ses andouillers sont coincés. Le cheval se débat pour rester debout. Le genou d'Arthur est cloué contre le flanc de sa monture. Il ne peut pas sauter de selle.

Il y a du sang partout.

Les chiens accourent pour la mise à mort, mais ils sont encore trop loin. Ils n'arriveront pas à temps.

Le cheval tombe. Il roule sur le dos, yeux et naseaux écarquillés, battant désespérément l'air de ses pattes. Oh, Arthur ! Arthur est bloqué sous sa monture. Dieu lui vienne en aide !

Le cerf se dégage. Il se cabre, griffant l'air de ses sabots. Il baisse la tête pour plonger ses mortels andouillers dans l'ennemi qui se débat à terre.

L'épieu d'Arthur est coincé sous le flanc du cheval.

Je cours vers lui. Je suis hors d'haleine. Je pousse un hurlement parce que je ne puis courir assez vite pour le sauver.

Le cerf se dresse au-dessus d'Arthur... semble y rester en suspension.

Il retombe.

Le ciel se déchire soudain et le soleil inonde la chaussée. La lumière est éblouissante. Je cligne des yeux.

Quand je les rouvre, je m'attends à voir le corps d'Arthur transpercé par les andouillers du cerf...

Mais non. Son bras jaillit. Il tient un couteau. Les rayons du soleil frappent la lame qui étincelle tel un flambeau dans sa main. Le cerf l'évite et plante ses bois dans la croupe du malheureux cheval.

Le bras d'Arthur se détend, visant la gorge du cerf. Il ne peut l'atteindre. Le coup blesse à l'épaule l'animal qui enfonce plus profondément ses cornes dans la croupe du cheval qui se débat faiblement.

Le cerf recule pour porter le coup de grâce. Cai lance son épieu, mais celui-ci tombe trop court et rebondit sur le flanc de l'animal.

Arthur se contorsionne et réussit à se dégager de sous sa monture. Nous nous mettons à pousser des cris pour détourner l'attention du cerf. Nous hurlons à en faire éclater nos poumons. Les premiers chiens atteignent le cerf.

Ce dernier fait front pour les disperser. Arthur se met à genoux, l'épieu de Cai à la main. Le cerf se retourne vers lui.

Je les vois : le cerf et le jeune garçon qui se dévisagent à quelques pas de distance. Un court jet de lance les sépare, pas davantage. Les chiens s'accrochent aux flancs du cerf. Il se retourne, encorne l'un d'eux et le projette au loin, puis se ramasse pour une ultime charge.

Arthur bande ses muscles. Sa lance ne tremble pas.

Désespérément, Ectorius lance un épieu. Celui-ci tombe bien trop court, sa pointe de fer projette des étincelles en ricochant sur le roc. Il en prépare un autre. Nous sommes presque à portée.

Les chiens encerclent le cerf, mais le Seigneur de la Forêt a les yeux rivés sur Arthur.

« Fuis ! hurle Pelléas. Arthur ! Fuis ! »

Le cerf charge, propulsé par ses puissantes pattes arrière.

« Fuis ! » crions-nous. Mais il est trop tard. Le cerf se précipite déjà droit sur Arthur. Le garçon ne peut plus tourner les talons pour s'enfuir, sinon le cerf l'empalera sur ses bois.

Arthur, accroupi, lui fait front sans crainte, brandissant sa lance.

Le cerf fond sur lui... comme il est rapide !

Maintenant ! Je lance de toutes mes forces mon épieu et le vois filer inutilement entre les pattes de l'animal en pleine course. Ectorius brandit le seul épieu qui lui reste.

Au même instant, le cerf lève simplement les sabots, s'envole avec légèreté par-dessus Arthur accroupi et court jusqu'au bord du précipice. Arthur s'élance déjà derrière lui.

Le Seigneur de la Forêt s'arrête, prend son élan et bondit. Quel prodige ! Il saute dans le vide et nous nous précipitons, pensant voir le fier animal s'écraser plus bas sur les rochers.

Arthur tourne de grands yeux vers nous qui accourons. Il tend un doigt et je regarde dans la direction qu'il indique.

Je vois le cerf... qui dévale en bondissant le flanc abrupt de la falaise jusqu'à la corniche en contrebas. L'animal culbute en l'atteignant, roule sur lui-même, se redresse et, la tête haute, s'éloigne au petit trot sans même un regard en arrière.

Nous prenons lentement conscience de ce qui vient de se passer.

« Arthur, es-tu blessé ? » demandé-je en le prenant par les épaules et en l'examinant attentivement.

Arthur secoue la tête. Il est plus déçu qu'effrayé. « J'aurais pu l'avoir, dit-il. J'étais prêt.

— Mon fils, il t'aurait tué, dit Ectorius d'une voix timide. C'est un véritable miracle que tu sois en vie. » Il secoue la tête de stupéfaction devant le courage inentamé d'Arthur.

Cai fronce les sourcils. Il est furieux que le cerf se soit échappé. « Les chiens ont tout gâché. Nous l'avions. »

Ruddlyn a rassemblé les chiens et accourt vers nous. « C'est *lui* qui t'aurait eu, jeune écervelé ! » grogne le chasseur, sans dissimuler son mépris pour l'opinion de Cai. « Mets-le toi bien dans la tête. Ce Roi de la Vallée était votre maître depuis le début. C'est un prodige que vous fouliez encore le sol des vivants, tous les deux. »

À ces mots, Arthur baisse la tête. Pleurerait-il ?

Non. Quand il relève les yeux, ceux-ci sont secs et limpides. « Je suis désolé, seigneur Ectorius. J'ai perdu le cheval que tu m'avais donné.

— Ne te tourmente pas pour cela, mon garçon. Ce n'est qu'un cheval, Dieu te garde. » Ectorius secoue de nouveau la tête.

« Je ferais mieux la prochaine fois », promet Arthur. L'acier qui perce dans sa voix trancherait le cuir le plus robuste.

« Tu le feras, lui réponds-je, mais pas aujourd'hui. La chasse est terminée pour vous. »

Arthur ouvre la bouche pour protester, mais je ne veux rien entendre. « Retournez au caer et réfléchissez au présent qui vous a été accordé aujourd'hui. Allez, maintenant… tous les deux. »

Cela ne leur plaît pas, mais ils font ce que je leur ordonne. Ils enfourchent le cheval de Cai et s'éloignent. Pendant que Ruddlyn ensevelit les deux chiens morts, nous récupérons la selle et le harnachement d'Arthur avant de revenir vers nos chevaux. Personne ne dit mot : même les chiens sont silencieux.

Nul d'entre nous, pas même Ruddlyn, ne sait que penser de ce à quoi nous venons d'assister. Il semble préférable de ne rien dire, nous tenons donc notre langue. Mais il y a de l'émerveillement dans nos âmes. Il ne fait pas de doute que nous avons vu un prodige… davantage, peut-être : un signe.

Son accomplissement devait venir en son temps. Je ne savais pas ce qu'il signifiait sur le moment, mais je le sais maintenant. C'était la bénédiction de Dieu attestant de la souveraineté d'Arthur, et un présage pour l'épreuve à venir. Car un jour je verrais ce même jeune homme adopter la même attitude désespérée contre un redoutable adversaire décidé à lui infliger une mort certaine. Et ce jour-là Arthur deviendrait immortel.

LIVRE DEUXIÈME

LE SANGLIER NOIR

I

Les jours passent. Ils se flétrissent et s'enfuient. Voyez avec quelle célérité ils s'envolent ! Mais il ne s'en écoule pas un seul sans que je me rappelle avec délice le couronnement d'Arthur ap Aurelius. Et parce qu'il *était* le fils d'Aurelius — malgré ce que peuvent prétendre d'ignorants calomniateurs — je fis tout pour lui offrir la même cérémonie qu'à son père.

Vous voudrez bien me pardonner si je ne dis rien de la longue saison de luttes que nous dûmes subir de la part de certains seigneurs et roitelets du Sud, ni des féroces combats contre les Saecsens qui suivirent. Il a été plus que suffisamment écrit sur ces années ravagées par les guerres... même les petits enfants connaissent par cœur ces histoires. Je dirai simplement qu'après sept ans d'incessants combats, Arthur rompit l'échine de la horde barbare au mont Baedun : une terrible bataille qui dura trois jours et coûta des vies par milliers. Et cela alors qu'Arthur n'était pas encore roi !

J'y étais, oui. J'ai tout vu, et je n'ai pourtant rien vu : j'étais aveugle depuis ma rencontre avec Morgian. Peu avant Baedun, vous souviendrez-vous, j'avais quitté l'armée pour me rendre dans le Sud, décidé à briser une fois pour toutes le pouvoir de la Reine de l'Air et de l'Ombre. La redoutable Morgian commençait alors à s'intéresser aux faits et gestes d'Arthur et je ne pouvais sans réagir la regarder tisser ses sombres intrigues autour du futur Grand Roi de Bretagne.

J'allai seul, sans rien dire à quiconque. Pelléas, parti à ma recherche, disparut et ne revint jamais... puisse le Dieu Généreux avoir pitié de lui. Je sais que Morgian l'a tué. Elle faillit bien me détruire, moi aussi. Bedwyr et Gwalcmai me retrouvèrent dans le Llyonesse et me ramenèrent : aveugle, mais invaincu, ayant dégagé la voie pour la souveraineté d'Arthur. Et le jour de celle-ci n'était plus très éloigné.

Après le bain de sang du mont Baedun, aussi terrible dans sa nécessité que dans son exécution, nous nous retirâmes dans l'abbaye voisine de Mailros afin de nous reposer et de remercier le Ciel pour la victoire qu'il nous avait accordée. Même si ce n'était guère plus qu'une ruine, les bons frères y étaient revenus et commençaient déjà les réparations. Comme c'était la plus proche de Baedun — en fait, elle était édifiée en vue de ces sommets jumeaux inondés de sang — Arthur l'avait choisie pour ses prières d'actions de grâce.

Nous y restâmes deux jours, puis, ayant pansé nos blessures, nous remontâmes le Val de Twide vers Caer Edyn, où le seigneur Ectorius, son vaste cœur gonflé de fierté, offrit un festin tel que peu d'hommes en ont jamais goûté. Nous passâmes trois jours et trois nuits à table, mangeant et buvant, pour soigner en compagnie d'amis loyaux nos âmes meurtries par les combats.

Le bon Ector, dernier de sa noble race, nous donna ce qu'il avait de meilleur, prodiguant tout sans compter. Les tables ployaient sous le bon pain et sous la viande rôtie, la bière et le riche hydromel doré coulaient à flots... une cruche n'était pas plus tôt vide qu'une autre apparaissait, emplie à l'énorme cuve qu'Ector avait fait installer dans sa grande salle. La blanche mousse et l'ambre pétillant remplissaient les coupes des Seigneurs de Bretagne ! Doux comme le baiser d'une jouvencelle, doux comme la paix entre de nobles cœurs !

« Je n'y comprends rien, Myrddin, me murmura Ector en me prenant à part le soir du troisième jour. Les barriques de bière ne sont pas vides.

— Vraiment ? Eh bien, ce n'est pas faute d'essayer, je t'assure, répondis-je.

— Mais c'est bien ce que je t'explique, insista-t-il.

— Tu ne m'expliques rien du tout, mon ami, le repris-je gentiment. Parle clairement, Ector.

— Nous devrions déjà être à court de bière. Je n'en avais pas de telles quantités en réserve.

— Tu as dû faire erreur. Ce dont je ne puis que me réjouir.

— Mais le niveau ne baisse pas, insista-t-il. J'ai beau y envoyer puiser, la barrique est toujours pleine.

— Au milieu de toutes ces réjouissances, les serviteurs se sont sans doute trompés. Ou bien nous n'avons peut-être pas bu autant que tu le penses.

— Ne sais-je pas ce que j'ai dans ma maison ? protesta Ector. Va voir par toi-même, Sage Emrys, et reviens me dire que j'ai fait erreur.

— C'est à *toi* de voir, Ector, répondis-je en portant la main au bandage qui me couvrait les yeux. Puis de me dire ce que tu auras constaté.

— Je n'avais pas l'intention... bafouilla-t-il. Oh, tu sais ce que je voulais dire.

— Paix, Ector, le rassurai-je. Je te crois.

— Je sais ! Je vais en parler à Dyfrig... il saura quoi faire.

— Oui, acquiesçai-je, va chercher le bon évêque. Il sera mes yeux. »

Ectorius partit aussitôt. Durant son absence, le festin se poursuivit sans discontinuer, les coupes ne cessant de passer à la ronde. Bientôt le fond de la cuve réapparut à travers la mousse et des cris s'élevèrent pour demander aux jeunes garçons chargés du service d'aller la remplir. Cette fois, j'allai avec eux. « Conduis-moi à la réserve », ordonnai-je au plus âgé en posant ma main sur son épaule.

Il sortit de la grande salle et me fit traverser la cour vers un solide bâtiment. À l'intérieur se trouvaient trois grandes barriques de chêne... deux pour la bière et une pour l'hydromel. « Va chercher le maître brasseur, dis-je à mon guide tandis que les autres commençaient à remplir leurs seaux. Je veux lui parler. »

M'approchant du plus proche récipient, j'y appliquai les mains pour palper les douves de bois. Je les frappai de mon doigt replié et entendis le mousseux clapotis des seaux qu'y plongeaient les serviteurs. Aussi large qu'une roue de charrette et presque aussi haute qu'un homme, la barrique devait contenir une bonne quantité. Deux de la sorte, comme en possédait Ector, pouvaient approvisionner semblable festin pendant un jour et une nuit — peut-être deux — mais certainement pas trois jours et trois nuits.

« Combien reste-t-il dans la barrique ? demandai-je au serviteur le plus proche.

— Mais elle est presque pleine, Emrys, répondit le garçon.

— Et l'autre ? Pleine ou vide ?

— Pleine, seigneur, répondit-il.

— Quand y avez-vous puisé pour la dernière fois ? »

Le jeune serviteur — je lui donnai dix ou douze étés, à sa voix — hésita. « Seigneur ?

— La question est assez simple, mon garçon. Quand avez-vous puisé pour la dernière fois à la deuxième barrique ?

— Mais nous n'y avons pas touché, seigneur. Celle-ci est la seule qu'il nous ait été permis d'ouvrir.

— C'est exact, confirma une voix adulte en provenance de la porte, dans mon dos. Sage Emrys, poursuivit l'homme, je suis Dervag, maître brasseur du seigneur Ector. Y a-t-il un problème avec la bière ?

— Je te salue, Dervag. Ta bière est excellente, ne crains rien, lui assurai-je. Il y en a cependant des quantités surprenantes. La chose a piqué ma curiosité.

— Le seigneur Ector possède trois barriques, expliqua Dervag en venant me rejoindre. Ces trois-là : deux de bière et une d'hydromel. Les garçons puisent dans la barrique en perce, et ce n'est que quand il n'y reste plus une goutte que je donne l'autorisation d'ouvrir la deuxième.

— Dans ce cas, tu pourrais regarder pour moi afin de vérifier si tout est en ordre. »

Aimablement, le maître brasseur monta sur la pierre disposée près de la barrique. « Elle est encore plus qu'aux deux tiers pleine », annonça-t-il, déconcerté. Il courut à la deuxième barrique. Je l'entendis soulever un couvercle de bois qu'il remit aussitôt en place.

« Celle-ci n'a pas été touchée. » Le ton du maître brasseur s'était fait méfiant et légèrement accusateur. « Que se passe-t-il ici ?

— Bonne question, Dervag, répondis-je tranquillement. Comment se fait-il que des hommes festoient depuis trois jours et trois nuits et que la barrique de bière donne moins signe de se vider que là-bas ce lac ? Réponds-moi si tu le peux.

— Mais, seigneur Emrys, je ne puis répondre. Depuis le retour de l'armée, je travaille jour et nuit à la brasserie pour préparer de quoi remplir ces barriques quand elles seront vides. Quand le garçon est venu me chercher, j'ai pensé que c'était pour ouvrir la deuxième. Mais là… » — il s'efforçait vainement de comprendre — « … c'est impossible.

— Absurde ! » déclara l'homme d'église qui arrivait juste à ce moment-là avec Ector.

Dyfrig, évêque de Mailros, bien qu'homme jovial et généreux, possédait l'esprit pointilleux d'un clerc. Il se rendit droit à la barrique, jeta un coup d'œil à l'intérieur et déclara qu'elle lui semblait pleine.

« Néanmoins cette seule observation n'est pas une preuve suffisante, ajouta-t-il.

— Mais nous y buvons depuis trois jours, insista Ector. Et elle n'est pas moins pleine que quand nous avons commencé.

— C'est bien possible, lui accorda Dyfrig, mais je n'étais pas présent pour le voir. » Se tournant vers les serviteurs qui se tenaient là avec leurs seaux et leurs pichets, il ordonna : « Remplissez-moi tout cela, mes garçons. »

Dervag emplit lui-même deux seaux et, quand le deuxième fut plein, l'évêque remonta sur la marche de pierre. « Vous remarquerez tous, résonna sa voix dans le vaste récipient, que je me penche à l'intérieur et que j'enfonce l'ongle de mon pouce dans la cire pour faire une marque au-dessus du niveau de la bière. »

Il se tourna vers nous et redescendit. « Maintenant, mes amis, nous allons la surveiller. Et je regarderai de nouveau à l'intérieur lorsque les cruches auront été remplies pour la troisième fois.

— Allez, vous autres, ordonna Ector, faites votre travail. »

Nous attendîmes dans la réserve — Dervag, Ector, Dyfrig et moi — en bavardant aimablement. Au bout d'un moment, les jeunes serviteurs revinrent remplir leurs seaux, puis nous attendîmes encore. Après que les seaux eurent été remplis une deuxième fois, Ector ordonna d'allumer des torches, car il commençait à faire trop sombre pour bien y voir. Nous parlâmes du festin et de la magnifique victoire remportée à Baedun.

Quelques instants plus tard, les serviteurs revinrent pour la troisième fois et, comme les fois précédentes, Dervag remplit leurs récipients à la barrique. « Veux-tu regarder, maintenant, Dyfrig ? » demanda Ector.

L'évêque monta sur la pierre. « Passe-moi une torche. »

Un instant de silence… puis une brusque inspiration. « Sur mes vœux !

— Vois-tu la marque ? demanda Dervag.

— Je le vois *pas*, répliqua l'évêque, pour la bonne raison que le niveau du liquide est maintenant plus haut que lorsque je l'ai faite.

— Laisse-moi regarder. » J'entendis le maître brasseur rejoindre l'évêque, le faisant presque tomber de la pierre dans sa précipitation. « C'est vrai, confirma Dervag. Apportez les cruches ! »

Les serviteurs accoururent et leurs récipients furent à nouveau remplis. Puis les deux hommes regardèrent une nouvelle fois. « La voilà ! »

L'évêque Dyfrig descendit de la marche et se campa devant nous. « C'est un prodige, dit-il. J'en ai assez vu.

— Que veux-tu dire ? demanda Ector, exigeant une explication.

— Réjouis-toi, Ectorius ! lui répondit l'évêque, car de même que Notre Seigneur Jesu a changé l'eau en vin aux noces de Cana

91

et a transformé cinq pains et deux poissons en un repas pour cinq mille convives, le Christ Bienheureux a honoré ton festin d'un rare et précieux don. Réjouis-toi ! Viens, nous devons partager cette joyeuse nouvelle. »

Et il la fit effectivement partager. Le récit de ce prodige se répandit partout. Avec le temps, l'histoire de l'Excellente Barrique de Bière d'Ector prit place aux côtés du conte du Plateau d'Abondance de Bran et de celui du Panier Enchanté de Gwyddno.

Mais ce soir-là, quand le bon évêque eut fini de raconter aux guerriers ce qu'il avait vu de ses yeux, l'assemblée garda le silence, songeuse. Puis Bors se leva d'un bond. Il sauta du banc sur la table et se dressa au milieu de tous, les bras grands ouverts.

« Frères ! s'écria-t-il d'une voix qui retentit dans la salle. Y a-t-il maintenant le moindre doute sur ce qui est attendu de nous ?

— Dis-le nous ! » cria quelqu'un. Ce devait être Gwalchavad.

« Voici Arthur ! » Il tendit la main en direction d'Arthur qui le regardait, stupéfait. « Victorieux Chef de Guerre, Glorieux Conquérant, acclamé de tous et élu du Dieu Très-haut. Il est temps de faire un roi de notre Duc de Bretagne ! »

Les guerriers approuvèrent cette suggestion. « Bien parlé, crièrent-ils. Il a raison ! »

Poings sur les hanches, Bors les provoqua. « Dans ce cas, pourquoi êtes-vous encore assis là alors que vous avez un roi à consacrer ? Debout ! Levez-vous, mes frères, je vous dis qu'il ne se passera pas une nuit de plus sans que je voie le torque royal au cou d'Arthur ! »

À ces mots, ceux qui se trouvaient le plus près d'Arthur se levèrent pour l'arracher à son fauteuil. Ils le hissèrent sur leurs épaules et sortirent de la grande salle. « Je crois qu'ils y sont décidés, déclara Dyfrig. Y a-t-il quelque chose pour les en empêcher ? »

Ector éclata de rire. « Si toutes les hordes de Saecsenie n'ont pu avoir raison d'eux, je ne vois rien en ce monde qui puisse les retenir.

— Cela se ramène à ceci, Dyfrig, lui dis-je. Feras-tu Arthur roi, ou bien le ferai-je ?

— Avec ta permission, Merlinus, répondit l'évêque, je m'en chargerai, et avec joie.

— Alors venez ! dit Ector. Pendant que nous restons ici à agiter nos langues, les autres nous distancent. »

Hors du palais et à travers la cour, au pied du roc d'Edyn et au fond de la vallée, l'armée de Bretagne porta Arthur. Les guerriers l'emmenèrent sur le mont Agned, également appelé *Cathir Righ*, en raison des nombreux seigneurs souverains qui avaient reçu leur royauté sur son sommet en forme de trône.

Et là, dans le frais crépuscule bleuté d'une longue journée d'été, sous un lumineux ciel nordique semé d'étoiles, Arthur fut fait roi. Après l'avoir déposé sur le grand siège de pierre, les guerriers se rassemblèrent devant lui. Bors s'approcha et, tirant son épée du fourreau qu'il portait au côté, il la posa aux pieds d'Arthur. « De même que je dépose là mon épée, je dépose ma vie et je me place sous ton autorité. » Ce disant, il s'étendit face contre terre et Arthur posa le pied sur sa nuque. Il le fit ensuite relever et Cador vint à son tour s'étendre face contre terre à ses pieds, suivi d'Owain, puis de Maelgwn, d'Idris et d'Ector... tous embrassèrent la terre devant Arthur sous les yeux de l'armée et de leur propre clan. Si vous n'avez jamais contemplé pareille chose, je vous assure que c'est un spectacle impressionnant que de voir de fiers seigneurs s'humilier devant un roi béni des cieux.

Les Cymbrogi, Compagnons du Cœur, défilèrent alors devant Arthur et, déposant leurs lances, plièrent le genou et tendirent les mains pour lui toucher les pieds. Cai, Bedwyr, Rhys, Bors, Gwalchavad, Llenlleawg et tous les autres. Chacun jura fidélité à Arthur, lui voua sa vie et le reconnut pour roi.

Cette coutume dûment observée, je vins me placer devant l'Ours de Bretagne. « Debout, Arthur ! » déclarai-je en brandissant mon bâton de sorbier au-dessus de sa tête. « Par le témoignage de tous ceux, seigneurs et cousins, qui t'ont prêté serment de loyauté, je te proclame roi de toute la Bretagne. »

Les guerriers accueillirent mes paroles avec des hurlements de joie et de sauvages ovations. Oh, qu'il était bon d'entendre leurs puissantes voix résonner pour emplir l'Île des Forts d'un joyeux écho. Quand les acclamations se furent quelque peu calmées, je dis : « Louange et adoration au Grand Roi des Cieux, qui a élevé un roi pour régner sur nous en Pendragon ! Anges et saints, soyez témoins : en ce jour Arthur ap Aurelius est proclamé roi de tous les Bretons. »

Me tournant vers les guerriers assemblés, je brandis le bâton de sorbier et, de la voix d'autorité des bardes, je criai : « À genoux devant lui, Cymbrogi ! Tendez la main et prêtez serment de fidélité à votre seigneur et roi sur terre... tout comme vous vouez vie et honneur au Seigneur de toute la Création ! »

Ils s'agenouillèrent et, comme un seul homme, donnèrent leur foi à Arthur. Lorsque ce fut fait, je me tournai de nouveau vers lui.

« Tu as entendu tes frères d'armes te prêter vœu d'allégeance. Es-tu disposé à recevoir cette allégeance ?

— Je suis disposé à recevoir leur allégeance », répondit-il.

Ayant reçu confirmation, je fis signe à Dyfrig qui attendait près de moi. « Viens, mon ami, consacre ce seigneur pour sa sainte tâche et fais de lui un roi de plein droit. »

L'évêque de Mailros s'approcha du siège de pierre. Dans ses mains, il tenait un torque d'or qu'il éleva et, d'une voix forte, il ordonna à Arthur : « Déclare ce jour devant ton peuple quel Dieu tu serviras. »

Arthur répondit : « Je servirai le Christ, que l'on nomme Jesu. Je servirai Dieu, que l'on nomme le Père. Je servirai Celui qui n'a pas de Nom, que l'on nomme l'Esprit Saint. Je servirai la Sainte Trinité. »

Dyfrig demanda alors : « Et observeras-tu la justice, pratiqueras-tu la vertu et chériras-tu la miséricorde ?

— Avec le Bienheureux Jesu pour témoin, j'observerai la justice, je pratiquerai la vertu et je chérirai la miséricorde.

— Et gouverneras-tu ce royaume dans la vraie foi du Christ tant que Dieu te prêtera vie ?

— Tant qu'il me restera des forces et jusqu'à mon tout dernier souffle, je gouvernerai ce royaume dans la vraie foi du Christ.

— Alors, déclara l'évêque Dyfrig, par le pouvoir des Trois qui sont Un, je te consacre roi, Arthur ap Aurelius. Salut, Arthur, Protecteur de la Bretagne !

— Salut, Arthur ! s'écrièrent en réponse les guerriers dont la voix retentit dans le crépuscule. Salut, Protecteur et Pendragon de Bretagne ! »

Je pensais que l'évêque placerait alors le torque royal autour du cou d'Arthur, mais au lieu de cela il me le tendit. Je sentis entre mes mains la lourde et solide fraîcheur du joyau tandis que je m'avançais une fois de plus vers le trône de roc. La main d'Arthur, légère mais ferme, me guida jusqu'à lui. J'écartai les extrémités du torque et le glissai à son cou, percevant la chaude pulsation de son sang sous mes doigts.

Puis, tordant délicatement le malléable métal jaune, je refermai le cercle et me reculai pour livrer Arthur, rayonnant, aux bruyantes acclamations des seigneurs et des guerriers. Le long crépuscule avait cédé la place à une lumineuse soirée et, au milieu des joyeuses ovations qui ébranlaient les collines, débuta dans la Région des Étoiles d'Été le règne longtemps attendu d'Arthur.

II

La jubilation des guerriers confinait à l'extase. Ils embrassèrent leur nouveau roi avec un tel enthousiasme que je commençai à craindre qu'il ne survive pas à leur adulation. Ils le saisirent et le hissèrent sur leurs épaules. Ils redescendirent ainsi la colline et traversèrent la vallée, chantant tout le long du chemin. De retour à Caer Edyn, Arthur offrit des présents à ses seigneurs et à ses guerriers… broches et anneaux d'or ou d'argent, épées et couteaux, coupes, bracelets et pierres précieuses.

« Je voudrais célébrer mon couronnement en t'offrant des présents, expliqua-t-il à Dyfrig, mais j'imagine que tu ne priserais guère des anneaux d'or ou des coupes d'argent. Je pense qu'un toit solide au-dessus des ruines de ton abbaye te ferait davantage plaisir.

— Dieu te bénisse, Arthur, répondit l'évêque. Les anneaux d'or ne sont pas d'un grand usage pour un moine… en particulier quand souffle le vent et tombe la pluie.

— Je te restitue donc tout ce qu'ont pris les Picti et les Saecsens. Et je te prie de prendre dans le butin tout ce dont tu auras besoin pour reconstruire ton abbaye… non seulement Mailros, mais aussi l'église d'Abercurnig. Car je suis sûr que le vent souffle et que la pluie tombe à Abercurnig tout autant qu'ailleurs.

— Au nom du Christ, j'accepte ton présent, Arthur, répondit Dyfrig, rayonnant de plaisir.

— Dans ce cas, je voudrais te demander un présent en retour, poursuivit le nouveau roi.

— Demande, seigneur, répondit en souriant Dyfrig, et s'il est en mon pouvoir de l'accorder, sois assuré que je le ferai.

— Je voudrais te demander de prendre tout ce qu'il faudra dans le butin pour faire édifier une chapelle à Baedun.

— Une chapelle ? s'étonna l'évêque. Mais nous avons une abbaye entière tout près de là. Pourquoi vouloir une chapelle ?

— Je voudrais que les moines de Mailros s'y emploient à chanter des psaumes et à dire des prières pour nos frères qui dorment désormais sur les pentes de Baedun. Je désire que de bonnes prières y soient dites perpétuellement pour la Bretagne. »

Cette requête enchanta l'évêque. « Ce sera fait, seigneur, répondit-il. Qu'il y soit chanté jour et nuit des psaumes et des prières jusqu'à ce que notre Seigneur le Christ revienne chercher les siens. »

Mais Arthur n'en resta pas là. Tôt le lendemain matin, il alla visiter les villages des environs de Caer Edyn pour offrir des présents aux veuves des hommes morts en défendant leurs demeures ou bien tombés au combat face aux Loups de Mer. Il leur donna de l'or et de l'argent sur sa part de butin, ainsi que des vaches et des moutons afin qu'elles ne souffrissent pas du besoin en plus de leur chagrin.

Alors seulement il rentra à Caer Edyn pour fêter son couronnement. Je le laissai festoyer quelque temps puis, lorsque je jugeai le moment propice, je me drapai dans mon manteau, pris mon bâton de sorbier et gagnai le centre de la grande salle. À la manière d'un druide barde, je m'approchai de l'endroit où il était assis à table avec Cai, Bedwyr, Bors, Cador et les Cymbrogi.

« Pendragon de Bretagne ! » l'interpellai-je à haute voix.

Ceux qui nous entouraient pensèrent que j'allais proposer une chanson. « L'Emrys va chanter ! » se dirent-ils les uns aux autres, et ils cessèrent leurs conversations pour m'écouter. Bien vite, le silence régna dans la salle.

Mon intention n'était cependant pas de dire un conte, mais de lancer un défi.

« Puisse ta gloire survivre à ton nom, lequel durera à jamais ! Dieu sait s'il est légitime de jouir du fruit de ton labeur. Mais tu me jugerais un conseiller stupide et négligent si je ne t'avertissais pas que, là-bas dans le Sud, les hommes n'ont pas encore entendu parler du mont Baedun et ne savent rien de ton couronnement. »

Arthur accueillit ces mots avec un amusement intrigué. « Paix, Myrddin. » Il rit. « Je viens tout juste de recevoir mon torque. La nouvelle leur en parviendra bien assez vite. »

Je m'attendais à cette réponse. « Je suis peut-être aveugle, mais il n'en a pas toujours été ainsi et je suis persuadé que les hommes croient plus aisément leurs yeux que leurs oreilles. » Cette remarque déclencha l'approbation générale.

« C'est vrai ! C'est vrai ! Écoute-le, Ours », dit Bedwyr. Cai, Cador et les autres frappèrent de leurs mains sur la table.

« C'est ce que l'on dit, acquiesça Arthur, légèrement soupçonneux. Quel est ton propos ? »

Je tendis la main en direction des guerriers rassemblés dans la salle. « Fortunés sont les hommes du Nord, lui dis-je, car ils ont chevauché à tes côtés dans la bataille et connaissent bien ta gloire. J'ai dans l'idée que ceux du Sud ne se laisseront pas convaincre par de telles nouvelles quand elles leur parviendront.

— Il n'y a pas grand chose que je puisse y faire, fit remarquer Arthur. Un homme ne peut être fait roi qu'une fois.

— C'est là où tu te trompes, ô Roi, répliquai-je. Tu es désormais Pendragon de Bretagne… il t'appartient d'ordonner ce qui doit être.

— Mais j'ai déjà pris la couronne ici, dit-il. Quel besoin ai-je d'un autre couronnement ? »

Je répondis : « Quel besoin as-tu de deux yeux si un seul y voit assez clair ? Quel besoin as-tu de deux mains si une seule étreint assez fermement l'épée ? Quel besoin as-tu de deux jambes si une seule court assez vite ? Quel besoin as-tu de deux oreilles si…

— Il suffit ! s'écria Arthur. J'ai compris.

— Mais ce n'est pas suffisant, rétorquai-je. C'est ce que j'essaie de te dire.

— Dis-moi donc ce que je dois faire pour que tu te taises, et tu peux être sûr que je le ferai sur le champ.

— Bien parlé, Ours ! » s'exclama Cai, et ils furent nombreux à éclater de rire avec lui.

« Écoute ton Sage Barde, cria Bedwyr. Myrddin énonce la pure vérité.

— Fort bien, dit Arthur. Que veux-tu que je fasse ?

— Envoie le Vol des Dragons convoquer les seigneurs du Sud à Londinium, où ils pourront assister à ton couronnement. Alors ils seront convaincus et te suivront avec joie. »

Cela plut à Arthur. « Comme toujours, tes paroles sont sages, Myrddin, déclara-t-il. Car je serai roi de tous, ou bien roi de personne. Allons à Caer Londinium prendre la couronne. Le Nord et le Sud sont séparés depuis bien trop longtemps. En moi, ils seront réunis. »

En vérité, le Sud avait toujours été source d'ennuis pour Arthur. Les orgueilleux princes qui y régnaient ne pouvaient imaginer qu'il se passât rien d'important en dehors des étroites frontières de leurs horizons rétrécis. Les nobles des royaumes de l'Ouest, tels Meurig et

Tewdrig, étaient mieux avisés, bien entendu. Ils connaissaient la valeur du Nord, aussi bien que sa vitale importance stratégique. Mais, depuis le temps des Romains, la plupart des seigneurs du Sud tenaient le Nord en piètre estime et jugeaient ses habitants indignes de leur considération. C'était pourquoi, si Arthur devait être Grand Roi autrement que de nom, il devait faire valoir ses droits dans le Sud.

Si sa consécration à Caer Edyn était chose louable et nécessaire, son couronnement à Londinium l'était plus encore. C'était là que son père avait ceint la couronne. Je voulais pour lui la même cérémonie.

Car la mémoire des hommes s'était brouillée. Beaucoup ne se souvenaient même plus d'Aurelius... hélas, son règne avait été si bref ! Bon nombre se rappelaient Uther et croyaient Arthur son bâtard. Je tenais par conséquent à proclamer son vrai lignage et à apporter la preuve de sa véritable noblesse.

Loin de moi l'idée de manquer de respect envers Uther. Dieu le garde, il avait été exactement le roi dont nous avions besoin à l'époque, et meilleur que nous ne le méritions. Mais en tant qu'homme, il n'arrivait pas à l'épaule de son frère. C'est pourquoi j'étais déterminé à établir fermement Arthur dans la lumière de son père... particulièrement aux yeux des seigneurs du Sud. Arthur avait amplement démontré qu'il possédait le courage et la ruse de son oncle. S'il pouvait montrer les mêmes qualités que son père en tant que roi, la Bretagne avait encore une chance d'échapper aux ténèbres qui s'apprêtaient à submerger le monde.

C'était là ce que je pensais, et c'était là ce que je croyais. Si vous pensez autrement, Ô Abîmes de Sagesse claquemurés dans la sécurité de vos hautes tours, regardez autour de vous : Qu'existerait-il de ce que vous voyez s'il n'y avait eu Arthur ? Méditez cela !

Donc, le lendemain, nous nous rendîmes au port de Muir Guidan pour embarquer à bord des navires et mettre le cap au sud en suivant la côte avant de remonter l'impétueuse Thamesis jusqu'à Londinium. Comme son père avant lui, Arthur n'appréciait guère l'enchevêtrement de demeures et de ruelles de cette *civitas* tant vantée. Lors de sa première visite — pour venir chercher l'Épée de Bretagne — il m'avait confié qu'il n'y voyait rien de plus qu'un tas de fumier flottant sur un infect bourbier. La puanteur qui assaillit mes narines m'informa que l'endroit ne s'était pas amélioré. Oh, il restait bien encore debout quelques beaux édifices de pierre : une basilique, le palais du gouverneur, un rempart ou deux... Mais, à dire vrai, seule l'église méritait considération.

Ce fut vers elle que nous nous dirigeâmes. Les messagers, qui nous avaient précédés pour informer villes et villages le long de la route, nous attendaient. Il y avait aussi Aelle, Chef de Guerre des Saecsens du Sud, les seuls qui eussent respecté leur parole envers Arthur. Le *Bretwalda* était accompagné de sa suite, avec femmes et enfants. Je pense qu'il serait aussi venu avec son bétail, tant il était désireux d'honorer le nouveau roi breton et de renouveler ses serments de loyauté.

En cela, ce rude barbare se montrait plus noble que beaucoup de ceux qui s'estimaient les plus dignes représentants de notre fière race insulaire. Pour sa part, Arthur accueillit le Chef de Guerre saecsen comme l'un de ses propres Cymbrogi, offrant à Aelle et à ses chefs des présents parmi ceux qu'ils prisaient le plus : chevaux, chiens et objets en or.

Nous formâmes ensuite les rangs et franchîmes les portes pour nous engager dans les rues grouillantes de la forteresse décrépite. Notre arrivée souleva un intérêt considérable. Dès que les habitants de Caer Londinium aperçurent le jeune roi précédé de ses seigneurs, ils comprirent qu'un important personnage venait d'apparaître parmi eux. Mais qui ?

Qui peut être cet impudent jeune homme ? Regardez-le : voyez la façon dont il est vêtu. Voyez sa suite. Assurément, ce ne sont pas là hommes civilisés. Est-ce un Picte ? Un Saecsen, peut-être ? Plus probablement un de ces écervelés de nobles nordiques venu étaler sa rustique vanité dans la capitale.

Attroupés le long de notre chemin, les habitants blasés de Londinium criaient du haut des toits : « Qui penses-tu être, étranger ? L'empereur Maximus ? Penses-tu que ceci soit Rome ? »

Certains se moquaient de lui, d'autres ricanaient à haute voix, le traitant d'arrogant et d'insensé, proférant des insultes dans une demi-douzaine de langues.

« Ce sont eux les insensés, grommela Cador. Ne les écoute pas.

— Je vois que les habitants de Londinium n'ont pas appris à m'aimer, répondit tristement Arthur.

— Je n'ai pas appris à les aimer, moi non plus, dit Bedwyr. Prends la couronne, Ours, et quittons ce misérable tas d'ordures.

— Combien de temps pensent-ils que tiendraient leurs murailles si tu n'étais là, Artos ? grogna Cai. Que les barbares se chargent d'eux et qu'on n'en parle plus. »

Nous poursuivîmes ainsi notre chemin parmi le vacarme et la puanteur de la cité. Les messagers avaient fait leur travail et averti les seigneurs du Sud, ainsi que l'archevêque Urbanus, de l'arrivée imminente d'Arthur et de son prochain couronnement. Paulus, qui se donnait le titre de gouverneur de Londinium, nous attendait sur les marches avec son légat lorsque nous nous engageâmes dans la longue rue menant à son palais.

J'avais déjà rencontré ce personnage : un sybarite aux jambes torses, au sourire suffisant et aux petits yeux porcins derrière lesquels était tapi un esprit retors et fielleux. Ce Paulus était un adversaire hypocrite et rusé, et il ne voyait pas d'un bon œil l'arrivée d'Arthur. Nulle coupe de bienvenue ne nous fut offerte, pas plus que le gros gouverneur ne nous invita à entrer dans sa demeure pour nous rafraîchir de notre voyage.

« Salutations, Artorius. » Il gloussa... à ce son déplaisant, je me remémorai son visage rond et grassouillet. « Au nom des habitants de cette grande *civitas*, je te souhaite la bienvenue. C'est pour moi un grand honneur de rencontrer enfin le célèbre *Dux Britanniarum*.

— Arthur est Grand Roi et Pendragon, le reprit discrètement le légat. Je te salue aussi, Artorius. Et bienvenue, Merlinus. Avez-vous fait bon voyage ?

— Artorius *Rex*, vraiment ? fit Paulus avec une feinte surprise. Oh, alors je suis vraiment très honoré. J'espère que tu me permettras de te présenter quelques-unes des plus belles filles de Londinium. Nous avons beaucoup de jeunes femmes qui seraient ravies de rencontrer l'illustre homme du Nord. »

Se tournant vers moi, Paulus dit : « Merlinus ? Se pourrait-il qu'il s'agisse du célèbre Merlinus Ambrosius, sur qui l'on en raconte tant et l'on en sait si peu ? » Manifestement, il ne se souvenait pas de moi.

« Lui-même », répondis-je. Bedwyr, Cai et Cador se tenaient près de nous... chacun d'eux valant largement une centaine des prétentieux citoyens de Londinium. Mais le gouverneur Paulus ne daigna pas les remarquer.

« Je suis enchanté, dit Paulus. Et quand donc doit avoir lieu votre petite cérémonie ?

— Lors du prochain sabbath, dit vivement le légat. Merlinus, depuis que j'ai été mis au courant, j'ai œuvré pour toi sans relâche. J'ai parlé aux hommes d'Église et ils m'ont assuré que tout serait prêt selon tes instructions.

— Splendide, se congratula Paulus. Il semblerait que vous n'ayez pas besoin de l'aide du gouverneur. » Il était si impatient de prendre ses distances que je pensai qu'il allait se blesser.

« Non, répondit Arthur d'un ton sec. Il semblerait que nous n'ayons pas besoin de l'aide du gouverneur. Mais je te remercie d'y avoir pensé.

— Eh bien, euh... » Paulus hésita, ne sachant que penser du curieux jeune homme qui se tenait devant lui. « Si tu décides que mon aide est la bienvenue, ce sera bien entendu avec la plus grande joie que je t'assisterai.

— Encore une fois, je te remercie, dit Arthur, mais je ne vois pas en quoi tu pourrais m'aider. Mais je m'en souviendrai. »

Oh, Arthur avait pris la mesure de Paulus et n'avait pas été déçu. Le légat, embarrassé par l'évident manque d'égards du gouverneur, prit congé de lui, prétextant les devoirs de sa charge. « Si tu le désires, je conduirai nos visiteurs à l'église, proposa-t-il, et les remettrai aux bons soins de l'archevêque.

— Je pense que nous pourrons trouver notre chemin », déclarai-je. Tout aveugle que je fusse, j'aurais préféré trébucher seul dans les rues plutôt que d'être vu en compagnie de ce crapaud.

« Bien sûr, bien sûr, je vous en prie, allez-y, dit le gouverneur Paulus. Mais reviens ce soir, Artorius... toi et un ou deux de tes hommes. Nous souperons ensemble. J'ai un excellent vin des provinces de la Gaule méridionale. Il faut que tu viennes y goûter avec moi. »

Sur la vague promesse d'Arthur d'accorder toute sa considération à cette invitation, nous partîmes pour l'église.

« Cet homme est un lézard venimeux, Artos, murmura amèrement Bedwyr. Et à ta place je ne boirais pas une goutte de son vin gaulois... pas même si je mourais de soif.

— Patience, lui conseilla Arthur. En venant ici, nous ne faisons que nous conformer à la loi. Rien de plus.

— La loi ? demanda Cai. Quelle loi est-ce là ?

— La loi du grand César, leur dit Arthur. Édictée quand il a pour la première fois mis le pied en Ynys Prydein.

— Oui ? s'enquit Bedwyr. Quelle est-elle ?

— Tout souverain doit conquérir Londinium s'il veut posséder la Bretagne », expliqua le roi. Je souris d'entendre l'écho de mes pensées dans les propos d'Arthur.

« Je n'ai jamais entendu parler d'une telle loi, marmonna Cai. Que peut avoir d'important cette bouse de vache décatie ? »

Gwalchavad, qui avait suivi attentivement leur conversation, ajouta : « Londinium pue l'urine et les eaux usées. Et, d'après ce que j'ai pu voir, ses habitants sont plus proches des barbares que des Bretons.

— Paix, mes frères ! Nous ne resterons pas ici un instant de plus qu'il ne le faudra, leur assura Arthur. Sitôt que nous aurons terminé ce que je suis venu faire, nous repartirons pour Caer Melyn. » Il se tut et sourit. « Avez-vous vu combien Paulus avait l'air soulagé quand nous avons décliné son invitation ? Nous devrions peut-être souper quand même avec lui. Voilà qui mettrait à la torture ce vieux crapaud.

— Assurément, approuva Cador. Et amenons tous les Cymbrogi avec nous pour assécher son précieux vin jusqu'à la dernière goutte. »

Ils bavardèrent ainsi jusqu'à l'église, où nous fûmes accueillis par Urbanus, ainsi que par Uflwys, désormais évêque de Londinium. « Salut, Arthur ! Salut, Merlinus ! Salutations, mes bons amis. Au nom de notre Seigneur le Christ, soyez les bienvenus, dit Urbanus. Puisse la sainte bénédiction de Dieu être sur vous.

— Comment s'est passé votre voyage ? demanda Uflwys. Si vous avez faim, nous avons de la bière et du pain.

— Nous pouvons faire mieux que cela pour le Grand Roi de Bretagne, Uflwys, dit l'archevêque. Vous verrez que nous ne sommes pas restés oisifs depuis que nous avons reçu la nouvelle de votre arrivée. »

Arthur remercia l'archevêque et laissa entendre à Uflwys que les Cymbrogi se tenaient prêts à nous servir. « Nous sommes habitués à faire nos propres préparatifs, dit-il.

— Tant que tu es à Londinium, répondit l'archevêque Urbanus, tu dois nous laisser te servir. Après tout ce que tu as fait pour Dyfrig à Mailros, c'est le moins que nous puissions faire. »

Par cela, l'archevêque révélait sa petitesse : il souffrait du même aveuglement que les nobles du Sud. Au prix de pertes énormes, l'armée des Cymbrogi avait, sous la conduite d'Arthur, sauvé la Bretagne du plus mortel des dangers, et Urbanus ne voyait qu'une chose : une obscure abbaye nordique allait obtenir un nouvel autel et un nouveau toit. Oh, ces hautains patriciens du Sud n'étaient que des hypocrites ignorants.

Nous nous installâmes néanmoins dans l'enceinte de l'église et, dès le lendemain, celle-ci bourdonnait comme une ruche en plein cœur de l'été. Des cavaliers allaient et venaient, porteurs de messages pour divers nobles et seigneurs. Avant même d'entrer en ville, j'avais envoyé des messagers en Dyfed, dans l'ouest, car j'avais en tête de faire célébrer le couronnement par l'évêque Teilo et le sage Dubricius.

En effet, malgré l'apparente bénédiction de l'archevêque, je savais qu'il n'était pas digne d'octroyer la Souveraineté sur la Bretagne. Son estime pour Arthur n'était pas en cause : il lui rendait hommage... à sa façon. Mais Urbanus avait trop longtemps vécu dans la cité. Il avait trop longtemps festoyé à la table des riches et des puissants. Leurs pensées étaient devenues les siennes... plutôt que le contraire. Bref, l'archevêque se souciait plus de l'opinion d'hommes comme Paulus que de celle de Dieu. C'était là une bien triste vérité.

Le Royaume de l'Été exigeait des mains et des cœurs purs pour le guider. En Arthur, il avait trouvé son seigneur. Et avec son règne s'ouvrait une nouvelle ère. Je ne pouvais laisser un individu fasciné par le pouvoir comme l'était Urbanus présider à une si importante naissance. J'avais donc fait appeler ceux que je connaissais pour de saints hommes et d'ardents zélateurs de la foi.

Quand Urbanus l'apprit, il tint cela pour un affront. Mais je lui dis : « Puisque Arthur est un homme de l'Ouest et du Nord, et qu'il y retournera pour régner, je pense que tu m'accorderas que ce n'est que justice de laisser ceux qui doivent servir auprès de lui l'investir de sa charge.

— Euh, oui, bien sûr », répondit Urbanus, tout en cherchant à calculer l'ampleur de l'affront qui lui avait été fait. « Présenté de cette manière, je suis d'accord avec toi, Merlinus. Je laisse cela entre tes mains, et entre celles de Dieu. »

Quelques jours plus tard, les premiers visiteurs commencèrent à affluer à Londinium. Ils venaient des Trois Beaux Royaumes de Lloegres, Prydein et Celyddon, ainsi que du Gwynedd, du Rheged et du Dyfed, de Môn, d'Ierne et de Dal Rata, de Derei et de Bernicia.

Aelle et les siens étaient déjà là, et la présence du Bretwalda incita d'autres seigneurs saecsens à se présenter : Cynric, Cymen et Cissa, avec leurs parents et amis. Ban de Benowyc, en Armorique, qui avait soutenu Arthur comme il avait aidé Aurelius, arriva avec deux navires chargés de nobles et de serviteurs. Meurig ap Tewdrig, roi de Dyfed, Idris des Brigantes, Cunomor de Celyddon, Brastias des Belgæ et Ulfias des Dubuni. Le roi Fergus d'Ierne, qui devait tribut à Arthur, reçut la convocation et y répondit.

Chaque seigneur apportait des présents pour le nouveau Grand Roi. Le Vol des Dragons, l'élite des Cymbrogi, fut chargé de rassembler et de surveiller le tribut qui se déversait dans l'église telle une rivière de richesses : objets en or et en argent — aiguières, coupes, broches et bracelets — dont un grand nombre incrustés de pierreries. Il y avait des lances et des épées, des dagues et des boucliers... de magnifiques fauteuils et des coffres de bois sculpté... des arcs de corne et des flèches à pointe d'argent, des présents de bière et d'hydromel, ainsi que du blé et de la viande fumée — quartiers de porc, de bœuf et de venaison. Et des chevaux et des chiens de chasse par vingtaines... le tribut de rois offert pour sceller le lien de féauté.

Et quand enfin arriva le jour de s'assembler dans l'église pour le couronnement, il n'y eut pas assez de place pour tous sous ce saint toit. La cour de l'église était à peine moins bondée que le sanctuaire et beaucoup furent obligés de rester debout dans la rue avec les citoyens de Londinium qui, impressionnés sur le tard par ce parvenu nordique, voulaient assister à son couronnement, par curiosité, sinon pour lui rendre hommage. Mais beaucoup de ceux qui étaient venus en simples curieux restèrent pour vénérer le nouveau Grand Roi.

Voici ce qu'il advint :

Le jour dit, nous nous éveillâmes avant l'aube pour prier et pour déjeuner. Puis, prenant mon bâton de sorbier, une main sur l'épaule de Bedwyr pour me guider, je conduisis Arthur, entouré de Cai et de Cador, jusque dans l'église. Derrière Arthur venait le jeune Illtyd, l'assistant de Dubricius, qui portait dans ses mains un diadème en or. Dubricius et l'évêque Teilo suivaient dans leurs longues robes sacerdotales, tenant chacun un livre de saintes écritures à la main.

L'église était déjà pleine à craquer et, à notre apparition, la foule retint son souffle : Arthur, vêtu tel un prince celte, semblait une créature conjurée de l'étrange lumière changeante de l'Ouest ou des brumes enchantées du Nord. Il portait une tunique d'un blanc immaculé et un pantalon vert avec une ceinture formée de disques de vermeil. Son torque d'or étincelait à son cou et sur ses épaules était drapée une magnifique cape rouge.

Sans regarder à droite ni à gauche, il s'approcha de l'autel au chant des moines assemblés. « *Gloria ! Gloria ! Gloria in Excelcis Deo !* » psalmodiaient-ils, emplissant l'église de leurs louanges au Grand Dieu des cieux tandis qu'Arthur s'agenouillait devant l'autel. Dubricius et Teilo prirent place devant lui, posant chacun la main droite sur l'une de ses épaules.

Levant les mains, je m'exclamai, faisant résonner ma voix entre les murs de ce saint lieu : « Dieu Omnipotent, Roi Suprême des Cieux, Seigneur des Royaumes Célestes, Créateur, Rédempteur, Ami de l'Homme, nous t'adorons et t'honorons ! »

Tel un barde d'antan, je me tournai vers les quatre coins de l'église et récitai la prière prononcée par le Bienheureux Dafyd pour le couronnement d'Aurelius :

Nous prions en ce jour pour Arthur, notre roi :
Lumière du soleil,
Rayonnement de la lune,
Splendeur du feu.
Vitesse de l'éclair,
Célérité du vent,
Profondeur de la mer,
Stabilité de la terre,
Fermeté du roc,
Soyez témoins :

Nous prions en ce jour pour Arthur, notre roi :
Puisse la force de Dieu l'affermir,
La puissance de Dieu le soutenir,
L'œil de Dieu se poser sur lui,
L'oreille de Dieu l'écouter,
La parole de Dieu parler pour lui,
La main de Dieu le garder,
Le bouclier de Dieu le protéger.

Nous invoquons toutes ces puissances
        entre lui et ces maux :
Puisse l'armée de Dieu le sauver
Des pièges du démon,
Des tentations du vice,
De quiconque lui voudra du mal.

Nous invoquons toutes ces puissances
        entre lui et ces maux :
Contre les puissances cruelles
        qui voudraient se dresser contre lui,
Contre les incantations des faux druides,
Contre la magie noire des barbares,
Contre les ruses des idolâtres,
Contre les enchantements grands ou petits,
Contre toute chose mauvaise qui corrompt le corps et l'âme.

Jesu avec lui, devant lui, derrière lui,
Jesu en lui, sous lui, au-dessus de lui,
Jesu à sa droite, Jesu à sa gauche,
Jesu quand il dort, Jesu quand il veille,

Jesu dans le cœur de quiconque pense à lui,
Jesu dans la bouche de quiconque parle de lui,
Jesu dans l'œil de quiconque le regarde.

Nous le soutenons aujourd'hui, par une force puissante,
l'invocation des Trois qui sont Un,
Par la croyance en Dieu,
Par la confession de l'Esprit Saint,
Par la foi dans le Christ,
Créateur de toute Création.

Puis, me tournant de nouveau vers Arthur, je dis : « Incline-toi devant le Seigneur de Tous et prête serment de fidélité au Grand Roi que tu serviras. »

Arthur se prosterna face contre terre devant l'autel, les bras écartés à la façon d'un chef de guerre vaincu devant son conquérant. Teilo et Dubricius vinrent se placer de chaque côté de lui, Illtyd à sa tête.

Dubricius, sur la droite d'Arthur, demanda : « Avec cette main, tu porteras l'Épée de Bretagne. Quel est ton vœu ? »

Arthur répondit : « Avec cette main je porterai l'Épée de Bretagne en toute justice et équité. Par le pouvoir de Dieu, je m'en servirai pour vaincre l'injustice et châtier ceux qui commettent le mal. Je garderai cette main dans l'obéissance à mon Seigneur Dieu et m'en servirai pour accomplir son œuvre en ce monde. »

Teilo, sur la gauche d'Arthur, dit : « Avec cette main tu porteras le Bouclier de Bretagne. Quel est ton vœu ?

— Avec cette main je porterai fermement le Bouclier de Bretagne dans l'espoir et la compassion. Selon la volonté de Dieu, je protégerai le peuple qui a placé sa foi en moi. Je garderai cette main dans l'obéissance à mon Seigneur Jesu et m'en servirai pour accomplir son œuvre en ce monde. »

Alors Illtyd, debout à la tête d'Arthur, dit : « Sur ton front tu porteras la Couronne de Bretagne. Quel est ton vœu ?

— Sur mon front je porterai la Couronne de Bretagne en tout honneur et humilité. Par le pouvoir de Dieu et selon sa volonté, je mènerai le royaume à travers tout ce qui pourra m'advenir, avec courage et dignité, dans la foi du Christ qui me guidera jusqu'à mon dernier souffle. »

À cela, les prêtres répondirent : « Relève-toi dans la foi, Arthur ap Aurelius, tiens le Christ pour ton Seigneur et sauveur, et honore-le au-dessus de tous les seigneurs terrestres. »

Arthur se releva et Illtyd posa le mince diadème d'or sur sa tête. Dubricius se tourna vers l'autel et prit Caliburnus — c'est-à-dire Caledvwlch, ou Taillefer, la grande épée de guerre d'Arthur — qu'il lui plaça dans la main droite. Teilo prit Prydwen, son grand bouclier, qui avait été repeint de blanc et orné de la Croix de Jesu, et le lui plaça dans la main gauche.

Je m'approchai et, trouvant à tâtons sa broche, je détachai sa cape des épaules d'Arthur. Dubricius et Teilo apportèrent un splendide manteau de pourpre à liseré d'or — un manteau impérial dont la signification n'échapperait pas plus à Paulus qu'à Urbanus. Puis ils le fixèrent sur l'épaule d'Arthur à l'aide de la broche en argent à tête de cerf ayant appartenu à Aurelius.

Élevant à nouveau mon bâton, je m'écriai : « Va, Arthur Pendragon, en toute droiture et bienfaisance. Règne dans la justice et vis dans l'honneur, sois pour ton peuple une lumière éclatante et un guide assuré en toutes choses, quoi qu'il puisse advenir en ce monde. »

Étreignant son épée et son bouclier, son manteau de pourpre drapé sur les épaules, Arthur se retourna pour regarder ses seigneurs.

« Peuple de Bretagne, criai-je, voici ton Grand Roi ! Je t'enjoins de l'aimer, de l'honorer, de le servir, de le suivre et de lui vouer ta vie, tout comme il a voué sa vie au Grand Roi des Cieux. »

Comme si elles n'avaient attendu que ces paroles, les lourdes portes de l'église s'ouvrirent dans un terrible grincement. Cai et Cador, quelque part au pied de l'autel, poussèrent un cri à l'intention des Cymbrogi. La foule frémit d'inquiétude et de confusion. J'entendis chanter l'acier des armes qui glissaient hors des fourreaux.

« Ne bouge pas, Myrddin ! cria Arthur en s'écartant.

— Qu'y a-t-il, Arthur ? demandai-je. Que se passe-t-il ? »

À cet instant, Dubricius s'écria : « Paix, mes seigneurs. Il n'y aura pas d'effusion de sang par cette sainte journée. Déposez vos armes. »

J'entendis le bruit de pas sur le sol de pierre tandis que s'avan-çaient ceux qui venaient d'entrer. J'étreignis fermement mon bâton de sorbier. « Bedwyr ! cria Arthur. Reste auprès de Myrddin ! »

Un battement de cœur plus tard, je sentis la main de Bedwyr sur mon bras. « Tiens-toi en arrière, Myrddin, dit-il. Je vais te protéger.

— Qui sont-ils, Bedwyr ? Les connais-tu ?

— Je ne les ai jamais vus, répondit Bedwyr, la voix tendue. Ils sont douze. Ils portent des lances et... » Il s'interrompit, stupéfait. « ... ces étrangers... ils ressemblent tous à Llenlleawg ! Et derrière eux... » Il se tut de nouveau.

« Quoi donc ? Dis-le moi, Bedwyr. Que vois-tu ?

— Je ne crois pas ce que j'ai devant les yeux.

— Je ne suis pas mieux loti que toi si tu ne me le dis pas. Je suis aveugle, Bedwyr, lui rappelai-je.

— Des jeunes filles, Emrys, répondit-il. Douze… non, seize, je pense… toutes portent une tunique blanche et… qu'est-ce donc ? Chacune tient dans ses mains une colombe blanche. Elles entrent dans l'église à la suite des guerriers et s'avancent vers l'autel. Elles viennent vers nous, Myrddin. »

Il s'interrompit à nouveau et j'entendis le claquement sec de la hampe des lances sur la pierre. Le silence régna un moment, puis la foule retint une exclamation. Je compris que quelqu'un était entré dans l'église.

« Bedwyr ! demandai-je d'un ton brusque. Que se passe-t-il ? Dis-le moi donc !

— Mais… c'est Gwenhwyvar, répondit-il, déconcerté. Je crois qu'elle est venue rendre hommage à Arthur. »

Stupide individu ! me dis-je, devinant enfin la signification des jeunes filles et des colombes. « Lui rendre hommage, m'exclamai-je. Bedwyr, elle est venue le revendiquer pour sien ! »

III

Ah, Gwenhwyvar, Blanche Déesse de l'énigmatique tribu des DeDannan, comme je t'en ai voulu ce jour-là, et comme je t'ai profondément redoutée. Peut-être pourrai-je un jour me faire pardonner mon aigreur et mes craintes. Cher cœur, je ne te connaissais pas.

Qu'il soit bien dit que tu n'as jamais répondu à mon ressentiment par le mépris, ni ne m'as tenu rigueur de mon appréhension, et que jamais tu ne m'as donné l'occasion de sentir justifié l'un ou l'autre. Dans les années qui suivirent, tu as un millier de fois prouvé ta noblesse. Gwenhwyvar, tu ne fus jamais moins qu'une reine.

Je voyais en Arthur le Seigneur du Royaume de l'Été, et cette vision rejetait tout le reste dans une ombre indistincte. Mais toi tu voyais en lui un homme. Il avait besoin de cela, et tu le savais. Gwenhwyvar, dans la sagesse de ton sexe, tu étais un véritable druide. Et davantage ! Je ne doute pas que Dieu en personne t'ait façonnée à l'intention d'Arthur.

Que l'on sache bien aussi que tu n'as jamais mérité les calomnies qui se sont déversées sur ton nom. C'est le propre des hommes à l'âme mesquine de vouloir rabaisser les géants qui se dressent parmi eux. Étrangers à la vertu, ils sont incapables de supporter tant de noblesse : en étant eux-mêmes dépourvus, ils ne peuvent la tolérer chez d'autres. Ils s'acharnent donc contre elle comme les insectes qui rongent les racines d'un chêne jusqu'à faire s'écrouler ce puissant seigneur de la forêt. Dieu sait s'ils trouvent leur récompense.

Mais, le jour de ton mariage, je n'étais pas de tes amis. Car, comme Arthur était roi de tous les Bretons, j'avais l'intention de lui trouver une épouse bretonne. Avec l'intuition de ton sexe, tu voyais plus loin. Arthur, comme le Royaume de l'Été, était plus vaste que la seule Bretagne. Tu m'as appris cela, Gwenhwyvar… même si j'ai mis longtemps à comprendre.

S'inclinant profondément devant Arthur, comme me le décrivit Bedwyr, la reine irlandaise déposa sa lance entre eux sur le sol. Puis elle se redressa et remit entre les mains d'Arthur la blanche colombe qu'elle portait. Prenant Caledvwlch à son côté, elle porta la lame dénudée à ses lèvres, en baisa la garde et nicha l'Épée de Bretagne contre son sein.

« Des colombes et des épées, Bedwyr ! dis-je. Réfléchis à ce que cela signifie !

— Suis-je barde ? grogna-t-il. Explique-moi, Myrddin.

— Cela signifie qu'elle le revendique pour époux, lui dis-je. Arthur a-t-il accepté la colombe ?

— Oui, répondit Bedwyr. Il la tient dans sa main.

— Il a donc accepté cette union », dis-je, épouvanté. Tout était terminé avant que j'aie pu faire un geste pour l'empêcher.

En vérité, j'aurais dû savoir que tout était joué le jour où Fergus avait apporté les trésors de son peuple en tribut, remettant à la garde d'Arthur sa fille et son champion. En acceptant le tribut de Fergus, il avait tacitement consenti à l'union proposée.

Dès l'instant où Gwenhwyvar avait posé les yeux sur Arthur, elle l'avait élu pour époux. C'est ainsi que se font les choses chez les familles royales d'Ierne. Car, pour la race de cette île, la souveraineté se transmet par les femmes. Ce qui signifie qu'un homme tire sa royauté de son épouse. Chez les enfants de Danna, les rois règnent une saison, mais la reine est reine à jamais.

Et Arthur, innocent de tout cela, ne protesta pas. Pourquoi l'aurait-il fait ? Elle était si belle : ses cheveux, noirs comme la poitrine d'un corbeau, noués en centaines de petites tresses attachées chacune par un fil d'or, tombaient sur ses épaules… le jais le plus sombre contre sa peau blanche. Ses yeux étaient gris comme une brume de montagne, son front était haut et lisse, ses lèvres aussi rouges que les cerises.

N'oubliez pas que c'était une reine guerrière. Elle portait une lance, une épée et un petit bouclier rond en bronze. Sa gracieuse silhouette était revêtue de mailles d'argent aux anneaux si menus et si étincelants qu'ils miroitaient comme de l'eau à chacun de ses gestes. Et Llwch Llenlleawg, son champion et chef de guerre, avait loyalement servi Arthur et pris sa place parmi les Cymbrogi. Mais le grand Irlandais était d'abord et avant tout le protecteur de la reine.

Il était vrai que les rois et seigneurs de Bretagne n'auraient jamais toléré un Grand Roi dont l'épouse ne fût pas née Bretonne. Mais

Gwenhwyvar, subtile et perspicace, avait déjà triomphé. Avant que quiconque sût qu'elle était ouverte, la compétition était terminée. Elle avait simplement attendu qu'Arthur monte sur le trône, puis elle l'avait pris pour époux. À vrai dire, elle n'avait pas attendu un instant de plus que nécessaire, de crainte de laisser la moindre chance à une quelconque rivale. Le jour où Arthur prit la couronne pour la seconde fois, il fut aussi marié.

Nous restâmes six jours à Londinium... offrant à festoyer aux rois et aux seigneurs venus rendre hommage et payer tribut au nouveau Grand Roi. Cela devint par la même occasion le repas de noces d'Arthur et Gwenhwyvar, et nul ne goûta davantage les réjouissances que Fergus d'Ierne, père de Gwenhwyvar. Je ne pense pas avoir jamais vu homme plus heureux.

La félicité d'Arthur était totale. Il admirait Gwenhwyvar pour sa hardiesse et, comme tout le monde, il était impressionné par sa beauté. Mais il ne l'aimait pas. Du moins pas encore. Cela viendrait : avec le temps, il leur naîtrait un amour que les bardes célébreront encore dans mille ans. Mais, comme c'est si souvent le cas entre deux conjoints dotés d'une si forte volonté, les premiers jours de leur mariage ne furent pas exempts de frictions.

Quand le dernier seigneur eut regagné son foyer, nous partîmes aussi : les Cymbrogi vers Caer Melyn avec Bors et Cador, et le reste d'entre nous — Cai, Bedwyr, Llenlleawg, Arthur et moi-même — vers Ierne avec Gwenhwyvar. Le voyage ne fut pas long et le temps demeura clément.

Je me souvenais d'Ierne comme d'une émeraude sertie dans une mer d'argent. C'est une île doucement vallonnée, dépourvue des montagnes escarpées de Prydein. Ses collines sont basses et boisées et ses rares montagnes peu élevées. Sur ses nombreuses et vastes plaines poussent d'abondantes récoltes. Si jamais les seigneurs querelleurs qui y règnent cessaient de s'entre-tuer, ils pourraient se retrouver à la tête de richesses suffisantes pour attirer le commerce des autres contrées, pour le plus grand bien de leur peuple.

Hélas, c'est un pays humide qui souffre d'une inondation presque continuelle venue du ciel comme de la mer. La pluie y est néanmoins douce, gonflant d'une eau pure rivières et torrents. La bière des Irlandais est étonnamment bonne, bien qu'ils utilisent du grain brûlé pour sa préparation... un mystère de plus entourant cette race déroutante.

Notre navire accosta dans une baie du littoral nord-est. J'entendis une joyeuse exclamation et Cai, accoudé près de moi au bastingage, dit : « C'est Fergus, béni soit-il. Il vient à notre rencontre. » Avant qu'il n'eût fini de parler, j'entendis quelqu'un s'avancer à pied dans l'eau.

Fergus cria quelque chose que je ne compris pas et, un instant plus tard, d'étranges stridences s'élevèrent sur la plage. « Que se passe-t-il, Cai ?

— Les bardes de Fergus, je pense. Il est accompagné de sa suite, et ceux-ci jouent pour nous une sorte de musique au moyen de vessies de porc. » Il marqua un temps. « Très singulier. »

J'avais déjà vu cet instrument : un curieux assemblage de chalumeaux qui, entre leurs mains, produisent une surprenante variété de sonorités, tantôt caressantes, tantôt plaintives, tantôt perçantes comme un cri, tantôt douces comme un soupir. Quand ils en jouent en même temps que de la harpe, ce qu'ils font souvent, il en résulte une musique fort plaisante. Et les voix des bardes d'Eire sont presque aussi bonnes que celles des Cymry.

Beaucoup, dans la Fraternité des Initiés, soutiennent que les hommes de la verte Ierne et ceux des noires collines de Prydein étaient frères avant que les flots de Manawyddan ne les séparent. Peut-être est-ce la vérité. Pour la plupart bruns, comme les Cymry des montagnes, les Irlandais ont l'esprit vif et sont aussi prompts à rire qu'à se battre. Tels les Celtes d'antan, ils sont généreux en toutes choses, particulièrement dans la chanson et dans la fête. Ils adorent danser et se sentent brimés s'il ne leur est pas permis d'agiter leurs pieds lorsque leurs *filidh* jouent de la harpe et de leurs chalumeaux.

Fergus était seigneur d'un petit royaume sur la côte nord de Dal Riata. Sa principale citadelle s'appelait Muirbolc, du nom d'un de ses parents. Son palais et ses dépendances, ainsi que me les décrivit Cai, étaient construits selon l'ancienne mode : plusieurs petits bâtiments circulaires — habitations, greniers, huttes d'artisans, cuisines — autour d'une grande salle de rondins au toit de chaume. Un rempart de terre surmonté d'une palissade de pieux taillés en pointe ceignait le tout. À l'extérieur de cette muraille s'étendaient les champs, les enclos à bétail et la forêt.

Dans la grande salle, qui servait de demeure au roi aussi bien que de lieu de réunion pour les siens, un feu brûlait jour et nuit dans la grande cheminée de pierre. Le long des murs, de part et d'autre de l'âtre, se trouvaient des alcôves aux cloisons d'osier où l'on pouvait se reposer ou bien se retirer pour plus d'intimité, et devant la cheminée était disposée une énorme table, la table du roi, fixée de chaque côté à la charpente.

Fergus nous conduisit vers sa forteresse et fit halte devant les portes. « Vous êtes les bienvenus dans la demeure de Fergus, mes amis. Entrez et prenez vos aises. Que vos soucis soient comme la brume qui se dissipe au matin. Venez, nous allons boire et manger pour fêter l'union de nos deux nobles tribus. »

Il faisait grand cas du mariage de sa fille et considérait Arthur comme un cousin et un ami très cher. Jamais je n'avais vu un seigneur si désireux de plaire à ses invités que Fergus mac Guillomar. Il ne se départait jamais de sa bonne humeur et sa générosité ruisselait telles les eaux argentées de la Siannon. La fortune de Fergus, quoique toujours limitée, s'était accrue depuis qu'il avait scellé alliance avec Arthur. Il possédait un superbe troupeau de chevaux et élevait des chiens à nuls autres pareils. Il nous fit à tous des présents, et à Arthur il offrit en plus un jeune chiot qu'il pourrait dresser à la chasse et au combat.

La fille de Fergus était elle aussi désireuse de s'assurer nos faveurs. Gwenhwyvar avait amené Arthur à Muirbolc pour lui remettre sa dot, et c'était là un présent fort inhabituel. Mais avant d'en parler, je dois d'abord raconter le miracle qui survint lors de mon séjour en Eire.

Il y avait dans la région des prêtres qui cherchaient inlassablement à persuader Fergus de leur accorder des terres pour construire une église et une communauté. Ils souhaitaient aussi que le roi se joigne au *Christianogi*, bien sûr, mais se seraient contentés d'un endroit où s'installer.

Fergus ne leur faisait pas confiance. Il s'était mis en tête qu'une fois qu'un roi avait ployé le genou devant le Seigneur Christ, il devenait impuissant. Comme Fergus appréciait énormément la compagnie des jolies femmes, dont abondait son royaume, il avait tendance à considérer d'un mauvais œil une croyance menaçant son plaisir.

« C'est absurde, lui dis-je lorsque j'eus découvert la source de ses réticences. Les prêtres ne prennent-ils pas femme comme les autres hommes ? Je te le confirme… et il leur naît des enfants. Dieu sait que leur foi ne les rend pas moins virils. Tu as prêté l'oreille à un mensonge, Fergus.

— Oh, je suis sûr que ces prêtres sont excellents en tout. Je ne nourris aucune inimitié à leur encontre, accorda-t-il distraitement. Mais pourquoi tenter le sort ? Je suis heureux comme cela… surtout depuis que ma fille est mariée au Grand Roi de Bretagne.

— Mais Arthur lui-même est adepte du Christ, l'informa Bedwyr, se joignant à la conversation. La foi ne l'a pas rendu impuissant. Regarde-les tous les deux… étendus ensemble dans leur alcôve, buvant à la même coupe. Demande à Arthur si sa foi l'a privé de sa virilité. Encore mieux, demande à Gwenhwyvar : elle te le dira.

— C'est la coutume des Bretons, déclara le roi Irlandais, de s'adonner à des dieux étranges et à d'encore plus étranges pratiques. Nous savons tous cela. Mais ce n'est pas la nôtre.

— C'est celle de nombre de tes parents, Fergus, lui rétorquai-je. Beaucoup qui se tournaient naguère vers Crom Cruach adorent désormais le Seigneur Jesu. Je te le redemande : où est le mal ?

— Eh bien, répondit Fergus, ils se sont habitués, je suppose, et cela ne leur fait pas de mal. Mais moi, je n'y suis pas habitué. Je crains que cela me soit néfaste. »

Rien de ce que l'on pouvait dire ne parvenait à le convaincre. Or, quelques jours plus tard, un groupe de moines se présenta pour demander audience au roi. Comme toujours, Fergus leur souhaita la bienvenue et leur fit présent de nourriture et de boisson — car ils ne voulurent pas accepter son or. Curieux, je me rendis dans la grande salle pour entendre leur requête.

Le chef de ce groupe de frères errants était un prêtre du nom de Ciaran. Quoique encore jeune, il était déjà d'une très grande sagesse. Instruit en grec et en latin, excellent rhéteur, sa renommée était telle que de nombreux moines, bretons aussi bien qu'irlandais, s'étaient voués à son service pour l'assister dans sa tâche parmi les clans païens d'Eire.

« Nous avons entendu dire que le grand Chef de Guerre des Bretons était ici, déclara Ciaran. Nous sommes venus lui rendre hommage. »

Cela impressionna Arthur et lui fit grand plaisir. Il n'imaginait pas que son nom fût connu en dehors de la Bretagne.

« Vous êtes les bienvenus dans ma demeure, dit Fergus au prêtre. Au nom d'Arthur, je te salue.

— Puisse le Roi des Cieux te bénir, Fergus, répondit Ciaran. Et puisse le Grand Roi du Ciel honorer son Grand Roi sur Terre. Je te présente mes salutations, Arthur ap Aurelius. »

Arthur remercia le prêtre de sa bénédiction, après quoi Ciaran s'adressa à moi : « Et tu es certainement le Sage Emrys, à propos duquel se racontent tant de récits merveilleux.

— Je suis Myrddin, répondis-je simplement. Et je me tiens prêt à te servir, frère prêtre.

— Je te remercie, Sage Emrys, dit-il. Aujourd'hui, néanmoins, c'est à moi qu'il revient de te servir. » Je perçus un mouvement devant moi quand il se rapprocha. « Nous avons entendu dire que tu étais aveugle, et je vois maintenant par moi-même que c'est vrai.

— Ce n'est qu'un inconvénient mineur, répondis-je. Je ne m'en plains pas.

— Un personnage aussi éminent supporterait sans se plaindre n'importe quelle épreuve, et je n'en attendais pas moins de toi », déclara Ciaran, et ceux qui l'accompagnaient murmurèrent leur approbation. « Peut-être en est-il comme l'a dit notre Seigneur Jesu : "Cette affliction a été envoyée afin que puisse être révélée la gloire du Père." S'il en est ainsi, peut-être serai-je l'instrument de cette révélation. M'y autorises-tu ? »

La salle fit le silence pour entendre ce que j'allais dire. L'audacieux prêtre avait proposé de me guérir. Eh bien, que *pouvais-je* répondre ? J'avais vanté à Fergus la puissance du Très-haut. Si je récusais l'aimable défi de Ciaran, je passerais pour un menteur. D'un autre côté, si je l'acceptais et qu'il échoue, je passerais pour un idiot.

Mieux vaut passer pour un idiot que pour un menteur, me dis-je, et je répondis : « En ce qui me concerne, je suis satisfait de mon sort. Mais si l'Éternel désire me guérir pour son bénéfice, je suis prêt à l'obliger.

— Dans ce cas, soit. »

Après s'être approché, Ciaran défit mon bandage et dressa les mains devant moi. Je sentis la chaleur de ses paumes sur ma peau, comme si j'avais levé le visage vers le soleil.

« Dieu de la Création, dit le prêtre, je demande à ton Divin Esprit de rendre honneur à ton nom en manifestant ta puissance devant les incroyants. »

Ce disant, Ciaran me toucha les yeux et la chaleur de ses mains ruissela du bout de ses doigts. J'eus l'impression que mes yeux étaient baignés d'une ardente lumière blanche. Je ressentis un léger malaise — une certaine douleur, mais surtout de la surprise — et je tressaillis. Mais Ciaran me retint, appuyant ses doigts sur mes yeux. La chaleur surnaturelle s'accrut, me brûlant la chair.

C'était comme si mes yeux étaient en feu : je les fermai de toutes mes forces et serrai les dents pour ne pas crier. Ciaran retira alors ses mains et dit : « Ouvre les yeux ! »

Clignant des paupières, je vis à travers mes larmes une foule de gens qui me regardaient, bouche bée, le visage luisant tels de petits soleils embrumés. Arthur me contemplait, stupéfait. « Myrddin ? Vas-tu bien ? demanda-t-il. Peux-tu me voir ? »

Je levai les mains devant mon visage. Elles miroitaient tels des tisons embrasés, chacun de mes doigts semblable à une langue de feu. « Je te vois, Arthur, répondis-je en le regardant. Je suis guéri. »

Cet heureux événement causa une grande sensation dans la demeure de Fergus. Nul ne parla de rien d'autre pendant des jours. Même Cai et Bedwyr, qui avaient pourtant assisté à suffisamment de prodiges depuis qu'ils me connaissaient, confessèrent leur étonnement. La cécité est une pénible affliction et j'étais fort soulagé d'en être délivré. Je me sentais soudain plus léger, comme déchargé d'un pesant fardeau. Le halo brumeux s'estompa peu à peu et ma vue redevint perçante. Mon cœur prenait son essor.

« Mais si tu n'avais pas été guéri ? me demanda plus tard Bedwyr. Et si le prêtre avait échoué ?

— Ma seule préoccupation, lui dis-je, était ce qu'auraient pensé les incrédules comme Fergus si j'avais refusé. Puisque je ne pouvais de toute façon rien faire pour ma guérison, j'ai accepté.

— Mais *toi*, n'as-tu pas douté ? » insista-t-il. Il ne cherchait pas à me manquer de respect : il voulait vraiment savoir.

Avais-je douté ? Non, nullement. « Écoute-moi bien, Bedwyr, lui dis-je. J'étais convaincu que Celui qui a donné des yeux aux hommes pouvait me rendre la vue. Après tout, était-ce tellement plus difficile que de remplir les barriques d'Ector ? Un miracle est un miracle. Même ainsi, j'ai vécu assez longtemps sous la garde du Grand Roi des Cieux pour savoir qu'être aveugle comme une taupe ou posséder un œil d'aigle est de si peu d'importance qu'il ne vaut pas la peine d'y penser, encore moins de s'en préoccuper. »

À vrai dire, j'étais profondément reconnaissant d'avoir retrouvé la vue. Mais, afin que les gens n'aillent pas penser que je me tournais vers le Dieu Généreux uniquement pour ce que je pouvais obtenir de lui, je gardai pour moi ma joie. Fergus fut néanmoins fort excité par cette démonstration de puissance. Il tint pour un signe de la plus grande importance que ce prodige fût survenu sous son toit.

Il bondit de son fauteuil et prit Ciaran par les épaules. « La terre et le ciel me soient témoins, tu es un saint homme et le dieu que tu sers est un dieu remarquable. À dater de ce jour, tu auras tout ce que tu me demanderas… jusqu'à la moitié de mon royaume.

— Fergus mac Guillomar mac Eirc, répondit Ciaran, je n'accepterai rien de toi à moins que tu n'y joignes aussi ton cœur.

— Dis-moi ce que je dois faire, répondit Fergus, et sois assuré que ce sera accompli avant que le soleil ne soit couché.

— Une seule chose, dit le prêtre. Prête allégeance au Grand Roi des Cieux et prends-le pour Seigneur. »

Le jour-même, Fergus voua son existence au Vrai Dieu, et tous les membres de son clan avec lui. Ils embrassèrent la nouvelle foi avec grande dévotion et encore plus grande ardeur. Fergus accorda aux bons frères la permission de séjourner dans son royaume. Il les chargea aussi d'enseigner à sa maisonnée.

Les bardes du roi étaient loin de voir cet événement d'un bon œil. Ils bougonnaient contre la nouvelle allégeance du roi. Mais quand je leur répétai ce que Taliesin avait dit à Hafgan sur la foi dans le Christ, ils se laissèrent persuader. « Ce n'est en rien votre fin, leur assurai-je. Si vous, qui cherchez la vérité en toutes choses, vous embrassez une vérité supérieure, vous n'en verrez pas votre rang diminué, mais bien plutôt rehaussé. Un nouveau jour se lève à l'occident : les anciennes coutumes disparaissent, comme vous devez le savoir. L'homme qui ne ploiera pas le genou devant le Christ verra sa place donnée à un autre. »

Gwenhwyvar, qui avait trouvé la foi auprès de Charis durant son séjour à Ynys Avallach, loua le courage de son père. Fergus embrassa sa fille. « Ce n'est pas du courage, mon âme, dit-il. C'est de la simple prudence. Car si je ne reconnaissais pas ce que j'ai vu aujourd'hui, je serais plus aveugle que le fut jamais Myrddin.

— J'aimerais que davantage de rois bretons témoignent de la même prudence », déclara Arthur.

Notre séjour avec Fergus et son peuple s'avéra en tout point agréable. Nous aurions sans nul doute pu rester un long moment chez eux, mais plus les jours passaient, plus Arthur regardait de l'autre côté de la mer en direction de la Bretagne. Je savais qu'il pensait à ses Cymbrogi et que le jour des adieux était proche. Un soir que nous étions assis devant l'âtre, nos longues piques à viande à la main pour piocher dans le chaudron de tendres et savoureux morceaux de porc tandis que chantaient les bardes, Gwenhwyvar apparut avec un paquet dans les bras. Celui-ci était enveloppé de cuir souple noué par des cordons. Elle le portait comme s'il s'était agi d'un enfant, et je pensai d'abord que c'en était un.

« Mon époux, dit-elle, en respect pour notre mariage, je voudrais t'offrir un présent. » Elle s'avança vers lui. Arthur posa sa pique et se leva en la couvant du regard comme s'il voulait la serrer dans ses bras.

Gwenhwyvar lui tendit le paquet qu'elle déposa entre ses mains, puis elle entreprit de le déballer. Les couches successives de cuir s'écartèrent pour révéler un rouleau de vélin. J'avais déjà entendu parler de semblables objets : ils avaient été courants à l'époque où les Aigles gouvernaient la Bretagne. Mais je n'en avais jamais vu.

Arthur le regarda avec un plaisir mêlé d'étonnement. C'était si loin de tout ce à quoi il aurait pu s'attendre qu'il ne savait que penser.

Il regarda son épouse en quête d'une explication et tint sagement sa langue. Cai et Bedwyr échangeaient des regards médusés et Fergus rayonnait d'un orgueil magnanime.

Prenant le rouleau, Gwenhwyvar le déroula soigneusement. Je pouvais voir à la façon dont elle le maniait — délicatement et avec la plus grande révérence — qu'il était d'un très grand âge et d'un prix incommensurable à ses yeux. Cela m'intrigua. Quel écrit pouvait être aussi précieux ?

Elle étala le rouleau devant les yeux d'Arthur qui se pencha dessus. Je scrutai son visage, mais son étonnement ne faiblit pas... bien au contraire. De fait, plus il examinait le rouleau, plus il semblait perplexe.

Gwenhwyvar l'observait attentivement. Ses yeux gris aux aguets, les sourcils légèrement arqués, elle attendait sa réaction. Était-il digne de ce présent ? Arthur était-il l'homme qu'elle pensait ? Avait-elle remis sa vie entre les mains de quelqu'un capable d'en respecter la valeur ?

Et Arthur, Dieu le bénisse, se savait soumis à une épreuve décisive. Il examina le rouleau un moment, puis il releva la tête, sourit avec assurance et s'écria : « Viens ici, Myrddin, et regarde ! Vois ce que ma reine m'a offert ! »

C'était un propos avisé. Gwenhwyvar était ravie, car elle y avait entendu ce qu'elle voulait entendre. Et Arthur, de voir sa réaction à ses paroles, rayonna de plaisir, car il s'en était fort habilement sorti. Fergus sourit, sachant que le trésor de sa tribu avait trouvé un digne protecteur. J'étais le seul à ne pas partager cette joie, car Arthur s'était astucieusement déchargé du fardeau sur mes épaules : il m'appartenait d'évaluer le présent et de donner mon opinion sur sa valeur.

J'hésitai, partagé entre la défiance et la curiosité. Je pouvais décliner la proposition d'Arthur et le forcer à avouer son ignorance. Ou bien je pouvais voler à son secours. Arthur attendait. La curiosité l'emporta sur la défiance et je me levai pour gagner l'endroit où Gwenhwyvar et Arthur tenaient le vélin déroulé entre eux.

Ils le tournèrent vers moi. Je regardai le pâle vélin, m'attendant à y voir un dessin, ou quelque écriture. Il y avait un dessin, oui, et aussi des écritures... mais cela ne ressemblait à rien que j'eusse jamais vu.

IV

Je comprenais maintenant la perplexité d'Arthur, et pourquoi il s'était tourné ainsi vers moi. Je contemplai le rouleau qui m'était présenté avec ses étranges inscriptions. J'ouvris la bouche pour parler, me repris et examinai de nouveau le vélin.

Il y avait plusieurs longues colonnes d'écriture en une langue que je ne connaissais pas : ni du grec ni du latin, que je suis capable, contraint et forcé, de déchiffrer. Et il y avait une image... non, pas une, mais plusieurs : un grand dessin et, sur le côté, trois plus petits. Ces dessins étaient presque aussi incompréhensibles que l'écriture, car ils montraient un étrange objet en forme de ruche posé sur un empilement de disques flottant dans un firmament azuré... de l'eau, peut-être. Mais ce n'était pas un navire, car il y avait une entrée, ou du moins un trou dans son flanc, par où l'eau se serait engouffrée. Les plus petits dessins montraient le même objet, ou des objets similaires, sous différents angles. Je ne pus discerner aucun indice de l'usage auquel cette chose était destinée.

Je savais que Gwenhwyvar attendait mes commentaires. « Voilà qui est remarquable ! Je vois que vous le conservez précieusement depuis longtemps dans votre clan.

— Ce rouleau de vélin s'est transmis de main en main jusqu'à ce jour, expliqua Gwenhwyvar. On dit que c'est Brigid, reine du Tuatha DeDannan, qui l'a apporté en Eire.

— Je le crois sans peine, répondis-je. Et saurais-tu lire ce qui y est écrit ? » Je montrai les symboles délicatement tracés.

Les traits de Gwenhwyvar s'affaissèrent légèrement. « Hélas, non. Cet art s'est depuis longtemps perdu chez les nôtres... si quelqu'un l'a jamais possédé, répondit-elle. Je nourrissais l'espoir que toi, Sage Emrys, tu pourrais me le lire.

« — J'aimerais bien, lui dis-je. Mais je ne suis pas habitué à étudier les écritures et je ne pourrais avancer que de piètres suppositions. » Puis, pris d'une soudaine inspiration, j'ajoutai : « Mais il est possible que le prêtre Ciaran connaisse cette écriture et qu'il puisse nous en dire le sens. Si tu es d'accord, nous lui apporterons ce rouleau demain.

— Tu es de bon conseil, répondit Gwenhwyvar, mais faisons-le plutôt venir ici. Il ne serait pas convenable de transporter notre trésor à travers tout le royaume comme si ce n'était qu'une chose sans valeur. » Fergus fut d'accord avec sa fille et, à l'aube, il envoya un messager pour inviter le prêtre à venir voir le rouleau.

« Que penses-tu que cela représente, Myrddin ? » me demanda Arthur le lendemain matin, alors que nous attendions l'arrivée du moine. Nous étions assis sur les rochers au bord de l'eau. La journée était claire et la mer venait lécher calmement le rivage à nos pieds.

« Il semblerait que ce soit un genre de bâtiment, répondis-je. Je ne puis en dire plus. »

Il se tut, écoutant le cri des mouettes et laissant les rayons du soleil lui réchauffer le visage. « On pourrait en venir à aimer cet endroit », murmura-t-il au bout d'un moment.

Cai et Bedwyr, qui commençaient à ressentir le mal du pays, arrivèrent alors. Ils prirent place de part et d'autre de nous. « Nous pensions que vous prépariez le navire, dit Bedwyr. Nous n'avons pas envie d'être oubliés ici.

— Arthur vient de dire qu'il n'avait aucune envie de partir, leur dis-je.

— Ne pas retourner en Bretagne ! s'exclama Cai. Aie pitié, Artos. Si nous devons encore supporter le bruit de ces vessies hérissées de chalumeaux, nous allons à coup sûr devenir fous !

— Paix, mon frère, le calma Arthur. Myrddin plaisante. Nous partons demain comme prévu. On est déjà en train de préparer le navire. » Il ouvrit les yeux et montra la plage à ses pieds, où était tiré notre navire. Quelques hommes de Fergus, en compagnie de notre pilote, défroissaient les voiles.

« Nous sommes venus te dire que Ciaran était arrivé, dit Bedwyr. Fergus vous attend, Myrddin et toi. »

Arthur se leva d'un bond. « Alors, allons le rejoindre. Je veux résoudre au moins cette énigme avant de quitter cet endroit. »

Ciaran nous salua joyeusement. « Vous aurez beau temps demain pour naviguer, nous dit-il. Je viendrai vous souhaiter bon voyage.

— Oh, ne parlez pas de partir, s'écria Fergus. C'est mon cœur que vous emporterez avec vous.

— Ta place est assurée auprès de moi, lui répondit Arthur. Viens nous rendre visite quand tu le voudras. »

Gwenhwyvar arriva avec le vélin et entreprit de le dérouler. Le prêtre était impatient de le voir et déclara que ce trésor n'avait pas de prix. « J'en ai déjà vu de semblables, dit-il en se penchant sur le texte minutieusement tracé. Quand j'étais l'élève de Thomas de Narbonne, je l'ai suivi dans un de ses voyages à Constantinople. Les prêtres de cette grande cité conservent la sagesse du monde sur des rouleaux de ce genre. On dit que les plus anciens viennent de la grande Alexandrie et de Carthage. »

Fergus sourit, fort heureux de cette appréciation. « Peux-tu lire ce qui est écrit ? » demanda-t-il.

Ciaran pencha encore plus bas la tête, se tira la lèvre, puis dit : « Non. Ce n'est ni du grec ni du latin, ni aucune langue que je connaisse. Mais, poursuivit-il, rayonnant, cela n'a guère d'importance, car je connais fort bien l'objet qui y est représenté.

— Dis-nous donc ce que c'est ! le pressa Arthur.

— Cela s'appelle un *martyrion*, expliqua Ciaran. Il y en a de plusieurs sortes, et c'est... » Voyant notre confusion, il s'interrompit.

« S'il te plaît, dis-je, nos connaissances en ces matières ne sont pas aussi vastes que les tiennes, bon moine. Ce *martyrion* est-il une construction à la mémoire des morts illustres ?

— Une Maison d'Honneur, affirma Gwenhwyvar. C'était ainsi que l'appelaient les anciens.

— Oui ! Bien sûr ! acquiesça Ciaran. Pardonnez ma présomption. Ce que vous voyez là... » — il suivit le dessin du bout du doigt — « ... est effectivement une Maison d'Honneur... du genre appelé *rotunda*, en raison de sa forme circulaire. Et, comme vous le voyez, elle est édifiée sur plusieurs *mensæ*. » Il souligna du doigt les tables de pierre qui formaient à la fois les fondations et les marches menant à l'entrée.

« Y en a-t-il à Rome ? » s'enquit Arthur. Cai et Bedwyr semblaient toujours perplexes.

« Pas même Rome ne peut s'enorgueillir de tels édifices, affirma Ciaran. L'art de leur construction s'y est perdu. Et il n'y en a qu'un dans la Cité de Constantin, et c'est une pure merveille. Je le sais, parce que je l'ai vu.

— Est-il possible de construire cette Maison d'Honneur ? demanda Arthur en tournant les yeux vers moi.

— C'est possible, avançai-je prudemment. Si l'on se sert de ce dessin pour guide.

121

— Mais c'est le but de ce rouleau ! s'écria Ciaran. Il sert à guider le bâtisseur. Vous voyez ? » Il montra une rangée de chiffres sur le manuscrit. « Ce sont les mesures et les proportions qu'il doit suivre dans son travail. Le *martyrion* est destiné à être construit.

— Alors je le construirai, déclara Arthur. J'édifierai cette *rotunda tabulata* à la mémoire des Cymbrogi morts à Baedun. Et ils auront une Maison d'Honneur telle que même Rome ne peut s'en enorgueillir. »

Ce soir-là, nous bûmes la bonne bière du roi et nous promîmes de nous rendre souvent visite les uns les autres. Arthur avait trouvé en Fergus un joyeux compagnon, un roi dont la loyauté lui était acquise par un respect mutuel et renforcée par son mariage. Dieu sait si les seigneurs de Bretagne avaient causé à Arthur suffisamment de tracas. Ierne lui avait permis d'échapper aux petits rois et à la clameur de leurs incessantes exigences.

Ce fut donc avec une vigueur renouvelée par le repos dont nous avions joui que nous prîmes la mer le lendemain matin, mais aussi avec quelques regrets. Fergus promit de venir retrouver Arthur à Caer Lial, où ils assisteraient ensemble à la Messe de la Nativité. Arthur et Gwenhwyvar n'en restèrent pas moins longuement accoudés au bastingage pour regarder les côtes verdoyantes disparaître dans les brumes marines. Ils avaient l'air d'exilés emportés par la marée capricieuse.

Nous fîmes voile vers le nord en longeant la côte, dans l'intention de traverser vers le Rheged à l'endroit où la mer se fait plus étroite. Alors que notre navire franchissait le dernier promontoire pour s'engager dans le détroit, nous aperçûmes les voiles noires de navires étrangers. Ils étaient encore assez loin au sud, mais ils se rapprochaient rapidement.

« J'en compte sept », dit Bedwyr en scrutant les flots miroitants. La journée était claire et le soleil aveuglant se reflétait sur les eaux. « Non... dix.

— Qui sont-ils ? se demanda Arthur à voix haute. Les reconnais-tu, Cai ?

— Les Picti, et d'autres, comme les Jutes ou les Danois, auraient des voiles bleues, répondit Cai, plissant les paupières. Mais je ne connais aucune tribu qui utilise des voiles noires. »

Arthur réfléchit un moment, puis il dit : « Je veux les voir. Il faut nous rapprocher. » Il se retourna pour donner ses ordres au pilote, Barinthus, qui vira aussitôt de bord.

Nous observions, debout à la proue, nous protégeant les yeux de l'éblouissant éclat du soleil. « J'en compte maintenant treize, dit Bedwyr au bout d'un moment.

— Ces navires sont grands, fit remarquer Cai. Plus grands que tous ceux que nous possédons. À qui peuvent-ils être ? »

D'autres voiles apparurent. « Vingt, nous informa Bedwyr, plissant les paupières pour compter les voiles. Oui, vingt, Myrddin, et ils se dirigent vers…

— Je les vois, lui rappelai-je en regardant les noirs vaisseaux qui volaient sur l'eau. Et je n'aime pas cela.

— Je n'aperçois personne à bord, dit Gwenhwyvar. Ils se cachent de nous… pourquoi ? »

De plus près, d'autres voiles devinrent visibles. « Vingt-huit ! s'exclama Bedwyr. Non… trente !

— Arthur, qui, en dehors de l'Empereur, possède une flotte aussi importante ? demanda Cai.

— Rome, peut-être. Mais je pense que les Romains hésiteraient à lancer autant de navires dans les mers nordiques. »

Nous laissâmes le plus proche navire arriver à portée de lance, puis nous virâmes pour suivre une route parallèle. D'énormes boucliers circulaires recouverts de cuir étaient accrochés au bastingage sous une rangée de rames relevées, dix de chaque côté, et des lances saillaient entre ces boucliers. De longues planches de bois formaient un toit au-dessus des bancs de nage et constituaient une plate-forme pour les guerriers. La voile carrée arborait l'image d'un animal grossièrement dessiné en blanc sur le fond noir. « Qu'est-ce ? se demanda Cai en clignant des yeux. Un ours ?

— Non, répondis-je, pas un ours… un cochon. C'est un sanglier. »

Les deux navires suivirent la même course pendant un moment, puis le vaisseau noir vira soudain vers nous. Au même instant, des guerriers bondirent sur la plate-forme des hommes de grande taille aux larges épaules, à la chevelure noire et à la peau blême — hurlant, ricanant, brandissant des lances.

« Ils attaquent ! » s'écria Bedwyr en se précipitant vers sa lance et son bouclier.

Un battement de cœur plus tard, les premières lances ennemies volaient dans les airs. Elles retombèrent trop court, sauf deux… l'une rebondit sur le flanc du navire, l'autre heurta le bastingage. Llenlleawg courut la rattraper avant qu'elle ne retombe dans la mer. Elle était faite d'un manche de bois grossièrement écorcé auquel était fixée une lourde pointe de fer, davantage une arme d'hast que de jet.

Gwenhwyvar prit son bouclier, ainsi que Cai. Seul Arthur demeura impassible. Immobile, il regardait se rapprocher le navire pendant qu'autour de lui chacun s'armait. L'étrave ennemie fendait les vagues, de plus en plus proche. D'autres lances prirent leur envol. Elles furent cette fois moins nombreuses à retomber court. Plusieurs frappèrent la coque et l'une transperça la voile.

« Arthur, dis-je, as-tu l'intention de les combattre ? »

Il ne répondit pas, les yeux toujours rivés sur le navire ennemi, plissant des paupières contre le miroitement de l'eau. Bedwyr, lui tendant Prydwen, pressa Arthur de le prendre. Mais Arthur ne fit pas un geste.

« Que veux-tu que nous fassions, Ours ? » Ne recevant aucune réponse, Bedwyr me jeta un rapide coup d'œil.

« Arthur ? » demandai-je.

Se détournant enfin du bastingage, Arthur appela son pilote. « Demi-tour ! ordonna-t-il. Nous regagnons Ierne ! Vite ! Il faut avertir Fergus ! »

Le navire vira de bord et s'éloigna du vaisseau ennemi. Celui-ci nous donna la chasse, mais notre embarcation, plus petite et plus légère, le distança, élargissant régulièrement l'espace qui nous en séparait. Nous fûmes bientôt hors de portée de lance et, voyant qu'il ne pouvait nous rattraper, l'ennemi renonça à nous poursuivre.

Volant sur le vent, nous mîmes le cap sur la côte. « Plus vite ! » hurla Arthur. Même si nous allions toucher terre bien avant l'ennemi, il n'y avait pas un instant à perdre.

Les collines du bord de mer ne tardèrent pas à apparaître devant nous et nous aperçûmes la baie d'où nous étions partis. « Sellez les chevaux, ordonna Arthur.

— Attendons d'être à terre, suggéra Bedwyr.

— Faites-le maintenant. » Il se tourna vers le pilote. « Barinthus ! Tu connais la baie. Amène le navire à terre. »

Cai, Bedwyr et Llenlleawg sellèrent les chevaux et ils étaient prêts à monter lorsque nous entrâmes dans la baie. Barinthus n'affala pas les voiles, cinglant droit sur la plage. Je regardai se rapprocher le rivage et me raidis dans l'attente de la collision. Pas Arthur : lorsque l'étrave s'enfonça dans les galets, il sauta en selle.

Nous heurtâmes le fond avec un craquement terrifiant. Le gouvernail se fendit et le mât rompit ses haubans. À l'instant même où le navire s'immobilisait dans une dernière secousse, Arthur fouetta sa monture. « En avant ! Vite », cria-t-il.

Le cheval leva ses sabots et sauta par-dessus le bastingage, plongeant dans la mer jusqu'au jarret. Un autre bond et Arthur s'élança au grand galop sur la plage. Gwenhwyvar l'imita, suivie de près par Llenlleawg, étreignant toujours la lance ennemie.

« Regardez-les, marmonna Cai en secouant la tête. Ils vont se rompre le cou à chevaucher ainsi. Ils devraient avoir un peu plus d'égards pour les chevaux, s'ils n'en ont pas pour eux-mêmes. »

Bedwyr répondit du haut de sa selle : « Tu le diras au chef de guerre barbare quand sa lance te chatouillera les fesses. » Il fouetta son cheval et bondit par-dessus bord.

Cai le suivit et j'attrapai mes rênes. Tout en sautant en selle, je criai au pilote : « Je vais t'attendre, Barinthus.

— Non, seigneur. Ne m'attends pas, répondit le marin, qui était en train d'arrimer le mât ébranlé. J'en ai bientôt terminé et je vous suivrai.

— Amarre le navire, mais ne t'attarde pas. » Je talonnai ma monture. Le cheval se cabra et plongea, m'éclaboussant d'embruns. Puis je me retrouvai sur la plage. Cai avait atteint le sentier escarpé qui menait vers la forteresse de Fergus et Bedwyr y était déjà engagé. Arthur et les autres avaient déjà disparu.

Arrivé au bas du sentier, je m'arrêtai pour regarder en arrière. La baie était encore déserte. Les ennemis ne nous avaient pas suivis à terre… vraisemblablement, comme nous les avions distancés, ils attendraient d'avoir le renfort de leurs congénères avant d'accoster.

Quand j'atteignis Muirbolc, l'alarme avait déjà été sonnée. Les gens couraient en tous sens : les hommes pour renforcer les défenses de la forteresse, les femmes et les enfants pour se mettre à l'abri, les guerriers pour chercher leurs armes, les gardiens de troupeaux pour rassembler le bétail et le rentrer dans l'enceinte du caer.

Fergus et son chef de guerre se tenaient au centre de la cour, face à Arthur et à Gwenhwyvar. Cette dernière était en train de dire : « Écoute-le, père. Ils sont trop nombreux. Nous ne pouvons les affronter ici.

— Dix boucliers de chaque côté… cela fait au moins vingt guerriers par navire, peut-être plus, lui dit sans ménagement Arthur. Et il y a trente navires… peut-être davantage. S'ils débarquent ici, ils siégeront dans ta grande salle avant que le soleil soit couché.

— Notre seul espoir est d'évacuer le caer et de rallier les clans, insista Gwenhwyvar. De cette façon, nous aurons au moins une chance. Nous connaissons le pays et pas eux. Nous irons trouver Conaire et les hommes d'Uladh. Quand ils sauront le danger, ils ne nous éconduiront pas. »

Fergus se tripota le menton et fronça les sourcils en retournant la question dans sa tête. « Fergus, dit doucement Arthur, nous ne pouvons sauver Muirbolc, mais nous pouvons sauver nos vies. Si nous restons ici, nous perdrons les deux.

— Très bien, acquiesça Fergus à contrecœur. Je vais suivre ton conseil. » Il se tourna vers son chef de guerre et, d'un mot, le renvoya. « Il faut rassembler des provisions, dit le roi en se retournant. Cela va prendre un moment.

— Nous n'avons pas le temps, dit Arthur. Nous devons partir sur le champ.

— C'est déjà assez dur d'abandonner ma citadelle, répondit Fergus. Que l'on m'écorche vif si j'abandonne aussi le trésor de notre clan. »

Arthur céda. « Alors, fais vite. Je vais aller avec Cai et Bedwyr sur le promontoire pour voir où l'ennemi accoste.

— Je viens avec toi, dit Gwenhwyvar.

— Reste ici, mon épouse, lui dit Arthur. Nous serons vite de retour. »

Gwenhwyvar s'apprêtait à protester, mais elle se ravisa et tint sa langue. Se tournant vers moi, Arthur dit : « Tu vas venir avec moi, Myrddin. »

Nous nous mîmes en route, Arthur, Cai, Bedwyr et moi, et croisâmes devant les portes Barinthus qui arrivait tout juste. « Ils ne nous ont pas suivis, seigneur, dit-il.

— Reste ici et monte la garde, lui ordonna Arthur. Préviens Fergus si tu vois quelque chose. Nous allons au promontoire. »

Nous galopâmes le long du chemin côtier, scrutant la mer à nos pieds, en quête des navires noirs. Nous ne vîmes rien avant d'atteindre les hautes falaises du promontoire. Mais alors, quand nous franchîmes la crête de la colline et que nous apparurent au nord-ouest les vastes étendues marines, nos cœurs sombrèrent dans nos poitrines.

Car, déployées sur les flots tout le long du littoral, nous vîmes au moins quarante voiles noires qui convergeaient comme une nuée de charognards.

V

« Dieu nous vienne en aide, dit Bedwyr en contemplant la flotte ennemie.

— Ils vont accoster là-bas, répondit Arthur en montrant une baie, plus loin sur la côte. Ils doivent se déplacer à pied : je ne vois pas de chevaux. Il leur faudra donc un peu de temps pour s'enfoncer dans les terres. » Il jeta un coup d'œil au ciel. « Le soleil sera couché avant qu'ils n'aient pu monter une expédition.

— Nous avons donc au moins une nuit pour nous préparer, dit Cai.

— Pas plus d'une nuit », répondit Arthur. Tournant bride, il repartit sur le sentier. Cai le suivit, mais Bedwyr et moi restâmes encore un moment à regarder les navires ennemis.

« Il doit y avoir mille guerriers ou plus, dit Bedwyr, songeur. Je me demande combien peuvent en rassembler les rois d'Uladh.

— Je crains fort que nous le découvrions bientôt », répondis-je sombrement.

Nous regagnâmes en hâte Muirbolc, où les gens avaient commencé à quitter le caer. Les premiers groupes s'enfonçaient déjà dans la forêt. À la porte, Fergus regardait défiler les siens, les encourageant et les exhortant à se presser. Arthur, Gwenhwyvar et Llenlleawg tenaient conciliabule un peu plus loin. Cai n'était nulle part en vue.

Arthur releva la tête et nous fit signe de le rejoindre. À notre arrivée, il dit : « Bedwyr, Cai et toi, vous allez rester pour aider Fergus et ses chefs. Gwenhwyvar, Llenlleawg et moi, nous allons alerter les seigneurs d'Uladh.

— Quelqu'un doit prévenir Ciaran et ses frères moines, fis-je remarquer. Je vais y aller.

— Je te veux avec moi, au cas où nous rencontrerions des difficultés avec les seigneurs, insista Arthur.

— Les bons frères ne sont pas loin, dit Gwenhwyvar. Nous pouvons les avertir au passage.

— Soit », acquiesça Arthur. Se tournant vers Bedwyr, il dit : « Quand Cai reviendra de la baie, dis-lui ce que nous avons décidé.

— Si tout va bien, ajouta Gwenhwyvar, nous serons de retour avant l'aube avec de l'aide. »

Nous remontâmes à cheval et, après avoir fait nos adieux à Fergus, nous nous mîmes aussitôt en route, Llenlleawg en tête. Nous traversâmes un bois et franchîmes un torrent avant de déboucher dans une vaste prairie en pente douce où nous obliquâmes vers le sud pour parvenir, au bout d'une courte chevauchée, au campement rudimentaire qu'avaient dressé les moines.

Ciaran nous souhaita la bienvenue et nous offrit à boire et à manger. « Dieu soit bon pour vous, dit-il. Nous serions honorés si vous restiez souper avec nous.

— Rien ne nous ferait davantage plaisir, répondit Gwenhwyvar. Mais nous ne pouvons rester. Nous sommes venus vous prévenir. Vous êtes en danger. Nous avons aperçu des envahisseurs. En ce moment même, ils sont en train de débarquer un peu plus au nord.

— Des envahisseurs. » Le prêtre avait prononcé le mot, mais il ne manifestait aucune peur. « Qui sont-ils ? Le savez-vous ?

— Ils sont d'une tribu que je n'ai jamais vue, lui dit Arthur. Mais je peux dire ceci : ils possèdent une flotte aussi nombreuse que celle de l'Empereur, et leurs navires sont noirs de coque comme de voile.

— Les Vandali, dit Ciaran.

— Tu les connais ? demandai-je.

— Je ne connais aucune autre armée barbare qui possède une telle flotte, répondit le prêtre. Ils sont connus à Constantinople. C'est là que j'ai entendu parler d'eux et de leurs navires aux voiles noires.

— Et sais-tu aussi comment on peut les vaincre ? » s'enquit Arthur.

Ciaran secoua lentement la tête. « Malheureusement, non. À dire vrai, j'ai entendu dire que c'était impossible. De tous les barbares, les Vandali sont les plus féroces et les plus cruels. Ils tuent pour le plaisir et n'ont aucun respect de la vie… pas plus de la leur que de celle d'autrui. Ils ne tiennent rien pour sacré, excepté leur propre vaillance, et ne vivent que pour le plaisir de tuer et d'amasser du butin à la pointe de leurs lances. » Le prêtre se tut pour mesurer l'effet de ses paroles. « Je mentirais si je te disais que quiconque peut se dresser contre eux. Les Vandali sont redoutés par tous ceux qui les connaissent. Même les Goths s'enfuient à leur simple vue. » Ciaran marqua un temps, puis ajouta : « C'est tout ce que je sais. J'aimerais pouvoir t'en dire plus.

— Et j'aimerais en entendre davantage, mais je te remercie de ces renseignements, répondit Arthur. Fergus et son peuple quittent le caer. Si vous partez tout de suite, vous pouvez vous réfugier auprès d'eux.

— Nous allons alerter les rois, dit Gwenhwyvar. Nous allons d'abord trouver Conaire à Rath Mor.

— Dieu soit avec vous, mes amis », dit Ciaran. Levant les mains, il nous bénit d'une prière pendant que nous reprenions en hâte notre chemin.

La forteresse de Conaire Crobh Rua, ou Main Rouge, ressemblait fort à celle de Fergus, mais en plus vaste, et une grande stèle de pierre gravée de caractères ogamiques se dressait à l'entrée du caer. Son armée était également plus importante, forte de cinq fois plus de guerriers, et pas moins de quatre autres rois lui devaient allégeance. Chacun de ces petits rois entretenait à ses propres frais des guerriers que Conaire pouvait requérir en cas de besoin.

Ce serait un puissant allié. Par conséquent, s'assurer son aide était crucial pour la survie d'Ierne.

Gwenhwyvar comprenait cette nécessité et la terrible urgence de lever rapidement une armée. En atteignant Rath Mor, trouvant les portes ouvertes, elle entra au galop dans le caer, ignorant les molles injonctions des gardes de s'arrêter pour se faire reconnaître.

Elle chevaucha droit jusqu'au palais et cria : « Conaire ! Montre-toi, Conaire ! Nous avons à parler, toi et moi ! »

Les gens l'entendirent et accoururent vers nous. La porte de la grande salle était une simple peau de vache blanche sur laquelle une main était peinte en rouge. Un homme passa la tête sous cette peau et déclara : « Le roi est sourd à toutes sommations en dehors des siennes.

— Va juste dire à ton roi sourd que c'est un insensé de dormir dans son palais alors que son royaume est menacé d'invasion », rétorqua-t-elle, ses sombres sourcils froncés. La tête disparut promptement. « As-tu entendu, Conaire ? » cria Gwenhwyvar.

Un instant plus tard, la peau de vache s'écarta et un homme de haute taille aux cheveux blonds et à la barbe brun-roux sortit.

Homme de fière prestance, il croisa ses bras nus sur sa poitrine. « Ah, Gwenhwyvar, dit-il en la voyant. J'aurais dû savoir que c'était toi qui faisais tout ce tapage. » Il jeta un bref coup d'œil à ceux qui accompagnaient la reine. « Je croyais que tu étais en Ynys Prydein. Est-ce pour m'épouser que tu viens ici ? »

Gwenhwyvar le gratifia d'un sourire méprisant. « Conaire Crobh Rua, je ne t'épouserai jamais. L'homme que tu vois à mon côté est mon époux...

— Alors tu n'as rien à me dire que je veuille entendre. » Le roi d'Uladh se retourna pour rentrer dans son palais.

« Mon époux, Arthur, poursuivit Gwenhwyvar, Grand Roi des Bretons. »

Conaire s'arrêta et se tourna vers nous. « Vraiment ? » Il regarda Arthur de haut en bas, puis, comme s'il n'avait rien vu qui fût digne de sa considération, l'écarta de ses pensées d'un reniflement dédaigneux. « Je ne savais pas que les Bretons s'étaient trouvé un nouveau roi, dit-il. Maintenant que je le vois, je me demande pourquoi ils se sont donné cette peine. »

Arthur dévisagea le seigneur irlandais d'un regard glacial, mais sans haine. Il ne dit rien. Gwenhwyvar, néanmoins, se raidit sur sa selle. Son visage s'empourpra de colère. Ce fut pourtant le silencieux Llenlleawg qui répondit à l'insulte de Conaire.

« Seule ton arrogance surpasse ton ignorance, Conaire, dit-il. Ce soir, il va te falloir décider si tu veux vivre ou mourir. »

Le seigneur irlandais lui décocha un regard meurtrier. « Il semblerait, dit-il d'une voix chargée de mépris, que je ne serai pas seul à prendre cette décision.

— Ce ne sera pas la lance de Llenlleawg qui t'ôtera le souffle du corps, dit Gwenhwyvar. Pendant que nous restons là à échanger des insultes, l'ennemi envahit nos terres. Nous n'avons qu'une nuit pour préparer nos défenses ou, à coup sûr, notre royaume est perdu. »

Les yeux de Conaire se portèrent lentement de Llenlleawg à Gwenhwyvar. « Quel ennemi ? demanda-t-il d'une voix traînante.

— La tribu des Vandali, répondit Gwenhwyvar. Et ils sont venus en force pour mettre Ierne à sac. »

Le roi irlandais se redressa de toute sa taille. « Ce danger ne peut qu'être mince, sinon j'en aurais entendu parler. Mais je ne suis pas surpris que Fergus t'ait envoyée supplier à sa place... au moindre signe d'ennuis, il vient mendier ma protection. Dis-lui que je réfléchirai à la chose et que je répondrai quand il me conviendra. »

Il fit le geste de nous congédier et tourna le dos.

« Reste ! » lui intimai-je. L'immobilisant de la voix d'autorité des bardes, je dis : « Écoute-moi, seigneur Conaire. J'ai connu bien des rois : certains stupides, d'autres hautains. Mais peu étaient les deux, et aucun n'a survécu à son imprudence. »

L'orgueilleux seigneur se hérissa. Ses yeux étincelèrent de colère. Mais je ne lui laissai pas le loisir de parler.

« Sache ceci : nous sommes venus te prévenir et demander ton aide. Tu ne sais rien des forces rassemblées contre nous. Je te dis la vérité : à moins de présenter un front uni quand s'engagera la bataille, nul d'entre nous ne survivra à leur assaut. »

Conaire fronça les sourcils. Il se débattait sous mon emprise, mais je le tenais par ma voix. « C'est ainsi. Si tu doutes de mes paroles, pourquoi ne pas venir avec nous sur la côte et constater par toi-même que ce que tu as entendu n'est pas simple imagination de lâches ? »

Le seigneur irlandais me lança un regard meurtrier, mais il garda les lèvres serrées.

« Alors ? demanda Gwenhwyvar. Que dis-tu, Conaire ? »

Il se tourna vers un de ses hommes. « Va chercher mon cheval », aboya-t-il rageusement. À Gwenhwyvar, il dit : « J'irai avec vous et je verrai par moi-même. Si ce que vous dites est vrai, je vous protégerai. » Il esquissa un sourire madré. « Mais dans le cas contraire, vous devrez m'accorder ce que j'exigerai de vous. »

Conaire dévisageait Gwenhwyvar en disant cela et il n'était pas difficile de deviner ce qu'il avait en tête. Le visage d'Arthur s'assombrit face à cette impudente provocation. Ce que je n'irai pas lui reprocher. À sa place, j'aurai tranché Conaire en deux de la tête aux pieds d'un coup d'épée. Mais Gwenhwyvar intervint : « Ne formule pas d'exigences que tu ne voudrais pas satisfaire toi-même, Conaire. »

Sans un mot, Conaire tourna les talons et disparut dans son palais. Gwenhwyvar ébaucha un sourire satisfait. « Eh bien, dit-elle, cela s'est passé mieux que je ne l'espérais.

— Ce Main Rouge est-il toujours aussi aimable ? » demanda Arthur.

Gwenhwyvar répondit : « Il s'est mis en tête de m'avoir pour épouse. Il a une femme, bien sûr, et aussi deux concubines. Mais il voudrait devenir roi à la manière de Rory et de Conor mac Nessa. C'est pourquoi il cherche depuis toujours à me convaincre de l'épouser.

— Si son courage est moitié aussi grand que sa vanité, déclara Arthur, les Vandali aux voiles noires s'enfuiront bientôt sur les flots aussi vite que peut les pousser le vent.

— Quand sera venu le temps de jouer de la lance, tu ne seras pas déçu, déclara Llenlleawg. Un barde avec sa harpe ne produit pas plus douce musique.

— J'aimerais voir cela », répondit Arthur.

Conaire réapparut et monta aussitôt sur le cheval qu'on venait de lui amener pour nous guider hors de caer, puis le long d'un sentier qui s'enfonçait à travers bois. Quelques instants plus tard, nous débouchâmes dans une prairie qui s'élevait en pente douce avant de redescendre vers des falaises abruptes surplombant le littoral nord-ouest. Avant même d'arriver au bord du précipice, nous aperçûmes les voiles noires grossièrement cousues serrées les unes contre les autres sur la mer. Un grand nombre de navires avaient déjà accosté et il en arrivait d'autres avec chaque vague. Mais nous ne vîmes personne à terre, et nul signe de chevaux à bord des vaisseaux.

« Quarante navires, dit Bedwyr. Ils n'ont pas été rejoints par d'autres. Cela signifie qu'ils sont tous arrivés.

— À moins que ce ne soit qu'une avant-garde envoyée reconnaître le terrain », fit remarquer Cai. Tous deux firent silence à cette inquiétante pensée.

Le roi irlandais contempla un long moment le spectacle qui s'offrait à lui. « Jamais je n'ai vu un envahisseur aussi audacieux, dit-il enfin. Une telle insolence ne peut demeurer impunie. Je les châtierai de ma main.

— Bien parlé, Conaire, dit Arthur. Ensemble, nous repousserons ces barbares à la mer. »

Conaire, l'éclat du couchant dans les yeux, se tourna vers Arthur et le regarda en face. « Seigneur, je suis prompt à m'emporter, comme tu as pu le voir, dit-il. J'ai parlé sans mûrement réfléchir et mes propos étaient indignes. Je les regrette maintenant. Car je pense que tu es un vrai roi parmi les tiens, et il n'est pas bienséant pour deux nobles alliés d'aller à la bataille en gardant rancune l'un envers l'autre.

— Je suis d'accord, répondit Arthur, magnanime. Je pense qu'il sera assez difficile de combattre la horde vandale sans nourrir en plus une mutuelle aversion. »

Ce disant, le Grand Roi de Bretagne tendit le bras au roi irlandais. Conaire le prit et tous deux s'embrassèrent comme des cousins, toute animosité oubliée.

Mais Conaire n'en avait pas terminé. Il se tourna ensuite vers Gwenhwyvar et dit : « Gente dame, tu sais que je t'ai toujours tenue en haute estime. C'est pourquoi j'ai profondément regretté de te voir quitter Eirinn pour prendre un époux de sang breton. Et, même si je le ressens comme une perte, je comprends ton choix et l'approuve du fond de mon cœur. Tu as scellé une union louable et trouvé un homme plus que tout autre digne de toi. Noble dame, je te félicite. Et je t'offre ma main, comme je t'aurais avec joie offert ma vie.

— J'accepte ta main, Conaire, répondit Gwenhwyvar en se penchant vers lui, mais j'aurai aussi ta joue. » Lui prenant la main, elle l'attira à elle, posa les lèvres sur sa joue et l'embrassa.

Le roi irlandais sourit largement et, reprenant ses rênes, lança son cheval au galop. Nous repartîmes en hâte pour Rath Mor et avions presque atteint le couvert de la forêt, quand soudain une bande ennemie jaillit d'entre les arbres.

En deux battements de cœur, nous nous retrouvâmes face à cinquante guerriers... des hommes de haute taille aux yeux farouches et impitoyables qui scintillaient tels des éclats de jais dans leur visage basané. Ils allaient à pied et ne portaient pas d'épée, uniquement l'épaisse lance noire et le lourd bouclier de bois que nous avions vus à bord des navires. Ils n'hésitèrent qu'un instant, puis leur chef cria un ordre et ils se ruèrent sur nous, brandissant leurs lances en poussant des hurlements.

VI

Arthur talonna sa monture et s'élança pour rencontrer de front la charge. « Suivez-moi ! » cria-t-il en épaulant son bouclier et en galopant sus à l'ennemi.

Llenlleawg fut le premier à réagir. Il me dépassa en coup de vent et prit position sur la gauche d'Arthur, un peu en retrait, de façon à ce que les barbares ne puissent attaquer le roi de son côté le plus vulnérable.

Conaire se retrouva soudain près de moi, tendant sa lance. « Tu n'as pas de lance, dit-il. Prends la mienne.

— Garde-la, répondis-je. Je préfère l'épée. »

Gwenhwyvar lança son cheval au galop tout en tirant son épée. « Oh, cœur de mon cœur, dit Conaire en la regardant s'éloigner, n'est-ce pas une délicieuse vision ?

— Viens, Irlandais, criai-je. Ils vont nous distancer ! »

Arthur atteignit la ligne ennemie et plongea à travers, éparpillant les barbares en tous sens. Llenlleawg, juste derrière lui, ne leur laissa pas l'occasion de se regrouper. Il en renversa trois ou quatre dans leur fuite et en tua deux autres. Une large brèche s'était ouverte, permettant à Gwenhwyvar de traverser la ligne ennemie sans rencontrer de résistance. Parvenue à l'orée de la forêt, elle fit demi-tour et chargea le rang qui se reformait.

Je vis où elle avait l'intention de frapper et obliquai pour me joindre à son attaque. Sur ma droite, Conaire poussa un sauvage cri de joie et galopa droit vers le centre de la rangée… lance pointée, bouclier au côté, rênes lâches. En nous voyant tous les trois fondre sur eux, les étrangers — bouches béantes sur d'inintelligibles cris, boucliers levés au-dessus de leurs têtes — s'enfuirent vers le couvert de la forêt.

Mais Arthur et Llenlleawg les attendaient et les prirent à revers. Ils scindèrent l'armée vandale en deux... ceux qui étaient le plus près de la forêt parvinrent à s'échapper, mais les autres se retrouvèrent au centre d'une attaque menée par cinq cavaliers convergeant à vive allure. Leur rang désordonné se replia sur lui-même en une masse confuse. Gwenhwyvar et moi les atteignîmes les premiers et nous mîmes à les tailler en pièces. Conaire fondit sur leur flanc tandis qu'Arthur et Llenlleawg chargeaient leurs arrières.

Ils tombaient devant nous. Désemparés, hurlant de panique et de rage, tentant désespérément de frapper de leurs lances courtaudes, ils se jetaient sur nous et nous les piétinions. La tendre herbe verte s'empourprait dans le soleil couchant et les ombres s'allongeaient sur la plaine.

Les guerriers ennemis fuirent le combat, laissant sur place leurs morts et leurs blessés pour se réfugier dans les bois. Llenlleawg les aurait poursuivis, mais Arthur le rappela.

« Des guerriers ! se gaussa Conaire. Je n'ai jamais vu si lamentables guerriers. Si c'est tout ce dont ils sont capables, qu'on me donne une bande de garçonnets armés de bâtons pointus et je conquiers le monde !

— Ce n'était qu'un groupe d'éclaircurs, répondit Arthur. Nos chevaux les ont effrayés.

— Mais ils nous ont attaqués ! protesta Conaire. Ils voulaient se battre. À cinquante contre cinq ! Et nous les avons mis en déroute sans le moindre effort.

— Arthur a raison, déclarai-je. Ils reconnaissaient simplement le terrain quand nous les avons surpris. Et maintenant que nous leur avons montré quel genre d'hommes habitent ce pays, il ne faut pas s'attendre à ce qu'ils refassent la même erreur.

— Bah ! grogna Conaire. Qu'ai-je à faire de tout cela ? Nous avons battu ces voleurs barbares. Qu'ils recommencent et nous leur réserverons le même traitement. »

Arthur secoua gravement la tête. « La vitesse et le courage nous ont aujourd'hui sauvés, Conaire. Nous devons nous estimer fortunés de nous en tirer sains et saufs. » Il se laissa glisser de sa selle et se dirigea vers l'endroit où les guerriers ennemis gisaient à terre. Il se pencha brièvement sur deux ou trois d'entre eux, puis il cria : « Celui-ci est encore vivant.

— Je vais y mettre bon ordre sans tarder, répondit Conaire en sautant de son cheval.

— Non, dit Arthur en arrêtant le seigneur irlandais. Ramenons-le au caer et voyons ce que nous pouvons apprendre de lui. »

Conaire fronça les sourcils. « Nous ne tirerons rien de lui. Tuons-le tout de suite, cela nous épargnera la peine de le ramener. »

Quoique foncièrement d'accord avec Arthur, je soupçonnais fortement Conaire d'avoir raison. Un coup d'œil à ses traits étranges — avec ses hautes pommettes, ses petits yeux bridés surmontant un long nez mince, sa peau couleur de vieil ivoire, il semblait venir d'un autre monde — me suffit pour conclure que nous n'apprendrions rien d'intéressant du blessé. Nous soulevâmes néanmoins son corps inconscient et le jetâmes en travers de la selle de Llenlleawg. Gwenhwyvar partagea son cheval avec le champion irlandais et nous regagnâmes en hâte Rath Mor, où Conaire convoqua ses druides, les avertit du danger et envoya des messagers rassembler ses chefs et ses seigneurs. Le barbare fut enfermé sous bonne garde dans une maison voisine en attendant son réveil.

« J'ai fait demander à Fergus de nous rejoindre, nous apprit Conaire. Lui et les siens seront plus en sécurité dans cette forteresse que dans la forêt où les barbares risquent de les surprendre.

— Je te remercie, Conaire, dit Gwenhwyvar. Nous n'oublierons pas ta sollicitude.

— C'est pour toi que je le fais, gente dame, répondit-il. Et pour ton époux. Je te le dis, je l'aime bien, et je tiens à lui montrer que je suis homme d'honneur.

— Pour cela, c'est déjà fait », dit Arthur, ce qui fit un immense plaisir à Conaire.

« Alors entrez dans mon palais, invita l'Irlandais. Nous allons lever nos coupes ensemble et boire notre content. Mes brasseurs sont de vrais champions, et ce pourrait bien être ce soir notre dernière occasion de savourer le subtil produit de leur art. Viens, Arthur ! Viens, Gwenhwyvar ! Venez, Myrddin Emrys et Llenlleawg ! Buvons à la santé des ennemis de nos ennemis ! »

Arthur fit deux pas vers la grande salle, puis il s'arrêta. « Rien ne me ferait plus plaisir que de boire avec toi, Conaire, dit-il. Mais je pense que, ce soir, l'ennemi ne va pas s'adonner à des réjouissances. Je suggère donc que nous ferions mieux de veiller à la défense de la population. »

Le visage du roi irlandais s'assombrit. « Nous avons fait tout ce que nous pouvions, dit-il avec raideur. Que voudrais-tu que nous fassions de plus ?

« — L'ennemi doit être encore en train de rassembler son armée. Nous n'aurons jamais une meilleure occasion d'attaquer.

— Mais il fera noir avant que nous ayons pu rassembler nos propres forces, souligna Conaire.

— Ce n'en est que mieux, répondit Arthur avec un large sourire. Que l'obscurité dissimule notre nombre et frappons-les avant qu'ils n'attaquent ! Viens, Conaire, nous allons leur livrer bataille sur le rivage avant que leurs navires aient fini d'accoster ! »

Conaire hésita : une telle tactique n'était pas dans ses habitudes et ne lui inspirait pas confiance. Arthur comprenait sa répugnance. L'expérience qu'avait Conaire de la guerre datait d'une autre époque, où les rois se rencontraient le matin pour livrer combat, puis allaient se reposer et se rafraîchir pour se battre à nouveau dans l'après-midi, rompant l'engagement au crépuscule pour regagner leurs forteresses.

Arthur, instruit par la brutale nécessité, avait acquis une mortelle sagacité. Il n'engageait jamais la bataille sans envisager aussi le cours futur de la guerre. Je ne l'ai jamais vu se rendre sur le terrain sans songer à la bataille du lendemain. C'était le souci qui l'animait ce jour-là : tout ce que nous pourrions faire ce soir pour tourmenter l'ennemi serait à notre avantage la prochaine fois. Et, assurément, nous aurions besoin de tous les avantages dont nous pourrions disposer.

Je crois que Conaire sentait que le conseil d'Arthur était judicieux, même s'il ne comprenait pas vraiment pourquoi. Mais Arthur ne chercha pas à forcer le roi irlandais... il s'arrangea au contraire pour le persuader.

« Ah, le ciel est clair et la lune ne tardera pas à briller de tout son éclat. C'est une belle soirée pour chevaucher au bord de la mer. Gwenhwyvar m'a souvent parlé de la beauté de la côte d'Eiru. Je pense que j'aimerais la voir au clair de lune. Qu'en dis-tu, Conaire ? demanda Arthur. Viendras-tu avec nous ?

— Par la tête de mon père, seigneur Arthur, répondit Conaire, tu es un homme de caractère. Eh bien, puisque nous y allons, levons au moins une coupe ensemble en attendant les renforts. »

Gwenhwyvar s'avança entre les deux hommes et, les prenant chacun par un bras, les entraîna vers la grande salle. « Bien parlé, Conaire, nous allons boire à l'amitié des rois. Et ensuite nous montrerons à ce Breton les délices de ces rivages bénis au clair de lune. »

Le temps que le soleil se couche, les premières armées de Conaire étaient arrivées. Leurs chefs entrèrent bruyamment dans la grande salle sous les congratulations de Conaire. Il leur mit des coupes dans les mains, but avec eux et fit grand cas de notre escarmouche avec les Vandali. Fergus et les siens arrivèrent les derniers, avec Cai et Bedwyr. Arthur leur expliqua rapidement ce qu'il avait vu et raconta notre rencontre avec l'ennemi.

« Où est le prisonnier ? demanda Bedwyr après l'avoir écouté. Nous devrions peut-être voir s'il est d'humeur à nous parler. »

Comme Conaire était occupé avec ses seigneurs, Arthur, Cai, Bedwyr et moi quittâmes la grande salle pour nous rendre à la maison circulaire où avait été enfermé le barbare. Il était étendu sur le flanc à même le sol de terre battue. Ses mains et ses pieds avaient été entravés à l'aide d'une corde de cuir tressé. Il s'assit et nous dévisagea d'un air provoquant à notre entrée. Le guerrier qui le gardait nous salua et dit : « Il n'a pas proféré un son depuis qu'il s'est réveillé. Il reste juste assis là et me regarde fixement comme un lézard malade de soleil.

— Nous allons le surveiller, maintenant, dit Arthur. Tu peux rejoindre tes cousins dans la grande salle. »

Le guerrier partit sans se faire prier et nous contemplâmes un moment le prisonnier sans rien dire. Grand — presque autant qu'Arthur — il était puissamment charpenté. Ses bras et ses jambes étaient couverts de petites cicatrices régulièrement espacées. Ses yeux et ses cheveux étaient noirs, et il ne portait ni barbe ni moustache... en fait, en dehors de son crâne, son corps était dépourvu de toute pilosité. Ses yeux étroits, légèrement bridés, nous regardaient d'un air revêche, sans le moindre intérêt. Arthur fit un signe de tête à Bedwyr, qui s'avança et demanda : « Qui es-tu, Vandale ? Quel est ton nom ? »

Le prisonnier se contenta de retrousser les lèvres.

« Réponds-moi et tout se passera bien pour toi, reprit Bedwyr, parlant lentement. M'entends-tu ? »

Le barbare ne répondit rien : tout laissait penser qu'il n'avait pas compris les paroles de Bedwyr.

« Ce n'est pas ainsi qu'il faut s'y prendre », grogna Cai. Il vint se placer devant le captif et, se frappant sur la poitrine, dit : « Cai. Je suis... Cai. » Il pointa un doigt sur la poitrine du barbare. « Toi ? » Il avait fait de ce simple mot une question et, à ma grande surprise, le prisonnier répondit.

« *Hussa !* gronda-t-il à voix basse. *Hussa di groz.*

— Tu vois ? dit Cai en tournant la tête. C'est comme cela... » Mais à cet instant le barbare bascula en avant et roula dans ses jambes, le faisant tomber. Bedwyr, qui se trouvait le plus près, bondit au secours de Cai, tirant le prisonnier en arrière pendant que Cai se dégageait à coups de pieds.

Bedwyr aida Cai à se relever et le barbare s'écarta d'un bond. « C'était stupide, dit Cai. Je ne commettrai plus la même erreur.

— Que fait-il ? » demanda Arthur, qui se précipita sur le prisonnier et le fit rouler sur le dos. Le barbare étreignait la dague de Cai entre ses mains liées. Il ricana vicieusement et cracha au visage d'Arthur.

« Espèce de sale… » s'écria Cai en plongeant sur lui.

Avant que Cai n'ait pu mettre la main sur lui, le barbare retourna le couteau et s'enfonça la lame dans le ventre. Ses yeux s'exorbitèrent sous l'impact. Puis, mains et bras tremblants sous l'effort, il fit remonter la lame jusqu'à son cœur.

Son sourire dément se mua en rictus. Un frisson lui parcourut tout le corps et il retomba en arrière tandis que le sang jaillissait en gargouillant de sa bouche. Ses jambes tressaillirent et il s'immobilisa définitivement.

« Eh bien, dit Bedwyr, nous n'obtiendrons plus rien de lui, maintenant.

— Nous avons au moins appris son nom, dit Cai en tâtant sa ceinture. Pourquoi a-t-il fallu qu'il se serve de *mon* couteau ?

— Était-ce son nom ? dis-je, songeur, en regardant le cadavre de l'étranger. Je me le demande. »

Nous regagnâmes la grande salle et dîmes à Conaire ce qui s'était passé. « Cela vaut mieux ainsi, déclara l'Irlandais. Il aurait sans nul doute été malheureux de rester ici plus longtemps. »

Les premières étoiles scintillaient dans une voûte céleste d'un bleu profond quand nous quittâmes Rath Mor pour rencontrer l'armée ennemie campée sur le rivage.

Allongés sur le ventre, nous regardions en contrebas la plage nocturne à la lueur d'un brillant quartier de lune. Le doux ressac de la mer sur la grève évoquait la respiration d'une énorme bête et les feux de camp disséminés le long de la côte dessinaient une ligne scintillante qui s'enfonçait au loin dans les brumes marines. D'autres lumières brillaient sur l'eau, là où les navires ennemis étaient à l'ancre.

« Il n'y a toujours que quarante vaisseaux, et seulement la moitié ont accosté, fit remarquer Bedwyr. C'est une bonne chose.

— Oh oui, très bonne, marmonna Conaire.

— Cela fait entre quatre cents et six cents guerriers, poursuivit Bedwyr. Moins de mille, en tout cas.

— Avec encore autant à venir, dit Arthur.

— Que viennent-ils faire ici ? se demanda Cai.

— Sois reconnaissant qu'ils soient *ici*, dis-je.

— Reconnaissant ! dit Bedwyr, sarcastique.

— Préférerais-tu qu'ils soient en Bretagne ? » demandai-je. Bedwyr me dévisagea pendant un moment. « Je n'avais pas pensé à cela. »

Conaire se mit debout. « J'en ai vu assez. Allons-y.

— Nous allons attaquer le premier campement, dit Arthur en montrant le plus proche feu de camp. Et toi, Conaire, tu vas frapper au sud… là-bas. » Il tendit le doigt vers le groupe de feux suivant, un peu plus loin sur la plage. « Fais le plus de dégâts possible avant de battre en retraite. Puis nous nous regrouperons et frapperons à nouveau… tout le long de la côte vers le sud. »

Fergus, sur son cheval, attendait à la tête de son armée, les rênes de nos montures à la main. « C'est une bonne nuit pour se battre, dit-il en prenant une profonde inspiration. J'aimerais chevaucher avec toi.

— Nous aurons suffisamment d'occasions pour cela dans les jours à venir », répondit Arthur.

Les hommes d'Uladh étaient au nombre de trois cent trente, avec leur cinq seigneurs, et tous étaient à cheval. Cent cinquante cavaliers étaient placés sous les ordres d'Arthur, et autant sous ceux de Conaire. Il avait été décidé qu'une troupe de trente guerriers resterait en arrière afin d'empêcher une éventuelle force ennemie de nous prendre à revers. Cette tâche avait échu à Fergus, Gwenhwyvar et moi.

Les guerriers des deux armées se mirent en route, guidant silencieusement leurs chevaux à flanc de falaise vers la plage. Une fois en bas, ils monteraient en selle et se mettraient en formation de combat. Quand ils seraient en position, nous devions les suivre pour protéger notre retraite. Arthur était déterminé à ne laisser à l'ennemi aucune chance de sonner l'alarme, de sorte que Conaire et lui attaqueraient à leur guise et sans avertissement.

Quand le dernier d'entre eux fut parvenu en bas, nous nous mîmes en route. Bien que le sentier fût inégal et escarpé, il était aisé d'y voir au clair de lune et nous ne rencontrâmes aucune difficulté dans notre descente. Les autres avaient déjà disparu quand nous arrivâmes sur la plage. Je m'étonnai que tant de guerriers pussent se fondre si discrètement dans les ténèbres. Nous remontâmes en selle et établîmes une garde au pied du sentier, ainsi qu'une autre un peu plus loin sur le rivage.

Puis nous nous installâmes pour attendre, nos armes à la main. Je voyais les feux de camp ennemis s'étirer dans le lointain. Le plus proche ne se trouvait qu'à quelques milliers de pas de l'endroit où nous attendions et, même si je ne pouvais voir aucun des Vandali dans le noir, j'entendais leurs voix — la brise marine portait les sons vers l'intérieur des terres — qui s'exprimaient dans une langue gutturale et saccadée. Le tout parmi le bruit des hommes en train de dresser un campement de fortune.

D'un seul coup, un cri s'éleva sur la plage, brutalement interrompu. Un battement de cœur plus tard, le camp des envahisseurs entrait en effervescence. L'écho de hurlements se répercutait le long des falaises. J'entrevoyais la silhouette de chevaux qui se mouvaient à la lueur du feu de camp... le bref et fulgurant éclat des armes qui s'élevaient et retombaient. L'obscurité elle-même semblait entraînée dans un grouillant tourbillon.

Aussi brusquement qu'elle avait commencé, l'attaque prit fin. Avant que les ennemis n'aient pu prendre les armes, leurs assaillants avaient frappé et disparu. Et avant que l'alarme ne soit donnée au campement suivant, celui-ci fut à son tour attaqué. L'assaut se propagea ainsi le long de la côte, s'éloignant peu à peu de nous, et nous perdîmes progressivement de vue nos guerriers... même si l'écho du tumulte qu'ils créaient continua à nous parvenir longtemps après qu'ils eurent disparu.

Nous attendions toujours, montant la garde. La nuit s'écoulait dans une veille tendue, mais inutile. Gwenhwyvar mit pied à terre et s'éloigna un peu sur la plage. J'allai la rejoindre. Nous nous promenâmes un moment en silence, l'œil et l'oreille aux aguets dans l'obscurité. « Ne t'inquiète pas pour lui, dis-je. Il ne lui arrivera rien.

— M'inquiéter pour Arthur ? Je voudrais être *avec* lui. »

Le ciel se teintait de gris à l'est quand un appel nous parvint du haut de la falaise. Nous nous retournâmes pour voir une silhouette sombre qui descendait le sentier. « Seigneur Fergus, dit l'homme en courant à notre rencontre. Conaire est de retour. Il t'attend.

— Et Arthur ? demanda Gwenhwyvar, trahissant enfin un soupçon d'inquiétude.

— Il n'est pas encore revenu, répondit le messager.

— Vas-y, Myrddin, dit Fergus. Je reste ici pour attendre Arthur. »

Nous quittâmes Fergus, Gwenhwyvar et moi, et remontâmes au sommet de la falaise où Conaire et ses guerriers s'étaient regroupés, épuisés et meurtris par leur travail de la nuit, mais au comble de la jubilation.

« Je regrette que vous n'ayez pas été là pour nous voir, dit le roi. Quand vous en entendrez le récit, vous maudirez l'infortune qui vous a fait manquer cela. Oh, c'était un superbe combat, je vous le dis. »

Ses chefs de guerre l'approuvèrent bruyamment. « Les ennemis s'enfuient en courant à la simple vue d'un cheval ! dit l'un. Et leurs chefs ne parviennent pas à les commander. » Un autre s'exclama : « C'est tout juste s'ils savent se servir de leurs armes ! »

Les Irlandais étaient en extase devant la façon dont ils avaient si aisément eu raison des ennemis beaucoup plus nombreux. En cela, je vis le génie d'Arthur à l'œuvre : il avait organisé cet exercice non seulement pour harceler les envahisseurs, mais aussi pour stimuler le courage des Irlandais. Il leur avait donné confiance en leur capacité à attaquer et à mettre l'envahisseur en déroute sans courir trop de risques. Ainsi, la prochaine fois que se rencontreraient les deux forces, les Irlandais se considéreraient comme supérieurs, quel que soit le nombre d'adversaires qu'ils auraient à affronter.

Un pâle soleil blanc se levait sur l'horizon quand Arthur revint. Comme Conaire, il n'avait pas subi de perte plus grande qu'une nuit de sommeil. Mais, à la différence de Conaire, il était loin d'exulter. Il garda cependant pour lui son inquiétude, jusqu'à ce que nous nous retrouvions seuls à Rath Mor.

« Qu'est-ce qui te préoccupe, Arthur ? » lui demandai-je. Comme il n'avait guère paru disposé à parler sur le chemin du retour, j'avais attendu que Gwenhwyvar soit partie se coucher pour l'interpeller sans ménagement.

« Je n'aime pas ces Vandali, dit-il d'un air sombre.

— Conaire est fort content d'eux », fis-je remarquer. Nous étions assis au fond de la hutte que le roi irlandais lui avait fournie pour logement. Gwenhwyvar dormait sur le lit, derrière la cloison d'osier.

« Oui, m'accorda Arthur, mais les Irlandais n'ont guère l'expérience des barbares. Ils pensent que, parce que l'ennemi redoute nos chevaux, il sera facile de le battre.

— Et toi, que penses-tu ?

— Je crois qu'ils attendent leur seigneur. Il n'est pas encore descendu à terre. Quand il le fera, les ennuis commenceront.

— Effectivement. Mais pourquoi attend-il ? »

Arthur haussa d'un air las les épaules. « Qui peut deviner les motivations des barbares ? Leurs agissements défient l'imagination.

— C'est exact. » Je marquai un temps, puis je posai la question qui me tournait dans la tête : « Les Irlandais peuvent-ils les vaincre ? »

Le Grand Roi de Bretagne réfléchit un long moment avant de répondre. « Non, dit-il enfin en secouant la tête. Ce sont de bons guerriers et d'habiles cavaliers, accorda-t-il, mais leur courage est fragile et ils sont prompts à céder au désespoir. Ils sont également rétifs et butés, Myrddin, je te le jure. Dis-leur une chose et ils en font une autre. » Il marqua un temps. « Mais ce n'est pas ce qui me tracasse le plus.

— Qu'est-ce donc ?

— Nous ne pouvons repousser ces envahisseurs sans l'aide des rois bretons », dit-il sombrement.

Je terminai sa pensée pour lui : « Et les rois bretons ne risqueront jamais leurs vies et leurs royaumes pour venir en aide aux Irlandais.

— Ils préféreraient se couper les bras plutôt que de prendre l'épée pour défendre Ierne, murmura-t-il. Mais combien de temps penses-tu que les barbares se contenteront de ce morceau d'herbe et de roc alors que la Bretagne s'offre au pillage ? Même les Irlandais ne se contentent pas de se voler entre eux et franchissent sans arrêt la mer vers nos beaux rivages lorsqu'ils sont en quête d'un butin facile. »

Il avait parfaitement résumé la situation, et je le lui dis.

« Oui, acquiesça-t-il tristement, quand les barbares auront fini de piller cette île, ils tourneront leurs yeux cupides vers Ynys Prydein. Prie que cela n'arrive jamais, Myrddin. Nous venons tout juste d'écraser les Saecsens... la Bretagne ne peut survivre à une autre guerre. »

VII

« Rétifs et butés ! s'écria Gwenhwyvar. Prompts à céder au désespoir ! » Elle surgit dans la pièce et se campa devant nous, poings sur les hanches.

« Gwenhwyvar, dit Arthur, pris au dépourvu. Je te croyais endormie.

— Écoutez-vous parler, tous les deux, gronda-t-elle. Je vais vous dire ce qui me tracasse, moi, voulez-vous ? Vous autres, hautains Bretons, pensez être les seuls hommes au monde à savoir manier une lance.

— Calme-toi. Je ne voulais pas... commença Arthur.

— Vous pensez être les seuls sous le divin firmament à savoir défendre votre peuple et vos terres contre les invasions ennemies ! Vous pensez...

— Silence, femme ! dit Arthur en se levant. Je suis désolé ! Je ne parlais pas pour toi.

— Désolé ! » Gwenhwyvar vint se plaquer contre lui, son nez lui touchant presque le menton. « Désolé que j'aie entendu tes propos injurieux, ou désolé de ce que tu as dit ?

— Je l'ai dit comme je le pense, répliqua Arthur, que la colère commençait à gagner. Je n'y puis rien changer.

— Qu'est-ce que tu peux bien savoir, espèce de grand échalas ? » Gwenhwyvar avança son visage contre le sien, se hissant pour cela sur la pointe des pieds.

La mâchoire d'Arthur se contracta dangereusement. « Je sais ce que je vois de mes propres yeux.

— Es-tu donc aveugle ? s'esclaffa Gwenhwyvar. Car, en vérité, tu ne sais rien des habitants d'Ierne. Tu ne sais rien de notre courage. Tu ne sais rien... »

144

Emportée par sa fureur, elle se pencha trop et perdit l'équilibre. Arthur, le visage cramoisi de rage, tendit le bras sans réfléchir et la rattrapa par le coude.

Vive comme l'éclair, Gwenhwyvar cracha : « Ôte ta main de là, Breton ! » Elle lui posa les deux mains sur la poitrine et le repoussa. Pris à contre-pied, Arthur s'étala par terre et Gwenhwyvar, suprêmement triomphante, sortit de la maison.

Arthur demeura un moment stupéfait. Puis : « C'est bien ce que je te disais, Myrddin. Cette race est butée, et irréfléchie. Il n'y a rien à ajouter. »

Je tendis une main pour l'aider à se relever. « Que vas-tu faire, maintenant ? demandai-je, ignorant la dispute.

— Nous devons regagner la Bretagne sans tarder, dit-il. Il faut obtenir le soutien des rois bretons et les persuader de nous donner des guerriers pour le combat.

— Autant essayer de persuader l'envahisseur de rembarquer pour fuir à toutes voiles, répondis-je.

— Tu les connais trop bien, acquiesça Arthur. Mais je ne vois pas d'autre espoir pour Ierne. En fait, c'est aussi le seul espoir pour la Bretagne. Car, si nous pouvons vaincre les Vandali dans cette île, la Bretagne demeurera sauve. »

Je laissai Arthur à son repos et me mis en quête d'un endroit où je puisse être seul avec mes pensées. Je trouvai un renfoncement abrité à l'ombre d'une muraille, me drapai dans mon manteau et m'installai pour méditer sur l'ampleur du désastre qui venait de fondre sur nous.

Oh, c'était une calamité et je le savais. La Bretagne venait tout juste de s'unir, l'alliance était encore fragile. Elle se renforcerait avec le temps... pourvu qu'on lui en laisse l'occasion. Mais les rois bretons avaient subi de lourdes pertes au mont Baedun et il leur faudrait du temps pour panser leurs blessures et reconstituer leurs armées. Même les seigneurs les plus loyaux envers Arthur ne verraient pas d'un œil favorable une guerre par-delà Muir Eireann. Par leurs incessantes incursions, les Irlandais avaient longtemps été une épine dans le flanc de la Bretagne. Peu de Bretons verraient la sagesse de la requête d'Arthur — sans parler de la comprendre — et aucun ne la saluerait avec enthousiasme.

À tout le moins, ils résisteraient. Au pire, ils se retourneraient contre lui. Et si cela devait arriver, la fragile alliance volerait en éclats. Notre paix durement gagnée ne serait plus qu'un souvenir et le Royaume de l'Été mourrait au berceau. J'avais longtemps consacré tous mes efforts à le mettre au monde et la dernière chose que je désirais était de voir ce long et dur labeur réduit à néant. Grande Lumière, j'aurais fait n'importe quoi, *n'importe quoi*, pour empêcher cela.

Je réfléchis longuement et fus tiré de ma méditation par le tintement de l'alarme. Conaire, à l'instar des seigneurs d'antan, avait devant son palais une barre de fer suspendue à un poteau. En cas de besoin, il suffisait de la frapper avec un marteau pour voir tout le monde accourir.

M'ébrouant, je me levai et me dirigeai vers la grande salle parmi les habitants d'Uladh qui couraient en tous sens. Je vis Cai, reconnaissable à sa claudication, traverser la cour et l'appelai. Il vint me rejoindre et nous gagnâmes tous deux le lieu du rassemblement.

Conaire, le marteau à la main, arborait un air farouche. « L'ennemi approche ! » s'écria-t-il, et il commença à organiser la défense de Rath Mor.

« Où est Arthur ? demanda Cai en regardant autour de lui.

— Endormi, je suppose. Tu ferais mieux d'aller le réveiller. » Cai s'éloigna en hâte. Des guerriers couraient déjà chercher leurs armes pour prendre position sur les remparts.

Bedwyr et Llenlleawg apparurent. « Que se passe-t-il ? demanda en bâillant Bedwyr. Des ennuis ?

— Nous sommes attaqués, répondis-je. En représailles du raid de la nuit dernière, sans doute.

— Où est Arthur ?

— Cai est parti le réveiller.

— En avait-il besoin ? » demanda Bedwyr.

Mes yeux se portèrent sur son visage, puis dans la direction où il regardait. Je vis Arthur sortir de sa hutte, bouclant sa ceinture. Puis je vis ce que Bedwyr avait vu : Gwenhwyvar, le visage enfiévré, qui sortait derrière lui, les cheveux en désordre et les lacets de sa tunique détachés.

« Peut-être pas, répondis-je. Il semblerait qu'il l'était déjà parfaitement. »

Llenlleawg sourit et Bedwyr déclara : « Les barbares regretteront le jour où ils ont tiré l'Ours de Bretagne de sa tanière. »

Arthur nous rejoignit et accueillit calmement la nouvelle de l'approche ennemie. « Combien ? demanda-t-il.

— Conaire ne l'a pas dit », répondit Bedwyr.

Arthur adressa un hochement de tête à Llenlleawg, qui s'éloigna aussitôt rapidement, et il me vint à l'esprit qu'Arthur commençait à se fier de plus en plus au champion irlandais. Non qu'il négligeât Cai et Bedwyr, loin de là, mais il incluait maintenant Llenlleawg parmi ceux qu'il honorait de sa confiance. Où ils n'avaient été que deux, ils étaient désormais trois. Je me demandai quelle serait la place de Gwenhwyvar dans ce triumvirat.

Quoi qu'il en fût, à en juger par ce que j'avais vu dans la hutte, elle était capable de se défendre toute seule. Je ne doutais pas qu'elle se ferait une place exactement où elle le voudrait. Elle nous rejoignit à cet instant et vint se placer près d'Arthur. « Combien ? demanda-t-elle aussi.

— J'ai envoyé Llenlleawg s'en informer » répondit Arthur. On ne voyait ni chez l'un ni chez l'autre le moindre signe de contrariété ou de colère. Comme un orage d'été sur le Loch Erne, tout s'était dissipé sans qu'il en restât trace, laissant le ciel plus clair et le soleil plus chaud qu'avant le vent et la pluie.

Conaire dit à ses chefs et à ses bardes de le suivre et rentra dans son palais. Le roi irlandais était furieux de voir la horde vandale se présenter à sa porte. « Ils nous ont suivis depuis la plage », hurla-t-il à notre entrée dans la salle. Il brandit un poing rageur en direction d'Arthur, son euphorie de la veille complètement oubliée. « Cela ne serait jamais arrivé si tu ne les avais pas attaqués. Maintenant ils viennent assouvir leur vengeance. »

Arthur se hérissa sous cette accusation. « Il fallait s'y attendre, répondit-il d'un ton glacial. Ou bien pensais-tu les laisser prendre tes terres dans l'espoir qu'ils ne marcheraient pas contre toi ? »

Cette réponse rendit Conaire encore plus furieux. « C'est de ta faute ! J'aurais dû y réfléchir à deux fois avant d'écouter un tyran breton. Par la tête de mon père, je ne me laisserai pas abuser une deuxième fois.

— Conaire Main Rouge ! » C'était Gwenhwyvar qui venait d'exploser. « Ce que tu fais est indigne. Arrête tout de suite ! Tu te déshonores et je ne veux plus rien entendre. »

Fergus prit le parti de sa fille. « S'il n'y avait eu Arthur, l'ennemi nous aurait maintenant submergés. Les Bretons ont déjà affronté les barbares. Je dis que nous devons l'écouter. » Il se tourna vers Arthur. « Que veux-tu que nous fassions ? »

Je crois que Conaire se sentit soulagé que la décision lui fût ôtée des mains. Au fond de son cœur, il éprouvait une secrète gratitude envers Arthur pour son habileté supérieure au combat. Mais, de crainte que ses bardes et seigneurs ne prissent cela pour une faiblesse, il se sentait obligé de tempêter contre lui. Ainsi, tout cela n'était que simulacre, et il n'y avait là nul véritable courroux.

Arthur n'attendit pas qu'on lui repose la question. « Il faut marcher contre eux sur le champ. Nous ne devons pas les laisser s'installer devant nos murs, sinon nous serons pris au piège. »

Conaire se dressa de toute sa taille. « C'est exactement ce que j'allais suggérer. Je suis content de voir que le chef de guerre breton est d'accord avec moi. » Il se tourna vers ses seigneurs. « Nous nous répartirons comme avant. Ceux d'entre vous qui ont suivi Arthur hier soir iront avec lui. Les autres me suivront. »

Il se retourna et nous toisa d'un regard impérieux. « Quand vous serez prêts, Bretons, dit-il comme pour s'adresser à des enfants récalcitrants. L'ennemi attend. »

Gwenhwyvar le foudroya du regard. « Quel nabot prétentieux, dit-elle. Pense-t-il être l'Empereur de Rome pour nous traiter ainsi ? » Elle se tourna vers son époux. « Nous devrions le laisser aux Vandali.

— Assurément », répondit Arthur en regardant les seigneurs irlandais quitter bruyamment la salle. Quand ils furent sortis, nous les suivîmes.

Dans la cour, les valets d'écurie étaient en train de seller les chevaux et les guerriers laçaient armures et épées tandis que les habitants du caer couraient en tous sens pour s'acquitter de diverses tâches dans la précipitation. Gwenhwyvar alla chercher ses armes et se préparer pour la bataille. Arthur, debout à la porte de la grande salle, contempla un moment toute cette agitation avant de dire : « Myrddin, si nous vivons pour voir la fin de cette journée, je jure sur mon épée que j'apprendrai un peu d'ordre à ces Irlandais. »

Néanmoins, le calme revint vite et nous fûmes bientôt prêts. Il ne restait plus qu'à attendre le retour de Llenlleawg pour savoir l'importance et la position des forces ennemies. Plus il tardait, plus nous nous inquiétions. « Il lui est arrivé quelque chose, grogna Cai en plantant le fût de sa lance dans le sol.

— Pas à Llenlleawg, répondit Bedwyr. C'est une anguille trop glissante pour se laisser prendre au filet des barbares. »

Nous attendions toujours. Cai était partisan de partir à sa recherche pour voir ce qui avait pu lui arriver. Arthur s'y opposa. « Il connaît toutes les cachettes de ce pays. Il reviendra dès qu'il le pourra.

— Oh oui, acquiesça Cai. Oui, je sais. Mais je me sentirais mieux si je savais la force et la position de l'ennemi.

— Moi aussi, Cai, dit Bedwyr, et fais confiance à Llencelyn pour venir nous en aviser à temps. »

Cai éclata de rire en entendant l'épithète qu'avait utilisé Bedwyr et Arthur réprima un sourire.

« Llencelyn ? demandai-je. Pourquoi l'appelles-tu ainsi ? » C'était un jeu de mots entre le nom du champion irlandais et celui de la tempête. J'en percevais l'humour, mais j'étais curieux d'entendre les raisons de Bedwyr, car cela voulait dire qu'ils commençaient à admettre l'Irlandais dans la camaraderie intime des Cymbrogi.

« Tu l'as vu, Emrys. Nous savons tous qu'il se bat comme une tornade.

— Effectivement, renchérit Cai, c'est une véritable tempête. »

Gwenhwyvar nous rejoignit alors, toute scintillante d'argent. Les mailles de sa cotte miroitaient telle une peau au sortir de l'eau et la pointe de sa lance étincelait. Elle portait une jupe de cuir et de hautes bottes montantes. Elle avait les cheveux attachés sur la nuque et, à l'instar des reines guerrières de son peuple, elle s'était décoré au pastel bras et visage : spirales, rayures, soleils et serpents bleu vif. Elle était farouche et superbe, presque mortellement dangereuse à contempler.

Je ne l'avais jamais vue ainsi et lui fis part de ma surprise devant sa transformation. Elle prit mon étonnement pour de la flatterie. « Tu ne m'as jamais vue mener une armée contre un envahisseur, répondit-elle. Mais tu as de la chance, en vérité, Myrddin Emrys, car cette désolante lacune sera bientôt comblée.

— Noble dame, dit Bedwyr, je m'estime pour ma part fortuné de ne pas avoir à brandir l'épée contre toi, et je ne puis que plaindre les malheureux qui s'y aventurent. »

Arthur, tirant grand plaisir de l'apparence de son épouse, fit un large sourire et porta une main au menton de celle-ci. Il prit un peu de guède sur son doigt et l'appliqua sur son propre visage : un trait sur chaque joue, juste en dessous de l'œil.

« Laisse-moi faire », dit Gwenhwyvar, prenant un peu de couleur sur son bras. Puis, du bout des doigts, elle lui traça deux lignes verticales au milieu du front. D'un seul coup, l'Ours de Bretagne était devenu un Celte semblable aux rois guerriers d'antan qui avaient jadis affronté les Aigles romaines.

« De quoi ai-je l'air ? » demanda-t-il.

Cai et Bedwyr furent aussi frappés que moi de la transformation et l'applaudirent en réclamant eux aussi semblables marques. « Je vais faire préparer du pastel pour tout le monde, dit Gwenhwyvar en leur barbouillant la figure. Désormais, nous saluerons l'ennemi ornés de bleu. »

Un cri nous parvint de la plate-forme surmontant les portes. « Un cavalier approche !

— Llenlleawg est de retour », dit Arthur en se dirigeant vers la porte tandis que le garde se hâtait de descendre pour faire entrer le cavalier. Le bruit des sabots nous parvint et, un instant plus tard, Llenlleawg franchit l'ouverture. Il se laissa glisser de selle et, ignorant Conaire et les chefs irlandais, se dirigea droit sur Arthur.

« Ils veulent te parler, lui dit-il.

— Vraiment ? s'exclama Arthur. Où et quand ?

— Sur la plaine, répondit Llenlleawg. Maintenant.

— Combien sont-ils ? s'enquit Bedwyr.

— Au moins mille deux cents, peut-être plus. » Tandis que les autres tentaient de se représenter un tel nombre, il ajouta : « Je pense qu'ils sont tous descendus à terre, maintenant.

— Dieu nous garde, murmura Bedwyr entre ses dents. Plus d'un millier contre à peine trois cents.

— Ils préparent une traîtrise, c'est sûr », déclara Cai.

Conaire arriva, furieux de devoir se déplacer pour savoir ce qu'avait appris Llenlleawg. « Dois-je mendier la moindre miette de ta table ? demanda-t-il. Quelqu'un voudra-t-il bien me dire ce qui se passe ?

— Ils veulent nous parler, répondit simplement Arthur.

— Mais certainement, cracha Conaire, allons leur parler. Nos lances seront nos langues, et nos épées nos dents. Nous allons soutenir avec eux une splendide conversation.

— Ils disent que si nous refusons de leur parler, poursuivit Llenlleawg, ils nous étrilleront et brûleront tout. Puis ils jetteront les cendres à la mer, de façon qu'il ne reste rien.

— Si c'est ainsi qu'ils parlementent, autant s'adresser au vent, répondit Cai.

— Qui t'a dit cela ? demandai-je à Llenlleawg. Comment as-tu eu ce message ? »

Le visage maigre de l'Irlandais s'affaissa et il s'empourpra de honte. Il inspira profondément et avoua : « J'ai été fait prisonnier, Emrys.

— Comment est-ce possible ? s'étonna Fergus.

— Je suis seul à blâmer. J'ai vu les ennemis rassemblés sur la plaine et j'ai pensé m'en rapprocher. » Il marqua un temps. « Je suis tombé sur un groupe de guerriers partis en reconnaissance. Ils étaient cachés dans les bois et, quand je les ai vus, il était trop tard.

— Pourquoi ne t'es-tu pas battu ? demanda Fergus.

— J'aurais accueilli avec joie un tel combat ! s'exclama Conaire.

— Laissez-le parler ! cria Arthur, irrité.

— Ils m'ont encerclé, dit Llenlleawg, et avant que je n'aie pu tirer l'épée, l'un d'eux m'a interpellé dans notre langue. Il m'a crié de sauver ma vie et celle de mes parents en rapportant ses paroles à mes seigneurs.

— Tu as bien fait, lui dit Arthur. Espérons que cela sauvera de nombreuses vies.

— C'est une ruse de pleutre, déclara Conaire. Ils ne peuvent rien avoir à dire que nous ayons envie d'entendre.

— Sans nul doute, lui accorda judicieusement Arthur. Mais nous allons quand même les écouter.

— Les écouter ? Qu'ils écoutent, eux ! Je vais leur donner un ou deux mots à méditer », s'exclama Conaire, exaspéré de sentir le contrôle de la situation lui échapper.

« Ils veulent parler à Arthur seul, lui dit Llenlleawg. Ils m'ont dit qu'ils ne parleraient qu'au roi qui avait ordonné le raid d'hier soir. »

Fergus secoua la tête. « C'est sûrement une ruse, dit-il. Une vengeance pour l'attaque de la nuit dernière. »

Cai acquiesça. « Écoute-le, Artos. Fergus a peut-être raison. Nous ne pouvons te laisser les rencontrer seul. »

Arthur avait déjà pris sa décision. « Très bien. Nous irons ensemble, dit-il, puis Myrddin et moi nous nous avancerons pour leur parler. »

Nous montâmes en selle et gagnâmes avec l'armée la vaste prairie, au sud de la forteresse, où, comme l'avait dit Llenlleawg, attendait la horde des Vandali. Le terrain s'élevait en pente douce vers l'ouest, inégal et rocailleux. Un ruisseau serpentait au milieu de la plaine qu'il divisait du nord au sud. Nous chevauchâmes jusqu'à l'orée de la prairie et fîmes halte pour contempler le champ de bataille.

« La terre et le ciel me soient témoins ! s'écria Bedwyr en voyant la horde. Douze cents seulement ? Ils doivent bien être le double, ou je n'ai jamais brandi une épée. »

Les barbares étaient déployés sur la moitié ouest de la plaine, rassemblés autour d'étendards disparates : certains de cuir, d'autres de tissu ou de métal, mais tous ornés de l'image d'un sanglier noir. C'étaient là, supposai-je, des regroupements par clans. À l'instar des Saecsens, les Vandali allaient à la bataille entourés de leurs cousins, sous la conduite du chef de leur tribu.

Poursuivant notre chemin, nous nous engageâmes lentement sur la plaine. À notre approche, un groupe de barbares se détacha de la masse, franchit le ruisseau et s'avança vers nous. Un des chefs portait un étendard : la tête d'un grand sanglier noir fixée sur une perche. Sa bouche béante découvrait des défenses jaunes incurvées.

Nous approchâmes à une centaine de pas les uns des autres, puis la délégation barbare s'arrêta. « Nous sommes assez loin, dit Arthur. Restez ici. » L'armée fit halte et nous avançâmes, Arthur et moi, à la rencontre des chefs vandales.

Comme ceux que nous avions déjà vus, ils étaient grands et bien charpentés. Ils étaient munis de leur lourd bouclier de bois et de leur courte lance noire. Nus jusqu'à la taille, ils portaient des jambières de cuir ou des braies de tissu grossier. Leur peau était couleur de miel pâle ou de vieux parchemin et leur chevelure — nattée en lourde tresse — était du noir le plus profond. Quelques-uns arboraient une fine moustache, mais aucun n'avait de barbe. Leurs yeux étaient étranges… petits et sournois, ouverts en oblique dans leur large visage brutal, méfiants et profondément enfoncés sous d'épais sourcils, rendus encore plus mystérieux par une large bande de peinture noire sur chacune de leurs joues.

Ils étaient accompagnés d'un homme grand et maigre. Sa peau était d'un blanc de lait et ses cheveux couleur de cire. Il portait un lourd anneau de fer autour du cou, et un autre plus petit à chaque poignet. Les cicatrices boursouflées de vilaines entailles, encore livides, marquaient la chair de son ventre et de sa poitrine.

Ce fut lui qui s'adressa à nous dans notre langue. « Au nom d'Amilcar, Roi Guerrier des nations vandales, nous vous saluons, dit-il. L'armée que vous voyez devant vous est la sienne. C'est à sa bonté que vous devez d'être encore en vie. »

En réponse, Arthur dit : « Il n'est pas dans mes habitudes d'échanger des salutations avec qui menace de me faire la guerre, à moi ou à ceux que j'ai juré de protéger. »

L'homme répondit avec une indifférence polie. « Je comprends, seigneur. » Touchant son collier, il dit : « Je me trouve souvent contraint de transmettre des messages que leurs destinataires jugent offensants.

— Puisque tu es esclave, je supposerai que les mots que tu prononces ne viennent pas de toi. Je ne t'en tiendrai donc pas rigueur. » L'esclave ne répondit rien mais inclina légèrement la tête, nous donnant à savoir qu'Arthur avait deviné juste. « Quel est ton nom, mon ami ?

— Je m'appelle Hergest, dit-il. Et, quoique esclave, je suis un homme instruit.

— Puisque tu parles le latin, dit Arthur, serais-tu aussi un saint homme ?

— Je ne reconnais d'autre roi que le Seigneur Christ, Roi Suprême des Cieux, répondit fièrement Hergest. J'étais autrefois prêtre. Les barbares ont incendié notre église et tué notre évêque, ainsi que nombre de nos frères. Les autres ont été réduits en esclavage. Je suis le seul à avoir survécu. »

L'esclave poursuivit en levant la main comme pour nous présenter les chefs des barbares : « Vous pouvez parler sans crainte. Ils ne connaissent aucune autre langue que la leur.

— Depuis combien de temps es-tu avec eux ? demandai-je.

— Cela fait trois ans qu'ils m'ont capturé, répondit Hergest.

— Tu dois leur avoir maintes fois prouvé ta valeur, fis-je observer.

— En fait, répondit l'esclave, il me faut la prouver de nouveau à chaque jour qui passe, car je ne survivrais pas un instant s'ils pensaient que je ne leur suis plus d'aucune utilité. »

Un des barbares aux larges épaules s'impatienta et grogna quelque chose à Hergest qui lui répondit dans sa langue. « Ida dit que tu dois descendre de ta monture si tu veux lui parler. » Il s'interrompit, esquissant l'ombre d'un sourire. « Ils ont très peur des chevaux.

— Dis-lui, répondit calmement Arthur en flattant l'encolure de son cheval, que je descendrai de ma monture, mais uniquement pour parler à quelqu'un de mon propre rang.

— Arthur ! murmurai-je. Prends garde ! »

L'esclave sursauta. « Arthur ? demanda-t-il, surpris. Tu es Artorius… celui que l'on nomme l'Ours de Bretagne ?

— Je suis connu sous ce nom », répondit Arthur. Montrant le barbare qui les regardait fixement, il dit : « Maintenant, répète-leur ce que j'ai dit. »

Hergest rapporta le refus d'Arthur de mettre pied à terre et, à ma grande surprise, le barbare se contenta de hocher la tête, acceptant placidement la situation. Il se mit à discuter de la chose avec les autres. L'un de ceux-ci — qui semblait être le plus jeune des chefs — parla d'un air véhément à Hergest qui montra Arthur et entonna gravement les mots : « Artorius Rex ! Imperator ! » Le dénommé Ida lança un regard torve à Arthur, puis tourna soudain les talons et s'éloigna à grands pas vers l'endroit où attendait la horde.

« C'était bien joué, seigneur, dit Hergest. Ils voulaient seulement être sûrs que tu étais un roi digne de traiter avec leur propre chef. Mercia, ici présent... » — il montra le jeune chef du menton — « ... pense que, puisque tu es aussi jeune que lui, tu dois être un guerrier de peu de valeur ou d'importance. Je leur ai assuré que tu étais plus grand que l'Empereur de Rome lui-même. »

Arthur sourit. « Tu aurais pu réfréner ton enthousiasme par égard pour moi. Mais je m'efforcerai de ne pas te faire passer pour un menteur. »

Le chef barbare avait rejoint l'armée vandale. Il s'adressa à quelqu'un, puis il se retourna et nous montra du doigt. Un instant plus tard, une silhouette émergea de la masse et se dirigea vers nous. Le premier chef lui emboîta le pas, avec deux porte-étendard de chaque côté.

L'homme était encore plus grand que ceux qui l'entouraient... un champion d'imposante stature, avec de larges épaules, un dos puissant et des membres musculeux. Comme ses compagnons, il nous dévisageait avec des yeux noirs vifs et intelligents au-dessus de pommettes hautes qui disparaissaient presque sous une large bande de peinture noire. Une épaisse moustache surmontait ses lèvres charnues et une longue tresse noire pendait sur une de ses épaules. Dans sa main droite, il tenait une fine tige de fer surmontée de l'effigie d'un sanglier en or martelé.

À son approche, les autres barbares s'écartèrent, chacun se frappant la poitrine du plat de la main au passage de son seigneur. Il vint se camper devant nous et Arthur mit pied à terre.

Hergest, debout entre eux, dit quelque chose dans la langue gutturale des Vandali, puis il se tourna vers Arthur et déclara : « Seigneur Arthur, l'homme qui se tient devant toi est Amilcar, Roi Guerrier d'Hussa, de Rögat et de Vandalia. »

Le roi barbare leva son sceptre et posa la main gauche sur le sanglier d'or. Il grogna quelque chose à Hergest, mais ses yeux ne quittèrent pas ceux d'Arthur.

« Puisque tu es appelé l'Ours de Bretagne, expliqua l'esclave, le puissant Amilcar désire que tu l'appelles par le nom que ses ennemis ont appris à redouter.

— Quel est-il ? demanda Arthur.

— Twrch Trwyth, répondit Hergest, Sanglier Noir des Vandali. »

VIII

« Que viens-tu faire ici ? » demanda Arthur d'une voix aussi imperturbable que son regard.

Hergest traduisit les paroles d'Arthur au roi vandale, qui répondit, impassible. « Twrch voudrait que tu saches, répéta l'esclave, qu'il a entendu parler des exploits de l'Ours de Bretagne et a donné l'ordre que ton royaume ne soit pas détruit pour le moment. Car le Sanglier Noir est lui aussi un puissant chef de guerre, et c'est un regrettable gaspillage de richesses lorsque s'affrontent deux champions tels que vous. »

Amilcar dit encore quelques mots et Hergest poursuivit : « Twrch te demande de songer à sa joie en apprenant que l'Ours de Bretagne était ici.

— C'est difficile à imaginer, répondit aimablement Arthur. Dis à Twrch Trwyth que j'attends de savoir pourquoi il s'est emparé de terres qui appartiennent à un autre.

— Il a pris ces terres pour dresser son camp... rien de plus.

— A-t-il l'intention de rester ? »

Hergest consulta le seigneur barbare et répondit : « Twrch dit qu'il a l'intention de piller le pays jusqu'à ce qu'il se soit constitué un trésor lui permettant de poursuivre son voyage.

— Ce voyage a-t-il une destination ? demandai-je à l'esclave lettré.

— Nous venons de Carthage, expliqua Hergest. L'Empereur de la cité du Grand Constantin a envoyé ses légions chasser le Sanglier et son peuple des terres qu'ils tenaient depuis de nombreuses générations. Twrch se cherche donc maintenant un nouveau royaume. Mais il a dû partir en hâte et n'a rien pu emporter. Il lui faut donc constituer un trésor pour poursuivre sa quête.

155

— Je vois, répondit Arthur. Et espère-t-il que ce trésor lui sera offert ? »

Le Sanglier et son esclave conversèrent un moment, puis Hergest répondit : « Twrch dit qu'en l'honneur de ta renommée et de la grande estime en laquelle il te tient, il ne te tuera pas et ne ravagera pas cette île aux faibles défenses… chose qui lui serait aisée, car la multitude de guerriers que tu vois devant toi n'est qu'une toute petite partie de son armée et d'autres doivent encore arriver. Twrch dit que c'est un grand présent qu'il te fait. En retour de cette générosité, il attend que tu lui fasses un présent d'égale valeur. Car il s'est juré de détruire aussi bien Eiru que l'île des Bretons, à moins que tu n'accèdes à son désir. »

Arthur dévisagea sans ciller le robuste chef de guerre. « Et quel est son désir ? »

Hergest se tourna vers Amilcar et lui transmit la question d'Arthur. Le barbare répondit par un grognement.

« Tout, traduisit Hergest. Il dit que tu dois tout lui donner. »

À son éternel crédit, Arthur ne conforta pas le chef vandale dans sa cupidité en lui laissant l'espoir qu'elle puisse être récompensée. Pas plus qu'il ne le provoqua en refusant d'emblée. Il tourna les yeux vers le ciel comme pour évaluer les nuées inconstantes.

« Comme tu le sais, ces terres ne sont pas sous mon autorité, répondit enfin Arthur. Je ne pourrais t'en donner un grain de sable ni un brin d'herbe, ni à plus forte raison quoi que ce soit d'autre. Je sais qu'un homme de ton rang le comprendra. »

Il se tut le temps que ses paroles soient traduites au Roi Sanglier. Quand Hergest se retourna vers lui, Arthur dit : « Je vais donc transmettre ta demande à ceux qui détiennent l'autorité sur ce royaume… quoique je ne pense pas qu'ils y accéderont. »

La réponse d'Arthur avait été faite avec une telle assurance et une telle dignité que le Sanglier ne put qu'accepter. « Porte ma demande à ceux qui gouvernent ce royaume, concéda Amilcar par le truchement d'Hergest. Si, quand le soleil sera à l'aplomb du champ de bataille, je n'ai pas entendu leur réponse, j'attaquerai et vous serez tous tués comme des chiens.

— Eh bien, fis-je observer alors que nous revenions lentement vers l'endroit où attendait notre armée, nous avons au moins gagné un peu de temps. Tâchons d'en user à bon escient.

— Penses-tu qu'il disait la vérité ? demanda Arthur. Attend-il vraiment d'autres guerriers ?

— C'est difficile à dire, répondis-je. Nous le verrons sans doute. »

Je m'attendais à ce que Conaire et les seigneurs irlandais accueillent la demande du Vandale avec tout le mépris qu'elle méritait, et je ne fus pas déçu.

« Tout ? s'esclaffa Conaire. Je dis qu'ils n'auront pas même un souffle d'air à respirer quand nous en aurons terminé. Que l'on engage tout de suite le combat. Ils n'obtiendront rien d'autre de ma main que la pointe affilée d'une lance.

— La question n'est pas tant ce que tu leur donneras, dit Arthur. C'est ce que l'ennemi nous a donné.

— Il ne nous a rien donné que l'indignité de son agression ! Devons-nous aussi subir l'insulte de ses exigences ridicules ? » Conaire nous foudroya du regard, Arthur et moi.

« Mais voyons, le chef de guerre vandale nous a concédé aujourd'hui la victoire, répondit Arthur. Car il nous a permis de déterminer comment se déroulera la bataille. Et, je te le dis, cela valait bien cette petite insulte. »

Nous nous mîmes à discuter de la meilleure façon de faire usage de la faveur qui nous avait été accordée. Conaire commençait à s'impatienter. « Cela n'a pas de sens, protesta-t-il. Nous avons des chevaux et ils sont à pied. Je dis qu'il faut attaquer et les piétiner sous nos sabots pendant qu'ils s'enfuient. Nous savons tous qu'ils ne tiendront pas tête à nos chevaux. »

Bedwyr le reprit. « Avec tout le respect que je te dois, seigneur Conaire, ils sont trop nombreux. Pendant que nous attaquons une de leurs bandes, les autres auraient tôt fait de nous encercler. Ils sont quatre fois plus nombreux que nous, souviens-toi. Nous nous retrouverions bien vite incapables d'avancer… avec ou sans chevaux.

— Dans ce cas, alignons-nous de front, suggéra Conaire. Nous les chargerons et les repousserons dans la mer à la pointe de nos lances.

— Non, seigneur, répondit Cai. Notre front serait trop étiré, nos forces ne pourraient rester au coude à coude. Ils n'auraient qu'à les scinder en un ou deux endroits pour nous diviser. Ensuite, ils nous submergeraient facilement.

— Que faire, alors ? demanda le roi irlandais dont la patience, déjà ténue, s'émoussait.

— Comme tu l'as si justement dit, ils ne craignent rien tant que nos chevaux, lui répondit Arthur. Si nous suivons la ligne de conduite que je vais exposer, cette crainte deviendra une arme que nous pourrons utiliser contre eux. »

Aussitôt, Arthur entreprit d'organiser le combat. En pleine vue de l'ennemi, nous dressâmes notre plan de bataille pendant que le

Sanglier Noir attendait et que le soleil montait dans le ciel. Quand il eut terminé, Arthur dit : « Je vais maintenant parler à Twrch Trwyth. Pendant ce temps, vous allez mettre nos armées en position.

— Mais ils vont nous voir, protesta Fergus. Ne vaudrait-il pas mieux les prendre par surprise ?

— Un autre jour, peut-être, répondit Arthur. Aujourd'hui, je veux qu'ils réfléchissent bien à leur situation et que l'appréhension croisse en eux. »

Nous regagnâmes, Arthur et moi, l'endroit où se tenaient les chefs de guerre vandales. Amilcar, fort mécontent d'avoir dû attendre sans rien faire pendant que nous nous éternisions à discuter, nous regarda d'un air furibond. Arthur ne descendit pas de cheval mais s'adressa à lui du haut de sa selle, forçant le Sanglier Noir à cligner des yeux dans le soleil.

Il grogna quelque chose à notre intention et Hergest dit : « Amilcar demande à connaître votre réponse.

— Les seigneurs d'Ierne disent qu'il n'obtiendra d'eux rien d'autre que la pointe affilée d'une lance », répondit Arthur.

Hergest sourit à ces mots et relaya les paroles d'Arthur à son maître qui n'en fulmina que davantage. « Alors vous serez tous tués, dit le Vandale par le truchement de son esclave. Vos forteresses et vos villages seront incendiés et vos femmes et vos enfants seront massacrés. Nous nous emparerons de vos biens, ainsi que de votre bétail et de votre grain. Quand nous en aurons fini, il ne restera plus rien de vous, pas même vos noms. »

Quand Hergest eut terminé, le seigneur vandale ajouta : « Je sais que ces gens ne sont pas de ton peuple. Et bien que tu aies repoussé mon offre, je te tends quand même la main, Ours de Bretagne. Joignez-vous à moi, toi et tes hommes. Deux si puissants chefs de guerre pourraient, en s'alliant, amasser un riche butin.

— Je me soucie peu de la guerre, et encore moins du butin. Je ne puis donc accepter ton offre, répondit Arthur. Mais, par égard pour ceux qui te tiennent pour seigneur, je vais te faire une offre à mon tour : prends tes hommes et regagnez vos navires. Laissez cette île comme vous l'avez trouvée, n'emportant rien avec vous que le sable qui s'accrochera à la plante de vos pieds.

— Si je fais cela, que recevrai-je ?

— Si tu fais ce que j'ai dit, tu recevras la bénédiction de l'Ours de Bretagne. Bien plus, je demanderai aux prêtres de mon royaume de réciter d'ardentes prières au Roi Suprême des Cieux, qui est mon seigneur, afin que te soient pardonnés les crimes que tu as commis en venant ici. »

Cette suggestion révolta Amilcar. « Puis-je remplir mes coffres avec ces prières ? grinça-t-il. Qui est ce seigneur dont tu parles, que je doive me soucier de lui ? Ton offre est une insulte, et digne uniquement de mépris.

— Si tu le dis, répondit Arthur d'un ton égal. Mais je ne la retire pas. »

À cet instant précis, un des chefs vandales grogna quelque chose à Twrch pour attirer son attention sur la manœuvre de nos guerriers. Le Sanglier se tourna pour voir nos forces se diviser en trois… un corps principal et deux ailes plus petites de part et d'autre. Celles-ci s'avancèrent et la force principale recula de façon à se placer en retrait, sous leur protection.

Amilcar aboya une série d'ordres et de questions à ses chefs. Ils répondirent par des haussements d'épaules et des regards inquiets, après quoi il se tourna vers Arthur. « Qu'est-ce que cela ? demanda-t-il par le truchement d'Hergest. Pourquoi vous disposez-vous ainsi pour la bataille ?

— C'est pour vous aider à comprendre, répondit Arthur, que nous avons l'intention de défendre nos gens et nos terres. Si vous cherchez à nous voler, vous devrez vous tenir prêts à mourir. » Ces derniers mots avaient été énoncés avec la froide assurance du tombeau.

Le visage du roi vandale s'assombrit. Ses yeux se rétrécirent. Il regarda de nouveau l'étrange formation de combat. Il dit quelques mots à Hergest, puis il tourna les talons et repartit vers sa horde. « Le seigneur Twrch dit qu'il a assez parlé. Dorénavant, il sera sourd à toute négociation. N'attendez aucune merci… il n'en sera pas accordé. »

Assis sur nos chevaux, nous regardâmes les chefs vandales se retirer. Arthur attendit qu'ils aient presque atteint le ruisseau et rejoint leurs armées, puis il cingla sa monture et s'élança vers eux. Ils se retournèrent au bruit des sabots, virent le cheval qui fondait sur eux et s'éparpillèrent. Arthur obliqua au dernier moment et arracha l'étendard à tête de sanglier des mains du Vandale stupéfait qui le portait.

Lorsque les ennemis comprirent ce qui s'était passé, Arthur était déjà reparti au galop. Il s'éloigna hors de portée de lance, fit halte et brandit l'étendard. « Voici votre dieu ! » leur cria-t-il. Puis, lentement, afin que chacun puisse bien voir et ne puisse douter de ses intentions, il le planta à l'envers dans le sol.

Les Vandali ne prirent pas cette profanation avec calme. Quand la tête de sanglier s'enfonça dans la terre, des hurlements de rage s'élevèrent. Mais Arthur les ignora et, tournant sereinement le dos, il revint vers l'endroit où attendaient nos guerriers, laissant derrière lui l'étendard fiché au milieu de la plaine. L'ennemi n'en rugit qu'avec plus de force.

« Voilà qui était bien joué ! s'écria Fergus lorsque nous les eûmes rejoints.

— Hourra ! s'exclama Conaire. Par la main droite de Lugh, tu es un coquin, seigneur Arthur ! » Il pointa sa lance vers la horde vandale. « Écoute-les ! Oh, ils sont en colère contre toi !

— Mais penses-tu qu'il était sage de les provoquer ainsi ? demanda Gwenhwyvar.

— Le risque en valait la peine, je pense, répondit Arthur. Sans cela, comment pouvais-je être sûr de les attirer au centre ?

— C'était un joli tour, dis-je. Espérons qu'il marchera. »

Les ennemis en fureur n'attendirent pas d'être davantage déshonorés. Ils poussèrent un puissant hurlement et s'élancèrent en avant, se jetant à travers le ruisseau. Ils couraient à la bataille en une masse aveugle et téméraire.

Il y avait longtemps que je n'avais pas chevauché au combat. Je m'étais juré de ne plus jamais guerroyer, mais je sentis la poignée de l'épée dans ma main et le vieux frisson familier me parcourut l'échine. Eh bien, cela ne fera pas de mal de se battre aujourd'hui, me dis-je. De plus, chaque épée était désespérément nécessaire. Donc, sans songer aux conséquences, je me retrouvai au premier rang de l'armée.

Je regardais se rapprocher les barbares, le cœur battant. J'entendais leurs pieds produire un sourd roulement de tambour sur la plaine et voyais le soleil se réfléchir sur la pointe des lances et le rebord des boucliers. Je tournai les yeux vers la ligne de nos propres guerriers, notre vive *ala*. Les chevaux grattaient le sol de leurs sabots et secouaient la tête, rendus ombrageux par les cris perçants de l'ennemi.

Sur la droite, Cai se tenait à la tête de son groupe de cinquante cavaliers. Sur la gauche, Bedwyr attendait auprès des siens. Les deux ailes s'inclinaient vers l'intérieur pour canaliser en direction du centre les ennemis qui couraient sur le sol inégal en poussant des hurlements.

À ma droite, Gwenhwyvar tourna les yeux vers moi. « Je ne me suis jamais battue aux côtés d'Arthur, dit-elle, songeuse. Est-il aussi subtil que je l'ai entendu dire ?

— Tu n'as pas entendu la moitié de ce dont il est capable, noble dame, répondis-je. J'ai combattu auprès d'Uther et d'Aurelius, et c'étaient des guerriers à faire pâlir quiconque d'envie. Mais Arthur surclasse de loin ses pères sur le champ de bataille. »

Elle sourit d'admiration. « Oui, c'est ce qu'on m'a dit.

— Le Seigneur des Armées a façonné Arthur pour le servir, dis-je. Quand il va à la bataille, c'est une prière.

— Et quand il se bat ? demanda Gwenhwyvar, enchantée de mes compliments sur son époux.

— Gente dame, quand Arthur se bat, c'est un hymne de louanges au Dieu qui l'a créé. Regarde-le. Tu vas contempler une rare et sainte vision. »

Conaire, de l'autre côté de Gwenhwyvar, entendit notre conversation et se tourna vers moi. « Si c'est un si féroce guerrier, s'exclama-t-il pourquoi reste-t-il là à attendre que l'ennemi nous submerge ? Un guerrier digne de ce nom se porterait à sa rencontre.

— Si tu doutes de lui, dis-je, va donc trouver la horde des Saecsens vaincus qui pensaient connaître quelque chose à l'art de la guerre. Va trouver les Angli et les Jutes, les Frisons et les Picti qui dénigraient l'Ours de Bretagne. Parle-leur de ta sagesse supérieure… *si* tu peux trouver quelqu'un pour t'écouter. »

Les ennemis avançaient rapidement. Seules quelques centaines de pas nous séparaient maintenant d'eux. Je pouvais voir leurs visages, leur noire chevelure flottant au vent, leurs bouches béantes sur de sauvages braillements.

« Combien de temps allons-nous devoir attendre ? » demanda Conaire à haute voix. Quelques Irlandais murmurèrent leur accord avec leur seigneur. « Chargeons !

— Attends ! le retint Arthur. Que personne ne bouge ! Laissons-les approcher. »

Llenlleawg, qui se tenait au premier rang à la droite d'Arthur, se tourna sur sa selle pour faire face à Conaire. « Tiens ta langue ! siffla-t-il. Tu fais peur aux chevaux. »

Fergus, à la gauche d'Arthur, éclata de rire et le roi irlandais se tut avec un bredouillement de colère.

L'ennemi s'attendait à ce que nous chargions. Il y était préparé. Mais il n'était pas préparé à ce que nous l'attendions sans bouger. Plus les barbares se rapprochaient, plus ils avaient le temps de réfléchir à ce qui allait leur arriver et plus la peur montait en eux.

« Attendez ! cria Arthur. Restez en position. »

Les Vandali parvinrent à hauteur de nos ailes déployées. Comme l'avait prévu Arthur, ils ne savaient qu'en faire, aussi les ignorèrent-ils, tout à leur offensive contre le centre.

Je pouvais presque voir ce qu'ils pensaient... cela se lisait sur leurs visages. Sûrement, se disaient-ils, l'Ours de Bretagne va maintenant lancer son attaque... alors nous le submergerons et nous l'écraserons. Mais non. Il attend. Pourquoi tarde-t-il ? À-t-il peur de nous ?

Ils dépassèrent nos ailes, déferlant comme une vague. Plus près, toujours plus près. Je pouvais voir la sueur de leurs épaules et de leurs bras. Je pouvais voir les reflets du soleil dans leurs yeux noirs.

Je sentis un mince filet de peur s'insinuer dans mes entrailles. Arthur avait-il mal calculé son moment ? Grande Lumière, ils étaient si nombreux !

À cet instant, Arthur lève son épée. Caledvwlch scintille au bout de son bras tendu. Il se penche en avant sur sa selle.

Mais il hésite encore.

Les Vandali se méfient. Même dans leur ruée cupide, ils restent sur leurs gardes. Ils savent qu'Arthur va charger. Ils bandent leurs muscles dans l'attente de son ordre, mais celui-ci ne vient pas. Ils se rapprochent rapidement, mais rien ne se passe.

Qu'attend-il ? Pourquoi hésite-t-il ?

Je vois le doute dans leurs yeux. Ils sont presque sur nous, mais Arthur n'a pas fait un geste. Son épée reste dressée en l'air, mais ne retombe pas. Pourquoi ?

L'ennemi hésite. Tous les yeux sont maintenant sur Arthur.

On peut maintenant percevoir une légère altération dans la façon de courir des Vandali, un infime flottement. Leur avance s'est faite incertaine. Le doute les enserre dans ses anneaux. Ils hésitent.

C'est ce qu'attendait Arthur.

Caledvwlch retombe. Tel le feu du ciel, elle s'abat.

Le flottement se propage à travers les rangs ennemis.

Le signal a été donné et les barbares se préparent au choc. Mais nous ne chargeons toujours pas. Nous ne faisons pas le moindre mouvement vers eux. Confusion. Stupeur. Que se passe-t-il ? Que signifie ?

Oh, mais le piège est tendu. Ils ne le voient pas. Le destin est prêt à fondre sur eux et ils n'en savent rien.

Cai attaque de la droite. Sur la gauche, Bedwyr s'élance. Nos deux ailes sont devenues des mâchoires d'acier qui se referment. Déconcertés, les barbares se retournent pour affronter la charge, une moitié d'un côté et une moitié de l'autre.

Le centre se retrouve sans défense.

Cette fois, il n'y a pas d'hésitation. Caledvwlch se lève et retombe en un éclair. Alors nous nous élançons au galop, droit vers le ventre mou que vient d'exposer l'adversaire.

Les sabots des chevaux mordent dans le sol, faisant voler les mottes d'herbe. Nous poussons un hurlement. L'armée vandale entend la voix de nos guerriers. C'est l'antique cri de guerre des Celtes : une clameur de défi et de mépris. C'est là une arme puissante.

Et nous volons vers eux. Le vent me cingle le visage. Je sens la peur qui sourd des guerriers ennemis. Je vois le sang battre dans les veines de leur cou tandis qu'ils reculent en trébuchant.

Le centre cède. Le flux de la marée vandale s'inverse. L'arrière-garde continue d'avancer alors même que le premier rang se replie sur lui-même.

Mon cheval vole sous moi et je ne fais qu'un avec son rythme régulier. Je vois un barbare se retourner vers moi. Une lance noire se dresse. L'épée dans ma main s'abat et je sens une brève résistance avant que son corps s'affaisse.

Un autre ennemi surgit. Il bondit en avant, brandissant sa lance. Ma lame siffle et il tombe en arrière, se tenant la tête. J'entends son cri et soudain le chaos frénétique au cœur duquel je suis plongé se transforme en une danse languide et paresseuse. Ma vision s'exacerbe et l'*awen* du combat s'empare de moi.

Je regarde et vois se déployer devant moi le champ de bataille où les ennemis se meuvent comme plongés dans une étrange torpeur. Leurs mains se dressent en des gestes alanguis, la pointe de leurs lances glisse avec lenteur dans les airs. Les visages des Vandali sont figés, leur regard fixe, sans un battement de cils, leur bouche est béante, leurs dents découvertes, leur langue pendante.

Le fracas de la bataille pulse dans ma tête. C'est le rugissement du sang à mes oreilles. Je plonge dans la mêlée et perçois la chaleur des corps qui se démènent, mon bras frappe en cadence, ma lame étincelante chante une mélodie surnaturelle. Je sens l'odeur douceâtre du sang. Après une longue absence, je suis de nouveau Myrddin le Roi Guerrier.

IX

J'avance tel un navire ballotté par la tempête. L'ennemi se dresse devant moi… monstrueuse vague de chair que fend l'étrave effilée de ma lame. Je taille avec une impitoyable précision, la mort s'abat avec la promptitude implacable de mon épée. Une brume sanglante monte devant mes yeux, écarlate et brûlante. Je poursuis ma course sans me soucier de la houle impétueuse des Vandali.

Ils se dressent et ils tombent. La mort les entasse devant ma monture caracolante en monceaux de cadavres frémissants. Les lances ennemies cherchent à m'atteindre… je n'ai qu'à estimer leur angle d'attaque pour déjouer leurs dérisoires tentatives. Chacun de mes coups est précédé d'une tranquille contemplation durant laquelle mon esprit suit la trajectoire de chaque mouvement, puis du suivant, et du suivant. Nul geste inutile, nul vain effort. Je tue et tue encore.

Si la mort a jamais revêtu visage humain, ce visage est aujourd'hui le mien.

Les rangs barbares ne peuvent tenir devant nous, pas plus qu'ils ne peuvent battre en retraite… ils sont trop pressés par derrière pour pouvoir s'enfuir. Avec Cai et Bedwyr qui repoussent leurs flancs vers le centre, pris en tenaille entre la charge de nos chevaux et leur propre arrière-garde qui continue d'avancer, ils ne peuvent que faire face à nos cruelles lames meurtrières.

Peu à peu la progression des barbares ralentit, leur poussée faiblit et le mouvement commence à s'inverser. L'ennemi reflue, les derniers rangs d'abord. Les premiers rangs, sentant céder dans leur dos le mur qui les soutenait, reculent. La ligne de front se rompt : les envahisseurs tournent les talons et désertent le champ de bataille sans une pensée pour leurs compagnons blessés. Ils abandonnent simplement dans leur fuite le terrain et tout ce qui s'y trouve.

Je m'élance à leur poursuite, triomphant. Mon chant de victoire résonne sur la plaine. Les ennemis s'égaillent devant moi, trébuchant dans leur hâte à sauver leur vie. Je les harcèle du haut de ma monture au galop.

Puis Arthur se retrouve à mon côté, sa main se pose sur mon bras droit. « Paix ! Myrddin ! Arrête… c'est fini. La bataille est terminée. » À son contact, je revins à moi. La frénésie du combat m'avait quitté. Je me sentais soudain faible, vidé. Des élancements dans la tête, j'entendis un bruit semblable à l'écho d'un puissant hurlement qui s'éloignait dans les cieux, ou peut-être vers des royaumes par-delà ce monde.

« Myrddin ? » Arthur me fixait d'un regard bleu acier empreint d'inquiétude et de curiosité.

« Ne t'inquiète pas. Je vais bien.

— Reste ici, ordonna-t-il en talonnant son cheval. Nous allons nous faire distancer. Je dois rappeler nos guerriers.

— Va, lui dis-je. Je t'attends. »

Nos guerriers pourchassèrent les ennemis jusqu'au ruisseau. Mais là Arthur donna l'ordre de cesser la poursuite, de crainte qu'ils se regroupent pour nous encercler. Puis il revint vers le champ de bataille détrempé de sang pour s'occuper des barbares mourants ou blessés.

« Que faisons-nous d'eux, Ours ? » demanda Bedwyr. Il était couvert d'estafilades, mais sauf.

Arthur contempla le champ semé de cadavres. Les corbeaux et autres charognards se rassemblaient déjà, leurs rauques appels présageant un macabre festin.

« Artos ? redemanda Bedwyr. Les blessés… que veux-tu que nous fassions ?

— Passez-les au fil de l'épée.

— Les tuer ? » De surprise, Cai releva la tête.

« Pour l'amour du Christ, Arthur, protesta Bedwyr. Nous ne pouvons…

— Obéissez ! » rétorqua sèchement Arthur en tournant bride.

Cai et Bedwyr échangèrent des regards réticents. Conaire leur épargna d'avoir à exécuter l'ordre d'Arthur. « Je vais m'en charger, et avec joie », proposa le seigneur irlandais. Il appela ses chefs et, ensemble, ils passèrent parmi les victimes. Un coup d'estoc par-ci, un coup de taille par-là, et le silence régna bientôt sur le champ de bataille.

« C'est assurément une tâche haïssable, déclara Cai en essuyant avec la manche la sueur et le sang de son visage.

— Leur propres cousins auraient agi de même, lui rappelai-je. Et ils n'en attendent pas moins. Mieux vaut une fin rapide qu'une interminable agonie. »

L'air sombre, Bedwyr me lança un regard désapprobateur et s'éloigna à grands pas.

Après avoir promptement ramassé nos blessés — nos pertes étaient inhabituellement légères — nous quittâmes le champ de bataille pour regagner la forteresse de Conaire. La tête m'élançait encore de la frénésie du combat et, à chaque secousse de mon cheval, un spasme me parcourait le corps. La voix de Gwenhwyvar me tira de ma morose rêverie.

« L'as-tu vu ? demanda-t-elle à voix basse.

— Qui ? dis-je sans lever les yeux.

— C'était exactement comme tu l'as dit, répondit-elle. Mais je n'aurais jamais imaginé que ce puisse être si... si splendide. »

Je tournai la tête, grimaçant de douleur. Gwenhwyvar ne me regardait pas, elle avait les yeux rivés sur Arthur, à quelques pas devant nous. Sa peau luisait de l'effort qu'elle venait de fournir et ses yeux brillaient.

« Non, je ne l'ai pas vu », dis-je simplement.

Ses lèvres esquissèrent un sourire et elle dit : « Je ne suis pas surprise que les hommes le suivent si volontiers. C'est une merveille, Myrddin. Il doit avoir tué soixante ennemis en autant de coups d'épée. Je n'ai jamais rien vu de pareil. La façon dont il parcourt le champ de bataille... c'est comme s'il dansait.

— Oh, oui. C'est une danse qu'il connaît bien.

— Et Caledvwlch ! poursuivit-elle. Je crois qu'elle est aussi tranchante qu'avant la bataille. Ma lame est ébréchée et tordue comme une branche d'arbre, mais la sienne est comme neuve. Comment est-ce possible ?

— Cette arme n'est pas appelée Caledvwlch pour rien », lui dis-je. Elle me regarda enfin, mais uniquement pour voir si je me moquais d'elle. Puis ses yeux se reportèrent sur Arthur, répétant ce nom à voix basse. « Cela signifie Taillefer, ajoutai-je. Elle lui a été donnée par la Dame du Lac.

— Charis ? demanda-t-elle.

— En personne, répondis-je. Ma mère lui a peut-être donné cette épée, mais la façon dont il s'en sert, son adresse surnaturelle... cela n'appartient qu'à lui.

— J'ai vu Llenlleawg se battre, dit Gwenhwyvar, songeuse. Quand la frénésie du combat est sur lui, nul ne peut lui tenir tête.

— Je le sais fort bien », répondis-je, me rappelant l'extra-ordinaire capacité qu'avait le champion irlandais à se transformer en tornade vivante.

« Quand la frénésie du combat s'empare de lui, Llenlleawg perd tout contrôle, poursuivit-elle. Mais avec Arthur, je pense que c'est le contraire : il se trouve. »

Je la félicitai de sa perspicacité. « C'est là une remarque fort juste, noble dame. En vérité, Arthur se révèle au combat. »

Elle se tut alors, mais dans son regard l'amour et l'admiration s'accrurent. Il en est parfois ainsi chez les femmes : quand l'homme qu'elles connaissent si bien les surprend, elles exultent dans cette révélation. Gwenhwyvar chérissait sa découverte tel un trésor.

Nous nous reposâmes le restant de la journée, nous abandonnant aux soins de ceux qui étaient restés à Rath Mor. Nous mangeâmes et dormîmes, pour nous réveiller au crépuscule afin de fêter la victoire qui nous avait été accordée. Les hommes étaient alors assoiffés et affamés, et ils voulaient entendre leurs exploits loués en chansons. Nous prîmes place pour festoyer et nous écoutâmes les bardes de Conaire vanter les hauts faits des guerriers et faire en termes flatteurs l'éloge de chacun. Cai, Bedwyr et Arthur furent mentionnés, bien sûr, mais, parmi les rois présents, Conaire brillait comme un soleil au milieu d'une constellation d'astres de moindre importance, bien que son rôle dans la bataille eût été en réalité des plus modestes.

Cela irrita les Bretons. « Allons-nous devoir rester assis là et écouter ce grossier vacarme ? » demanda Cai. Le troisième barde venait juste de se lancer dans une interminable récapitulation de la bataille au cours de laquelle s'illustraient héroïquement les Irlandais sans qu'il fût fait la moindre mention des Bretons. « Ils racontent tout de travers, Myrddin.

— Ils ne font que louer leur roi, répondis-je. C'est lui qui les nourrit.

— Eh bien, ils le louent beaucoup trop, intervint Bedwyr. Et ce n'est pas juste.

— Ils dépouillent le Grand Roi de sa gloire pour la déverser sur Conaire et sa race, protesta Llenlleawg. Fais quelque chose, seigneur Emrys.

— Que voudrais-tu que je fasse ? C'est le droit de Conaire. Ce sont ses bardes et ceci est son caer, après tout. »

Tous trois cessèrent leurs protestations, mais ils s'enfermèrent dans un silence maussade. Je ne fus donc pas surpris à l'excès quand, sitôt que le barde eut terminé son éloge, s'éleva un cri du côté de Cai.

« Mes amis ! s'écria-t-il en se levant d'un bond. Nous avons apprécié autant que nous l'avons pu le chant des bardes irlandais, dit-il avec tact. Mais vous prendriez les Bretons pour une race avare et cupide si nous ne vous disions que sous ce toit est assis un homme dont le don de chanteur est tenu pour un des principaux trésors d'Ynys Prydein. » Il se tourna et pointa le doigt sur moi. « Et cet homme est Myrddin ap Taliesin, Chef Barde de Bretagne.

— Vraiment ? » s'étonna Conaire à haute voix. Il ressentait les effets entêtants de la flatterie et de la boisson, et cela le rendait merveilleusement expansif. « Partageons donc ce trésor que vous gardez jalousement. Chante pour nous, Barde de Bretagne ! Chante ! »

Tous se mirent à frapper sur la table et à réclamer une chanson. Bedwyr se leva et emprunta une harpe au barde le plus proche. Il me l'apporta. « Montre-leur, chuchota-t-il en la plaçant dans mes mains. Montre-leur ce dont est capable un Vrai Barde. »

Je baissai les yeux sur l'instrument, ne demandant que chanter, puis je regardai la foule excitée aux visages empourprés qui poussaient des clameurs d'ivrognes. Un don si rare ne devrait pas être gaspillé pour qui n'en est pas digne, me dis-je, et je rendis la harpe à Bedwyr.

« Merci, lui dis-je, mais ce n'est pas à moi de chanter ce soir. Cette fête appartient à Conaire et il serait malséant de ma part de diminuer sa gloire si justement acquise. »

Bedwyr fronça les sourcils. « Si justement acquise ? Es-tu fou, Myrddin ? S'il y a une gloire ce soir, c'est nous qui l'avons acquise, pas Conaire. » Il me retendit la harpe, mais je refusai de nouveau. « Terre et ciel, Myrddin, tu es vraiment buté.

— Une autre fois, Bedwyr, l'apaisai-je. Nous aurons notre soirée. Restons-en là pour aujourd'hui. »

Voyant qu'il ne pouvait me persuader, Bedwyr n'insista pas et rendit l'instrument à son propriétaire en haussant les épaules. Cai me lança un regard de suprême désapprobation, mais je l'ignorai. Comme il était évident que je ne chanterais pas, et que personne d'autre ne le ferait, la fête prit fin et les guerriers se retirèrent pour aller dormir.

Le lendemain, juste avant l'aube, Arthur envoya Cai et Bedwyr sur la côte, avec une petite troupe, pour observer les mouvements de l'armée vandale. Nous avions bien dormi et nous levâmes pour déjeuner. J'observai l'assurance hautaine des guerriers de Conaire — ils plastronnaient et riaient fort en affûtant leurs épées et en réparant leur harnachement — et j'en fis la remarque à Arthur. « Accorde-leur une seule victoire et ils pensent avoir conquis le monde. »

Il sourit tristement. « Ils imaginent que ce sera toujours aussi facile. Mais je ne veux pas les décourager. Ils apprendront bien assez tôt la vérité. »

Néanmoins, quand Cai et Bedwyr revinrent, ils annoncèrent : « Le Sanglier et ses marcassins s'en vont.

— Vraiment ? demanda Conaire.

— Oui, seigneur, répondit Cai. La plupart des navires sont partis.

— De fait, ajouta Bedwyr, il n'en reste que très peu, et ils sont en ce moment-même en train de sortir de la baie.

— C'est bien ce que je pensais ! s'écria Conaire. Ils ne faisaient que chercher un butin facile. Quand ils ont vu que nous étions décidés à nous battre, ils sont partis voir sur d'autres rivages ! »

Gwenhwyvar, qui était venue rejoindre Arthur, se tourna vers lui. « Que penses-tu que cela signifie ? »

Il secoua légèrement la tête. « Je ne saurais le dire tant que je n'aurai pas vu par moi-même. »

Dès que nos chevaux furent prêts, nous nous rendîmes sur la falaise surplombant la baie, d'où nous pûmes voir la mer calme et étincelante, constellée des voiles noires des vaisseaux vandales qui s'éloignaient. Les derniers venaient juste de quitter la baie et suivaient les autres, repartant par où ils étaient venus.

« Vous voyez ! s'exclama triomphalement le roi irlandais... comme si d'une certaine manière ce spectacle le vengeait. Ils n'oublieront pas de sitôt l'accueil que leur a réservé Conaire Main Rouge.

— Je les vois partir, répondit Fergus, pensif. Mais je me demande où ils vont.

— C'est ce que je me demande, moi aussi, dit Arthur. Et j'ai l'intention de le découvrir. » Il se retourna brusquement et fit signe à Llenlleawg d'approcher. Ils s'entretinrent brièvement. Le champion irlandais hocha la tête, remonta à cheval et s'éloigna.

Nous revînmes à Rath Mor et passâmes la journée à nous reposer en attendant le retour de Llenlleawg. Je dormis un peu, au plus chaud de la journée, et m'éveillai sous un ciel aux nuages bas, caressé par une brise de mer fraîchissante. Je traversai le caer silencieux pour gagner le palais.

Bedwyr me héla à mon entrée dans la cour. « Myrddin ! » Il se leva du banc sur lequel il était assis devant la grande salle et vint me rejoindre en hâte. « Je t'attendais. Arthur m'a demandé de te faire venir dès que tu serais réveillé.

— Llenlleawg est-il rentré ?

— Non, et je pense que c'est pour cela qu'Arthur veut te voir. »

169

Je me tournai vers la grande salle, mais Bedwyr me prit par le bras. « Conaire est là et il a trop bu. Cai monte la garde à l'intérieur. L'Ours est dans sa hutte. »

Nous nous rendîmes rapidement au logement que partageaient Arthur et Gwenhwyvar. Bedwyr baissa la tête et écarta la peau de vache qui masquait l'entrée. « Ours, je t'ai amené... » commença-t-il, puis il s'interrompit brusquement et battit vivement en retraite.

J'entendis rire Gwenhwyvar et Arthur cria : « Tout va bien, mon frère, il n'y a pas de secrets entre nous. »

Bedwyr me jeta un coup d'œil et murmura : « Plus maintenant.

— Entre, invita Gwenhwyvar. Entrez tous les deux. Tout va bien. » Le rire dans sa voix me fit penser à ma Ganieda, et ce souvenir me transperça le cœur telle une flèche. Ganieda, ma bien-aimée, nous nous retrouverons un jour.

Nous entrâmes dans la hutte, Bedwyr et moi. Gwenhwyvar était en train d'arranger sa mise. Sa chevelure était défaite et son sourire épanoui. Arthur était allongé. Il se redressa sur le coude et nous invita à prendre place sur le sol recouvert de peaux de vache. « Tu aurais pu me dire d'attendre un peu, dit Bedwyr, rougissant légèrement.

— Et toi, tu aurais pu annoncer ton arrivée, répondit en riant Arthur.

— Cher Bedwyr, dit doucement Gwenhwyvar, il n'y a pas de mal, et donc rien que l'on puisse te reprocher. Tu n'as aucune inquiétude à avoir.

— Llenlleawg n'est pas rentré ? demanda Arthur.

— Pas encore. » Bedwyr secoua légèrement la tête.

« C'est ce que je craignais.

— Alors, tu ne le connais pas, rétorqua Gwenhwyvar. Il... »

Arthur ne la laissa pas terminer. « Ce n'est pas pour Llenlleawg que je m'inquiète. Je sais fort bien qu'il est de taille à affronter n'importe quel danger. Mais si les envahisseurs étaient simplement repartis, il serait maintenant rentré. Ils ont donc dû accoster plus au sud. Et si Amilcar ne s'est pas vanté en disant qu'il attendait d'autres navires... » Il laissa cette inquiétante déclaration en suspens.

Dans la sagesse de la guerre, Arthur n'avait pas d'égal. Il avait probablement raison. J'aurais pu lui demander comment il en était arrivé à cette conclusion, mais je n'en fis rien et dis : « Que suggères-tu ?

— Il faut que Conaire parte sur le champ dans le sud pour organiser les défenses. Je vais rentrer rassembler les armées des seigneurs de Bretagne.

— Penses-tu qu'ils accepteront de se battre ? demanda Bedwyr.

— Ils n'ont pas le choix, dit sèchement Arthur. Combien de temps l'Île des Forts restera-t-elle en sécurité avec le Sanglier Enragé de l'autre côté de Muir Eiru ?

— Je suis d'accord, Ours. Tous les saints me soient témoins, tes paroles sont la prudence même, déclara Bedwyr. Mais la prudence est une vertu dont manquent singulièrement les seigneurs bretons, tu le sais bien. Il se pourrait qu'il faille plus que cela pour les convaincre. »

J'étais d'accord avec Bedwyr, mais Arthur demeurait confiant dans sa capacité à raisonner les seigneurs de Bretagne et à les convaincre de se battre. « Nous partons tout de suite.

— Il faut préparer le navire, fis-je remarquer.

— J'ai déjà envoyé Barinthus en avant avec quelques hommes de Fergus, dit Arthur. Bedwyr, va chercher Cai. »

Bedwyr se leva, mais il fit halte à la porte. « Et Conaire ?

— Je vais aller lui dire ce qu'il faut faire, répondit Arthur.

— Laisse-moi m'en charger, proposa Gwenhwyvar. Tu ne dois pas tarder si tu ne veux pas rater la marée. Va, maintenant. Je vais expliquer la situation à Conaire. » Elle vit la question dans les yeux d'Arthur et dit : « Ne t'inquiète pas pour moi, mon amour. Il ne m'arrivera rien. De plus, Llenlleawg sera bientôt de retour. »

Arthur se leva. La question était réglée et il était impatient de partir. « Très bien. »

Nous attendîmes dans la cour que l'on apprête nos chevaux. Cai et Fergus sortirent du palais. « Il vaut mieux que nous partions, nous dit Cai. Conaire brûle de se battre et je crains que son vœu soit exaucé avant la fin de la journée.

— Allez-y, dit Fergus. Laissez-moi m'occuper de Conaire. Je le connais et je vais veiller à ce qu'il n'arrive rien d'irréparable.

— Je te le confie donc, dit Arthur en sautant en selle. Fais ce que tu dois, mais soyez prêts à descendre vers le sud dès le retour de Llenlleawg. Je vous enverrai des hommes et des vivres sitôt que je serai arrivé à Caer Melyn.

— Au revoir, mon amour », dit Gwenhwyvar.

Arthur se pencha et la serra brièvement dans ses bras, puis nous quittâmes Rath Mor en toute hâte. Quand nous arrivâmes sur la côte, le navire nous attendait et la mer commençait déjà à remonter. Sans perdre un instant, nous fîmes embarquer les chevaux, détachâmes les amarres et poussâmes le vaisseau à l'eau. Une fois dans la baie, Barinthus hissa la voile et nous cinglâmes vers la Bretagne.

X

Nous entrâmes dans Mor Hafren aux premières lueurs de l'aube et ne tardâmes pas à apercevoir les collines entourant Caer Melyn. Barinthus et son équipage, qui avaient tiré pendant un jour et deux nuits toute la vitesse possible de vents capricieux, accostèrent au pied de la forteresse d'Arthur au moment où le soleil surgissait à l'horizon dans un flamboiement de rouge et d'or. Sitôt remontés en selle, nous filâmes comme le vent à travers les vallées obscures où s'accrochait une brume bleutée. En arrivant à Caer Melyn, je sentis la chaleur du jour à venir.

Et je sentis autre chose : le coup de poignard d'un pressentiment, vif et pénétrant. Tous mes sens furent aussitôt en alerte.

À notre approche, les portes de la forteresse s'ouvrirent en grand et, pendant que les autres entraient dans la cour sous les acclamations de leurs frères d'armes, je fis halte avant de franchir le seuil. Il y avait dans l'air une lourdeur oppressante, une immobilité étouffante qui était plus que la simple chaleur annonciatrice d'une torride journée d'été. C'était comme si une présence énorme et suffocante s'avançait pesamment vers nous. Je sentais cette approche menaçante comme celle d'une silencieuse nuée d'orage s'étendant sur le pays. Mais il n'y avait pas de nuages, rien de visible.

En dépit de l'accueil chaleureux que nous firent les Cymbrogi, mon cœur demeura troublé par cet étrange sentiment d'oppression.

Arthur ne perdit pas un instant. Tout en se lavant et en se changeant, il donna des ordres à ses chefs de guerre. Il envoya des cavaliers dans les royaumes environnants pour convoquer leurs seigneurs en conseil et manda des navires pour prévenir le Nord. Gwalchavad, toujours prêt à sillonner les mers, prit la tête des messagers qui devaient s'y embarquer. Ils quittèrent aussitôt le caer et disparurent avant que l'écho de leurs adieux se fût dissipé dans l'air. Arthur ordonna alors aux Cymbrogi d'apprêter le reste de la flotte. Il y avait des vivres à embarquer, des armes à rassembler, des chevaux à aller chercher dans les pâtures, car le *Dux Bellorum* se préparait une fois de plus à la guerre.

Je n'avais que peu de part dans les préparatifs. Ma place était au conseil avec Arthur et je me préparai à recevoir les nobles du Sud de la meilleure façon que je connaissais : je priai. Arthur pensait que les armées se lèveraient à son appel, mais je savais qu'il faudrait plus qu'une requête polie pour inciter les rois bretons à mener une guerre sur le sol irlandais.

J'essayai bien sûr d'en faire part à Arthur, mais il refusa de m'écouter. « Et *moi*, Myrddin, je *te* dis que si nous ne combattons pas le Sanglier sur le sol irlandais, il faudra l'affronter ici. Le sang coulera d'une façon comme de l'autre, je ne le nie pas. Nous pouvons au moins éviter le saccage de nos terres.

— Je te crois. Mais les seigneurs de Bretagne voudront qu'on leur donne une meilleure raison pour se battre aux côtés de ceux qui leur ont infligé tant de tourments pendant des siècles, insistai-je.

— Le passé est oublié.

— Nous sommes une race qui pardonne difficilement, Arthur, lui dis-je. Nous avons la mémoire longue. L'aurais-tu oublié ? »

Il ne sourit pas à ma faible plaisanterie. « Ils m'écouteront », affirma-t-il. Son assurance ne souffrait aucune contradiction.

« Ils écouteront, oui. Ils s'assiéront et débattront de la question jusqu'au chant du coq, mais agiront-ils ? Lèveront-ils ne serait-ce qu'un sourcil pour t'aider dans ce qu'ils considéreront, tous jusqu'au dernier, comme une querelle entre barbares ? En fait, la plupart penseront que c'est un châtiment divin destiné à punir les Irlandais de leurs pillages. »

Il était clair qu'Arthur ne voudrait rien entendre, si bien que je me tus. Je pris congé et le laissai à ses projets. En sortant de la grande salle, je faillis me heurter à Rhys, l'intendant d'Arthur, qui courait accomplir quelque tâche. « Ah, Rhys ! Te voilà. Je te cherchais.

— Je te souhaite le bonjour, Emrys », répondit-il vivement, avant de demander : « Est-il vrai que nous allons nous joindre aux Irlandais pour une chasse au sanglier ?

— Oui », répondis-je, et je lui appris que ce sanglier était humain. Puis je demandai : « Où est Bors ?

— Un message de Ban est arrivé il y a deux jours, expliqua Rhys. Il demandait à Bors de rentrer.

— Des ennuis ?

— Je pense. Mais Bors n'a pas expliqué de quoi il s'agissait. Il a simplement dit qu'il reviendrait dès qu'il aurait réglé les affaires de son frère.

— En as-tu parlé à Arthur ?

— Non, répondit-il. Je n'ai pas cessé de courir depuis votre arrivée et...

— Eh bien, va le lui dire maintenant. » Rhys regarda dans la grande salle par-dessus mon épaule. « Oui, tout de suite. Nous reparlerons plus tard. »

Quand il fut parti, je pris ma harpe et sortis du caer pour descendre au bord de la Taff où je trouvai un endroit ombragé pour m'asseoir et réfléchir.

Dans l'ombre de la vallée, au milieu des verts roseaux, je m'assis sur un rocher couvert de mousse et écoutai l'eau murmurer le long des berges abruptes. Mouches et abeilles bourdonnaient dans l'air immobile et des insectes tournaient en petits cercles sur le courant paresseux. Là, parmi les éléments primordiaux — l'ombre, la terre et l'eau — je jetai au loin mon filet mental. « Viens à moi ! murmurai-je. Viens à Myrddin. Illumine-moi... illumine-moi. »

J'étais assis, penché sur la courbe polie de ma harpe comme si je pouvais cueillir avec le bout de mes doigts dans les cordes chargées de musique la connaissance que je cherchais. Mais, si la harpe égrenait sa mélodie de vif-argent, je n'en fus pas illuminé. Au bout d'un moment, je la posai à terre et pris mon bâton.

C'était une vénérable branche de sorbier au bois robuste poli par l'usage. Bedwyr l'avait taillé pour moi peu après ma confrontation avec Morgian. Cette pensée suscita en moi un fugace élancement de peur... telle l'ombre d'un corbeau tournoyant qui m'aurait effleuré le visage.

Mais je repoussai loin de moi ce souvenir haïssable et me laissai peu à peu gagner par la paix et la douce tiédeur de la vallée. Je m'enfonçai dans une sorte de somnolence et me mis à rêver. Je vis les montagnes de Celyddon, drapées dans leur sombre manteau de pins odorants, et plus loin les landes à bruyère battues par les vents des Petits Êtres Noirs, le Peuple des Collines. Je vis les membres de ma famille adoptive, le Fhain du Faucon. Je vis Gern-y-fhain, la Devineresse des collines, ma seconde mère, qui m'avait enseigné l'usage de pouvoirs que même les druides avaient oubliés... s'ils les avaient jamais connus.

Songeant à tout cela, je laissai mon esprit vagabonder à sa guise. J'entendais le murmure de la rivière, le doux clapotis de l'eau et le crissement de l'herbe au passage d'une souris ou d'un oiseau. J'entendais le caquètement d'une poule d'eau et le bourdonnement lancinant d'une mouche. Ces bruits s'estompèrent peu à peu, remplacés par un chuchotement rauque, haché par le temps et la distance, mais de plus en plus fort. Des mots prirent forme…

Mort ?… Mort… Mais que veux-tu dire ? Comment est-ce possible ?… Non ! Non ! La voix angoissée mourut dans un cri étouffé et fut remplacée par une autre : *Je brûle… Je n'y vois plus… Étends-toi, Garr. Je vais t'aider. N'essaie pas de te lever…* J'entendis une voix d'enfant qui pleurait : *Réveille-toi, Nanna. Réveille-toi !* La petite voix fondit en sanglots et se mêla à d'autres plaintes qui s'amplifièrent en un tel gémissement que je percevais leur détresse comme une poignante lamentation. J'en eus le cœur déchiré de compassion, les larmes me vinrent aux yeux. Mais je n'avais pas le moindre indice de ce qui se passait, ni où.

Grande Lumière, toi qui réconfortes les affligés, soutiens ceux qui ont besoin de ta force en leur jour de peine. Pour l'amour de ton Fils Bienheureux. Ainsi soit-il !

Je priai et gardai quelque temps le silence. Mais les voix ne revinrent pas et je sus qu'elles continueraient à se taire. J'avais parfois entendu des voix par le passé. Et, maintenant comme alors, il ne me vint pas à l'esprit de douter de leur véracité. Qu'il m'eût été donné de les entendre ne me surprenait pas : cela ne faisait que confirmer une fois de plus la capricieuse bénédiction de l'*awen*.

Trois fois béni est l'Emrys de Bretagne ! La bénédiction de la race de ma mère m'a accordé la longévité, tout comme celle de mon père a éveillé l'*awen* en insufflant la vie dans mon âme par son chant. La bénédiction de Jesu m'a appelé à servir en ce monde.

Oh, mais je suis un serviteur abominablement indolent, à la vue basse et à l'esprit obtus, préférant la confortable obscurité de mon ignorance à la froide lumière de la sagesse. Quand les gens parleront de Myrddin Emrys dans les siècles à venir — si seulement ils se souviennent de moi — ce sera comme d'un loqueteux aveugle, du fou à la cour des rois, d'un nigaud dont seule la vanité surpassait l'ignorance. Je ne suis pas digne des dons qui m'ont été accordés, et je ne suis pas à la hauteur de ma tâche.

Roi Suprême des Cieux, daigne me pardonner. Il n'est d'autre vérité qu'éclairée par toi, Grande Lumière. Bien que j'y voie, je suis toujours aveugle. Seigneur Christ, aie pitié de moi.

La rivière coulait donc, de même que mes pensées. L'esprit humain est une chose curieuse. Cherchant la connaissance, je me retrouvais face à ma propre ignorance. Je ne pouvais qu'admettre mon indigence et implorer grâce.

Le premier des seigneurs convoqués par Arthur était arrivé avec son armée lorsque je regagnai le caer. Ulfias, dont les terres étaient toutes proches, se trouvait avec Arthur dans la grande salle. Ils étaient assis à table avec Cai, Bedwyr et Cador. Ulfias, l'air morose et indécis, tourna la tête à mon entrée, mais il ne se leva pas. Arthur releva les yeux, soulagé de me voir. « Ah, Myrddin, bien. J'envisageais d'envoyer les chiens te débusquer. » Il fit signe à Rhys, qui se tenait non loin. « Remplis la coupe. » Pendant que Rhys apportait une cruche, Arthur poursuivit : « J'expliquais à Ulfias que les Vandali avaient envahi Ierne. »

Ayant pris la mesure d'Ulfias, je le regardai dans les yeux et demandai : « Alors, soutiendras-tu ton roi ? »

Le jeune seigneur déglutit. « C'est une question fort difficile, marmonna-t-il. J'aimerais entendre ce que disent les autres seigneurs.

— Ne peux-tu te faire ta propre opinion ? »

Ma question lui fit honte. Il grimaça. « Seigneur Emrys, dit-il d'un ton déconcerté, cela ne doit-il pas être débattu en conseil ? Ce que décidera le conseil, je le ferai. Tu as ma promesse.

— Une promesse est chose bien chétive, me gaussai-je. Et si le conseil décidait de se mettre les fesses à l'air et de s'asseoir sur le tas de fumier ? Le ferais-tu aussi ? »

Cai et Cador éclatèrent de rire.

« Attention, les prévint à mi-voix Bedwyr. Vous allez trop loin. »

Mais Arthur dit : « Ne crains rien, Ulfias. Les choses n'en arriveront pas là. Mais si elles devaient le faire, tu apprécierais certainement la compagnie de tes amis. »

Oh, Arthur était subtil. Tout en affectant de ne pas prendre ma remarque au sérieux, il ne laissait à Ulfias aucun moyen de battre dignement en retraite. Le seigneur des Dubuni était pris au piège de sa propre indécision : s'il ne faisait pas amende honorable, il se retrouvait la cible des quolibets.

« Allons, Ulfias, le pressa amicalement Cador, soutenons notre roi comme nous avons juré de le faire. Et, qui sait ? Nous en viendrons peut-être à aimer Ierne. »

Ulfias ravala son orgueil et dit : « Fort bien. Si les femmes y sont toutes aussi belles que Gwenhwyvar, je pourrais même prendre une épouse irlandaise.

« — Je ne m'étonne pas que tu parles ainsi, lui dit solennellement Cai. Je connais la tribu des Dubuni et tu pourrais faire pire que de choisir une femme irlandaise... si tu en trouves une qui veuille bien de toi. »

Ulfias sourit sans grande conviction. Cette légère raillerie valait mieux que ma moquerie. Un seigneur de plus s'était donc rallié à nous. La loyauté de Cador ne faisait aucun doute. De fait, il n'aurait voulu à aucun prix voir Arthur s'humilier à lui demander ce qu'il était plus que disposé à accorder avec empressement. Cador, qui tenait Caer Melyn en l'absence de son seigneur, avait fait prévenir ses chefs de guerre dès le retour d'Arthur.

Les autres sur qui nous pouvions compter — Idris, Cadwallo, Cunomor et les seigneurs du Nord — ne recevraient pas notre message avant plusieurs jours. Mais Meurig arriva à la tombée de la nuit, et Brastias le lendemain matin. Ce dernier seigneur était accompagné d'un cousin, un jeune noble du nom de Gerontius, que son aîné préparait au commandement.

Ogryvan de Dolgellau et son voisin, Owain, arrivèrent à midi, amenant avec eux leurs fils : Vrandub et Owain Odiaeth, auxquels — en cette saison de paix consécutive à la défaite des Saecsens — avait été confiée la charge des armées de leurs pères.

Arthur accueillit les nobles seigneurs et leur offrit à boire et à manger. Ils n'étaient pas plus tôt installés qu'Urien Rheged arriva avec son armée, et soudain le caer fourmilla de guerriers. « Maintenant, nous allons commencer, décida Arthur.

— Et les autres seigneurs ? demanda Bedwyr. Ils arriveront d'ici un jour ou deux. Tu auras besoin d'eux.

— Je ne peux attendre plus longtemps. Chaque journée perdue laisse le champ libre à Twrch Trwyth pour se livrer au pillage. » Sur ce, Arthur invita les nobles et leurs guerriers à entrer dans la grande salle, puis il ouvrit le conseil sans attendre que l'on ait fini de remplir les coupes de bienvenue.

« Votre prompte réponse à mon appel me réjouit, déclara Arthur, debout devant eux. Soyez assurés que je ne vous aurais pas demandé de venir si le besoin n'en était pas déjà pressant. Je ne vous cèlerai rien, la raison de cette convocation est celle-ci : la horde barbare d'un certain Twrch Trwyth a envahi Ierne et je crains que cette île soit perdue si nous ne nous portons pas à son secours.

— Ce ne serait pas une bien grosse perte, me semble-t-il », dit aigrement Brastias.

Cador fut prompt à réagir à cette impertinence. « Tu parles, Brastias, comme quelqu'un qui n'a jamais eu à défendre une côte contre les Loups de Mer en maraude.

— Que nous ont jamais offert les Irlandais, en dehors de la pointe d'une lance si nous étions assez insensés pour leur tourner le dos ? demanda Brastias. Plutôt aider les barbares et en finir une fois pour toutes avec les Irlandais.

— Pour ma part, intervint Ogryvan en reposant sa coupe, j'ai beaucoup perdu par la faute des voleurs d'Eiru. » Il se tourna vers Arthur. « Mais j'apporte néanmoins mon soutien au roi si cela assure la sécurité de ma côte.

— Bien parlé, seigneur Ogryvan, le félicita Arthur. Tel est le prix que j'exigerai pour l'aide de la Bretagne. D'après ce que j'ai vu du Sanglier Noir, les rois d'Ierne le paieront avec joie. » Il leur relata nos rencontres avec les Vandali et prévint : « Sachez une chose : après Ierne, Amilcar s'est juré de détruire la Bretagne. Si nous ne l'arrêtons pas là-bas, nous verrons incendier nos demeures et massacrer nos familles. »

Assis autour de la table, les seigneurs étaient plongés dans leurs réflexions. Arthur leur avait clairement exposé le problème. Qu'allaient-ils faire ?

Meurig fut le premier à parler. « Voilà une fort affligeante nouvelle. Et j'aurais aimé qu'elle arrive à un meilleur moment. » Il tendit une main vers Arthur. « Nous venons tout juste de vaincre les Saecsens. Nos réserves sont au plus bas et Dieu sait si nos guerriers auraient besoin d'une saison de repos.

— Les ennuis ne connaissent pas de saison, mon frère », grommela le vieil Ogryvan. Il redressa la tête et regarda à la ronde l'assemblée. « Je suis avec toi, Arthur, dit-il. Mes guerriers sont les tiens. »

Owain, assis près d'Ogryvan, apporta son soutien. « Nos fils devront bientôt gouverner à notre place, dit-il. Qu'ils combattent sous les ordres de notre Chef de Guerre comme nous l'avons fait et apprennent le vrai prix de la paix.

— Vous ne regretterez pas votre décision », leur dit Arthur, puis il se tourna de nouveau vers Meurig. « Tu as entendu tes frères rois. Que dis-tu ?

— Les seigneurs du Dyfed se sont toujours tenus aux côtés de leur Chef de Guerre dans la bataille. » Il lança un regard en coin à Brastias. « Nous soutiendrons notre Grand Roi jusqu'au dernier. »

Brastias n'apprécia pas l'insinuation : il parcourut la tablée d'un œil furibond. Manifestement, les délibérations avaient pris un tour inattendu. Il ne voulait pas paraître moins bien disposé que ses pairs, pas plus qu'il ne voulait aider Arthur.

« Eh bien, Brastias, demanda le Grand Roi. Que décides-tu ?

— S'ils jugent bon d'apporter leur aide en échange de la paix, admit Brastias avec raideur, je ne m'y opposerai pas. Mais si cette entreprise est un échec, je t'en ferai porter le blâme. »

C'était là Brastias, plus vrai que nature : prêt à rejeter la responsabilité sur un autre avant même d'être monté sur son cheval ou d'avoir tiré l'épée. Arthur laissa passer la remarque et se tourna vers Ulfias. « Tu as entendu les autres, dit-il. Reprendras-tu ta parole, ou bien la tiendras-tu ? »

Bien joué, Arthur, me dis-je, oblige le prince hésitant à se déclarer devant les autres. Accorde-lui un endroit où se tenir, oui, mais assure-toi qu'il s'y tienne le moment venu. Ulfias parut se ratatiner sur lui-même. « Je tiendrai parole », dit-il en relevant rapidement les yeux, la voix à peine audible.

Des seigneurs assemblés, seul Urien Rheged ne s'était pas encore déclaré. Tous les yeux se tournèrent vers lui. « Allez, Urien, le pressa Ogryvan, entendons ton engagement. »

De tous les seigneurs, c'était sur Urien que j'en savais le moins. C'était un tout jeune homme, robuste et musclé, avec une longue chevelure sombre et indisciplinée comme une crinière de lion. Des yeux méfiants et une moue boudeuse lui conféraient un air matois, presque retors. J'avais entendu dire que c'était un seigneur de Rheged, un cousin d'Ennion. L'estimable Ennion avait été blessé au mont Baedun et était mort un ou deux jours après. Urien avait sûrement participé à cette bataille, lui aussi. Je ne m'en souvenais pas.

Mais Urien Rheged régnait à présent à la place de son cousin et je me demandai quelle sorte d'homme il était. Jeune, assurément — et même, je pense, plus jeune qu'il ne semblait — il masquait cette jeunesse par le genre de gravité que possèdent parfois les hommes plus âgés. Il était peu loquace, ce qui le faisait paraître sage, et prenait son temps pour répondre, ce qui lui donnait l'air réfléchi.

Quand il parla enfin, il dit : « Pour ma part, je suis fatigué de guerroyer. Que les Irlandais éprouvent le feu de la bataille, nous l'avons senti assez longtemps. » C'était dit avec une grande lassitude, comme s'il avait lui-même supporté le poids de plus de combats qu'il n'en pouvait compter. « Mais puisque mes frères estiment préférable de se joindre à cette campagne, je suis prêt. » Il s'interrompit de nouveau et regarda à la ronde pour voir si tous les yeux étaient sur lui, puis, se mettant debout, il annonça : « Urien Rheged fera sa part. »

Son cœur n'y était pas, mais l'honneur lui commandait de suivre une voie qui lui répugnait... du moins était-ce l'impression qu'il désirait donner. Et les autres, observai-je, en furent persuadés.

Arthur frappa la table du plat de la main. « Bien ! dit-il d'une voix qui emplit la salle. La question est donc réglée. Nous faisons voile pour Ierne dès que nous aurons rassemblé hommes et provisions. »

En quelques instants, la tranquillité du caer céda la place à l'agitation déterminée d'une armée sur le départ. Rhys et la petite troupe placée sous ses ordres s'activèrent toute la journée et une partie de la nuit à charger les chariots et à transporter armes et provisions du caer aux navires. Après le départ du troisième ou quatrième convoi de chariots, Bedwyr vint me trouver. « Il n'y a pas assez de vivres, annonça-t-il brutalement, ni de quoi que ce soit d'autre, en fait. Meurig a raison : nous avons besoin d'une saison de paix pour remplir nos entrepôts et nos greniers. Je ne vois pas comment nous pouvons nous battre sans rien.

— Arthur le sait-il ?

— Dieu le garde, répondit Bedwyr en secouant la tête, tant qu'il lui reste une goutte dans sa coupe, il pense qu'il y en a assez pour chacun à jamais. »

C'était vrai, Arthur, qui n'avait jamais rien possédé en propre, se souciait aussi peu des aléas de la fortune que du flux et du reflux de la marée. « Laisse-moi m'en occuper, lui dis-je. Je me charge de mettre Arthur au courant. »

Mais ce ne fut pas avant le lendemain, alors que les derniers guerriers embarquaient et que les premiers navires s'engageaient en eau plus profonde, que je trouvai l'occasion de parler seul à seul avec Arthur.

« Le conseil s'est bien passé, dit-il, heureux de se remettre en route.

— Tu trouves ? J'ai remarqué que tu ne leur as pas dit combien de Vandali nous allons affronter. Les seigneurs pourraient se raviser quand ils verront la taille de l'armée barbare. » Arthur écarta mes inquiétudes d'un haussement d'épaules, de sorte que je passai à ce qui me préoccupait le plus : « Bedwyr me dit que nous n'avons pas assez de vivres pour nourrir l'armée.

— Vraiment ? » Il me jeta un coup d'œil pour évaluer la gravité du problème. « Eh bien, nous emporterons tout ce que nous pouvons, et nous obtiendrons ce qui nous manque en Ierne, conclut-il simplement. Les rois irlandais subviendront à nos besoins. »

Réflexion faite, c'était une solution logique. Et, de toute façon, nous n'avions pas le choix. « Très bien, répondis-je, mais nous devons en informer Conaire dès notre arrivée. Il pourrait lui falloir du temps pour lever un tribut suffisant. »

Le voyage de retour fut désespérément lent. Les vents d'été peuvent être capricieux, mais ce fut cette fois pis que tout : de simples brises, des soupirs qui gonflaient les voiles un moment et se réduisaient à néant le suivant. Tout au long du jour, Arthur pressait son vaillant pilote de se hâter, pour s'entendre à chaque fois répondre du même ton inflexible que, à moins d'être capable d'extirper du vent d'une mer étale et d'un ciel sans nuages, le roi devait se satisfaire du peu de vitesse que nous pouvions atteindre.

Il nous fallut donc tous nous relayer aux rames. Au bout de trois jours, nous franchîmes les détroits et contournâmes la pointe nord d'Ierne et, une demi-journée plus tard, nous atteignîmes la baie d'où avait fui la flotte ennemie. Nous n'y vîmes bien sûr aucun navire, si bien que nous poursuivîmes vers le sud en suivant la côte, explorant les innombrables anses en quête des navires noirs.

Enfin nous aperçûmes la flotte vandale massée au milieu d'une baie abritée de la côte ouest. Arthur, presque hors de lui d'impatience, ordonna à nos navires d'accoster un peu plus au nord, hors de vue des Vandali. Hommes, chevaux et provisions n'avaient pas plus tôt débarqué que les navires reprirent la mer… les Bretons étaient trop nombreux pour traverser en une seule fois, de sorte que les vaisseaux devaient faire un deuxième voyage pour aller chercher le reste des guerriers et les quelques provisions supplémentaires que Rhys aurait pu trouver.

Dès que son cheval fut sur la terre ferme, Arthur se retrouva en selle pour guider l'armée dans les terres. « Sais-tu où tu vas, Ours ? » demanda Bedwyr alors que nous franchissions les falaises du bord de mer pour redescendre vers les basses terres boisées.

Arthur trouva la question stupide. « Je cherche le Sanglier Noir, bien sûr.

— Ne devrions-nous pas plutôt chercher Gwenhwyvar et Fergus ? »

Arthur ne se donna pas la peine de tourner la tête pour répondre. « Le Sanglier Noir est désormais à terre et, où il se trouve, nous trouverons ses adversaires. »

Et nous les trouvâmes : l'armée irlandaise — la reine à sa tête — au fond d'une longue vallée, acculée à un escarpement rocheux par la masse hurlante des barbares.

XI

« Dois-je donc me trouver partout à la fois ? » Les yeux bleu acier d'Arthur lançaient des éclairs en parcourant le champ de bataille où les Irlandais encerclés luttaient pour leur vie. « Par la Main qui m'a créé, quelqu'un répondra de cela ! »

Caledvwlch sortit en chantant de son fourreau. Il brandit la grande épée, se dressa sur sa selle, se retourna pour regarder derrière lui et poussa un puissant cri : « Pour le Christ et pour la gloire ! »

Un battement de cœur plus tard, le Vol des Dragons s'élançait à l'attaque. Notre armée était répartie en trois groupes. Arthur commandait les Cymbrogi, Bedwyr les guerriers de l'Ouest et Cai ceux du Sud. À la sonnerie du cor de Cador, nous nous engouffrâmes dans la vallée comme un seul homme... ne nous séparant en nos groupes respectifs qu'au dernier moment, afin que l'ennemi ne puisse prévoir où nous allions frapper.

Les Vandali, enhardis par leurs précédents succès et escomptant une victoire facile contre les Irlandais mal préparés, n'avaient pas posté d'arrière-garde. Arthur, désireux de détourner l'attention des ennemis — et celle-ci l'était si aisément ! — galopa sur eux dans un tumulte épouvantable. Les barbares l'entendirent, se retournèrent et perdirent tout espoir de vaincre. Un coup d'œil aux cavaliers bretons qui fondaient sur eux et ils sombrèrent dans une totale confusion. Le cours de la bataille s'inversa soudain : les premiers rangs vandales, avec leurs chefs de guerre à leur tête, étaient pris au piège derrière la masse de leurs propres guerriers. Et ceux des derniers rangs, plus légèrement armés, se trouvaient confrontés à une attaque féroce sans personne pour les diriger.

Avec la lance et avec l'épée, nous taillâmes dans les rangs ennemis, impitoyables dans notre assaut. Les Cymbrogi poussaient leur cri de guerre, faisant autant de bruit que possible pour annoncer leur arrivée et détourner l'attention du Sanglier Noir.

Je vis l'expression terrorisée de leurs larges visages tandis qu'ils se retournaient sur des jambes vacillantes, leurs armes mollement brandies, et j'eus pitié d'eux. Ils étaient si mal préparés. Je savais néanmoins qu'ils nous auraient tués sans le moindre remords. Le cœur lourd, je frappais ; nous assénions nos coups mortels, repoussant et piétinant les barbares. Leurs hurlements terrifiés étaient amers à entendre.

Un chef de guerre vandale apparut devant moi. Son grand bouclier à bout de bras, il prit son élan et, d'un mouvement circulaire, frappa en direction de la tête de mon cheval. Je tirai de toutes mes forces sur les rênes, faisant cabrer ma monture. L'animal était bien entraîné au combat : un de ses sabots jaillit, atteignant mon adversaire au menton. Sa tête fut rejetée en arrière avec un craquement et il s'écroula, emporté par la vague déferlante de la bataille.

Je sentis une main sur mon bras droit. Baissant les yeux, je vis un guerrier qui s'y agrippait et cherchait désespérément une meilleure prise. Je tirai les rênes sur le côté. Mon cheval fit volte-face et le guerrier qui s'accrochait à moi fut soulevé de terre et projeté dans les airs pour atterrir rudement sur le dos. Il tenta de se relever, mais il n'y parvint pas et retomba, évanoui.

La force de notre charge nous avait portés au cœur de la horde vandale. Entourés de guerriers ennemis en pleine confusion, nous nous enfonçâmes encore plus profondément, nous taillant un chemin à travers leur masse grouillante. Une brume écarlate s'était levée devant nos yeux, l'âcre et écœurante senteur des entrailles fumantes assaillait nos narines.

Je laissai la bride sur le cou à mon cheval et me frayai un chemin avec le plat de mon bouclier, frappant çà et là de mon épée quand l'occasion s'en présentait. La tuerie était facile. Il n'y avait là aucune gloire… s'il y en eut jamais à tuer. Même si, lorsque deux habiles guerriers se rencontrent et que seule la prouesse décide de leur sort, il y a une sorte d'honneur dans l'affrontement.

Les Vandali manquaient d'habileté, mais ils essayaient de le compenser par la force de leur nombre. Cela avait pu leur réussir contre les cités d'Orient encloses de murailles, et contre de moins valeureux défenseurs. Mais le seul nombre ne pouvait suffire pour venir à bout de Cymry entraînés au combat.

Comme Twrch ne pouvait en aucune manière lancer une contre-attaque, il n'avait d'autre choix que de s'enfuir. Le combat, bref et violent, chassa l'ennemi hurlant de rage à l'autre bout de la vallée. Nous le pourchassâmes aussi loin que nous osâmes, mais Arthur fit cesser la poursuite pour ne pas risquer de tomber dans un piège.

Pendant que Meurig et Cador montaient la garde pour prévenir un retour de l'ennemi, les Cymbrogi délivrèrent les Irlandais. Manifestement, notre arrivée avait été providentielle : les Irlandais étaient épuisés, ils vacillaient sur leurs jambes, à peine capables de lever le bras. La plupart de leurs chevaux étaient morts, et beaucoup trop de guerriers.

Gwenhwyvar se tenait au premier rang, son bouclier fendu, ses vêtements maculés de boue et de sang. À côté d'elle, Llenlleawg — l'œil hagard, les lèvres écumantes — étreignait les restes d'une lance brisée, sanglante aux deux bouts.

« Salutations, mon époux », dit Gwenhwyvar lorsque nous arrivâmes parmi eux. Elle leva un bras et s'essuya le front avec sa manche, étalant la poussière et le sang. Son épée était ébréchée et tordue. « J'aurais aimé te réserver un meilleur accueil.

— Noble dame, dit Arthur avec douceur, te revoir saine et sauve m'est une joie suffisante. Es-tu blessée ?

— Non, répondit Gwenhwyvar en secouant la tête, d'une voix rendue caverneuse par l'humiliation et la frustration. Je regrette seulement que tu aies été obligé de nous secourir.

— Pas moitié autant que si je ne l'avais pas fait, répondit Arthur. Comment cela a-t-il pu arriver ? » Il regarda autour de lui, le soulagement cédant rapidement place à la colère. « Où sont les autres seigneurs irlandais ? » demanda-t-il.

La question était pertinente. Je ne voyais que les guerriers que nous avions laissés derrière nous... et beaucoup moins nombreux qu'avant notre départ. Où étaient ceux que Conaire avait promis de rassembler ?

« Ils ne sont pas là », s'écria rageusement Fergus. Il gagna en chancelant l'endroit où nous nous tenions et s'appuya sur sa lance, le souffle court. « Ils ne sont pas là parce que Conaire n'a pas voulu les prévenir. »

Cai était stupéfait. « Pour l'amour de Dieu, pourquoi donc ?

— Conaire pensait vaincre seul les Vandali, expliqua Gwenhwyvar avec un frisson de dégoût involontaire.

— Il ne voulait en partager la gloire avec personne, poursuivit amèrement Fergus. Surtout pas avec un Breton. »

Arthur se tourna pour faire face à Conaire, qui se tenait non loin de nous, l'air furibond. « Est-ce vrai ? » demanda l'Ours de Bretagne.

Le roi irlandais se dressa de toute sa taille. « Je ne le nierai pas, grogna-t-il. Et je les aurais battus, sans la trahison de mes propres chefs de guerre.

— La trahison ? s'exclama Fergus. J'appelle cela de la prudence. Nous nous faisions abattre sur place comme des arbres sous la cognée des bûcherons.

— Je comptais sur toi pour attaquer, rétorqua Conaire. Ta retraite inconsidérée nous a coûté la victoire.

— C'était battre en retraite ou nous faire massacrer ! insista Fergus.

— Cela suffit, gronda Gwenhwyvar. Tous les deux !

— Peut-être n'as-tu pas vu combien de Vandali s'alignaient contre nous ! riposta Fergus. Tu pensais peut-être que le Sanglier Noir allait tourner les talons et prendre ses jambes à son cou quand apparaîtrait le puissant Conaire Crobh Rua ! »

Conaire, le visage de plus en plus cramoisi, hurla : « C'est toi qui as tourné les talons et pris tes jambes à ton cou !

— *Mallacht Déair !* » Fergus cracha par terre.

« Silence ! » rugit Arthur. Tous deux se turent. « Jamais, poursuivit Arthur à voix basse, afin que seuls les chefs pussent entendre, il ne faut vous couvrir de honte devant les hommes qui doivent vous suivre à la bataille. Nous parlerons de ceci en privé. Je vous conseille de ramasser vos blessés et de regagner votre citadelle avant que les Vandali se reprennent. »

Conaire tourna les talons et partit à grands pas. Fergus le foudroya du regard avant de s'éloigner. Gwenhwyvar dit : « Je suis désolée, Arthur. C'est contre ma volonté que nous nous sommes laissés entraîner dans ce...

— ... désastre », termina Arthur à sa place.

Les yeux de Gwenhwyvar lancèrent des éclairs, mais elle déglutit, baissa la tête et accepta le jugement d'Arthur. « C'est de ma faute, déclara-t-elle, rendue humble par la honte. J'aurais dû empêcher cela.

— *Quelqu'un* aurait dû l'empêcher, acquiesça sèchement Arthur. Nous regretterons la perte de ces guerriers, dit-il en parcourant du regard la scène du carnage, les mâchoires serrées. Un cruel gâchis... d'autant plus qu'il était inutile. » Il se retourna vers son épouse et demanda : « À quoi pensais-tu ? »

Gwenhwyvar releva la tête. « Je suis désolée, seigneur », murmura-t-elle. Elle avait les larmes aux yeux.

Alors seulement Arthur se laissa fléchir. Il se détourna et ordonna aux Cymbrogi d'enterrer les morts et de ramasser les blessés. Je m'approchai de Gwenhwyvar. « Il est en colère contre Conaire et il… commençai-je.

— Non, me coupa-t-elle en essuyant ses larmes, il a raison. » Elle inspira profondément et se redressa, prête à la tâche qui l'attendait. Elle ramassa son épée et demanda : « A-t-il toujours raison ? »

Je lui adressai un sourire. « Non, répondis-je doucement. Mais il a rarement tort. »

La citadelle était un fortin abandonné au sommet d'une colline que Conaire avait découvert dans cette région depuis longtemps délaissée : rocailleuse et accidentée, recouverte d'une mince couche de terre improductive, cela faisait bien des années qu'aucun seigneur irlandais ne l'avait revendiquée. Il ne s'y trouvait que de rares villages peu peuplés. Ce qui était tout à l'avantage du Sanglier Noir… il y avait trouvé une retraite sûre à partir de laquelle il pouvait piller les régions plus prospères du nord, sans trop se soucier de la présence de Conaire.

Durant notre absence, le seigneur vandale avait fait main basse sur le bétail et les richesses des bourgades environnantes et détruit les citadelles de trois seigneurs. La plupart des Irlandais s'étaient enfuis hors d'atteinte, vers le nord-est. C'était regrettable, car s'ils étaient partis vers le sud, ils auraient au moins pu avertir de l'invasion les seigneurs de ces régions. Près de douze cents guerriers vandales se dressaient désormais entre nous et le sud, coupant efficacement toute communication et tout secours que nous aurions pu recevoir.

Le fortin délabré n'était pas assez vaste pour abriter les armées bretonnes qui furent contraintes de dresser le camp à l'extérieur, derrière des remblais de terre. Pendant que les rois d'Ynys Prydein veillaient au confort rudimentaire de leurs hommes, Arthur tint conseil avec Fergus et Conaire dans la grange en ruines qui passait en ce lieu pour un palais. La plus grande partie de son toit de chaume avait été emportée par le vent, et un de ses murs était à demi écroulé, mais la cheminée était intacte et la table et les bancs étaient en assez bon état.

Ainsi donc, assis devant nos coupes dans la grande salle, nous écoutions Fergus relater ce qui était advenu depuis notre départ. Le visage d'Arthur s'assombrissait et son regard se faisait plus dur à mesure que Fergus exposait la situation. Après la débâcle de Conaire, Arthur n'était pas porté à l'indulgence. L'Ours de Bretagne fronçait les sourcils, accueillant les nouvelles dans un silence hostile.

Pour sa part, Conaire avait fini par adopter une attitude contrite plus en accord avec la situation : son dos se courbait sous le poids du déshonneur et sa tête se penchait à l'unisson de ses épaules. Il n'avait soufflé mot depuis qu'il était rentré du champ de bataille.

« Demain, dit Arthur avec une fureur contrôlée, nous entreprendrons de contenir l'envahisseur dans la vallée pour l'empêcher de lancer d'autres expéditions ou de s'enfoncer davantage dans le pays. Et *toi*, Conaire Crobh Rua, tu prendras trois de tes meilleurs hommes et tu partiras rallier les seigneurs du sud. »

Le roi irlandais hocha la tête d'un air maussade, mais il ne dit rien.

« Va, maintenant, ordonna Arthur. Cette question est réglée. »

Conaire se leva et, sans regarder à droite ni à gauche, sortit lentement du palais en ruines.

« Tu l'as froissé, Ours, dit Bedwyr quand Conaire fut parti.

— Il s'en remettra, marmonna Arthur. C'est mieux que ce que l'on peut dire de bien des hommes qui lui avaient confié leurs vies.

— Mieux vaut la gifle d'un ami, fit remarquer Fergus, que la lance d'un ennemi. »

Arthur posa sur lui un regard glacial. « Et toi, dit-il d'un ton soigneusement contenu, tu vas te rendre dans les villages environnants — s'il en reste d'intacts — et lever tribut pour nous. Nous n'avons pu emporter que ce que nous avions et il n'y a pas assez à boire ni à manger.

— Ce sera fait. » Fergus se leva et sortit, faisant halte sur le seuil le temps de dire : « Je n'ai jamais été si heureux de voir un homme l'épée à la main qu'en te voyant aujourd'hui, Arthur ap Aurelius. Je te remercie. » Il baissa la tête pour franchir la porte et disparut.

« Mon père a raison, murmura Gwenhwyvar. Sans toi, nous serions tous morts.

— C'est Dieu qu'il faut remercier, lui dit Arthur. Si les vents avaient été contraires, ou si une tempête avait déchaîné les flots… ou bien si j'avais décidé de passer la nuit dans mon lit plutôt qu'au fond d'un navire… » Il regarda son épouse, songeant à ce qui serait arrivé. « Je remercie Dieu que tu sois en vie, dit-il. Nous sommes vraiment fortunés. »

Gwenhwyvar se pencha vers lui, prit sa main droite et la porta à ses lèvres. « Je le sais fort bien, mon époux, chuchota-t-elle. Je le sais fort bien. »

Les seigneurs bretons, qui avaient fini d'installer leurs hommes, se présentèrent alors dans la grande salle. Gwenhwyvar embrassa rapidement Arthur, se leva et sortit. Ses doigts s'attardèrent sur la courbe de ses épaules quand elle passa derrière lui.

Cador prit place au côté d'Arthur. « Tu ne nous avais pas dit que les barbares étaient aussi nombreux, lui reprocha-t-il.

— Si je vous l'avais dit, répondit tranquillement Arthur, vous auriez pu trouver plus tentant de rester chez vous.

— J'aurais au moins eu un lit. » Cador se passa une main dans les cheveux et se frotta la figure. « Ces Vandali sont assurément des créatures d'étrange apparence. »

Un des hommes de Fergus apparut avec des cruches de bière. Il entreprit de remplir les coupes et de les distribuer aux seigneurs à mesure qu'ils s'asseyaient. « Quelle est leur contrée d'origine ? » s'enquit Meurig.

Arthur m'invita à répondre. « Ils viennent de Carthage, où ils ont longtemps vécu, répondis-je. L'empereur d'Orient les en a chassés et maintenant ils se cherchent de nouvelles terres, et du butin à amasser au passage.

— Tu le sais avec certitude ? demanda Owain, songeur.

— Ils ont avec eux un esclave... un prêtre du nom d'Hergest, qui parle notre langue, répondit Arthur. Il nous a appris le peu que nous savons.

— Mais qui sont-ils ? interrogea Ogryvan. Et qui est leur roi ?

— C'est une race nordique, répondis-je, menée par un certain Amilcar, qui se fait appeler Twrch Trwyth, le Sanglier Noir d'Hussa, de Rögat et de Vandalia. C'est un seigneur cupide dont la rapacité n'a d'égal que son orgueil. »

La conversation porta ensuite sur l'absence de toute force irlandaise digne de ce nom. Les rois bretons voyaient la chose d'une œil fort critique et ne se privèrent pas de le dire.

« J'aurais volontiers accueilli un peu plus d'aide de la part des Irlandais, suggéra délicatement Ogryvan.

— De l'aide ? ricana Brastias. Même mes vachers se défendraient mieux tout seuls. Ne peuvent-ils pas se donner la peine de défendre leurs propres terres ?

— Calme-toi, Brastias, prévint Bedwyr. Ils ont reconnu leur erreur. Arthur leur a parlé. La question est réglée. »

Gênés, les seigneurs fixèrent le fond de leurs coupes, et il fallut qu'apparaissent les quartiers de venaison et que commence le repas pour que se détende l'atmosphère. Ce n'était pas un bon début : ils avaient confiance en Arthur, certes, et avaient été jusque-là disposés à étendre cette confiance aux Irlandais. Mais pour combien de temps encore ?

C'était la question qui me préoccupait. Résolu à prendre la chose en main, je laissai les seigneurs à leur repas et me mis à la recherche de Conaire. Je le trouvai assis avec trois de ses chefs auprès d'un feu. Je n'attendis pas d'être invité. « Puis-je me joindre à vous ? » demandai-je.

Conaire leva les yeux et j'entrevis une réelle surprise sur ses traits. « Prends place, dit-il. Tu es le bienvenu, barde. »

Il reporta son regard sur le feu. Je décidai qu'il valait mieux aller droit au but. « Arthur ne retient aucun grief contre toi, Conaire, dis-je. Mais il ne peut chasser les envahisseurs du pays sans l'aide des Irlandais du sud. Il faut que tu t'en charges. »

Conaire hocha sombrement la tête.

« Je sais ce qui s'est passé, poursuivis-je. Tu as vu avec quelle facilité Arthur a repoussé leur première attaque et tu as pensé qu'il en irait de même pour toi.

— C'est juste, répondit Conaire, les yeux rivés sur les flammes.

— Eh bien, il n'y a pas de honte à cela. Certains des meilleurs guerriers que le monde ait jamais connus ont tenté de se mesurer à lui.

— Vraiment ? demanda Conaire en relevant des yeux pleins d'espoir.

— Vraiment, lui répondis-je d'un ton solennel. Les tertres funéraires sont pleins de chefs de guerre saecsens qui pensaient savoir comment vaincre Arthur. »

Mal à l'aise, le roi irlandais se tortilla. « Est-ce donc un dieu, qu'il ne fasse jamais un faux pas dans la bataille ?

— Non, Arthur n'est qu'un homme, lui dis-je. Mais il ne ressemble à nul autre quand il va au combat. Les voies de la guerre lui sont aussi naturelles que boire et manger, Conaire. Son talent est semblable au génie d'un barde et...

— Un barde de la bataille. » Conaire renifla d'un air de dérision.

J'attendis un instant, contenant ma colère. « Moque-toi de moi, Conaire, je ne m'en offusquerai pas. Mais les hommes qui sont morts aujourd'hui sous tes ordres méritaient mieux.

— Ne le sais-je pas ? » Sa voix était douloureuse. « Je suis assis là, la tête entre les mains, et je ne puis penser à rien d'autre.

— Alors, profites-en pour ajouter cette pensée aux autres : tu n'aimes peut-être pas les Bretons...

— Assurément, marmonna un des chefs irlandais.

— Il n'en reste pas moins qu'Arthur a pris de grands risques pour les faire venir, poursuivis-je. Je ne dis pas que vous devriez en être ravis, mais vous pourriez au moins être reconnaissants. »

Conaire haussa les épaules, mais il ne dit rien. Son silence insolent me mit en colère. « Réfléchis ! lui enjoignis-je. Qu'y a-t-il de plus facile : lever une armée et se rendre dans un pays étranger pour affronter un redoutable ennemi, ou bien rester en sécurité dans son propre royaume et jouir des fruits de son règne ? » Tous quatre me fixaient d'un œil morne. « Dis-le moi, si tu le sais. » Le mépris ruisselait de mes paroles.

« Tu exagères, protesta faiblement Conaire.

— Vraiment ? le défiai-je. Si c'est une affaire si insignifiante, dis-moi donc une chose : lequel d'entre vous ferait la même chose pour lui ? »

Le regard de Conaire se posa sur chacun de ses chefs tour à tour avant de se reporter sur le feu. Nul n'osa donner de réponse.

Écœuré par l'orgueil mal placé et l'égoïsme du roi irlandais, je ne voulais plus rien avoir à faire avec lui. Me levant brusquement, je lui conseillai de bien réfléchir à mes paroles. Puis je quittai cette misérable compagnie.

Grande Lumière, ce ne sont que des enfants ! Insuffle en eux la sagesse, affermis leurs cœurs et leurs âmes, car dans la brûlante fureur de la bataille nous avons besoin d'hommes et non d'enfants !

XII

Le lendemain, nous affrontâmes Amilcar et sa horde dans une étroite vallée près d'un lac. Le chef barbare fit montre d'une ruse qu'on ne lui connaissait pas. Au lieu de se contenter de nous submerger sous le nombre, il scinda ses forces en trois et tenta d'attirer la défense bretonne pour la diviser. Toutefois, la manœuvre était maladroite et Arthur éventa facilement le piège. L'attaque, confinée entre les parois abruptes du vallon, échoua rapidement et les Vandali se retirèrent en toute hâte. En cela, ils manifestèrent une sagesse fraîchement acquise.

« Le Sanglier Noir devient prudent, fit remarquer Cai en regardant l'armée vandale quitter la vallée.

— Ces barbares apprennent le respect », suggéra Bedwyr.

Llenlleawg, entendant sa remarque, dit : « Ils apprennent la ruse. Il ne faudra pas longtemps pour qu'ils surmontent leur crainte des chevaux.

— Priez qu'ils n'y parviennent jamais, répondit Arthur. Nos navires vont bientôt arriver, et si Conaire réussit à rallier les Irlandais du sud, nous disposerons peut-être d'assez de guerriers pour écraser le Sanglier et ses marcassins, ou pour les rejeter à la mer. »

Nos navires arrivèrent plus tard dans la journée, avec le reste des hommes et des chevaux, mais seulement une fraction des vivres dont nous avions besoin. « Je suis désolé, seigneur », s'excusa Rhys tandis que nous contemplions le maigre tas de provisions empilé sur la plage. Les hommes pataugeaient dans l'eau, menant les chevaux à terre ou portant des armes. « Je jure que c'est tout ce que j'ai pu réunir. Si j'avais eu le temps d'aller plus loin... » Il laissa sa phrase en suspens. « Je suis désolé.

— Où est la faute ? demanda Arthur. Je ne vois aucun reproche à te faire. Ne crains rien, Rhys.

— Mais c'est une ration ridiculement maigre pour des hommes qui doivent se battre.

— C'est vrai », lui accorda le roi, mais il ajouta d'un ton optimiste : « Cela pourrait toutefois suffire... si la campagne est courte.

— Oh oui, dit Rhys en contemplant le petit monticule d'un air dubitatif, si nous mettons un terme au conflit demain ou après-demain. Les réserves dureront bien jusque-là. »

Nous ne combattîmes pas Twrch le lendemain, ni le surlendemain — même si nous surveillâmes l'ennemi de près. Arthur disposa des sentinelles en un large cercle autour du campement vandale et les chargea de nous avertir du moindre mouvement, de jour comme de nuit... leur demandant aussi de nous rapporter du gibier pour la marmite. Le troisième jour, comme le Sanglier Noir refusait toujours la confrontation, Arthur se fit soupçonneux.

« Qu'attend-il ? se demanda le roi. Que peut-il avoir en tête ? Il doit savoir que plus il retarde le moment de l'affrontement, plus nos forces s'accroissent. »

Et, de fait, Conaire arriva le lendemain avec cinq rois irlandais et leurs armées... plus de neuf cents hommes en tout, dont malheureusement moins de la moitié à cheval. Cela portait le nombre des défenseurs à près de deux mille. Arthur fut fort aise de l'aide des seigneurs du sud. Malheureusement, ils semblaient être venus les mains vides, s'attendant à être ravitaillés par les Bretons.

« Je t'adresse mes félicitations, Conaire, le salua Arthur à haute et élogieuse voix devant ses frères rois. Tu as grandement accru notre nombre. Je ne doute pas qu'avec un tel soutien nous chasserons bientôt l'ennemi de vos terres.

— Et il vaudrait effectivement mieux que ce soit bientôt, ajouta Gwenhwyvar. Nous n'avons qu'un jour de vivres pour nos guerriers, et encore moins si nous devons les partager avec vous. »

Le front de Conaire se plissa et son sourire flatté s'effaça de ses lèvres. « Vraiment ? » Il pivota d'un air accusateur vers Arthur. « Je pensais que tu apporterais des provisions avec toi.

— J'ai apporté tout ce que j'ai pu réunir, répondit Arthur. La paix ne règne en Ynys Prydein que depuis fort peu de temps : la guerre a été longue et nos greniers sont encore vides.

— En outre, poursuivit Gwenhwyvar d'un ton sévère, ce n'est pas la guerre de la Bretagne. Espérais-tu que les Bretons nous nourriraient, en plus de se battre pour nous ? » Elle lui lança un regard méprisant. « Vois-tu, Conaire au Poing Serré, tu vas devoir ouvrir tes coffres vermoulus et te séparer d'une partie de ton trésor. »

Conaire roula des yeux et gonfla les joues. « Les richesses d'Uladh ne te concernent en rien, femme ! bafouilla-t-il. Eh quoi, n'y a-t-il plus de gibier dans les collines ni de poissons dans les lacs ?

— Si nous perdons notre temps à pêcher, rétorqua Gwenhwyvar en haussant son joli sourcil d'un air menaçant, nous ne pourrons pas nous battre. Ou bien te proposes-tu de terrifier les Vandali en leur agitant des filets sous le nez ? » Elle tourna dédaigneusement le dos sans lui laisser le loisir de répliquer.

« Ah ! Quelle terreur à la langue acérée, marmonna l'Irlandais. Si elle n'était reine... » Il jeta un coup d'œil à Arthur et ne termina pas sa pensée. Les seigneurs du sud nous rejoignirent alors et Conaire s'efforça de faire bonne figure.

« C'est la pure vérité, lui dis-je, nous manquons de nourriture. Puisque ceci est ton royaume, Conaire, nous devons nous tourner vers toi pour nous en fournir. »

Conaire, toujours cuisant sous le fouet des reproches de Gwenhwyvar, ne voulut pas paraître mesquin sous le regard attentif des nobles de Connacht et de Meath. Il se redressa de toute sa taille. « Ne crains rien, dit-il généreusement. Reste ici et vois ce que je vais faire. Personne ne manque de rien quand Conaire Main Rouge est là.

— Je m'en remets donc à toi », dit Arthur. Il se tourna vers les seigneurs du sud et les salua, puis il se présenta : « Je suis Arthur, roi des Bretons, et mon compagnon est Myrddin Emrys, Chef Barde de Lloegres, de Prydein et de Celyddon.

— Assurément, les noms d'Arthur et de l'Emrys ne nous sont pas inconnus, répondit un des rois. Je suis Aedd, des Ui Neill. Je suis cousin de Fergus et j'ai grand plaisir à te saluer, Arthur, roi des Bretons. Mes hommes et moi sommes à ton service et prêts à nous ranger sous tes ordres. » Puis il inclina la tête en marque de respect.

Se tournant vers moi, il dit : « Mais il y a sûrement là une erreur : tu ne peux être cet Emrys célébré dans les contes. Je te pensais chargé d'années, mais je ne vois ici qu'un tout jeune homme. »

Aedd parlait avec tant de délicatesse et de simplicité que nous en conçûmes aussitôt, Arthur et moi, une vive sympathie pour lui. « Ne laisse pas les apparences te tromper, seigneur Aedd. Le vieil homme des contes et moi-même ne faisons qu'un. »

Aedd exprima son étonnement. « C'est donc vrai ! Tu es bien un Prince de l'Autre Monde.

— Ceux de mon peuple portent les années plus aisément que la plupart, je ne puis le nier. Mais, tant que nous vivons, nous foulons le sol de ce monde et non d'un autre, lui dis-je. Donc, au nom de Celui qui nous a tous créés, j'ai plaisir à te saluer. »

Les autres seigneurs se rapprochèrent alors, impatients de nous saluer. Aedd, au grand dam de Conaire, prit sur lui de les présenter : Diarmait, Eogan des Ui Maine, Illan et Laigin — quatre hommes jeunes et vigoureux, pleins d'aisance et confiants en leurs capacités. Tous jouissaient manifestement d'une fortune confortable : ils portaient des manteaux vivement colorés — à rayures rouges et bleues, jaune genêt et vert émeraude — et pour torques de lourds tortillons d'or entremêlés qui auraient pu, avec leurs bagues et leurs bracelets, entretenir la maisonnée d'un gouverneur, leurs bottes et leurs ceintures étaient de bon cuir et les épées qu'ils avaient à la hanche de bon acier, longues et bien affilées.

Tous les cinq faisaient preuve de la tranquille assurance allant de pair avec leur fortune. Je ne le leur reprochais pas. Je n'oubliais pourtant pas que Conaire, malgré toute sa confiance en lui, était désastreusement inefficace. Mais, me dis-je, si la seule fanfaronnade avait pu venir à bout de la horde vandale, nous n'aurions pas eu à porter la main à l'épée.

Chacun des chefs irlandais s'inclina devant Arthur, saluant sa renommée et se plaçant sous ses ordres. Aedd et Laigin, beaux hommes aux cheveux noirs, semblaient particulièrement désireux de s'assurer ses bonnes grâces. Cela fit grand plaisir à Arthur, et ne passa pas non plus inaperçu de Conaire. Plus cette affinité naturelle entre Arthur et ses frères irlandais se faisait sentir, plus Conaire se montrait réprobateur et distant.

Les nobles Bretons et Irlandais dînèrent ensemble ce soir-là. Et bien que le repas fût loin d'être somptueux, ce devint un festin dans la chaleur de leur amitié naissante. Les rois irlandais ne cessaient de presser les Bretons de questions sur la chasse et les chevaux, les batailles gagnées ou perdues, les affaires de royauté et de gouvernement. Ils se disaient enchantés de tout ce qu'ils apprenaient. De leur côté, les Bretons étaient agréablement surpris par leurs compagnons irlandais.

La plupart étaient arrivés animés d'une rancune tenace, si ce n'est d'une franche hostilité envers les hommes de cette île. Comme je l'ai dit, eux ou leurs pères avaient trop souvent affronté les pillards irlandais pour en avoir une bonne opinion. Et ce n'étaient pas le piètre comportement et les mauvaises manières de Conaire qui les avaient fait remonter dans leur estime. Ils n'étaient venus que par considération pour Arthur, et non poussés par quelque bienveillance envers les habitants d'Ierne. Mais maintenant, assis côte à côte à cette table vermoulue sous un toit crevé à travers lequel les contemplaient les étoiles, les seigneurs bretons, comme Arthur avant eux, sentaient naître entre eux et les chefs irlandais une sincère affection.

Et ce n'était pas la boisson qui en était responsable : nous en avions tout juste assez pour nous humecter la langue à la coupe de bienvenue et notre réserve de bière était épuisée. C'était bien plutôt le charme inné des enfants de DeDannan : leurs aimables flatteries étaient agréables à écouter. Comme leur musique — qu'ils avaient, avec presque tout le reste, dérobée des années plus tôt en Ynys Prydein — leurs propos dansaient et s'entrelaçaient en motifs d'une élégante complexité qui enchantaient à la fois l'âme et l'oreille.

« Écoute comme ils parlent. C'est ainsi que s'expriment les anges, assurément, s'extasia Cai, fasciné par la fluidité de leur langage.

— Ils tissent une belle laine, acquiesça Bedwyr, mais il ne faut pas la laisser t'aveugler, Cai. » Il hésitait toujours à leur offrir son amitié : ayant grandi sur la côte ouest de la Bretagne, le souvenir des effusions de sang était encore vif en lui.

Laigin, assis en face de lui, avait entendu sa remarque. « N'as-tu pas honte ? dit-il avec un large sourire. Est-ce pour me briser le cœur que tu parles ainsi ?

— Je te plains, l'ami, répondit Bedwyr, si ton cœur se brise aussi facilement. La vie doit t'être une torture perpétuelle. »

Laigin éclata de rire. « Je t'aime bien, Bedwyr. Et s'il me restait une goutte au fond de ma coupe, je boirais à la santé du Brillant Vengeur de Bretagne. » Il éleva sa coupe vide à deux mains. « Au plus noble guerrier qui ait jamais tiré l'épée ou brandi la lance ! »

Bedwyr, posant les coudes sur la table, se laissa prendre à la flatterie de Laigin. « Il me semblerait que tu n'aies besoin de rien dans ta coupe, répondit-il, car les seuls mots suffisent à t'égayer.

— Il est effectivement ivre, fit remarquer Cai d'un ton sec, s'il pense que c'est *toi* le plus noble guerrier sous ce toit.

— Une nouvelle fois, je suis blessé, déclara Laigin en se posant une main sur le cœur.

— Eh bien, dit Bedwyr, je suppose qu'il nous faut offrir quelque remède à cette blessure. »

À ces mots, Laigin se pencha en avant. Je compris que nous en étions arrivés au cœur des préoccupations du jeune seigneur… et avec quelle adresse il avait orienté la conversation.

« Accorde-moi l'honneur de chevaucher demain à ton côté dans la bataille, dit Laigin en prenant l'air d'un petit garçon qui quête l'approbation de son père.

— Si cela peut te consoler… commença Bedwyr.

— Cela m'encouragerait merveilleusement, répondit vivement Laigin.

— Alors, soit. » Bedwyr leva la main en signe d'assentiment. « Si tu manies l'épée avec autant de vivacité que ton esprit, nous serons les plus redoutables guerriers de tout le champ de bataille. »

D'un reniflement dédaigneux, Cai montra ce qu'il pensait de la chose. De sa place, Aedd prit alors la parole et je m'aperçus que j'avais suivi toute la conversation sans en perdre un mot. « Qu'ils se consolent avec leur pitoyable illusion s'ils le peuvent, frère Cai, dit-il. Ne leur prête pas attention. Seulement permets-moi de chevaucher à ton côté et nous montrerons à tous ce que peuvent accomplir des hommes qui savent se servir d'une lance.

— Bien parlé, mon ami irlandais ! rétorqua Cai en frappant la table du plat de la main. Que l'ennemi prenne garde.

— Et l'ami aussi », dit Bedwyr.

Ils se lancèrent alors dans une amicale joute verbale pour savoir qui se comporterait le mieux au cours de la bataille du lendemain, enchaînant vantardise sur vantardise. Je regardai tout le long de la table et vis les autres nobles bretons et irlandais plongés, tête à tête, dans d'aussi affables discussions, tandis qu'Arthur et Gwenhwyvar présidaient à cette joyeuse assemblée, encourageant d'un œil bienveillant la concorde naissante.

Grande Lumière, puisse la fraternité se répandre ! Envoie ton doux esprit apaiser les blessures et les griefs du passé.

Quand nous nous levâmes enfin de table pour gagner nos lits, c'était comme si nous nous étions découvert des parents plus proches que ceux que nous avions laissés derrière nous. De tous les seigneurs présents, seul Conaire n'était pas de meilleure humeur en quittant la table qu'en y prenant place. Le serpent de la jalousie avait planté ses crocs acérés dans sa chair.

Nos guerriers parés au combat, et nos réserves de nourriture au plus bas, nous n'attendîmes pas que le Sanglier Noir repasse à l'attaque. Quoique nous fussions toujours dramatiquement inférieurs en nombre, Arthur, déterminé à tirer le meilleur parti de la confusion engendrée par nos chevaux, proposa une nouvelle expédition nocturne.

Durant toute la journée, guidés par les rapports de nos espions, nous prîmes position dans les collines basses encerclant le campement des Vandali. Furtivement, tels des fauves attachés à leur proie, nous rassemblâmes lentement nos forces en silence pour l'assaut. Quand le soleil plongea sous l'horizon, nous étions prêts à bondir.

Le soir tomba, mais même lorsque le manteau de la nuit se fut étendu sur la vallée, le ciel demeura clair. Arthur s'accroupit sous le couvert d'un orme à flanc de colline, arrachant distraitement des brins d'herbe sur le sol tout en surveillant les feux ennemis. Étirés le long des crêtes tout autour du camp, invisibles dans la pénombre, nos guerriers attendaient le signal d'Arthur.

La nuit était paisible. Nous entendions les bruits qui parvenaient du campement à nos pieds, où les ennemis préparaient le repas du soir : le tintement des ustensiles de cuisine, le murmure des voix autour du feu… les bruits anodins de la vie de tous les jours. Les Vandali étaient des êtres humains, après tout, fort semblables à nous.

« Je n'ai pas voulu cela », murmura Arthur au bout d'un moment. Ses pensées suivaient le même cours que les miennes.

« Amilcar l'a voulu, lui rappelai-je. Tu lui as laissé le choix.

— Vraiment ? » Il recracha le brin d'herbe qu'il était en train de mâchonner.

La lune finit par se lever, répandant une douce lumière argentée sur la vallée. Une fraîcheur s'installait dans l'air à mesure que se dissipait la chaleur de la terre. Derrière nous, impatients d'aller au combat, nos guerriers commençaient à trouver pesante la nécessité de rester immobiles et silencieux.

Arthur attendait toujours.

La lune poursuivait sa lente course régulière dans les cieux et, petit à petit, les bruits du camp ennemi se taisaient. Le regard aux aguets dans le noir, Arthur demeurait accroupi, muet et immobile comme une montagne. Pourtant je sentais son agitation intérieure… ou ne faisais-je que l'imaginer ? Il me semblait malgré tout qu'il luttait intérieurement, doutant de la sagesse de la voie qu'il suivait. Et donc qu'il hésitait.

Devinant ses pensées, je dis à voix basse : « Le plan de bataille est bon. C'est l'attente qui te fait douter. »

Il se tourna vers moi. Je vis son regard dur et luisant au clair de lune. « Mais je ne doute pas, répondit-il.

— Dans ce cas, pourquoi hésites-tu ?

— Si j'hésite, c'est par certitude, non par doute. Notre attaque sera un succès. » Il tourna les yeux vers la vallée et scruta les ténèbres... tel un marin tentant de sonder des profondeurs inconnues.

« Une étrange cause d'inquiétude, fis-je remarquer pour essayer de lui rendre courage.

— Je te dis la vérité, Myrddin », répondit-il, et bien qu'il parlât à voix basse, j'entendis l'acier tranchant de ses paroles. « Je redoute cette victoire, car je n'arrive pas à voir ce qui suivra. » Il se tut et je crus qu'il ne dirait plus rien. Mais au bout d'un moment il reprit : « De chacun de nos actes découle une infinité de conséquences et, dans tout conflit, le cours des événements peut suivre deux chemins différents. Toujours, avant de tirer l'épée, j'essaie de voir lequel offre la meilleure solution et j'oriente la bataille dans cette voie si je le peux. » Il se tut de nouveau et j'attendis, le laissant en venir où il voulait sans le presser. « Ce soir je regarde, poursuivit-il enfin, mais je n'arrive pas à voir où peuvent mener l'un et l'autre de ces deux chemins.

— Et cela te fait peur ?

— Oui.

— Alors, je me sens grandement encouragé, avouai-je.

— Vraiment ? » Il me regarda à nouveau attentivement.

« Oui, répondis-je, car cela me dit que tu n'es que de chair et de sang, tout compte fait, Arthur ap Aurelius, même si certains commencent à croire le contraire. »

Je vis ses dents étinceler dans le noir quand il sourit. Il se leva brusquement et tendit le bras pour aider à me relever. « Alors, viens, barde désobligeant, dit-il. Il est temps de découvrir quel chemin nous devons prendre... en espérant que Dieu viendra à notre rencontre. »

LIVRE TROISIÈME

LA GUERRE OUBLIÉE

I

Vous tous qui posez aujourd'hui les yeux sur ce pays et qui poussez vos plaintes impies, répondez-moi : où étiez-vous lorsque le Sanglier Noir fouaillait notre sol sacré de son groin et ébranlait les collines d'Ynys Prydein de ses immondes grognements ?

Répondez ! Vous qui, du haut des remparts de votre esprit supérieur, scrutez ce qui se passe dans le monde et portez sur tout un jugement, osez dire que vous aviez prévu le désastre. Je vous en défie ! Expliquez-moi, ô Abîmes de Sagesse, comment nous aurions pu l'éviter.

Ô Puits de Science, qui considérez la calamité de Twrch Trwyth à l'abri de votre vaste intelligence, dites-moi : aviez-vous aussi prévu la Mort Jaune ?

Quand la terrible Comète est passée sur l'Île des Forts et a cinglé Lloegres de sa queue, où vous trouviez-vous ? Voulez-vous que je le dise ? Vous aviez fui en Armorique !

Qui a abandonné aux barbares le pays de votre naissance ? Qui a laissé sans défense vos rivages ? Qui a tourné le dos à la Bretagne aux jours de péril et de terreur ? Pas Arthur.

De quoi vous plaignez-vous ? Pourquoi le critiquez-vous aujourd'hui ? J'exige une réponse ! Dites-moi : pourquoi importunez-vous les cieux par vos offensantes prétentions ?

Les arguties des félons sont miaulements de chat malade. Elles ne veulent rien dire… elles ne font que dénoter un esprit mesquin, animé de malveillance perverse et pourri de jalousie. Les âmes pusillanimes dénigrent toujours ceux qui, lorsque se lève le jour du combat, arment leur cœur de courage et jettent la prudence aux quatre vents. La peur est le premier ennemi de l'homme, et aussi son dernier.

Écoutez-moi, maintenant, je vous le dis, en vérité : vainquez votre peur et votre récompense sera assurée.

Ce soir-là, Arthur chercha la lumière le long des chemins obscurs du conflit et ne trouva que la peur. Mais, fidèle à lui-même, il surmonta sa peur et s'arma de foi. Ainsi, tout ce qui survint par la suite lui sera à jamais compté pour vertu. C'est là une chose que les âmes mesquines ne peuvent comprendre.

Nous triomphâmes, cette nuit-là, mais notre victoire sema les graines d'une amère moisson. Nous arrachâmes la liberté pour l'île d'Eiru, mais à un prix énorme pour Ynys Prydein. Car la délivrance d'Ierne annonçait une douloureuse épreuve pour la Bretagne.

Au signal d'Arthur, Rhys lança une brève et éclatante sonnerie de cor, et il ne lui fut pas répondu moins de sept fois autour de la vallée. À la deuxième sonnerie, nous poussâmes nos chevaux au galop. Nous plongeâmes dans la vallée, tombant comme l'éclair d'un ciel sans nuages.

Nous fondîmes sur le campement endormi. Les Vandali, habitués à vivre dans un état de guerre permanent, réagirent promptement. Jaillissant hors de leurs tentes, ils se précipitèrent en hurlant sur leurs armes pour se jeter dans la bataille. Ce fut alors qu'apparut une fois de plus le génie d'Arthur.

Car, en attaquant de tant d'endroits différents, il avait émietté les forces ennemies, les contraignant à rester sur la défensive. Bien que chacun de nos détachements de cavalerie fût petit, la horde immense des barbares ne pouvait se permettre d'en ignorer aucun, car la moindre défaillance était sévèrement punie. Le Sanglier Noir et ses seigneurs ne pouvaient ni se regrouper ni concentrer leurs défenses, et se voyaient ainsi privés de l'avantage conféré par leur nombre. Les assaillants, rapides et mobiles, frappaient et se retiraient pour frapper de nouveau.

Cette tactique n'aurait pas réussi en plein jour. Mais elle était parfaitement adaptée à une attaque nocturne, lorsque l'obscurité amplifie la confusion ordinaire de la bataille en une force impétueuse dotée d'une vie propre. Arthur manipulait cette force, s'en servait comme d'une arme. Une harpe qui chante sous la caresse d'un vrai barde n'est qu'une pauvre et chétive chose comparée à la chanson d'une épée entre les mains d'Arthur. Et j'en étais transporté.

Je chevauchais à sa droite, Gwenhwyvar et Llenlleawg à sa gauche. Cador et Meurig nous suivaient avec leurs armées. De temps en temps, j'entrevoyais fugitivement les autres armées qui venaient battre comme des vagues contre la ligne de défense barbare. Les ordres d'Arthur étaient de résister à la tentation de nous mesurer de front à l'ennemi, de sorte que nous n'assénions que des coups rapides, rompant l'engagement avant que les Vandali ne puissent rassembler leurs forces pour nous encercler.

Arthur scrutait sans cesse la masse houleuse des combattants pour tenter d'apercevoir l'étendard du Sanglier Noir : s'il parvenait à repérer Twrch Trwyth, il ne laisserait pas passer l'occasion de croiser le fer avec le chef des Vandali. La fortune du combat en ayant décidé ainsi, Arthur obtint sa chance. Car, lors de l'une de nos brèves incursions, je vis l'étendard au sanglier se dresser devant nous et, au même instant, j'entendis le sauvage cri de guerre d'Arthur, qui me dépassa au grand galop. Je talonnai ma monture pour ne pas me laisser distancer. À la lueur du feu, je vis étinceler l'épée de Llenlleawg qui frappait au même rythme qu'Arthur.

Tous deux s'enfoncèrent dans la masse grouillante des barbares. Me tournant sur ma droite, je vis Gwenhwyvar qui s'efforçait de les suivre. « Noble dame ! criai-je. Par ici ! »

Elle se retrouva aussitôt près de moi et, ensemble, nous nous élançâmes à l'assaut de la muraille humaine hérissée de lances. Je frappai de mon épée, mon bras s'élevant et retombant régulièrement, ma lame chantante se taillant un chemin à travers la mêlée opiniâtre. D'un seul coup la foule s'ouvrit devant moi et je vis l'immense chef vandale entouré de sa garde et Arthur sur sa monture cabrée, Caledvwlch teintée de sang à la main.

Twrch Trwyth, ivre de rage, les yeux réduits à de simple fentes haineuses, soutint l'attaque. Il bondit, visant Arthur à la gorge de sa lance.

Mais l'Ours était vif. Sa lame jaillit. L'arme du Sanglier Noir fut tranchée net et sa pointe tournoya au loin. Désarmé, Amilcar recula, abrité derrière son bouclier. Arthur asséna sur celui-ci un coup à rompre les os. Puis un autre, et encore un autre.

Le chef vandale recula en vacillant. Je le vis trébucher tandis que sa garde se portait en avant pour l'entourer. Puis le flux de la bataille l'emporta. Les ennemis grouillaient autour de nous : nous n'avions d'autre choix que de rompre l'engagement ou nous faire jeter à bas de nos selles. Nous battîmes donc en retraite.

Nous nous regroupâmes juste hors de portée de leurs lances. « Je l'avais ! s'écria Arthur, au comble de la frustration. Tu as vu ? Je l'avais !

— J'ai vu, dit Gwenhwyvar. Tu l'as blessé, Arthur. Il est tombé.

— Oui, il est tombé, confirma Llenlleawg. Mais je ne pense pas qu'il soit blessé.

« — J'étais si près ! » s'exclama Arthur en se frappant la cuisse. Son bouclier résonna contre son bras. « Je l'avais à ma merci !

— Il ne t'échappera plus longtemps, dit Gwenhwyvar. Peu d'hommes qui ont senti la morsure de l'Ours de Bretagne ont survécu pour en parler. »

Cador arrêta son cheval près de nous. « Dommage. Tu auras une autre occasion, Artos.

— Si cela doit arriver, répondit Arthur en parcourant la mêlée du regard, ce sera lors d'une autre bataille. Celle-ci est terminée.

— Terminée ? protesta Cador. Artos, nous venons juste de commencer.

— Et l'ennemi commence à se remettre de sa surprise. » Il pointa son épée. « Bientôt Twrch va se rendre compte qu'il peut nous repousser. Je préfère être loin quand cela arrivera. »

Nous regardâmes la ligne de front. Partout, les Vandali passaient à l'offensive. Enfin enhardis, ils ripostaient : le cours de la bataille s'inversait. Il était temps de se retirer.

« Rhys ! cria Arthur. Le cor ! Sonne la retraite ! »

Donc, le son de la corne de chasse résonnant à nos oreilles, nous nous enfuîmes sur les longues pentes pour nous enfoncer dans la nuit. Nous fîmes halte sur la crête de la colline et nous retournâmes pour contempler notre ouvrage de la soirée. Le camp ennemi était plongé dans la plus totale confusion : les tentes brûlaient, les hommes couraient en tous sens en poussant des hurlements. Tout autour, en revanche, le sol était recouvert d'un amoncellement de cadavres silencieux.

« La victoire, murmura Arthur. Cela vous enfle le cœur de fierté, n'est-ce pas ?

— Amilcar va comprendre qu'il ne peut parvenir à ses fins, répondis-je. Il se pourrait que tu aies sauvé ce soir de nombreuses vies.

— Prions Dieu que tu aies raison, Myrddin », répondit le roi. Puis, tournant bride, il redescendit la colline, laissant derrière lui la vallée.

Nous ne retournâmes pas à la forteresse abandonnée mais nous reposâmes près d'une rivière non loin du champ de bataille. À l'aube, un des éclaireurs qu'Arthur avait postés pour surveiller la horde ennemie vint nous réveiller.

« L'ennemi lève le camp, seigneur, dit le cavalier. Il semble s'en aller.

— Allons voir », dit Arthur. En plus de Cador et de moi, il invita, en un geste de réconciliation, Conaire à l'accompagner. Nous atteignîmes la crête de la colline surplombant le camp vandale au moment où le jour se levait, écarlate.

Nous regardâmes dans la vallée, le soleil naissant dans les yeux, et vîmes une colonne de guerriers quitter le campement pour s'éloigner vers l'ouest en suivant le torrent. Bientôt toute l'armée des envahisseurs fut en marche, s'écoulant telle une sombre rivière en direction de la mer.

« Ils partent, déclara Cador. La victoire t'appartient, Artos ! Tu les as vaincus. »

Penchant la tête sur le côté, Arthur contempla longuement la marée humaine qui refluait. Quand il se retourna enfin, il dit simplement : « Suivez-les ! »

Puis nous revînmes, Arthur et moi, auprès de nos guerriers, laissant Cador, Conaire et l'éclaireur surveiller la retraite de l'ennemi. Les rois et les seigneurs attendaient les nouvelles et Arthur ne perdit pas de temps : « Il semblerait que les barbares quittent la vallée. J'ai demandé à Cador et à Conaire de les suivre et de revenir nous informer de ce qu'ils font. »

Nous nous installâmes donc pour attendre. Les hommes entretenaient leurs armes et pansaient leurs blessures, accueillant avec joie ce répit. Au milieu de la matinée, Fergus arriva sous les acclamations générales avec les provisions qui nous faisaient tant défaut et un petit troupeau de bétail sur pied. Il chargea ceux qui l'accompagnaient de distribuer la nourriture et vint nous trouver. Ciaran, le prêtre, était avec lui.

« Qu'entends-je ? demanda Fergus, bafouillant presque dans son excitation. L'ennemi est en déroute ? C'est ce qu'on vient de me dire. Est-ce vrai ?

— C'est ce qu'il semblerait », lui confirma Gwenhwyvar. Elle se leva et accueillit son père d'un baiser. « Le Sanglier Noir a quitté la vallée… Conaire et Cador le suivent pour savoir où il va.

— Et me voici avec assez de viande et de grain pour passer tout l'été, feignit de se plaindre Fergus. Que vais-je en faire, maintenant ?

— La nourriture n'en est pas moins la bienvenue, lui dit Cador. L'attente ouvre l'appétit. Je meurs de faim.

— N'en dis pas plus, mon ami. » Fergus se retourna pour donner un ordre, et aussitôt des hommes accoururent avec du pain, des quartiers de viande rôtie et des outres de bière. Le seigneur irlandais avait, semblait-il, saisi le pain dans les fours et la viande sur les broches, ramassant la moindre miette sous la table de ceux dont il avait obtenu l'aide.

« Oh, ils étaient ravis de l'offrir, expliqua Fergus quand Bedwyr s'étonna de ces surprenantes largesses. Une fois que j'ai eu suffisamment éveillé leur sympathie, ils n'avaient pas assez à me donner. Dieu les bénisse.

— Fergus mac Guillomar ! s'écria Gwenhwyvar. Aurais-tu volé les sujets de Conaire ?

— Pfft ! s'indigna Fergus. Tu me blesses, ma fille ! Ai-je jamais volé la moindre bouchée ? Non. » Il regarda autour de lui et, voyant que fort peu le croyaient, en appela à Ciaran. « Dis-leur, prêtre. Tu étais là.

— C'est vrai, affirma Ciaran. Tous ont librement donné. Mais, sur ma vie, je ne comprends toujours pas comment il se fait que ceux qui étaient les plus réticents au début ont donné la plus grosse part à la fin. »

Fergus arbora un large sourire. « Ah, c'est mon charme personnel. Il m'apparaît que, lorsqu'un homme a bien compris ce que l'on attend de lui, il est plus qu'heureux de vous obliger.

— Et la présence de guerriers en armes massés à sa porte n'a rien à y voir, je suppose, dit Gwenhwyvar.

— Ma fille, ma fille, la réprimanda Fergus, t'attendrais-tu à me voir courir le pays sans protection ? Réfléchis un peu. J'ai chevauché en compagnie de robustes guerriers… je l'avoue sans détours. Sans cela, comment aurais-tu voulu que je me défende contre les Vandali et que je rapporte les vivres confiés à ma garde ? »

Tous éclatèrent de rire, fort amusés par l'explication de Fergus. « Ami Fergus, dit Arthur, quelle que soit la façon dont tu t'es procuré la viande et la bière, elles sont plus que bienvenues. Je te remercie, et ne puis que louer ta diligence.

— Tu es bien bon de me féliciter ainsi, répondit le roi irlandais. J'aurais néanmoins préféré être ici avec toi la nuit dernière. J'ai raté une bonne bataille, me semble-t-il. Si seulement j'avais pu y assister.

— Eh bien, j'y étais, lui dit Cai. Et en vérité, je te le dis, la mousse de cette coupe est un spectacle bien préférable à mes yeux que tout ce que j'ai pu voir hier soir. »

La journée s'annonçait une fois de plus torride et sans nuages. Après leur repas, les guerriers s'étendirent pour dormir, cherchant abri où ils le purent sous les arbres et les buissons environnants. Et ainsi passâmes-nous le temps, dans l'attente du retour de Conaire et de Cador.

Ce ne fut pas avant le lendemain, au crépuscule, que nous les revîmes. Les deux seigneurs et leur éclaireur surgirent d'un flamboyant coucher de soleil, assoiffés et affamés, après avoir chevauché sans discontinuer pour nous avertir que la horde barbare avait rembarqué et hissé les voiles.

II

« Ils savent qu'ils ne peuvent lutter contre nous, plastronna Conaire. Nous les avons chassés. » Les nobles manifestèrent leur accord : la plupart des seigneurs voyaient le départ des barbares comme un signe de bon augure. Ce n'était pas le cas d'Arthur.

« Le Sanglier Noir n'a pas abandonné le combat, leur dit le Grand Roi. Il est simplement parti chercher ailleurs un butin plus facile.

— Qu'en avons-nous à faire ? rétorqua Brastias. Il a quitté Ierne, c'est tout ce qui importe.

— Vraiment ? » Arthur se tourna vers le seigneur indiscipliné. « Amilcar est déjà parti... uniquement pour réapparaître un peu plus loin sur la côte. » Il fit signe aux seigneurs irlandais. « C'est vous qui connaissez le mieux votre île, leur dit-il, par conséquent vous devez patrouiller le long des côtes pour découvrir où est allé le Sanglier Noir.

— Cela prendra du temps, prévint Conaire. Il y a plus de criques que d'étoiles dans les cieux.

— Alors il faut partir au plus vite », lui ordonna Arthur. Après une brève discussion, il fut décidé que chaque roi, à la tête d'un groupe de six hommes, explorerait une portion du littoral, faisant ainsi le tour complet de l'île. Il reviendrait ensuite au plus vite faire son rapport. Pendant ce temps, les navires d'Arthur sillonneraient les mers — les uns se dirigeant vers le nord avant de contourner les promontoires et de redescendre vers le sud par les détroits, les autres vers le sud en suivant la côte ouest avant de remonter le long de la côte est.

« C'est un plan fort inélégant », déclara Arthur tandis que le premier groupe de reconnaissance quittait le camp. Il se tut, le front plissé, regardant partir les cavaliers. « Mais Dieu sait que je n'en vois pas d'autre.

— Il n'y en a pas d'autre, répondit Bedwyr. Tu as choisi la ligne de conduite la plus prudente et nous ne pouvons rien faire tant que les éclaireurs ne sont pas revenus. Écarte cela de ton esprit, Ours. »

Mais Arthur ne pouvait penser à rien d'autre. Les jours passèrent... et Dieu sait comme ils peuvent s'écouler avec une lenteur exaspérante pour celui qui attend. Au bout de six jours, Arthur posta des sentinelles sur les hauteurs pour surveiller les quatre points cardinaux, les chargeant de nous avertir sitôt qu'elles verraient quelqu'un revenir.

Pendant que le camp s'installait dans l'attente, le Grand Roi arpentait les alentours... tel un ours inquiet : il mangeait peu et dormait encore moins, de jour en jour plus irritable. Gwenhwyvar et Bedwyr essayaient de l'apaiser mais, comme leurs tentatives échouaient les unes après les autres, ils vinrent me soumettre le problème.

« Une telle inquiétude n'est pas bonne pour lui, assurément, dit la reine. Myrddin, tu dois faire quelque chose.

— Que supposes-tu que je puisse faire dont vous ne soyez capables ?

— Parle-lui, suggéra Bedwyr. Il t'écoute toujours.

— Et que voudriez-vous que je lui dise ? rétorquai-je. Dois-je dire : Ne t'en fais pas, Arthur, tout ira bien ? Il a raison de s'inquiéter. Amilcar nous a mis dans une situation périlleuse et Arthur le sait. Réfléchis, Bedwyr : nous ne pouvons partir d'ici tant que nous ne savons pas où est allé le Sanglier. Pendant ce temps, les barbares sont libres de frapper où ils veulent.

— Je le sais bien, répondit Bedwyr d'un ton glacial. Je voulais simplement dire que cela ne fait aucun bien à Arthur de ressasser ce genre de pensées.

— C'est le roi ! Ne devrait-il pas s'inquiéter pour les siens ? » répondis-je.

Bedwyr roula des yeux. « Ah, les bardes !

— Il ne sert à rien de nous quereller entre nous, intervint Gwenhwyvar. Si nous ne pouvons calmer Arthur, du moins n'avons-nous pas besoin d'ajouter à ses soucis. »

Le soir du neuvième jour, deux des cavaliers de Fergus revinrent annoncer qu'ils avaient parcouru la côte nord-ouest de Malain Bhig à Beann Ceann. « Nous n'avons aperçu nulle part de navires ennemis, dit le premier cavalier. Le seigneur Fergus poursuit les recherches vers le nord jusqu'à Dun Sgeir. »

Quatre jours plus tard, des éclaireurs revinrent de la côte est. « Nous avons poussé au sud jusqu'au Loch Laern, et n'avons rien vu d'autre que tes propres vaisseaux qui franchissaient les détroits, seigneur. Leurs pilotes nous ont dit qu'ils n'avaient vu, eux non plus, aucun signe des Vandali. »

Sept jours plus tard nous parvinrent d'autres nouvelles : aucun vaisseau ennemi sur la côte ouest de Dun Iolar à la baie de Gaillimh. Ensuite, les rapports se firent plus fréquents — un ou deux par jour — disant tous la même chose : aucun navire ennemi. Les Vandali étaient introuvables. Si quiconque pensait que cette information réconforterait Arthur, il se trompait. Malgré les encouragements de ses seigneurs, il accueillait ces nouvelles avec la plus profonde appréhension... comme si chaque rapport négatif confirmait un terrible soupçon.

La seule exception vint du dernier des groupes, mené par Laigin, dont les éclaireurs avaient parcouru les étroites péninsules, lointaines et peu peuplées, de la côte sud. « Des navires y sont passés, je crois, mais nous ne les avons pas aperçus, dit Laigin. Les habitants de Ban Traigh prétendent avoir vu de nombreux vaisseaux, mais aucun envahisseur n'a attaqué.

— Quand ? demanda Arthur.

— C'est cela qui est étrange, répondit le seigneur irlandais. Il semblerait que c'était quand le Sanglier Noir guerroyait ici.

— C'est impossible, intervint Brastias. Ils font erreur. Ce devait être avant la bataille...

— Ou après, plus vraisemblablement, suggéra Owain.

— Quelle différence cela peut-il faire maintenant ? demanda Urien. Ils sont partis, c'est tout ce qui importe. »

Arthur le foudroya du regard sans prendre la peine de répondre à une telle sottise. Il se drapa dans un pesant silence et s'éloigna à grands pas. Et nul ne put lui arracher un mot de plus avant deux jours, quand revinrent ses propres navires. Barinthus, qui avait dirigé les opérations, se présenta devant son roi pour faire son rapport. « Nous avons fait le tour complet de l'île et n'avons pas vu la moindre coque ni la moindre voile cachée où que ce soit, au nord comme au sud, à l'est ou à l'ouest. Les vaisseaux noirs ont disparu de ces eaux.

— Dis-le plus haut ! s'écria Conaire en se frayant un passage. L'ennemi est battu ! De quelle autre preuve avons-nous besoin ? Nous avons gagné ! »

Fergus, impatient d'offrir ses remerciements, lui fit écho : « Salut, Arthur ! Ierne est libre ! Les barbares sont vaincus ! »

À ces mots, le campement entier poussa de joyeuses acclamations. Le festin, longtemps différé, put enfin débuter : les rois irlandais chargèrent leurs bardes de composer des chants de victoire et la bière se mit à couler. Les feux de camp furent ravivés et plusieurs vaches grasses promptement abattues pour être mises à la broche au-dessus des flammes. La longue attente était terminée : Ierne était libre, la victoire totale.

Après des jours d'inactivité, seigneurs et guerriers ne laissèrent pas échapper l'occasion de se libérer de leur inquiétude en festoyant. C'était comme si le camp entier avait jusqu'alors retenu son souffle et découvert, à son grand soulagement, qu'il était à nouveau capable de respirer. Pendant que la viande rôtissait et que la bière ruisselait des outres dans les cruches et dans les coupes, les bardes commencèrent leurs chansons, exaltant les vertus des armées alliées et de leurs champions. À la fin de chaque récit, les guerriers applaudissaient bruyamment. Les meilleures œuvres ne manquaient pas de recevoir leur récompense — les seigneurs déversaient sur leurs Chefs des Chants de somptueux ornements d'or et d'argent — inspirant d'encore plus grandes prouesses dans l'éloge et le maniement de la langue.

Mais Arthur se tenait à l'écart et observait les réjouissances d'un œil réprobateur. Gwenhwyvar, qui avait porté ses soucis avec une grande force d'âme pendant tant de jours, ne put que lui faire reproche de sa maussaderie. « Ta mine ferait tourner le miel à l'aigre, lui dit-elle. Ierne s'est délivrée de l'envahisseur. C'est la meilleure nouvelle qui pouvait nous parvenir. »

Il se tourna vers son épouse, fronçant les sourcils. « C'est la pire de toutes les nouvelles, lui répondit-il sèchement. La chose que je redoutais le plus est arrivée. » Il tendit une main en direction des guerriers euphoriques. « Le salut d'Eiru augure la perte d'Ynys Prydein ! »

Sur ce, il gagna à grandes enjambées le centre de l'assemblée et, arrachant sa corne de chasse à Rhys, il la porta à ses lèvres et lança une note éclatante. S'attendant à un discours de félicitations et à la distribution de présents, la foule cria de faire silence et se pressa pour entendre ce qu'allait dire le Grand Roi. Quand il vit qu'ils étaient prêts à l'entendre, Arthur prit la parole. « La victoire est acquise pour Ierne, mais il vous faudra continuer seuls votre festin. Car je dois retourner sur le champ en Bretagne. » Arthur ordonna alors aux Bretons de commencer les préparatifs du départ.

« Non, Arthur. Non ! s'écria Fergus. Tu t'es donné beaucoup de mal pour nous, par conséquent tu dois rester, te reposer, et nous laisser te fêter pendant trois jours. Ce n'est qu'une petite chose en regard de ta peine.

— Je te remercie, et mes seigneurs avec moi, répondit Arthur. Nous nous reverrons peut-être, si Dieu le veut, pour festoyer en des circonstances plus favorables. Je crains que nous ayons déjà attendu trop longtemps.

— Reste au moins encore un jour, insista Fergus. Tu dois nous laisser l'occasion de célébrer proprement la victoire que tu as remportée pour nous. Car je jure sur ma tête et sur ma main que, si tu n'avais été là, il ne resterait plus aujourd'hui un seul d'entre nous en vie. »

Conaire, qui s'était approché, entendit cela et grimaça de dégoût. « Le seigneur Arthur a parlé, Fergus. Il serait malséant de tenir des hommes si éminents éloignés de leurs si importantes affaires. »

Les seigneurs bretons les plus proches entendirent sa remarque et se hérissèrent. Urien se leva d'un bond, les poings serrés. « Chien d'Irlandais ! » gronda-t-il à voix basse.

Gerontius se porta en avant. Brastias le retint en étendant le bras. « Reste tranquille, frère. »

Owain, à côté d'Arthur, se mit debout. « Seigneur Arthur, dit-il d'une voix forte, nous avons attendu jusqu'ici, un jour de plus ne changera rien. Que ce soit au festin ou à la bataille, je voudrais que ces rois irlandais sachent que la Bretagne ne craint personne », conclut-il en dévisageant Conaire d'un air de défi.

Les autres Bretons acquiescèrent promptement à la suggestion d'Owain... indignés par l'impolitesse de Conaire. Mais Arthur refusa de se laisser ébranler.

« Nous ne pouvons perdre un instant de plus, insista-t-il. Rassemble tes hommes, Owain — toi et tes frères seigneurs — et regagnez les navires. Nous faisons voile sur le champ pour Ynys Prydein. »

La décision du Grand Roi fut fort mal accueillie. Seuls ceux qui connaissaient bien Arthur acceptèrent son ordre, même s'ils ne le comprenaient pas. Cai, Bedwyr, Cador et moi étions seuls à penser qu'il avait agi sagement, les autres trouvaient sa conduite grossière et inconsidérée.

Les navires eurent néanmoins bientôt fait le plein de passagers et la laborieuse opération de rapatriement de l'armée de Bretagne commença aussitôt. Comme lors de la précédente traversée, le vent refusa obstinément de nous aider. Nous compensâmes son absence en maniant les avirons... ce que la plupart des guerriers considéraient comme une fastidieuse punition. Quand ils se reposaient de leur labeur, les Cymbrogi somnolaient ou bavardaient pour passer le temps. Tandis que le soleil traçait son sillon dans le ciel vide, je me tenais à la proue, à écouter les bavardages autour de moi et le lent clapotis rythmé des rames tout en regardant danser la brume de chaleur sur l'horizon. Je sentais sur ma tête la chaleur du soleil qui brillait avec un éclat singulièrement intense. Et je commençai à me demander depuis combien de temps il n'avait pas plu. Depuis combien de temps n'avais-je pas vu un ciel gris de nuages et senti la fraîcheur d'une brise de nord sur mon visage ?

Plongé dans mes pensées, j'entendis une voix crier : *Nous n'avons pas le choix. Brûlons-les. Réduisons-les en cendres.*

Cette étrange intrusion me fit sursauter. Je me retournai pour voir qui avait parlé... mais tout était comme avant : des hommes assis ou étendus çà et là, nul ne me prêtant une attention particulière. Il me fallut un moment pour prendre conscience que je n'avais entendu parler personne... pas avec mes oreilles, du moins. Cette voix m'était venue comme parfois me viennent des voix.

Je me concentrai pour en entendre davantage, mais elle était déjà repartie. « Pas le choix, murmurai-je, répétant ce que je venais d'entendre. Brûlons-les. »

Que signifiait ?

Une autre longue et torride journée suivit, puis une autre. Au crépuscule, nous aperçûmes les côtes déchiquetées de Bretagne, mais il faisait noir quand nous pénétrâmes dans Mor Hafren et la marée nous était contraire. Plutôt que de débarquer en pleine nuit sur la côte hérissée de récifs, notre petite flotte jeta l'ancre pour attendre le changement de marée avant de remonter le large estuaire jusqu'à Caer Legionis.

Ce ne fut pas avant l'aube que nous pûmes repartir. Comme nous naviguions en tête, nous fûmes les premiers à sentir la fumée dans l'air matinal, et les premiers à voir le sinistre halo qui maculait l'orient. Hélas ! Nous fûmes aussi les premiers à contempler ce spectacle le plus redouté dans la longue histoire de notre race : la noire barrière formée par les coques massées de vaisseaux ennemis.

Les quilles haïssables avaient été tirées à terre et les navires — par vingtaines, de toutes formes et de toutes tailles, suffisamment nombreux pour servir un empereur ! — amarrés flanc contre flanc et incendiés. Les voiles et les coques devaient avoir brûlé pendant des jours — la fumée s'élevait encore en tourbillonnant des mâts et des quilles où couvait le feu.

Oh, ils étaient si nombreux ! Des centaines de navires ennemis — plusieurs fois autant que nous en avions vus en Ierne — tous consumés jusqu'à la ligne de flottaison. Nous contemplâmes, frappés de stupeur et de désarroi, ce répugnant spectacle et sa signification nous glaça jusqu'à la moelle.

Car le Sanglier Noir était lâché sur l'Île des Forts. Et, le Ciel nous vienne en aide, il avait l'intention d'y rester.

III

En proie à une froide colère, Arthur ordonna à Barinthus d'accoster plus haut dans l'estuaire et envoya Bedwyr, Llenlleawg et les Cymbrogi en reconnaissance. Dans l'eau jusqu'aux genoux, il fit débarquer ses chefs de guerre. Les derniers navires n'avaient pas touché le rivage que les premières divisions, en armes et à cheval, s'éloignaient déjà.

Les Vandali avaient laissé une large piste au fond de la vallée... herbe piétinée, enfoncée dans la terre sèche par des milliers et des milliers de pieds.

Cette piste menait droit à Caer Legionis. Heureusement, la ville était abandonnée depuis l'époque de Macsen Wledig et le départ des légions. Ses habitants s'étaient retirés dans les collines environnantes et avaient édifié un fort au sommet de l'une d'elles, revenant à leur ancien mode de vie, plus sûr.

Nous contournâmes la cité désertée et poursuivîmes jusqu'à la forteresse d'Arthur, à Caer Melyn. Comme nous en approchions, nous rencontrâmes Bedwyr et deux éclaireurs qui en revenaient. « Ils ont saccagé le caer, rapporta-t-il, et tenté de l'incendier. Mais le feu n'a pas pris. Les portes ont été abattues.

— Et les habitants ? demanda Arthur.

— Morts, répondit Bedwyr. Jusqu'au dernier... »

Comme Arthur ne répondait pas, Bedwyr poursuivit : « Ils ont pris tout ce qu'ils ont pu emporter. Dois-je envoyer Llenlleawg en avant pour découvrir où ils sont passés ? »

Arthur ne faisait toujours pas de réponse. Il semblait regarder au loin les collines sans voir Bedwyr.

« Artos ? » dit Gwenhwyvar. De plus en plus, elle était sensible aux humeurs de son époux. « À quoi penses-tu ? »

Sans un mot, il reprit ses rênes et poursuivit son chemin vers le caer. Si le Sanglier Noir avait voulu dévaster la forteresse, pas une seule poutre ne serait restée debout. Or, en dehors des portes enfoncées, la citadelle paraissait intacte… silencieuse, mais entière. Ce ne fut pas avant d'entrer dans la cour que nous vîmes les murs noircis par le feu et sentîmes la puanteur de la mort. Un groupe de Cymbrogi s'était déjà attelé à la pénible tâche de transporter les cadavres à l'extérieur et de préparer leur inhumation au pied de la palissade de bois.

Nous nous joignîmes à ce désolant labeur, puis nous nous rassemblâmes à la tombée du jour pour offrir des prières à nos frères défunts tandis que nous les confiions à la tombe. Ce ne fut que quand la terre eut recouvert le dernier corps qu'Arthur entra dans son palais.

« Ils ont été négligents, fit remarquer Cai. Ils étaient pressés.

— Comment le sais-tu ? » demanda Urien. Depuis la fin du séjour en Ierne, il s'était attaché aux pas d'Arthur, s'insinuant dans le groupe le plus proche du Grand Roi. Si quelqu'un avait remarqué sa présence, nul n'en laissait rien voir.

« Si Twrch Trwyth avait désiré le détruire, répondit sèchement Cai, le caer ne serait plus que cendres dispersées aux quatre vents. »

Embarrassé de n'avoir su discerner ce qui était évident, Urien se retira dans un coin et ne dit plus rien.

« Il est heureux que nous ayons encore l'armée avec nous, dit Bedwyr. Cette horde immense…

— Nos chevaux peuvent facilement la rattraper, dit Cai, terminant sa pensée. Elle n'a pas pu aller loin.

— Mais l'armée est maintenant moins nombreuse qu'elle n'était en Ierne, fit remarquer Cador. Sans l'appui des seigneurs irlandais, je crains que nous rencontrions plus de difficultés que là-bas.

— Gwalchavad sera arrivé chez les seigneurs du Nord avec notre appel, lui rappela Bedwyr. Idris, Cunomor et Cadwallo seront bientôt là. »

Cador acquiesça, mais sans cesser de froncer les sourcils. « Il nous en faut davantage, dit-il au bout d'un moment. Même avec les armées du Nord, cela fait encore dix ou vingt Vandali pour chaque combattant breton.

— Bors et Ector doivent arriver d'un jour à l'autre, ajouta Cai. Ensemble, ils amèneront plus de six cents guerriers. »

Ils se lancèrent alors dans des calculs et des estimations. Au mieux, nous pouvions compter sur quatre mille hommes, peut-être un peu plus… plus vraisemblablement beaucoup moins. Mais le manque d'effectifs n'était pas notre principal souci. Les hommes doivent manger pour pouvoir se battre. La conversation porta donc bientôt sur l'éternel problème des réserves. Les guerriers ont besoin d'un approvisionnement ininterrompu en vivres et en armes. Nous n'avions ni les uns ni les autres en quantités suffisantes pour soutenir une campagne prolongée.

« Il faut envoyer des hommes demander son aide à la population, déclara sombrement Cador. Et cela les tiendra éloignés de la bataille.

— Si nous ne le faisons pas, répliqua Gwenhwyvar, cela coûtera des vies en encore plus grand nombre. Il n'y a pas d'autre solution.

— Il y en a une, dit tranquillement Arthur, retrouvant enfin sa voix. Nous nous servirons du trésor de Bretagne pour acheter du grain et du bétail à Londinium. » Se tournant vers Cador, il dit : « Je te confie cette tâche. Prends tout ce que nous avons gardé des guerres avec les Saecsens et dépense-le sur les marchés. »

Bedwyr secoua la tête de stupéfaction. « Ours, pour l'amour de Dieu, nous avons été pillés ! Amilcar a tout pris !

— Tout ? » s'étonna Arthur à haute voix. Ce problème ne lui était pas venu à l'esprit.

« Peut-être pas tout, admit Bedwyr. Nous avons encore ce qui était enterré, et le peu que nous avions emmené en Ierne.

— Est-ce assez ? Ce peu est-il suffisant ?

— Peut-être, dit Bedwyr, dubitatif.

— Artos, dit Gwenhwyvar, les églises peuvent nous fournir ce qui nous manque. Les prêtres possèdent de l'or et de l'argent en quantité. Va les trouver. Qu'ils nous aident aujourd'hui comme nous les avons aidés.

— Attention, avertis-je. Arracher aux saints hommes leurs biens terrestres n'est pas dépourvu de conséquences.

— Écoute ta reine, le pressa Bedwyr. À quoi leur serviront leur or et leur argent quand les barbares viendront tout emporter ? Ils perdront à la fois leur trésor et leur vie. Mais en nous confiant leur or, ils garderont peut-être au moins leur vie.

— Soit », dit Arthur, qui en avait assez entendu. À Cador, il dit : « Arrête-toi dans toutes les églises sur ton chemin et récupère tout ce que tu pourras. Dis aux prêtres qu'Arthur en a besoin. Quand tu atteindras Londinium, veille à bien négocier… nos vies en dépendent. »

Cador accepta à contrecœur. « Comme tu voudras, seigneur, dit-il. Je partirai demain à l'aube. »

Arthur se leva. « Je vais dans ma chambre… ou dans ce qu'il en reste. Quand les seigneurs auront installé leurs hommes, qu'ils me retrouvent ici pour tenir conseil. »

Ainsi, tandis qu'un mince et sinistre croissant de lune se levait sur le caer en ruines, les seigneurs de Bretagne prirent place pour préparer la défense de l'île. Ayant eu un aperçu de la façon de combattre des Vandali, les Bretons étaient pour une confrontation brutale. « Faisons-leur tâter le fil de l'épée, plaida Owain. Ils tremblent de peur dès qu'ils voient nos chevaux. Nous pouvons les rattraper et les piétiner sous nos sabots.

— Il a raison. Une attaque hardie les renverra en courant vers leurs navires, ajouta Brastias. Ils sont lâches et nous en aurons promptement terminé avec eux. »

Meurig prit la parole. « Plus tôt nous les attaquerons, plus tôt nous en serons débarrassés. Il faut nous mettre en route sur le champ.

— Et ainsi nous n'aurons pas besoin de tout l'approvisionnement que tu estimes nécessaire d'acheter, intervint Ulfias, plein d'espoir. Nous pouvons en finir avec cette affaire avant les moissons. »

Le Grand Roi écarta brusquement de leurs esprits toute idée de ce genre. Il se dressa, les poings serrés. « La vue des vaisseaux incendiés ne vous a-t-elle rien dit ? » s'écria-t-il. Les nobles échangèrent des regards circonspects. Comme personne n'osait répondre, Arthur reprit : « Écoutez-moi donc : cela ne se passera pas comme en Ierne. Le Sanglier a changé. Il savait parfaitement ce qui l'attendait ici, et pourtant il y est venu. En vérité, je vous le dis, Amilcar est devenu un nouvel ennemi, bien plus dangereux.

— Comment cela, seigneur ? demanda Brastias. Il pille, il brûle, il se sauve. C'est le même ennemi sans cervelle. Tu prends peut-être l'imprudence pour de la ruse, mais moi je la reconnais bien quand je la vois. »

Gerontius s'apprêtait à renchérir, mais Arthur lui coupa la parole d'un geste brusque de la main. « Suis-je donc entouré d'imbéciles ? demanda-t-il d'une voix étranglée de fureur.

» Leurs familles et leurs tribus ! hurla-t-il. Leurs navires brûlés derrière eux. Réfléchissez ! » Il foudroya la tablée du regard, au comble de la colère. Quand il reprit la parole, sa voix était un murmure rauque. « Le Sanglier Noir ne se contentera plus de pillages. Il a l'intention de s'établir. »

Avant que les nobles n'eussent pu formuler une réponse, Arthur poursuivit : « Le royaume entier est sans protection… et Twrch Trwyth le sait. Il court devant nous, ravageant le pays au passage. »

Les paroles du Grand Roi avaient enfin atteint leur cible : les seigneurs gardaient la bouche close et écoutaient. « Ce n'est que maintenant que l'ennemi commence à montrer son véritable visage, et c'est un visage que je redoute fort. »

Ayant dit ce qu'il avait à dire, Arthur conclut simplement par ces mots : « Retournez auprès de vos hommes. Dites-leur que nous nous lançons à la poursuite de l'ennemi. Nous partons à l'aube. »

Pendant que les chefs de guerre se préparaient à l'expédition, je restai seul dans la grande salle pour réfléchir à ce que signifiait le changement d'attitude du Sanglier Noir. Arthur avait vu juste : enragé, ou tout au moins frustré d'avoir vu contrecarrer ses projets de mise à sac d'Ierne, Twrch Trwyth s'était rabattu sur des proies plus faciles. Quel meilleur endroit pour cela qu'une Bretagne sans protection ? Pendant que l'armée d'Ynys Prydein se trouvait dans l'île d'Eiru, le chef vandale pouvait piller ici à loisir, amassant un riche butin avant d'être rattrapé.

Arthur avait bien compris la situation, assurément. Mais un pressentiment me tenaillait. Amilcar savait — et sans le moindre doute — que les seigneurs de Bretagne arriveraient bientôt pour mettre un terme à ses exactions. Ayant affronté Arthur et subi à chaque fois une défaite, pourquoi prendre le risque d'affronter à nouveau l'Ours de Bretagne ?

Qui plus est, s'il avait l'intention de s'établir, pourquoi choisir la Bretagne ? Ne craignait-il pas Arthur ? Le Sanglier Noir pensait-il qu'il s'abstiendrait de le pourchasser et de le tuer ?

Quelque chose avait poussé Amilcar à cette extrémité. Était-ce le désespoir ? L'esprit de vengeance ? Un peu des deux, peut-être, mais il me semblait qu'il y entrait aussi une part d'adroite provocation. Dans quelle mesure fallait-il en tenir compte ?

J'allai dormir l'esprit troublé et fus réveillé quelques heures plus tard par Rhys. Déclinant son offre de déjeuner, je sortis me promener sur les remparts de Caer Melyn en attendant l'heure du départ. Je regardai le ciel s'éclaircir à l'est. Au sud, des nuages blancs glissaient le long de la côte, mais ils se dissipèrent bientôt sous mes yeux et avec eux disparut toute chance de pluie. Le jour qui s'annonçait serait semblable aux précédents : d'une chaleur étouffante.

Je tournai les yeux vers les collines. L'herbe commençait à flétrir. Déjà les chemins se changeaient en poussière. S'il ne pleuvait pas bientôt, les rivières finiraient par se tarir. Dieu sait que la sécheresse n'est pas inconnue en Bretagne, mais elle y est rare, et annonce toujours la disette.

Tandis que je contemplais le pays qui se racornissait lentement, ces mots revinrent à mon esprit : *Brûlons-les... Nous n'avons pas le choix.* « Nous n'avons pas le choix, avait dit la voix. Brûlons-les. Réduisons-les en cendres. »

Des paroles de désespoir et non de colère. Elles parlaient de résignation et de défaite, d'une dernière extrémité désespérée. Brûlons-les. Quelle calamité, me demandai-je, pouvait pousser à cela ? Quelle pressante nécessité le feu pouvait-il servir ?

Nous n'avons pas le choix... Réduisons-les en cendres. Je baissai les yeux sur le caer, tout bruissant de l'activité des hommes qui se préparaient au combat. Mais l'agitation se transforma sous mes yeux : ce n'étaient plus des guerriers, et l'agitation était d'un ordre tout différent. J'entendais des pleurs et des cris. Des hommes portant des torches couraient parmi les maisons, s'arrêtant pour mettre le feu au chaume des toits avant de repartir en toute hâte. La fumée tourbillonnait dans la cour. Et là, au centre du caer... des cadavres empilés comme du bois pour un bûcher. Un homme s'approcha de ce macabre tas avec une torche dont il toucha les branchages entassés à sa base. Alors que les flammes commençaient à lécher les corps, une femme arriva en courant comme pour se jeter sur le bûcher. L'homme l'attrapa par le bras et la tira en arrière, puis il jeta sa torche sur le tas. Prenant la femme par la main, il se retourna, cria quelque chose par-dessus son épaule et sortit du caer, abandonnant aux flammes les morts et la citadelle déserte.

De la fumée passa devant mes yeux et j'entendis quelqu'un m'appeler. Quand je regardai à nouveau, je vis Rhys qui courait vers son cheval, près des portes. Cai et Bedwyr étaient déjà en selle et le Vol des Dragons attendait près des chevaux. Tremblant de la force de ma vision, je rejetai loin de moi la troublante image et me dirigeai vers ma monture. Au pied du caer, des cris annonçaient de campement en campement le départ imminent. Dans quelques instants, nous quitterions tous Caer Melyn, certains pour aller chercher des vivres, la plupart pour affronter l'envahisseur. Beaucoup de ceux qui se trouvaient là aujourd'hui, clignant des yeux dans la lumière d'une nouvelle journée, ne reviendraient pas.

Grande Lumière, nous allons chevaucher aujourd'hui sur des sentiers inconnus. Sois une flamme éclatante devant nous. Sois une étoile dans les cieux pour nous guider. Sois un fanal qui brille derrière nous. Nous sommes tous perdus, si tu n'éclaires pas notre chemin. Levant les mains dans l'attitude de bénédiction d'un barde, je dis :

Puissance de l'Armée des Anges guerriers !
Puissance du Corbeau, sois sur nous,
Puissance de l'Aigle, sois nôtre,
Puissance de l'Armée des Anges guerriers !
Puissance de la tempête, sois sur nous,
Puissance de l'orage, sois nôtre,
Puissance du saint courroux divin !
Puissance du soleil, sois sur nous,
Puissance de la lune, sois nôtre,
Puissance de la Lumière éternelle !
Puissance de la terre, sois sur nous,
Puissance de la mer, sois nôtre,
et guide-nous le long des sentiers que nous devons suivre.

Puissances des Royaumes célestes,
bénissez-nous, protègez-nous, soutenez-nous !
Et qu'une Douce Lumière brille devant nous,
pour nous guider le long des sentiers qu'il nous faut suivre.

Après cette bénédiction, je gagnai ma place en hâte, pris les rênes et sautai en selle.

Comme d'innombrables envahisseurs avant eux, les Vandali avaient suivi le val d'Hafren pour s'enfoncer au cœur du pays. Le Sanglier Noir ne trouverait que peu de villages sur sa route — les crues de printemps confinaient la plupart des habitants de la vallée sur les hauteurs — jusqu'à ce qu'il atteigne les champs et les prairies des alentours de Caer Gloiu, l'ancienne cité romaine de Glevum.

Si Amilcar parvenait jusque-là, la totalité du centre vulnérable de Lloegres s'offrirait à lui. Les hordes barbares se répandraient alors dans les plaines fertiles et il n'y aurait plus moyen de les contenir.

Nous chevauchâmes donc dans une terrible urgence, accablés de chaleur, ne nous arrêtant que pour abreuver nos chevaux. Notre longue attente en Ierne avait conféré à Amilcar une bonne avance sur nous et Arthur était déterminé à le retrouver pour l'affronter au plus tôt. La fin de la journée nous trouva engagés loin dans la vallée, mais, en dehors de la terre foulée par d'innombrables pieds, nous n'avions vu aucun signe des barbares.

« Ils se déplacent plus vite que je ne l'avais imaginé, déclara Arthur. Ils sont poussés par la peur, mais nous les rattraperons demain. »

Il n'en fut hélas rien. Le soleil avait déjà disparu derrière les collines, deux jours plus tard, quand nous aperçûmes enfin l'ennemi. Bien que nous eussions pu observer le nuage de poussière soulevé par la marche des barbares avant de les voir, cette première vision nous coupa le souffle : un énorme grouillement déferlant telle une lame de fond dans la large vallée de l'Hafren. Ce n'était pas une nouvelle race de Loups de Mer en quête d'un butin facile, c'étaient des tribus entières en mouvement, un peuple à la recherche d'un endroit où s'établir, toute une nation en marche vers une nouvelle patrie.

Après un coup d'œil à la horde ennemie, étalée telle une vaste tache sombre en train de s'étendre sur le pays, Arthur ordonna aux colonnes de faire halte. Avec ses chefs, il chevaucha jusqu'au sommet de la plus proche colline pour évaluer la situation. « Dieu nous vienne en aide, murmura Bedwyr, qui ne parvenait toujours pas à appréhender l'immensité de la foule défilant à nos pieds. Je n'aurais jamais imaginé qu'ils puissent être si nombreux.

— Nous avons vu leurs navires, dit Cai, mais là… » Les mots lui firent défaut.

Arthur observait la multitude en plissant les yeux. « Attaquer maintenant ne ferait que les pousser plus avant, finit-il par déclarer. Nous devons frapper de l'autre côté. »

De retour auprès des colonnes qui nous attendaient, Arthur fit appeler les seigneurs et leur annonça sa décision. Après avoir pourchassé l'ennemi pendant près de trois jours, les nobles, impatients d'engager le combat, furent fort mécontents de se voir refuser la bataille tant attendue.

« Les contourner ? s'indigna Gerontius. Mais ils sont juste là ! Ils ne sont pas en position de se battre. Nous n'avons qu'à attaquer pour les écraser. » Ce point de vue recueillit l'approbation des autres, qui le manifestèrent bruyamment.

« Si l'issue était si certaine, répondit Arthur d'un ton las, j'aurais donné l'ordre d'attaquer avant que vous ne songiez à vous plaindre. Mais la victoire est loin d'être assurée et je préfère repousser Twrch Trwyth sur un chemin qu'il a précédemment foulé plutôt que de lui offrir l'occasion de s'aventurer plus loin.

— Est-ce prudence ou pure folie ? demanda Brastias, sans tout à fait dissimuler le sarcasme dans sa voix. Si nous nous en remettons à nos épées sans rien épargner dans notre attaque, nul doute que tout sera réglé avant la fin de la journée. »

Arthur tourna lentement la tête vers lui. « J'aimerais pouvoir en être si aisément convaincu, rétorqua-t-il. Mais par égard pour tous ceux qui brandiront l'épée à mon côté, je dois avouer mon hésitation. Et, puisque je suis Grand Roi, le débat est clos. » Il se retourna sur sa selle. « Nous les contournons.

— Et nous perdons encore au moins une journée de plus ! » protesta Brastias. Gerontius et lui avaient apparemment décidé de contester chaque décision d'Arthur. En cela ils étaient à plaindre, car il n'est pas de remède à cette sorte d'aveuglement et ceux qui en tombent victimes constatent souvent qu'il est fatal.

Contourner l'ennemi signifiait une longue journée de pénible cheminement à travers les collines boisées au nord du val d'Hafren... une tâche ardue quand il s'agit de déplacer tant d'hommes en vitesse et en silence. Les premières étoiles apparaissaient déjà dans le ciel quand nous redescendîmes enfin vers la vallée un peu en avant de notre adversaire, plus lent dans sa marche. Nous postâmes donc des sentinelles de chaque côté le long des crêtes et dressâmes le camp au bord de la rivière. Puis, après une courte nuit de repos, nous remontâmes en selle avant l'aube pour nous mettre en position.

Nous attendions dans un repli de la vallée quand la horde des Vandali apparut enfin. Ils arrivaient en un vaste flot noir, telle une lame de fond s'engouffrant dans la vallée pour submerger toute la contrée. Nous attendions et nous écoutions... le bruit de leur avance ébranlait la terre d'un sourd grondement. La poussière soulevée par leurs pieds emplissait les airs tel un nuage de fumée.

Quand ils furent plus près, nous entendîmes d'autres bruits : des cris d'enfants, et parfois des rires, des aboiements de chiens, des meuglements de bétail, des bêlements de moutons, des couinements de porcs.

Arthur se tourna vers moi, ses yeux bleus assombris par le souci et le manque de sommeil. « Ils marchent derrière les femmes et les enfants. »

Il convoqua aussitôt ses chefs de guerre.

« Des enfants sur le champ de bataille ! s'indigna Cai. Quel genre de chef peut bien forcer son peuple à agir ainsi ?

— Amilcar doit savoir que nous ne massacrerons pas de gaieté de cœur des femmes et des enfants, fit remarquer Bedwyr. Il s'en sert comme bouclier.

— Peu m'importe, bougonna Brastias. S'ils sont assez idiots pour s'aventurer sur le champ de bataille, ils méritent ce qui peut leur arriver. » D'autres marquèrent leur approbation.

« Mais des femmes et des enfants, protesta Gwenhwyvar. Ils n'ont rien à voir dans cette affaire. » Elle regarda son époux. « Que vas-tu faire, Artos ? »

Il réfléchit un long moment. « Nous ne pouvons céder à Amilcar. L'attaque aura lieu comme prévu, mais que chacun prévienne son armée que des innocents marchent devant les guerriers barbares et qu'il ne faut pas les tuer si on peut l'éviter.

— Même ainsi, il en mourra beaucoup, insista Gwenhwyvar.

— C'est possible, concéda Arthur. Je ne vois pas d'autre moyen. » Néanmoins, répugnant à donner un tel ordre, il demanda : « L'un de vous voit-il un meilleur plan ? » Le roi regarda chacun de ses chefs tour à tour, mais tous gardèrent le silence. « Soit, conclut-il. Regagnez vos places et préparez vos armées. Je vous donnerai le signal. »

Les ordres du Grand Roi furent promptement relayés dans les rangs : l'armée bretonne prit position et s'apprêta à charger. Les barbares durent alors nous apercevoir, car une stridente sonnerie de cor retentit et le front de la sombre vague se figea soudain, semant derrière lui la confusion dans la foule qui continuait d'avancer.

« Puisse Dieu nous pardonner les péchés que nous allons commettre », dit sombrement Arthur. Et, sans un mot de plus, il leva la main à l'intention de Rhys, qui porta sa corne de guerre à ses lèvres et sonna l'attaque.

IV

Arthur avait l'intention d'arrêter l'avance de l'ennemi... ce que notre attaque accomplit admirablement bien. Sitôt qu'ils virent les sabots de nos chevaux lancés au galop et les lances à l'horizontale qui se ruaient sur eux, les Vandali s'enfuirent.

Prise entre les versants escarpés de la vallée, la horde des envahisseurs reflua devant nous. La masse frémit et se mit à reculer, piégeant sans rémission le gros des troupes derrière elle, l'empêchant d'atteindre le lieu du combat. Nous n'eûmes même pas à dégainer nos épées.

Ayant si facilement atteint son but, Arthur dit à Rhys de donner aux seigneurs le signal d'arrêter la charge. Ce qui déclencha des cris indignés de la part des rois bretons.

« Pourquoi nous as-tu rappelés ? » demanda Gerontius en sautant de selle. Brastias et Ogryvan rejoignirent au galop l'endroit où nous nous trouvions, Arthur, Gwenhwyvar, Bedwyr et moi. « Nous aurions pu les écraser une fois pour toutes !

— Regarde ! hurla Brastias en agitant le bras en direction de la horde qui battait en retraite. Nous pouvons encore les rattraper. Il n'est pas trop tard. Repartons à l'attaque. »

Meurig rejoignit alors notre groupe. Ulfias et Owain le suivaient de près. Llenlleawg et Cai regardaient du haut de leurs chevaux.

« Que s'est-il passé ? demanda Owain. Pourquoi avons-nous arrêté l'attaque ?

— Tu fais bien de le demander ! s'écria Brastias. Qu'Arthur l'explique, s'il le peut. Cela n'a aucun sens pour moi. »

Owain et Meurig regardèrent Arthur, qui répondit : « Les combats sont terminés pour aujourd'hui.

— Folie, cracha Gerontius.

— Folie ? s'emporta Bedwyr.

« — Nous avions la victoire à portée de notre main et nous l'avons laissée échapper, répondit vivement Gerontius. J'appelle cela de la folie, par Dieu !

— C'étaient des femmes et des enfants ! rétorqua Bedwyr qui commençait à s'empourprer. Oh, la grande victoire, vraiment, de massacrer des moutons et des bébés au berceau. Je t'en prie, piétine les innocents sans défense et rengorge-toi d'un tel triomphe !

— Ahhh ! » grogna Gerontius, s'étranglant de rage et de frustration. Il ouvrit la bouche pour renouveler ses protestations, mais Cai l'en empêcha.

« Assez, Gerontius. Ne dis rien de plus, lui conseilla Cai, tu en auras ainsi moins à regretter plus tard. »

Brastias posa une main sur le bras de son ami et essaya de l'entraîner à l'écart, mais Gerontius le repoussa et brandit le doigt sous le nez d'Arthur. « Nous aurions pu régler cela aujourd'hui, sans ta maudite prudence. Je commence à me demander si ce ne serait pas plutôt de la couardise.

— Si tu tiens à ta langue, cesse de l'agiter », le prévint Bedwyr en faisant un pas vers lui.

Gerontius foudroya du regard Bedwyr, puis Arthur, avant de s'éloigner à grands pas. Brastias lui courut après, lui criant de revenir exposer ses objections devant tous. Les autres avaient beau ne rien dire, je voyais bien qu'ils en voulaient aussi à Arthur de sa décision. Ils s'étaient attendus à une victoire facile et s'en voyaient privés. Observant un silence gêné, ils se dispersèrent lentement, frustrés qu'il soit mis fin à la première bataille sur le sol breton sans au moins punir l'envahisseur de son audace.

« C'était la meilleure chose à faire, Ours », dit Bedwyr, dans l'espoir de lui mettre du baume sur le cœur. Mais cela produisit l'effet inverse.

« Tu me connais bien mal, mon frère, si tu imagines que je me soucie de ce que pense un insensé comme Gerontius, répliqua vivement Arthur. Ou que je me laisserais ébranler par ses propos. » Il pivota sur les talons et ordonna à Llenlleawg de prendre la tête du Vol des Dragons pour s'assurer que les barbares continuaient de battre en retraite.

Quand ils furent partis, Gwenhwyvar et moi nous assîmes avec Arthur. « Croient-ils vraiment que cette guerre sera gagnée en un jour ? Ou bien qu'une seule bataille en décidera ? demanda-t-il en secouant la tête. Après avoir combattu si longtemps à mes côtés, comment peuvent-ils encore parler de couardise ?

— Ce n'est rien, lui dit Gwenhwyvar. Moins que rien. N'y prête pas attention, mon amour.

— Ils ne sont toujours pas disposés à m'aider, dit Arthur. Ne suffit-il pas que je me batte contre Amilcar ? Dois-je en plus porter ces seigneurs sans foi sur mon dos ?

— En a-t-il jamais été autrement ? » demandai-je.

Arthur me jeta un coup d'œil, puis il ébaucha lentement un sourire. « Non, reconnut-il. En vérité, rien n'a changé. Mais je pensais que devenir Grand Roi m'aurait conféré un semblant d'autorité.

— Cela n'a fait que leur donner une raison de te craindre davantage, dit Gwenhwyvar.

— Pourquoi devraient-ils me craindre ? Est-ce moi qui envahis leurs terres ? Est-ce moi qui pille leurs biens et fais des veuves de leurs épouses ?

— Laisse-moi aller trouver Fergus et Conaire, le pressa Gwenhwyvar. Ils te témoigneront leur loyauté et couvriront de honte les Bretons. »

Arthur refusa avec douceur. Il se leva et dit : « Venez, il faut nous assurer que les Vandali n'ont pas surmonté leur frayeur et fait demi-tour. »

Remontant en selle, nous redescendîmes la vallée à la tête des armées de Bretagne. Le Vol des Dragons était déjà loin devant, la poussière des sabots de leurs chevaux s'élevant pour se mêler à celle de l'ennemi en fuite. Je vis ce voile blanc en suspens au-dessus de la vallée et eus un soudain étourdissement.

J'entrai dans un rêve éveillé.

C'était comme si j'étais sorti de mon corps... comme si mon esprit avait pris des ailes pour planer au-dessus de moi. Car je perçus un brusque mouvement et, baissant les yeux, me vis en train de chevaucher auprès d'Arthur. Gwenhwyvar et Cador avançaient à sa droite et, derrière, les armées, en trois longues colonnes : une *ala* romaine, bien que personne en vie, à part moi, n'eût jamais eu l'occasion d'en voir une.

Et je me rappelai le jour où, du haut du rempart de mon grand-père Elphin, j'avais regardé dans la vallée et vu Magnus Maximus, *Dux Britanniarum*, qui conduisait la légion Augusta vers le sud. Je l'ignorais alors, mais bientôt ce grand général mènerait son armée en Gaule, de l'autre côté de la mer, pour ne jamais revenir. On lui donne désormais le nom de Macsen Wledig et il est devenu un héros de légende : un illustre Empereur breton. Mais il était romain jusqu'au bout des ongles. Et s'il se battit vaillamment pour nous protéger des barbares, il n'était pas breton.

À quand cela remontait-il ? Combien d'années avaient passé ? Grande Lumière, combien de temps vais-je encore devoir vivre ?

Je redressai la tête et montai plus haut. Quand je regardai à nouveau, je vis la sombre souillure sur la terre, le chancre qu'était la horde du Sanglier Noir ruisseler dans la vallée. Ils étaient si nombreux ! C'était une migration, un peuple entier en marche.

Au-dessus de moi je voyais, par-delà le ciel pâle, le brillant éclat des étoiles immobiles dans le firmament vide. Les étoiles brillaient, déversant jour et nuit sur nous leur lumière, hors d'atteinte et indifférentes aux agissements des hommes. Que sommes-nous, après tout ? De frêles créatures, aussi fragiles que l'herbe, qui un jour pousse verte et flétrit le lendemain, dispersée à tous les vents.

Dieu nous vienne en aide, nous sommes moitié poussière, moitié lumière d'étoile, et nous ne savons pas qui nous sommes. Nous sommes perdus, à moins de nous retrouver en toi, Grande Lumière.

De l'autre côté des flots balayés par le vent, je vis la Gaule et l'Armorique et, plus loin, la grande Mère des Nations, Rome, jadis un phare aux yeux du monde. La lumière s'était déjà éteinte à l'Orient, les ténèbres avides étendaient maintenant leurs griffes vers la minuscule Bretagne. Mais je voyais Ynys Prydein, l'Île des Forts, tel un roc cerné par la mer, ferme au milieu des vagues poussées par la tempête... une contrée bénie, lumineuse comme un bûcher de Beltane dans la nuit déserte, seule parmi ses sœurs les nations à tenir encore en échec les ombres dévorantes. Et cela par la vertu d'un lignage qui associait le courage ardent des Celtes et la froide impassibilité de la discipline romaine, réunis dans le cœur d'un seul homme : Arthur.

Avant lui, il y avait eu Aurelius. Et avant Aurelius, Merlin. Et avant Merlin, Taliesin. Chaque jour voyait se dresser son champion, et à chaque époque la Main Sûre et Prompte œuvrait au rachat de sa création. Écoutez ! Nous ne sommes pas abandonnés, pas plus que nous ne luttons livrés à nos seules forces. Ô Homme, invoque le nom de ton Créateur, confie-toi à lui, et il te portera. Honore-le, et il disposera autour de toi des esprits protecteurs. Marcherais-tu à travers les flots en furie et le feu, il ne pourrait t'arriver aucun mal : ton Rédempteur te soutient. De brillantes armées d'anges marchent devant nous, nous entourent de tous côtés, même si nous ne pouvons les voir !

Oh, mais il est parmi nous de hautains seigneurs, des hommes fiers qui ne plient le genou de bonne grâce devant personne. Arthur, qui incarnait tout ce dont pouvait s'enorgueillir une puissance terrestre, avait du mal à les unir... et lui, ils le connaissaient. Ce qu'ils refusaient d'accorder à un roi sur terre, ils étaient peu susceptibles de le concéder à un esprit invisible. Aucune puissance sur terre, ou dans les cieux, ne peut forcer le cœur humain à aimer s'il s'y refuse, ni à honorer s'il ne le veut.

Combien de temps dérivai-je en cet étrange vol, je ne sais. Mais quand je revins enfin à moi, le crépuscule était venu et je me trouvais au milieu d'un campement silencieux. Je repris mes esprits, assis sur une peau de veau près d'un feu, avec dans les mains un bol de ragoût auquel je n'avais pas touché.

« Salut, Myrddin. Nous sommes heureux de te voir de retour », dit Arthur en me voyant bouger. Je regardai de l'autre côté du feu et le vis qui m'observait, l'air inquiet devant l'expression hagarde de mon visage. « Tu étais sûrement perdu dans tes pensées, barde. »

Gwenhwyvar souleva délicatement mon bol. « Tu n'as pas touché un morceau de ta nourriture. »

Je regardai le récipient entre mes mains en coupe. Le sombre liquide qu'il contenait se changea en une masse grouillante de vers jaunes. J'y vis des ossements humains couvant d'un feu inexplicable. Et je réentendis l'écho de ces mystérieuses paroles : *Nous n'avons pas le choix... brûlons-les.*

Je revis le monticule de cadavres, boursouflés et couverts de hideuses marques violacées, qui brûlaient en dégageant une fumée grasse qui montait à l'assaut d'un ciel blafard. La bile me monta à la gorge. Je m'étouffai et repoussai mon bol.

Gwenhwyvar me posa une main sur le bras. « Myrddin ! »

La connaissance explosa soudain en moi : le mot haïssable se forma sur ma langue. « Pestilence, m'exclamai-je en m'étranglant sur le mot. En ce moment-même la mort se répand telle une brume sur le pays. »

Arthur serra les mâchoires. « Je défendrai la Bretagne. Je ferai tout ce qui est possible pour vaincre les Vandali. »

Il m'avait mal compris. Je lui dis donc : « Il est un ennemi plus puissant que le Sanglier et ses marcassins, plus dangereux pour nous qu'aucun envahisseur à avoir jamais violé ces rivages. »

Arthur me regarda d'un œil pénétrant. « Tu parles par énigmes, barde. Quel est cet ennemi ?

— Il s'appelle la Mort Jaune, répondis-je.

— La peste ! hoqueta Gwenhwyvar.

— Aucun des seigneurs n'a parlé d'épidémie, dit Arthur. Je ne permettrai pas que se propagent de telles rumeurs parmi des hommes qui se préparent à la bataille.

— Je ne porte aucune attention aux rumeurs, Ô Grand Roi. Mais il ne fait aucun doute dans mon esprit — et il ne devrait pas y en avoir dans le tien — que la Mort Jaune s'abat sur la Bretagne. »

Arthur accepta le reproche. Me regardant dans les yeux, il demanda : « Quel est le remède ?

— Je ne *connais* aucun remède, lui dis-je. Mais il m'apparaît, ajoutai-je poussé par une soudaine inspiration, que s'il en existe un, les prêtres d'Ynys Avallach pourraient le connaître. Leur expérience est

227

vaste et leur science profonde », dis-je, et je revis ma mère m'expliquer que le monastère était devenu un lieu de guérison. Mais il y avait des années de cela… en était-il toujours ainsi ?

« Alors tu dois t'y rendre sans perdre un instant », dit Gwenhwyvar.

Je me levai.

« Assieds-toi, Myrddin, dit Arthur. Tu ne peux partir maintenant. Il fait nuit et cinquante mille barbares se dressent entre toi et Ynys Avallach. » Il marqua un temps, levant les yeux vers moi à la lueur du feu. « De plus, je tiens conseil ce soir et j'ai besoin de toi.

— Je ne puis rester, Arthur, dis-je. Si l'on peut faire quelque chose, je ne dois pas attendre. Il faut que j'y aille. Je le sais. »

Arthur hésitait toujours. « Un ennemi à la fois, dit-il. Nous égarer dans toutes les directions ne ferait que gaspiller nos forces. Il n'y a pas de remède à la peste, tu l'as dit toi-même.

— Je n'ai aucun désir de te défier, dis-je d'un ton ferme. Mais tu as les Cymbrogi pour te servir, et je peux être utile ailleurs. Ce danger m'a été révélé et je ne puis l'ignorer. Je reviendrai dès que possible, mais je dois y aller. Maintenant. Ce soir.

— Ours, implora Gwenhwyvar, il a raison. Laisse-le partir. Cela pourrait sauver de nombreuses vies. » Le regard d'Arthur se porta sur elle, et elle profita de cette fugace hésitation. « Oui, va les trouver, Sage Emrys, me pressa-t-elle comme si Arthur n'avait jamais élevé d'objection. Apprends tout ce que tu peux et reviens porteur de bonnes nouvelles.

— Je ne promets rien, prévins-je, mais je ferai mon possible. Quant aux rumeurs, ne dites rien de cela à quiconque avant mon retour.

— C'est donc décidé », déclara Arthur, bien que je pusse voir que cela ne lui plaisait guère. Il se leva brusquement et cria à Llenlleawg : « Myrddin doit nous quitter pour quelque temps, dit-il. Puisque la vallée grouille de Vandali, je te demanderai de l'accompagner dans son voyage. »

Llenlleawg acquiesça en inclinant la tête, l'air impassible.

« Je vous remercie, leur dis-je à tous deux. Mais je voyagerai plus rapidement seul.

— Laisse-le au moins t'escorter jusqu'au navire, insista Arthur. Comme cela, je saurai que les barbares ne t'ont pas arrêté. »

Voyant qu'il était déterminé à imposer au moins sur ce point sa volonté, je cédai. Après avoir fait nos adieux à Arthur et Gwenhwyvar, Llenlleawg et moi partîmes chercher nos montures. Nous quittâmes le camp pendant qu'Arthur ouvrait le conseil.

Je ne sais qui je plaignais le plus : Arthur aux prises avec ses rois, ou moi-même qui allais passer une nuit en selle sans dormir. C'était probablement moi qui avais la meilleure part.

V

Nous nous en tînmes, Llenlleawg et moi, à la crête des collines jusqu'à ce que nous soyons suffisamment loin du campement barbare, et ne redescendîmes dans la vallée que lorsque le soleil se leva, rouge sang, sur l'horizon. Llenlleawg chevauchait un peu en avant pour ouvrir le chemin, surveillant attentivement la piste et ses alentours afin de prévenir toute rencontre avec des Vandali en maraude. Mais la route demeura libre et sûre… jusque peu avant midi, quand le champion irlandais fit brusquement halte à un détour du chemin. « Quelqu'un vient par ici. Trois cavaliers, peut-être plus. »

Je scrutai le sentier devant nous, mais je ne vis rien. « Là. » L'Irlandais pointa un doigt vers la berge semée de rochers, plus loin sur la droite. Le soleil qui brillait de tous ses feux rétrécissait les ombres, tout ce qui nous entourait semblait plat et incolore. Je regardai l'endroit qu'indiquait Llenlleawg et vis que ce que j'avais pris pour la masse grise de rochers étaient en fait des cavaliers qui cheminaient lentement le long de la rivière.

« Nous ont-ils vus ? »

Il secoua légèrement la tête. « Je ne pense pas. »

Nous restâmes un moment immobiles, attendant que se montrent les voyageurs. Puisqu'ils étaient à cheval, je ne pensais pas que ce fussent des Vandali, mais nous attendîmes tout de même. Les étrangers étaient aussi sur leurs gardes : ils avançaient lentement, s'arrêtant souvent pour scruter le chemin devant eux et, à l'instant où ils nous aperçurent, l'un d'eux tourna bride et repartit au galop sur ses pas, laissant les deux autres poursuivre seuls.

« Allons à leur rencontre » dit Llenlleawg en prenant un épieu derrière sa selle. Nous nous mîmes lentement en marche et nous n'étions qu'à un jet de lance des inconnus, quand Llenlleawg poussa un cri de joie et talonna sa monture. « C'est Niul ! me cria-t-il. L'homme de Lot ! »

Il s'élança au galop, saluant bruyamment les cavaliers. Je le suivis tandis que Llenlleawg et Niul, penchés sur leurs selles, s'embrassaient. « Que fais-tu ici, cousin ? cria le dénommé Niul. J'ai cru que c'était un véritable *cruachag* qui surgissait de la rivière pour nous emporter. » Il rit, rejetant la tête en arrière. Un coup d'œil aux cicatrices de son bras gauche et à la lame ébréchée qu'il tenait prête sur sa cuisse me donna à savoir que ce vétéran aguerri ne craignait pas grand chose en ce monde.

Sans attendre que Llenlleawg me présente, il se tourna et cria : « Salut, Myrddin Emrys ! » À ma grande surprise, il éclata à nouveau de rire. « Tu ne te souviens pas de moi, et je ne t'en blâme pas. »

Comme il parlait, un souvenir prit forme dans mon esprit. Je revis une pièce dans une maison... celle du marchand de vin Gradlon à Londinium, la première fois que j'avais rencontré Lot. Cet homme, un des chefs de Lot, était là. « Il est vrai que je ne me rappelle pas ton nom, si je l'ai jamais entendu, avouai-je. Mais toi, me semble-t-il, tu as assisté au premier Conseil des rois, à Londinium. Nous avons partagé une coupe de bière, ainsi qu'il m'en souvient, étant donné que Lot n'a pas voulu boire de vin.

— Par le Dieu qui t'a créé, seigneur Emrys... » — Niul rit, appréciant fort cette rencontre — « ... tu es un prodige. En toute vérité. Mon âme, je n'étais alors qu'un tout jeune homme. Oui, nous avons partagé une coupe de bière. Lot n'a rien voulu boire d'autre. Mais où est Pelléas ? Comment se fait-il que tu te retrouves en compagnie de cette bête sauvage d'Irlandais ?

— Pelléas est mort, lui dis-je. Il y a plusieurs années. »

Le chagrin effaça toute gaieté de son sourire. « Ah, quelle triste perte, en vérité. » Il secoua la tête. « Pardonne-moi, je ne savais pas. »

Llenlleawg intervint. « La mère de Niul et la mienne étaient parentes, expliqua-t-il. Niul a été élevé dans la maison de Fergus. Nous avons grandi ensemble. »

L'urgence de ma mission me pressait, aussi, au risque d'être impoli, je dis : « Lot est-il ici ?

— Il est juste derrière nous, répondit Niul. Il nous suit à petite distance avec son armée. Viens, je vais t'amener à lui. »

S'incurvant au pied d'une énorme colline, la vallée faisait un coude et s'élargissait au passage. Une fois franchi le coude, je vis, déployée sur tout le fond de la vallée, une armée de peut-être cinq cents guerriers... trois cents à pied, le reste à cheval : un spectacle des plus réconfortants.

Deux cavaliers se détachèrent du premier rang pour venir à notre rencontre. Lot, je l'aurais reconnu n'importe où : son manteau à grands carreaux noirs et écarlates, ses cheveux tressés, son grand torque d'or, les marques de clan teintes en bleu de ses joues. Il me reconnut aussi et s'écria avec un évident plaisir : « Salut, Emrys ! Je te souhaite bien le bonjour. Cela fait fort longtemps que nous ne nous sommes rencontrés... trop longtemps, à mon avis. »

Je le saluai en retour et nous nous embrassâmes comme deux vrais amis. « Eh bien, nous nous retrouvons encore en selle, l'épée à la main... n'est-ce pas, Myrddin ?

— Je préférerais qu'il en soit autrement, répondis-je. Mais je suis heureux de te voir. Au nom du Grand Roi, je te souhaite la bienvenue, Lot.

— Nous sommes tombés sur Llenlleawg et l'Emrys de l'autre côté de ce coude, expliqua Niul. Ils voyagent seuls.

— Et nous, nous attendions ces féroces Vandali dont Gwalchavad nous a signalé la présence, avança Lot en guise d'explication.

— Continue ton chemin dans la même direction et tu en trouveras autant que tu désires en voir, répondit Llenlleawg. Cinquante mille ou davantage.

— Vraiment ? s'étonna Lot. Gwalchavad n'avait pas dit qu'ils étaient si nombreux.

— Il l'ignorait, répondis-je. Et nous aussi. » Llenlleawg leur expliqua alors où trouver Arthur et comment éviter les barbares.

« Chevaucheras-tu avec nous, Emrys ? demanda Niul.

— Hélas, je ne le puis, répondis-je. Llenlleawg et moi devons régler d'autres affaires, non moins urgentes.

— Alors nous ne vous retarderons pas plus longtemps, dit Lot. En attendant de nous revoir, Myrddin, je te souhaite un bon voyage et un prompt retour. »

Nous poursuivîmes notre chemin, eux le leur, et nous nous perdîmes bientôt de vue. La vallée s'élargit et, à la tombée du jour, j'aperçus les eaux de Mor Hafren qui miroitaient au loin. Nous dressâmes le camp au bord de la piste et remontâmes en selle avant l'aube.

Le soleil ne s'était pas encore élevé au-dessus des collines environnantes quand, haut dans le ciel blafard et sans nuages, je vis les formes sombres de charognards qui tournaient un peu plus au nord. « C'est Caer Uisc », dis-je.

Sans un mot, Llenlleawg tourna bride et se dirigea vers le bourg. Nous y parvînmes quelques instants plus tard pour trouver l'endroit réduit en cendres. Je contemplai l'arène noircie qu'entouraient les restes calcinés de la palissade. Çà et là, sous les poutres effondrées, on pouvait distinguer quelques objets encore reconnaissables : la panse d'un chaudron renversé, un trépied réduit à quelques morceaux de fer tordus, des jarres que la chaleur avait fait éclater par vingtaines et — Dieu, prends pitié de nous ! — à demi enfouis sous les tas de cendres froides, les cadavres carbonisés des victimes de la peste. Les charognards s'activaient sur les corps dont ils nettoyaient les os.

« C'est l'œuvre du Sanglier Noir, déclara amèrement Llenlleawg.

— Non », lui dis-je, revoyant les flammes et réentendant les pleurs de ma vision. C'en était là la confirmation... s'il en était besoin. « Twrch Trwyth n'est pas à blâmer. Ce sont les habitants de Caer Uisc qui ont incendié leur propre village. »

Il me regarda d'un air stupéfait. « C'est impossible ! » protesta-t-il, et il s'apprêta à mettre pied à terre pour examiner les lieux de plus près.

« Arrête ! lui ordonnai-je. Ne touche pas une cendre de ta botte. » Se rasseyant sur sa selle, il ouvrit la bouche pour protester. Je lui intimai silence et dis : « Tu connaîtras bien assez tôt ce tueur. Quand tu retourneras à Caer Melyn, dis à Arthur — uniquement à Arthur ! — ce que tu as vu. Dis-lui aussi que la vision de Myrddin était vraie. Comprends-tu ? Ne parle pas aux autres de Caer Uisc. Nous ne sommes jamais venus ici, Llenlleawg. »

Habitué à recevoir des ordres, il accepta mes instructions. Je fis demi-tour. « Nous ferions mieux de ne pas nous attarder. Le jour s'enfuit. »

Nous repartîmes en hâte pour le port de Caer Legionis, où la flotte d'Arthur, renforcée des navires de Lot, attendait à l'ancre. Barinthus nous salua à notre arrivée : le vaillant pilote était resté avec une poignée d'hommes pour garder et entretenir les navires. « Quelles sont les nouvelles ? cria-t-il. Comment s'est passée la bataille ?

— Nous ne nous sommes battus qu'une fois, répondit Llenlleawg. Une simple escarmouche. Il n'y a pas eu de victoire. »

Nous mîmes pied à terre et saluâmes le pilote. Plusieurs autres vinrent en courant écouter ce que nous avions à dire. Je leur expliquai où en était la situation entre Arthur et Amilcar et je demandai : « Avez-vous vu quelque chose ?

— Lot est arrivé hier vers midi, nous dit Barinthus.

— Rien d'autre ?

— Personne ne passe par ici sans que nous le remarquions, répondit le marin au cou de taureau. Nous montons la garde jour et nuit, et il ne s'est montré ni ami ni ennemi... excepté Lot, comme je l'ai dit, et vous-mêmes. » Il se tut, attendant mes ordres. « Je suis à ton service, Sage Emrys. Où veux-tu aller ?

— À Ynys Avallach », répondis-je en montrant la vaste étendue de Mor Hafren qui miroitait tel de l'or martelé dans la lumière déclinante. « Je vois que la marée descend. L'urgence est telle que je ne puis attendre.

— À tes ordres, dit le pilote. Je t'emmènerai en personne.

— Encore une chose, ajoutai-je. Il serait sage d'éloigner les navires du rivage. Je ne pense pas que nous en ayons besoin dans l'immédiat.

— L'idée m'en était venue » répondit Barinthus d'un ton qui me fit savoir que je n'avais pas besoin de m'inquiéter davantage de la sécurité des vaisseaux.

Il se retourna et se mit à crier des ordres. Ses aides bondirent aussitôt accomplir leurs tâches. Je dis alors à Llenlleawg de retourner auprès d'Arthur et, le temps d'embarquer avec ma monture, la flotte gagnait déjà des eaux plus profondes... largement hors d'atteinte de barbares en maraude.

Se laissant entraîner par la marée descendante, Barinthus guida habilement le navire entre les bancs de sable et nous amena promptement sur la rive opposée, à l'endroit où le lit étroit de la Briw rejoignait celui, plus large, de la Padrud pour former à marée basse un vaste marécage. « Je crains que tu ne doives marcher dans la boue, me prévint-il. Je n'ose pas m'approcher davantage. »

Je fus donc forcé de m'enfoncer dans l'eau jusqu'à la taille. Guidant mon cheval, je pataugeai dans la vase jusqu'à la terre ferme, où je montai en selle et m'éloignai en hâte. La nuit me surprit sur la route, mais je ne m'arrêtai pas : je voulais atteindre le plus vite possible la demeure de mon grand-père. Poursuivant avec acharnement ma course, je parvins en vue du Tor alors que le soleil se levait.

Il ne peut guère y avoir de plus beau spectacle en ce monde que le palais du Roi Pêcheur dans la lumière dorée de l'aube. Les tours élancées et les gracieuses murailles de pierre blanche — toutes teintées de miel et de rose par le soleil levant — se miraient dans le lac entourant le Tor où Ynys Avallach se dressait au-dessus des marais telle une île surgie d'une mer de jade.

Il s'était écoulé des années depuis la dernière fois que je l'avais vu... la durée de plusieurs vies, me semblait-il. Mais il restait tel que dans mes plus anciens souvenirs et mon cœur se gonfla soudain de nostalgie. Le palais d'Avallach avait toujours été pour moi un refuge et je sentais sa perpétuelle tranquillité qui apaisait mon âme, comme une brise sur les eaux paisibles du lac aux berges ombragées rafraîchit le front enfiévré du voyageur.

Oh, Bienheureux Jesu, garde ce lieu près de ton cœur aimant, et tiens-le dans la paume de ta Main Sûre et Prompte. Si la bonté survit quelque part en ce monde, qu'elle règne ici et maintenant, et aussi longtemps que ton nom sera honoré parmi les hommes.

Je fis le tour du lac, passant au pied de la colline sur laquelle se dressait l'abbaye, et atteignis la chaussée menant au Tor. Ynys Avallach, vert comme une émeraude contre le ciel embrasé, semblait quelque lieu de l'Autre Monde… impression qui ne faisait que se renforcer lorsque l'on rencontrait ceux qui y demeuraient. Un peuple de Fées, en vérité, gracieux dans tous ses traits, enchanteur à contempler… même le dernier des valets d'écurie possédait un port noble et altier. Deux jeunes serviteurs accoururent s'occuper de mon cheval. Avallach, dernier monarque de cette race près de s'éteindre, apparut et me souhaita la bienvenue lorsque je franchis la haute voûte des portes.

« Merlin ! » Sa voix résonnait comme un joyeux tonnerre. Avant que je n'eusse pu mettre pied à terre, il m'arracha de ma selle et m'enserra dans une puissante étreinte. « Merlin, mon fils, mon fils. Ne bouge pas. Laisse-moi te regarder. » Il me tint à bout de bras, puis il me reprit dans ses bras et me serra contre son cœur.

Arthur — aussi grand soit-il — n'est qu'un petit garçon à côté du Roi Pêcheur. Je me sentais redevenu un tout jeune homme.

« La paix du Christ soit sur toi, Merlin, mon fils, dit Avallach en écartant largement les bras. Bienvenue ! Viens dans ma grande salle… nous allons lever ensemble la coupe. »

Quittant la cour dallée de pierre, nous passâmes sous un portique et franchîmes les doubles portes du palais. « Charis n'est pas ici pour le moment, m'informa le Roi Pêcheur pendant qu'un serviteur apportait la coupe de bienvenue. Un des prêtres est venu la chercher ce matin. Ils la font appeler chaque fois qu'ils ont besoin d'elle au sanctuaire.

— A-t-il dit pourquoi ? » demandai-je, mon cœur sombrant dans ma poitrine, priant pour que ce ne soit pas ce que je redoutais. La peste pouvait-elle se répandre si rapidement ? Je l'ignorais.

« La maladie », répondit le Roi Pêcheur en tendant la coupe. Quand elle fut pleine, il me la mit dans les mains. « Bois, Merlin. Le voyage a été long et il fait chaud. Les villageois disent que c'est la sécheresse. »

Je souris. Avallach appelait « villageois » tous ceux qui vivaient à l'ombre du Tor… comme s'il était le seigneur de villages prospères peuplés de nombreux et loyaux sujets. En vérité, bien que quelques familles vécussent encore dans des fermes éparpillées autour des marais, la plupart de ceux qui passaient par le Pays de l'Été étaient des pèlerins venus chercher la bénédiction du sanctuaire.

« Alors, je la trouverai à l'abbaye », dis-je, et je bus une gorgée de bonne bière avant de passer la coupe à Avallach.

« Sans doute », dit-il, et il leva la coupe, me regardant par-dessus le bord. Il marqua un temps, la tête penchée sur le côté pour m'examiner. « Christ, aie pitié ! s'écria-t-il soudain. Merlin, tu y vois !

— Effectivement, Grand-père. »

Il me contempla comme s'il venait d'assister à un prodige. « Mais... mais comment cela se fait-il ? Tu as retrouvé la vue ! Raconte-moi ! Raconte-moi tout de suite !

— Il n'y a pas grand-chose à dire, répondis-je. J'étais aveugle, comme tu le sais. Mais un prêtre du nom de Ciaran m'a imposé les mains et il a plu à Dieu de me guérir.

— Un miracle », fit-il dans un souffle, comme si c'était la plus naturelle des explications... comme si les miracles étaient parfaitement ordinaires, aussi fréquents que le soleil qui se lève chaque jour à l'est, aussi merveilleux et aussi bienvenus. De fait, peut-être le sont-ils en ce monde.

La conversation porta alors sur les petits événements de la région : la pêche, le travail au sanctuaire et à l'abbaye, l'œuvre des moines et le cercle sans cesse croissant de la foi. Je m'émerveillai une fois de plus de constater combien les tourments du jour comptaient peu en ce lieu. Des événements d'une grande importance dans le monde extérieur étaient ici inconnus, ou bien passaient pour des incidents sans conséquence. Sur son Tor, le palais du Roi Pêcheur se tenait au-dessus des ravages et des convulsions de l'époque, véritable refuge, havre de paix dans un monde troublé. Grande Lumière, puisse-t-il en être ainsi à jamais !

J'aurais volontiers conversé avec lui toute la journée, mais le temps pressait. Promettant de revenir dès que possible, je pris congé d'Avallach et me rendis à pied à l'abbaye, heureux de ne plus être en selle. En me voyant gravir le sentier, un groupe de frères courut annoncer mon arrivée. Un moine vint à ma rencontre et me conduisit à la chambre de l'abbé Elfodd.

« Attends ici, veux-tu, dit-il. L'abbé viendra te rejoindre dès qu'il sera libre.

— Je te remercie, mais... »

Il était parti avant que je n'eusse pu le retenir. J'allais pour le rappeler, mais la fatigue me submergea et je m'assis dans le fauteuil de l'abbé pour attendre. Je venais juste de fermer les yeux quand j'entendis un bruit de pas de l'autre côté de la porte.

« Merlin ! »

J'ouvris les yeux, me levai et me retrouvai aussitôt saisi dans une vigoureuse étreinte, presque brutale.

VI

« Tes yeux… tes yeux magnifiques », chuchota Charis, des larmes de joie ruisselant sur les joues. « C'est vrai ! Jesu soit loué, tu y vois ! Mais comment est-ce arrivé ? Assieds-toi là et raconte-moi. Il faut que je sache. Oh, Merlin, comme je suis heureuse de te voir. Quelle délicieuse surprise. Peux-tu rester ? Non, ne dis rien : que ton séjour soit long ou bref, cela ne change rien. Tu es ici et c'est tout ce qui compte.

— Tu m'as manqué, Mère, murmurai-je. Jusqu'à cet instant, je ne savais pas à quel point tu m'avais manqué.

— Comme je t'ai attendu, mon Faucon, dit Charis en me serrant contre elle. Et maintenant tu es là… mes prières sont exaucées. »

Comme toujours, Charis n'avait pas changé… en dehors de quelques petits détails : elle portait désormais sa chevelure à la manière des dames bretonnes de haute naissance, en lourdes tresses entrelacées de fils d'or, sa robe était gris tourterelle, simple, longue et dépourvue de tout ornement. Mince, princière, elle était à la fois élégante et mystérieuse, son allure royale soulignée plutôt qu'infirmée par l'austérité de son vêtement. Son regard, qui se promenait sur mon visage, était aussi vif que celui d'un enfant curieux, et il était chargé d'une autorité que je ne lui connaissais pas.

Elle vit que j'avais remarqué les changements dans sa mise et dit : « Ton œil est plus que perçant, Faucon, pour distinguer ce qui n'est plus. » Elle lissa sa robe et sourit. « Oui, je me vêts maintenant plus humblement. Beaucoup de ceux qui viennent au sanctuaire sont si pauvres. Ils ne possèdent rien — moins que rien, pour certains — je ne veux pas leur rappeler leur misère. Je ne pourrais supporter de les offenser par mon vêtement.

— Il serait bien misérable, en vérité, l'homme qui trouverait ta vue offensante », répondis-je d'un ton léger.

Elle sourit de nouveau. « Et pourquoi portes-tu toi-même ce manteau élimé, mon fils ? Je ne puis trouver digne de ton rang de te vêtir ainsi. »

J'écartai les mains. « Comme toi, je trouve plus facile de passer dans le monde sans proclamer mon lignage à chaque détour du chemin. Viens, tu es fatiguée…

— Je l'étais, répondit-elle vivement, mais ta vue m'a revigorée. Assieds-toi près de moi. Je veux t'entendre raconter tout ce qui s'est passé à la cour d'Arthur depuis la dernière fois que je t'ai vu.

— Et rien ne me plairait davantage que de passer la journée avec toi, car il y a beaucoup à raconter. Mais ma mission est urgente et je ne puis rester bien longtemps. Je le regrette. Il me faut repartir dès…

— Repartir avant même d'être vraiment arrivé ! » Charis et moi nous retournâmes pour voir l'abbé faire irruption dans la pièce. Elfodd, vêtu d'un manteau blanc et d'une tunique verte, me salua chaleureusement. « Bienvenue, Merlinus ! Bienvenue, mon ami. On vient de m'annoncer ton arrivée. Reste assis, je t'en prie, tu as l'air épuisé.

— Je suis heureux de te revoir, bon abbé. Tu as l'air de bien te porter, à ce que je vois. » Dans l'ensemble, il ne paraissait pas avoir changé… un peu plus enveloppé, peut-être, et avec davantage de gris dans les cheveux, mais c'était toujours l'Elfodd de mes souvenirs. « Charis m'a dit que tu étais toujours aussi occupé.

— Nous ne cessons de courir de matines jusqu'à vêpres, répondit-il joyeusement. Mais nous prospérons. Dieu est bon. Nous prospérons !

— Je suis heureux de l'entendre.

— Toutefois… » — il se fit grave — « … il n'en est pas de même pour les malheureux qui se présentent ici. L'un de ceux à qui nous prodiguions nos soins est mort la nuit dernière, et on a trouvé deux autres victimes du même mal… ils étaient déjà bien affaiblis, ils n'ont même pas eu la force de se traîner jusqu'ici. »

Il me regarda avec attention, pesant soigneusement ses mots. Je savais déjà, me semblait-il, ce qu'il allait dire. « Merlinus, cet endroit n'est peut-être pas sûr pour toi. Je prie Dieu de me tromper, mais cela ressemble fort à la peste. Si c'est le cas, celui qui est mort hier soir n'est que le premier d'un grand nombre.

— Crois-moi, il y en aura d'autres », lui dis-je, et j'expliquai la raison de ma visite. « J'espérais que tu connaîtrais quelque remède. C'est pour cela que je suis venu.

— Que Jesu nous vienne en aide, car il n'existe pas de remède, répondit-il en secouant tristement la tête. La pestilence ne peut être

237

contenue : elle se répand avec le vent. Comme l'eau croupie, elle empoisonne tout. Nul n'est à l'abri. » Il se tut devant l'énormité de la catastrophe qui nous menaçait.

« J'ai parlé à Paulinus, lui dit Charis sur un ton d'excitation contenue. Il est fort instruit en ces...

— Paulinus ? » s'étonna Elfodd... le souvenir illumina ses traits tel un lever de soleil. « Oh, Dieu soit loué, oui ! Paulinus ! Bienheureux Jesu, bien sûr. Avec toute cette agitation, j'avais complètement oublié.

— Paulinus est arrivé récemment, expliqua Charis.

— Il venait d'Armorique, reprit l'abbé. Il a séjourné dans le sud de la Gaule et, je crois, à Alexandrie. Il y a beaucoup appris sur les herbes médicinales.

— Ils ont l'expérience de la peste, en ces contrées, dit Charis. Nous en parlions juste avant ton arrivée, Merlin. Tu dois aller le voir tout de suite.

— Quel serviteur sans cervelle, s'exclama Elfodd, à quoi ai-je la tête ? » Il se retourna et cria d'une voix forte : « Paulinus ! Que l'on fasse venir Paulinus sur le champ ! »

Un moine apparut dans l'encadrement de la porte pour faire savoir qu'il avait entendu et repartit en courant. Bien qu'il fût encore tôt dans la matinée, il faisait déjà étouffant dans la cellule d'Elfodd. « Allons l'attendre dans le cloître, il y fait plus frais. »

Nous quittâmes l'atmosphère confinée de la pièce pour la promenade à colonnades. Un arbre solitaire ombrageait le centre de la cour. Ses feuilles étaient sèches et pendantes. « Nous devrions remonter de l'eau du lac pour l'arbre de Joseph », dit Elfodd d'un air absent.

Le pays est assoiffé, me dis-je, et il fut répondu à mes pensées par une voix calme et profonde : « Le marteau du Soleil frappe l'enclume de la Terre. Toute verdure flétrira ; tout ce qui brûle sera consumé. »

Nous nous retournâmes pour voir un vieillard chauve et maigre s'avancer dans la lumière. Il avait le visage émacié et hâlé par d'innombrables journées, peut-être des années, passées au soleil du sud. La suite de la prophétie qu'il venait de citer me vint à l'esprit. « Et tout ce qui passera par le feu sera purifié, terminai-je en soutenant son regard.

— Ainsi soit-il ! » dit le moine. Il inclina la tête par déférence envers l'abbé Elfodd, qui l'avait fait appeler. « Sage Ambrosius, je suis Paulinus, et je suis ton serviteur. »

Il vint nous rejoindre, saluant Charis et Elfodd avec une exquise simplicité. À ma grande surprise, je vis qu'il était beaucoup plus jeune que je ne l'avais d'abord pensé. Son crâne chauve, et l'aspect parcheminé de sa peau, lui donnaient l'air plus âgé qu'il ne l'était en réalité. Mais on ne pouvait se méprendre sur la juvénile intensité de ses yeux marron foncé. Il était vêtu de l'humble tunique écrue des moines, mais son maintien était celui d'un seigneur.

« Je me souviens de toi, mon frère, dis-je, et n'ai pas besoin de nouvelle présentation.

— Par l'Agneau Béni ! s'écria-t-il avec surprise. Ce n'est pas possible ! Mais je n'étais qu'un petit enfant la dernière fois que je t'ai vu, et nous n'avons pas échangé un mot. »

Je regardai ses traits et me souvins d'un vieil homme assisté d'un jeune garçon qui portait son bâton. Cet homme était le vieux Dafyd, sur le seuil du monastère de Llandaff. L'enfant aux joues pleines avait une chevelure brune hirsute et des yeux luisants au regard assuré... ces mêmes yeux qui me regardaient maintenant avec un tel amusement.

« Tu étais à Llandaff avec Dafyd, lui dis-je. Y es-tu né ? » Je ne sais pourquoi j'avais posé cette question. Il y a toujours beaucoup d'enfants dans un monastère. Ce seul fait ne revêtait pas une grande signification.

« Tu le sais bien ! » Il rit. « Anges et saints, je croyais que je ne quitterais jamais cet endroit. Ah, mais à la vérité, il est des fois où je voudrais ne l'avoir jamais fait. »

Il rit encore et je pris conscience d'avoir déjà entendu ce rire, et cette façon de parler. Oh, oui, c'était un Cymry jusqu'au bout des ongles. « Es-tu le fils de Gwythelyn ?

— Il en a eu six, et tous hommes de bien, répondit-il. Pour mes cousins du Dyfed, je suis Pol ap Gwythelyn. En quoi puis-je te servir, Myrddin Emrys ? »

Comme Charis s'était déjà entretenue avec lui de la maladie, j'allai droit au but. « Comme tu le sais, la peste est arrivée en Bretagne, dis-je. Je suis venu de la part du Grand Roi apprendre ce que l'on peut faire. »

Paulinus fit le signe de la croix, puis, levant les mains et le visage vers le soleil, dit : « Louanges soient rendues au Créateur du Monde, et à son Glorieux Fils, qui accomplit ses merveilles par des voies mystérieuses ! Je suis fortuné parmi les hommes, car beaucoup sont appelés, mais peu sont élus, et aujourd'hui j'ai été choisi. Je ne suis qu'un outil dans la Main du Maître... mais ma destinée sera accomplie. »

Elfodd parut stupéfait de cette déclaration. Charis le regarda avec curiosité.

« Dois-je comprendre que tu peux nous aider ? demandai-je.

— Tout est possible à Dieu, répondit Paulinus.

— Frère, ta piété est louable. Mais je te serais reconnaissant de me répondre en termes simples. »

Paulinus accepta la réprimande de bonne grâce et expliqua comme il avait longtemps douté de la main qui nous guide, qui l'avait entraîné dans des contrées lointaines en quête de remèdes exotiques, mais l'avait tenu éloigné de ceux-là mêmes qui pouvaient le plus bénéficier de ses connaissances. Bref, il commençait à penser que ses efforts avaient été vains, qu'il s'était mépris sur sa vocation.

« Je voulais devenir médecin, poursuivit Paulinus. Je craignais d'être devenu un érudit à la place. C'est pourquoi je suis venu à Ynys Avallach… le travail qui s'y accomplit est connu et respecté jusqu'en Gaule. Et maintenant Dieu, dans sa grande sagesse, a élevé son serviteur. Mes années d'études seront justifiées : il sera fait honneur à mon don. Je suis prêt. » Il tourna de nouveau le visage vers le soleil et s'exclama : « Infiniment Sage est le Généreux Dispensateur, et digne de toutes les louanges ! Puisse sa sagesse durer à jamais !

— Ainsi soit-il ! » répondis-je, sur quoi Charis et Elfodd ajoutèrent un chaleureux « Amen ». Me tournant vers l'abbé, je dis : « Elfodd, nous devons tenir conseil sur le champ. Nous avons à discuter de beaucoup de choses.

— Bien sûr, acquiesça l'abbé. Allons à la chapelle, où nous pourrons parler plus tranquillement. »

Il tourna les talons et je m'apprêtai à le suivre, mais ma vue se brouilla et je fus pris de vertige. Charis tendit la main pour m'aider à garder l'équilibre. « Merlin ! s'écria-t-elle d'une voix pleine d'inquiétude. Es-tu malade ?

— Non, répondis-je vivement, de crainte qu'ils n'envisagent le pire. Je vais bien, mais je suis épuisé.

— Tu n'as pas mangé depuis que tu as quitté Arthur », devina Charis, et je fus bien obligé de l'avouer. « Pourquoi ? » demanda-t-elle, et elle répondit à sa propre question : « Il y a des troubles en Bretagne, et pas seulement la peste. »

À nouveau, je dus reconnaître qu'elle avait vu clair. « Dans ce cas, viens, Faucon, dit-elle. Je te ramène tout de suite au Tor.

— Ce n'est rien, insistai-je.

— Elfodd et Paulinus viendront nous y rejoindre », dit-elle en m'entraînant.

Comme je n'avais ni la force ni la volonté de résister, je succombai avec soulagement à sa sollicitude et me laissai emmener vers l'Île de Verre.

VII

Après que j'eus mangé un morceau et que je me fus un peu reposé, les prêtres arrivèrent avec Charis et Avallach pour délibérer de la situation. Nous nous retrouvâmes dans le jardin attenant à la chambre du roi, où un dais de toile rouge avait été tendu pour donner de l'ombre. Il nous fut apporté des fauteuils et nous tînmes conseil sous le vélum, comme sous une tente de camp romain. C'était fort approprié, car notre conversation était aussi importante que n'importe quelle campagne militaire, et non moins urgente.

« D'après ce que tu as dit, commença Paulinus, je pense pouvoir avancer que le mal suit la flotte vandale. Où abordent leurs navires s'installe la pestilence.

— S'il en est ainsi, dis-je, pourquoi les Cymbrogi ne sont-ils pas atteints ? Ils combattent les barbares depuis le début, et pourtant aucun n'est tombé malade. En outre, fis-je remarquer, les Vandali ont attaqué Ierne avant de venir en Bretagne, mais nous n'y avons entendu personne parler d'une épidémie. »

Le moine réfléchit soigneusement. « Alors, finit-il par conclure, le mal doit avoir une autre source. » Se tournant vers Elfodd, il demanda : « L'homme qui est mort la nuit dernière… d'où venait-il ?

— Eh bien, il vivait près d'ici, répondit l'abbé. À Ban Curnig : c'est un peu plus loin à l'ouest. Mais c'était un fermier. Je ne pense pas qu'il ait mis les pieds à bord d'un navire… ni même qu'il en ait jamais approché un.

— Je vois. » Paulinus fronça les sourcils. « Dans ce cas, je ne sais que dire. Je n'ai jamais entendu rapporter que la peste soit apparue ailleurs que dans un port, et nous sommes à bonne distance de la mer. »

Nous gardâmes tous le silence, réfléchissant à la façon dont pouvait être résolu ce mystère. « Et les autres ? demandai-je au bout d'un moment. Deux de plus sont morts : étaient-ce aussi des fermiers ?

— Je l'ignore, répondit Elfodd, et ils ne peuvent plus rien nous dire, maintenant.

— L'un d'eux était un négociant, dit Charis. C'est du moins ce que j'ai pensé en voyant sa bourse : elle ressemblait fort à celle d'un marchand. »

Avallach se leva et appela un de ses serviteurs. Après un bref entretien, l'homme s'éloigna en hâte. « Nous allons bientôt découvrir ce que l'on peut apprendre d'une bourse de marchand.

— En attendant, suggéra Elfodd à Paulinus, dis-nous ce que tu sais de la pestilence. » Le moine nous dit alors tout ce qu'il savait de la maladie et des divers moyens qu'il avait appris pour soigner les victimes. Il existait des simples et des potions réputés apporter quelque soulagement. Il fallait boire uniquement de l'eau fraîche puisée à un torrent d'eau vive. Le grain devait être grillé avant d'être mangé, ou bien il fallait le jeter... surtout le grain auquel avaient touché les rats. Les déplacements devaient être réduits au minimum, car plus les gens voyageaient, plus le mal semblait se répandre facilement. Il fallait brûler les cadavres, ainsi que leurs vêtements et leurs biens et aussi, pour plus de sûreté, leurs maisons et leurs greniers. Le feu offrait une certaine protection, car une fois qu'il était passé, la pestilence revenait rarement.

« Je ne voudrais pas vous donner de faux espoirs, avertit Paulinus. Il y a différentes sortes de pestes... et toutes sont mortelles. Avec la Peste Jaune, comme à la guerre, c'est un combat à mort. Beaucoup périront, les plus faibles et les vieillards en premier. On ne peut l'éviter. Mais les mesures dont je viens de parler en sauveront un grand nombre. »

Le serviteur revint peu après, portant un sac de cuir qu'il donna à Avallach. « Voyons, maintenant », dit le Roi Pêcheur en dénouant les cordons. Il vida le contenu du sac sur la table. Des pièces en tombèrent... et rien d'autre.

« J'avais espéré trouver quelque chose qui nous indiquerait d'où venait ce négociant », dit Avallach d'un ton d'amère déception.

Regardant le petit tas de pièces, j'aperçus un éclat argenté au soleil. Écartant les pièces de moindre valeur, je ramassai un *denarius* en argent. Londinium ! Mais bien sûr, ce cloaque à ciel ouvert ne pouvait qu'engendrer mille pestilences !

« Grand-père, dis-je en brandissant la pièce, ce sac a parlé avec éloquence. Vois ! Cet homme s'est récemment rendu à Londinium.

— Comment le sais-tu ? demanda Elfodd, fort étonné.

— En dehors d'Eboracum, c'est le seul endroit où il pouvait échanger ses marchandises contre de la monnaie d'argent.

— En vérité, ajouta Paulinus, s'il était tombé malade à Eboracum, je pense qu'il serait mort avant même de franchir l'Ouse.

— De plus, intervint Charis, Londinium est un port. »

Elfodd hocha la tête, acceptant cette preuve évidente. « Ainsi, notre ami s'était rendu à Londinium pour commercer et il rentrait chez lui quand il est tombé malade. En quoi cela nous aide-t-il ? »

Paulinus répondit : « On peut avertir la ville et en condamner les portes pour contenir le mal. Car il est connu que même ceux qui ne font que traverser une cité touchée par la peste peuvent tomber malade.

— Très bien, conclut Elfodd. À présent, en ce qui concerne les remèdes...

— Ne parle pas de remèdes, le prévint Paulinus, quand il n'en existe aucun.

— Néanmoins, répondis-je, tu as fait allusion à des élixirs qui peuvent apporter un certain soulagement. Comment faut-il les préparer ? »

Paulinus, plus grave à la lumière de la sombre perspective qui s'ouvrait devant nous, répondit : « Une fois que l'on a les ingrédients, préparer les potions est la simplicité même. » Il se posa un doigt sur la lèvre inférieure. « Je pense... oui, la meilleure que je connaisse se prépare à partir d'une herbe aquatique. Je crois que celle-ci pousse en abondance dans la région... et les autres plantes nécessaires sont faciles à trouver.

— Nous en aurons besoin en très grandes quantités, fit remarquer Charis.

— Les frères nous procureront tout ce dont il sera besoin, promit l'abbé Elfodd. Nous avons parmi nous des hommes déjà fort instruits en ces matières, et ils pourront enseigner aux autres. Prévenir chaque village et chaque ferme sera beaucoup plus difficile.

— Je m'en charge », dis-je. Un plan commençait à se former dans mon esprit. « À présent, Paulinus, tu dois nous dire tout ce que tu sais sur la préparation de ce remède et son mode d'administration. Je dis bien tout, insistai-je, jusqu'au plus petit détail, car tes instructions seront répétées dans toutes les fermes et toutes les villes du pays. »

Paulinus, l'érudit malgré lui, s'avéra bon professeur. Il nous décrivit la façon de préparer l'élixir et expliqua comment s'en servir pour obtenir les meilleurs résultats. Tandis qu'il parlait, je me pris à admirer la clarté de son esprit discipliné. Ses années d'études n'avaient pas le moins du monde été vaines, comme il le craignait. Qui plus est, je comprenais l'exaltation qui s'était emparée de lui en entendant enfin l'appel qu'il avait si longtemps attendu.

« Bien sûr, il est infiniment préférable de prévenir la maladie, conclut le savant moine. Les quelques bienfaits apportés par le remède sont inutiles si la potion n'est pas administrée dès le début de la fièvre. Avec elle, les chances d'amélioration sont déjà assez minces. Sans elle, avertit-il, il n'est aucun secours, sinon la prière.

— Je comprends », répondis-je. Me tournant vers Avallach, qui avait suivi toute la conversation dans un silence accablé, je dis : « Vous serez en danger, ici. Je voudrais que vous veniez à Caer Melyn avec moi, car l'abbaye sera bientôt un asile autant qu'un hospice.

— Mon fils, répondit avec douceur Avallach, elle l'est déjà. Cette maladie ne fait qu'accroître la charge de travail. Et la gloire est d'autant plus grande que la tâche est dure. Ce que Dieu nous envoie, nous le supporterons, ne comptant pas sur nos seules forces, mais aussi sur Celui qui nous soutient tous. Et, ajouta-t-il en levant la main, paume vers le haut, à la manière d'un suppliant, si la prière peut être de quelque secours, je m'y consacrerai de tout mon cœur. »

Il était clair que je ne pourrais le faire changer d'avis, aussi n'insistai-je pas davantage. « Puissent tes prières s'avérer plus puissantes qu'aucun élixir », lui dis-je.

Quand notre entretien prit fin, quelques instants plus tard, nous laissâmes Avallach à son repos. Nous descendîmes, Paulinus, Elfodd, Charis et moi, au bord du lac, où le moine nous montra la plante qui conférait à la potion son pouvoir curatif. Après avoir ôté sa tunique et ses sandales, il roula les jambes de son pantalon et entra dans l'onde… le dos courbé, mains sur les genoux, scrutant de ses yeux sombres les fraîches eaux vertes.

Au bout d'un moment, il fit halte et plongea la main dans l'eau pour arracher une plante aux longues feuilles vertes ornée de grappes de petites fleurs rose pâle au bout d'une tige charnue. Je la reconnus pour celle que les habitants des alentours nommaient *ffar gros*. « Ceci, dit-il en montrant l'épaisse racine brune, broyé avec des feuilles et des tiges de *garlec* et de *brillan mawr* en parts égales — et le tout préparé comme je vous l'ai dit — procure tout le soulagement que l'on peut apporter. » Puis, comme s'il imaginait le goût du remède sur sa langue, il ajouta : « Je pense qu'un peu de liqueur de *rhafnwydden* rendrait la chose plus agréable au palais. »

Remontant sur la berge, il cueillit rapidement les autres plantes qu'il avait mentionnées. Car elles poussaient effectivement en abondance dans les bois et le long de la plupart des cours d'eau d'Ynys Prydein. Muni de ces ingrédients, Paulinus nous conduisit à l'abbaye où, après avoir obtenu les ustensiles nécessaires, il entreprit de préparer la potion, nous montrant comment apprêter les tiges et les racines des plantes avant de les broyer pour les mettre à bouillir dans un chaudron avec un peu d'eau salée. L'eau vira au jaune et dégagea une odeur d'œuf pourri.

Quand il jugea la préparation terminée, Paulinus puisa avec une cuiller en bois un peu de liqueur laiteuse et souffla dessus. « Il y a plusieurs façons de déterminer si elle est prête, dit-il, mais celle-ci est la meilleure. » Sur ce, il porta la cuiller à ses lèvres et but. « Oui. Elle est prête. »

Il tendit sa cuiller pour nous offrir à boire de la potion. « Goûtez, nous invita-t-il. Il n'y a aucun danger.

— C'est fort, commenta Charis en plissant légèrement le nez. Et amer. Mais ce n'est pas désagréable. » Elle me passa la cuiller et je bus : le liquide picotait la langue.

« Pour obtenir les meilleurs résultats, recommanda Paulinus, il faut l'administrer dès les premières atteintes de la fièvre, comme je l'ai dit. »

Je félicitai le moine de sa sagacité et dis : « Cette épidémie va mettre chacun à rude épreuve. Tu pourrais être utile à ton roi en ce combat. Viendras-tu avec moi ? »

Paulinus fut prompt à répondre. « Je viendrai avec toi, seigneur Emrys. » Il se tourna par déférence vers son supérieur. « Si l'abbé Elfodd m'autorise à m'absenter, bien sûr.

— Paulinus, dit Elfodd d'un ton paternel, tu as reçu convocation du Grand Roi. Tu dois y répondre. Et, de même que nous avons réussi à survivre avant ton arrivée, je pense que nous y parviendrons après ton départ. Oui, va. Je te donne ma bénédiction. Reviens quand ta mission sera terminée. »

Paulinus inclina la tête. « Je suis ton homme, seigneur Emrys.

— Bien.

— Nous allons préparer autant de potion que possible avant que vous ne partiez, proposa Charis. Vous pourrez ainsi en emporter une bonne réserve avec vous. »

Elfodd approuva sa proposition. « Les frères se tiennent prêts à t'aider. De nombreuses mains hâteront le travail.

— Je vous remercie tous les deux. Je savais que je ne pouvais me tromper en venant ici. » À Paulinus, je dis : « Fais vite, maintenant. Nous partirons dès que tu seras prêt. »

Nous laissâmes Elfodd et Paulinus à leur travail pour retourner au palais. En chemin, Charis n'ouvrit pas la bouche, si bien que je finis par demander : « As-tu peur ?

— De la peste ? répondit-elle avec une légère surprise. Pas le moins du monde. Au cours de mes années sur l'Île de Verre, j'ai vu tout ce que peut faire la maladie, Faucon. La mort n'éveille plus aucune crainte en moi. Pourquoi cette question ?

— Tu n'as rien dit depuis que nous avons quitté l'abbaye. »

Elle sourit tristement. « Ce n'est pas par peur de la peste, je t'assure. Si je suis abattue, c'est parce que tu vas bientôt partir et que je ne sais pas quand je te reverrai.

— Viens avec moi.

— Oh, Merlin, je n'ose pas. Je le voudrais bien, mais…

— Pourquoi donc ?

— On va avoir besoin de moi ici.

— À vrai dire, tes connaissances seraient les bienvenues partout où tu pourrais aller, lui dis-je. Arthur te trouverait un endroit digne de tes talents et de ta renommée. » Je fis une pause. « Je sais qu'il n'aimerait rien tant que de te revoir… Gwenhwyvar aussi.

— Et moi de même, je t'assure, répondit-elle. Mais ma place est ici. J'ai vécu si longtemps sur mon Tor, je ne pourrais pas l'abandonner maintenant… particulièrement en ces jours troublés.

— Je voudrais que plus de gens aient ton courage.

— Béni sois-tu, mon Faucon. Peut-être, quand l'épreuve présente sera passée, viendrai-je à Caer Melyn et resterai-je quelque temps auprès de toi. Oui, dit-elle, prenant sa décision. Je le ferai. »

En attendant que Paulinus vienne me rejoindre, je me rendis sur la Colline du Sanctuaire. J'avais l'intention de passer un moment en prière dans la chapelle avant de replonger dans la mêlée. Le petit bâtiment de torchis, sur sa butte voisine du Tor, est soigneusement entretenu par les moines de l'abbaye. Ils vénèrent ce lieu, car c'est là que la Bonne Nouvelle est arrivée pour la première fois en Bretagne avec Joseph, le riche marchand d'étain d'Arimathie. Le sanctuaire est un édifice tout simple badigeonné à la chaux, avec un toit de chaume abritant une pièce unique où se dresse un petit autel de pierre.

Je mis pied à terre et pénétrai dans l'ombre fraîche pour m'agenouiller devant l'autel sur le sol de terre battue. Dans ce frustre sanctuaire, la sensation de la présence du Dieu Sauveur restait aussi forte que jamais… c'est un lieu antique et sacré. C'était là qu'Arthur avait eu la révélation de sa destinée, avant de recevoir l'Épée de

Souveraineté des mains de la Dame du Lac. C'était aussi là que j'avais vu le Graal, ce très mystérieux et insaisissable gage de la bénédiction et de la puissance divines.

M'agenouillant dans cet humble édifice, je dis mes prières et, quand je me relevai pour reprendre mon chemin, ce fut avec une force d'âme renouvelée.

Nous quittâmes Ynys Avallach un peu plus tard, Paulinus et moi. Arthur attendait et j'étais impatient de mettre mon plan en œuvre : il fallait interdire tout voyage en provenance ou à destination de Londinium... bloquer chaque route et chaque voie d'eau, avertir tous les villages, toutes les fermes, et les approvisionner en élixir. En ce qui concernait cette potion, je comptais demander à Paulinus d'apprendre comment la préparer à dix Cymbrogi qui, armés de cette connaissance, se répandraient dans tout Ynys Prydein pour prévenir de l'épidémie et expliquer comment la combattre. Chaque monastère et chaque abbaye, à l'instar de l'Île de Verre, deviendrait un refuge. Les moines et les clercs fabriqueraient le remède qu'ils distribueraient dans les villages environnants, enseignant à leurs habitants les moyens de lutter contre la maladie.

C'était, songeai-je, une bien pauvre stratégie pour s'attaquer à un aussi puissant ennemi que la Mort Jaune. Mais c'était la seule arme dont nous disposions et il nous fallait en user de notre mieux, saisissant la moindre occasion de frapper.

Par conséquent, Paulinus et moi nous hâtâmes de suivre le cours de la Briw vers le mouillage où attendait Barinthus avec le navire. La journée du lendemain était bien avancée, et le soleil presque couché, quand je hélai le pilote. Pendant qu'il faisait embarquer les chevaux en compagnie de Paulinus, je restai regarder l'ombre descendre sur Mor Hafren et s'étaler sur l'eau telle une tâche huileuse.

C'était la mort que je voyais, la dissolution du Royaume de l'Été, cette plus belle des fleurs flétrie sous mes yeux dans son premier éclat. En moi, mon cœur se fit lourd, et glacé.

Grande Lumière, que peut faire de plus un homme ?

Le soleil était couché lorsque nous atteignîmes le rivage opposé, mais le ciel nocturne était clair, de sorte que nous nous remîmes en route sans tarder, ne nous arrêtant que pour reposer et abreuver nos chevaux. Nous chevauchâmes toute la journée du lendemain et la plus grande partie de la nuit — sans cesse aux aguets des Vandali, mais nous n'en rencontrâmes aucun — et atteignîmes le campement breton avant l'aube. À notre arrivée, une des sentinelles alla réveiller Arthur, qui abandonna son lit pour nous accueillir.

Je protestai que je n'avais pas voulu le déranger, mais il écarta d'un geste mes excuses. « Je n'aurai pas tardé à m'éveiller de toute façon, dit-il. Comme cela, nous avons un instant de tranquillité pour parler ensemble. »

Il me fit signe de le rejoindre devant sa tente, où brûlait un petit feu. « Gwenhwyvar est encore endormie, expliqua-t-il tandis que nous prenions place.

— Je crois avoir vu d'autres navires sur Mor Hafren, déclarai-je.

— Lot est ici, comme tu sais, répondit Arthur. Idris et Cunomor sont enfin arrivés, et Cadwallo nous a rejoints le lendemain de ton départ. Ils sont partis avec Gwalchavad et Cador mener une expédition dans le sud. Si tout va bien, ils seront de retour à l'aube. »

Rhys apparut avec un bol, un peu de viande froide et du pain rassis. Il présenta d'abord le bol à Arthur, qui le poussa vers moi. « Je prendrai quelque chose plus tard, dit-il, mais tu as eu une rude chevauchée. Mange, et dis-moi comment cela s'est passé sur l'Île de Verre.

— C'est la propre main de Dieu qui m'y a conduit, Arthur, lui dis-je en rompant le pain. J'avais raison au sujet de la peste.

— Je sais. Llenlleawg m'a mis au courant pour Caer Uisc. J'ai eu tort d'essayer de te retenir. »

J'écartai du geste ses excuses. « Je rapporte la recette d'une potion vulnéraire... entre autres choses.

— Je pensais qu'il y avait un moine avec toi. »

Je dis à Rhys : « Va chercher Paulinus. Arthur va le recevoir. »

Bâillant — et titubant d'épuisement — le moine se présenta. Arthur jeta sur lui un coup d'œil dubitatif. « Je te donne bien le bonjour, frère », dit-il aimablement.

Paulinus inclina vaguement la tête. « Et moi de même », répondit-il, mais, inconscient de l'honneur qui lui était rendu, il ne fit pas d'autre salutation.

« Paulinus ! dis-je d'un ton sec. Secoue-toi de ta léthargie, veux-tu. Le Grand Roi de Bretagne ne mérite-t-il pas ton attention ? »

Paulinus se redressa brusquement en écarquillant les yeux. « Seigneur Arthur ! Pardonne-moi, mon roi : je ne savais pas que c'était toi. Je pensais... » Il fit un geste vague en direction de la tente comme s'il s'attendait encore à voir apparaître un autre roi. « Je te pensais beaucoup plus âgé. »

Cela divertit Arthur. « Qui donc as-tu cru que j'étais ?

— Je t'ai pris pour un intendant, bafouilla Paulinus, fort chagriné. Le Pendragon de Bretagne... Pardonne-moi, seigneur. Jesu ait pitié, je n'avais pas l'intention de te manquer de respect.

— Je te pardonne bien volontiers, dit Arthur. Je vois que tu es en grand besoin de sommeil. Je ne te retiendrai pas davantage. Viens me trouver quand tu seras reposé et nous parlerons. » À Rhys, il dit : « Trouve à ce moine un endroit pour poser sa tête où il ne sera pas réveillé par tous ceux qui passent. Et donne-lui quelque chose à manger s'il a faim.

— Merci, seigneur », dit Paulinus. Puis, soulagé qu'il soit mis fin à son embarras, il fit une courbette maladroite et suivit Rhys.

Le Grand Roi le regarda s'éloigner en secouant légèrement la tête. « Je suppose que tu sais ce que tu fais.

— Il nous sera utile, lui assurai-je. Il n'a pas l'expérience des rois : il a passé plus de temps en compagnie des herbes et des plantes qu'en celle des nobles et des princes.

— Alors c'est l'homme dont nous avons besoin », dit Arthur, puis il ajouta d'un ton amer : « Et non d'un autre seigneur cupide qui pense savoir mieux que son roi comment livrer bataille à l'envahisseur.

— Cela se présente donc mal ? »

Arthur ramassa une branche, la cassa et jeta les morceaux dans le feu, délibérément, les uns après les autres. « Certains le diraient.

— Quelle est la situation ? »

Il fronça les sourcils en regardant le feu. Derrière lui, le ciel pâlissait en une aube lumineuse. « Le Sanglier Noir et ses marcassins se sont enfuis dans les collines, dit-il d'une voix où perçait sa frustration. Et le diable en personne serait bien en peine de les retrouver. Chacune de nos expéditions ne fait que les repousser plus profondément dans les gorges. » Il jeta une autre branche dans les flammes. « En vérité, je te le dis, Myrddin, ils sont plus difficiles à débusquer que des blaireaux. »

Il s'interrompit et se dérida quelque peu. « Maintenant que Lot, Idris et les autres sont arrivés, nous allons peut-être nous en sortir un peu mieux. Jesu sait que nous faisons tout ce que nous pouvons. »

Gwenhwyvar, réveillée par notre discussion, sortit tranquillement de la tente. Elle était vêtue d'une légère tunique blanche, les cheveux attachés par une bande de tissu de la même couleur. Elle s'installa auprès d'Arthur, qui posa un bras sur ses épaules et l'attira contre lui. « Salutations, Myrddin, dit-elle. Nous rapportes-tu de bonnes nouvelles ?

— Non, je ne dirais pas qu'elles sont bonnes. La peste est sur nous et il n'y a pas de remède.

— Alors nous devons nous préparer de notre mieux.

— Mais mon voyage n'a pas été sans consolations, ajoutai-je vivement. Car j'ai ramené un moine qui en sait beaucoup sur la maladie : il va nous aider. J'ai aussi appris ceci : la pestilence est probablement issue de Londinium... le port y accueille de nombreux vaisseaux étrangers. Paulinus dit que la peste suit souvent les navires de commerce. »

Gwenhwyvar saisit aussitôt toutes les implications de mes paroles. « Londinium, hoqueta-t-elle. Mais Cador est en route pour la cité en ce moment-même.

— Il faut l'arrêter, dit Arthur. Il est possible qu'il ne l'ait pas encore atteinte.

— Londinium doit être isolé, dis-je. Il faut surveiller toutes les routes, ainsi que les rivières. Personne ne doit entrer ni sortir tant que sévit la maladie.

— Cela veut dire que nous ne pouvons compter sur des vivres en provenance des marchés de Londinium, dit Gwenhwyvar. Doux Jesu... » Elle se pencha instinctivement vers son époux pour chercher un réconfort. « Qu'allons-nous faire, Artos ?

— Nous allons combattre cet ennemi comme tous les autres.

— Mais il ne ressemble à aucun autre, rétorqua-t-elle. Il se répand au gré du vent. Il tue sans distinction, et ni l'épée ni le bouclier ne peuvent rien contre lui.

— Nous ferons tout ce qui sera possible.

— Je dois aller trouver mon père, dit-elle. Il faut le prévenir.

— Non, lui répliqua-t-il sèchement. Tu n'iras pas.

— Mais je dois avertir les miens. Il se pourrait que...

— Ils seront prévenus, répondit-il avec fermeté. Mais j'ai besoin de toi ici. » Le ton de sa voix coupait court à toute protestation.

« Il faut d'abord mettre les nobles au courant, suggérai-je. Ils voudront avertir les leurs. La maladie ne peut pas s'être encore répandue très loin. »

Arthur se leva. « Rhys ! » Un battement de cœur plus tard, l'intendant du Grand Roi se tenait près de lui. « Demande aux seigneurs de venir me retrouver sur le champ. » Pendant que Rhys se hâtait d'obéir, le roi dit : « Dieu seul sait ce qui va nous advenir. »

Les seigneurs répondirent à la convocation de Rhys et se rassemblèrent autour du feu d'Arthur... certains inquiets, les autres simplement curieux. Arthur ne les invita pas à s'asseoir, mais resta debout devant eux, l'air grave et solennel. Il ne se perdit pas en circonlocutions. « La peste s'est abattue sur la Bretagne, dit-il simplement. Vous devez envoyer des cavaliers prévenir vos clans. »

Les nobles dévisagèrent Arthur, stupéfaits, et s'entre-regardèrent en quête d'une explication. « Vraiment ? s'exclamaient-ils d'un ton catastrophé. Comment est-ce possible ?

— Vous pouvez me croire, leur dit le roi. La peste suit les navires de commerce. Des marchands étrangers ont introduit cette pestilence dans notre pays.

— Dis-nous, cria un des rois, quelle est la nature de cette pestilence ? Comment peut-on la combattre ? »

Arthur me fit signe de dire ce que je savais. « Cette peste est connue depuis les plus anciens temps sous le nom de Fléau de l'Orient, commençai-je. C'est la Mort Jaune, un mal qui se répand avec la promptitude et la voracité du feu. On le reconnaît à ces signes : le malade alterne les périodes de fièvre intense et de frissons glacés, ses membres sont agités de spasmes et de tremblements, des fluides délétères lui engorgent le corps, mais il n'est pas moyen de purger sa vessie. En dernière extrémité, sa peau devient jaune et il vomit du sang. La mort lui apporte la délivrance en l'espace de deux jours... trois au plus.

— Nous ne sommes néanmoins pas sans espoir, poursuivit Arthur. Nous avons avec nous un moine qui connaît les meilleures façons de combattre ce mal. À présent, vous allez tous appeler les messagers que vous jugerez les mieux à même de rejoindre vos clans et vos tribus pour les avertir du danger.

— Des messagers ! s'écria Ogryvan. J'irai en personne. Mon peuple n'entendra pas parler de cette peste par la bouche d'un simple messager. Je n'abandonnerai pas mon royaume dans cette crise. »

D'autres élevèrent des objections similaires, mais Arthur resta inébranlable. « J'ai besoin de vous ici, répondit-il. La bataille est engagée. Vous ne pouvez pas partir.

— Nous ne pouvons pas partir ! rugit Brastias. Nous ne pouvons pas ! J'apporte mon aide librement, ou pas du tout. Moi seul décide de mes allées et venues.

— Je suis ton roi, lui rappela Arthur, la voix aussi tranchante que Caledvwlch. Puisque tu m'as juré fidélité, j'ai autorité sur toi. Il est de mon droit de te commander, et je t'ordonne de rester.

— Moi aussi, je suis roi, répondit Brastias d'un air hautain. La fidélité que j'ai jurée n'est qu'un gage de la royauté que je détiens. Si je ne peux pas décider de mes simples mouvements, je ne possède pas plus d'autorité que le dernier des serviteurs de ma maison. »

Arthur le foudroya d'un regard de souverain mépris. Il contrôla sa colère avant de répondre. « Tu es le mieux à même de savoir quel genre de roi tu es, répondit-il à voix basse. Et je n'aurai pas la hardiesse de te contredire. Mais c'est faire insulte à ceux que tu estimes en dessous de toi que de te comparer à eux. »

Brastias s'empourpra de colère. Arthur ne lui laissa pas le loisir de répliquer. « Le temps est précieux pour ceux qui doivent porter la nouvelle et nous le perdons en arguties à propos de droits et d'autorité. Appelez vos cavaliers et envoyez-les à Myrddin. Il leur donnera ses instructions. »

Le tumulte se déchaîna à ces mots. Les derniers restes de quiétude nocturne volèrent en éclats tandis que la terrible nouvelle se propageait de camp en camp. Arthur rassembla le Vol des Dragons et choisit parmi les volontaires trois hommes pour chevaucher vers le nord afin de prévenir les seigneurs qui étaient en route pour nous rejoindre et tous les villages qu'ils traverseraient. Il désigna aussi un détachement — deux cents hommes, qui feraient cruellement défaut dans nos rangs — pour établir le siège autour de Londinium. Il les envoya en toute hâte dans l'espoir qu'ils puissent arrêter Cador avant qu'il n'atteigne les marchés.

Pendant que les cavaliers se mettaient en route, les plus proches compagnons d'Arthur tinrent conseil avec lui : Gwenhwyvar, Bedwyr, Cai, Llenlleawg et moi-même. « Est-il possible de faire quelque chose ? demanda Cai, énonçant à haute voix la question que tous avaient à l'esprit.

— Prier, répondit solennellement Arthur. Prier Dieu de bien vouloir écarter cette pestilence de notre pays. Ou, sinon, de nous aider à y survivre. En vérité, je crains jusque dans mes os que, si le Seigneur Dieu ne nous soutient pas, cette épreuve ne soit la fin de la Bretagne. »

LIVRE QUATRIÈME

LE RÊVE SALVATEUR

I

Sec... sec... sec. Et chaud. La terre se craquelle. Les rivières s'assèchent. Nul nuage n'apparaît dans le ciel incandescent et le pays se racornit sous un soleil implacable. Les sources sacrées se sont taries et les puits renvoient l'écho des seaux vides. Il n'y a pas un souffle de vent, pas la moindre brise pour rafraîchir l'atmosphère. Les animaux sont assoiffés. Les forces leur font défaut et ils tombent pour mourir sur place.

Pendant ce temps, la pestilence rôde telle une brume invisible dans les plaines. Les uns après les autres, les caers, les villages et les fermes sont visités par la Mort Jaune. Renforcée par la sécheresse, qui pousse les hommes loin de chez eux à la recherche d'eau, la peste se répand dans le pays. Les enfants pleurent et les femmes murmurent de peur dans leur sommeil. Les hommes se plaignent amèrement et tiennent Arthur pour responsable.

Les petits rois le blâment et méditent la trahison dans leur cœur. « Cela ne se passerait pas ainsi si je dirigeais ce pays, plastronnent-ils. Je mettrais un terme à l'invasion et écarterais toute maladie de nos rivages. »

Ils disent cela comme si les Vandali n'étaient rien de plus qu'un berger ivre et la peste son chien galeux. Cela m'ôte le souffle de la bouche de voir avec quelle hâte les hommes désertent celui qu'ils avaient juré de servir jusqu'à la mort. Mais quand la foi leur fait défaut, ils abandonnent tout ce qui les soutenait. Ils fuient la source de leur inquiétude pour se précipiter aveuglément dans la défiance et la trahison.

Voyez ! La mer est creusée de milliers de sillons par les navires bretons qui voguent vers l'Armorique. D'un cœur lâche, des hommes naguère braves plongent l'aviron dans l'eau, de crainte que la contrée de leur naissance ne devienne aussi celle de leur mort.

Mais leur peur peut être pardonnée. Ils font simplement ce que permet leur courage défaillant. Bien plus coupables — et à jamais impardonnables — sont ceux qui tentent de mettre à profit les souffrances d'autrui pour favoriser leurs ambitions boursouflées.

Ils sont maintenant quatre à se dresser ouvertement contre Arthur : Gerontius, Brastias, Ulfias et Urien. Les deux premiers, je les comprends. À vrai dire, je ne les connais que trop bien ! Ulfias est faible et anxieux de complaire à son belliqueux voisin : il a décidé que la paix avec Brastias était plus importante que la loyauté envers Arthur. En cela, il se trompe fort.

Si seulement ils avaient quitté le camp… mais non, ils vont et viennent en empoisonnant l'atmosphère de leurs récriminations, saisissant la moindre occasion d'exciter le ressentiment, influençant les moins résolus par leurs insidieuses calomnies. Leurs frères plus pusillanimes les écoutent et se laissent entraîner… comme Urien.

Je ne puis qu'être surpris par ce dernier. Son bouillant enthousiasme s'est éteint, son ardeur, au début si brûlante, s'est refroidie. Dieu sait s'il en est parfois ainsi : plus vif est le feu, plus vite il se meurt. Mais j'avais espéré mieux d'Urien Rheged. Jeune et inexpérimenté, et terriblement désireux de plaire, il est vrai, il semblait pourtant d'assez bonne noblesse. Avec la maturité et l'expérience, il aurait pu devenir un seigneur honorable et compétent. Il aurait trouvé en Arthur un ami fidèle et généreux.

Je me demande ce qui a pu le retourner contre Arthur. Quel manquement a-t-il perçu ou, plus vraisemblablement, imaginé ? Quelle proposition miroitante Brastias lui a-t-il faite, quelle irrésistible promesse, capable de transformer en cendres froides son ardente loyauté ?

Hélas, même les vœux les plus sacrés sont souvent oubliés avant que les paroles ne meurent dans l'air. Mais qu'y puis-je ? Il n'est pas moyen d'attacher un cœur qui s'y refuse, encore moins s'il n'honore rien davantage que lui-même. Soit !

Voici donc comment Lugnasadh nous trouva : le pays dévasté par le Sanglier Noir et la population décimée par la peste.

Tels les chiens de la Chasse infernale, nous poursuivions l'envahisseur vers le nord-est, nous enfonçant de plus en plus dans les gorges ombragées. Mais les Vandali s'arrangeaient pour rester toujours hors d'atteinte. Ils refusaient de se battre, préférant fuir, voyageant le plus souvent de nuit. Se déplaçant le long des crêtes et des rivières, ils suivaient les antiques sentiers d'Albion en direction des riches terres du cœur du pays.

Arthur dépêchait de rapides messagers pour prévenir les villages de l'approche des envahisseurs. Même cette tâche simple était rendue ardue du fait que le rusé Amilcar avait divisé ses forces. Il n'y avait désormais pas moins de sept armées ennemies qui rôdaient à travers le pays, chacune sous le commandement d'un chef vandale dont la seule préoccupation était de s'enfoncer le plus loin possible dans les terres en se livrant au pillage à chacun de ses pas.

Twrch Trwyth s'échappait vers le nord-est avec le corps principal de l'armée vandale sans paraître se soucier de l'éparpillement de ses marcassins. Il devait y avoir un dessein derrière cette tactique démente, mais je ne pouvais le discerner.

Nous les poursuivions néanmoins sans relâche, les rattrapant quand nous le pouvions, engageant le combat quand l'occasion nous en était donnée... mais arrivant la plupart du temps un jour trop tard. L'impuissance s'attachait à nos pas et le soleil implacable nous brûlait la peau. Les vivres nous manquaient — un perpétuel problème, aussi lancinant que les crampes qui tenaillaient nos ventres vides — car avec Londinium en quarantaine, nous étions contraints d'acheter le grain et le bétail sur de petits marchés aussi éloignés qu'Eboracum, et nous en procurer en quantités suffisantes était une tâche aussi fastidieuse qu'elle nous faisait perdre de temps. Pour parachever le tout, les petits rois commençaient à se chamailler et à discuter les ordres d'Arthur.

Cela aurait suffi à décourager plus d'un homme au caractère moins trempé. Mais Arthur devait en plus se battre contre la peste. Et celle-ci s'avérait non moins obstinée que le Sanglier Noir.

Je revois Paulinus, que son combat contre le fléau avait rendu hagard et décharné. Comment en aurait-il été autrement ? Il se reposait peu et dormait rarement. Il trimait comme un esclave pour enseigner, préparer et dispenser sa médecine. Le timide moine était devenu un vaillant guerrier, aussi implacable à sa manière que n'importe lequel des chefs d'Arthur, engagé dans une guerre non moins acharnée que la nôtre contre Amilcar.

Il n'avait pas plus tôt appris que la peste s'était déclarée dans un village ou un hameau qu'il lui fallait s'y rendre aussitôt. Sans une pensée pour lui-même, il se donnait tout entier à la bataille, se bâtissant une renommée dans la lutte contre la Mort Jaune. D'autres, voyant son exemple, avaient décidé de le suivre. Ainsi, en compagnie d'une poignée de frères de Llandaff qui s'étaient joints spontanément à son travail, il avait pris la tête de la guerre contre le fléau.

Mais la maladie, comme l'envahisseur, conservait toujours plusieurs longueurs d'avance. Il semblait n'y avoir aucun moyen de contenir l'un ou l'autre. Arthur fut donc fort affecté de la défection de ses seigneurs.

« Reprends-toi, Ours », dit Bedwyr pour essayer de calmer le roi. « Nous n'avons pas besoin de Brastias et de ses semblables qui ne cessent de nous créer des difficultés à chaque détour du chemin. »

Nous étions réunis dans la grande tente du conseil, mais Arthur, furieux contre les rois rebelles, ne les avait pas convoqués. Il était assis, les deux coudes sur la table, sourcils froncés, tandis que ses plus proches compagnons essayaient de le réconforter.

« Je dis qu'il vaut mieux voir leurs dos, ajouta Cai.

— Il a raison, Ours, intervint Cador. Ils n'ont emmené que trois cents cavaliers avec eux, tout au plus.

— Bienheureux Jesu, ce n'est pas de la perte de quelques chevaux dont je me soucie ! rugit Arthur. Ils sont trois à m'avoir ouvertement défié. Combien de temps pensez-vous qu'il faudra pour que la gangrène s'installe chez les autres ? »

Gwenhwyvar, radieux séraphin en fraîche tunique blanche, se pencha vers lui. « Laisse-moi aller trouver les miens, suggéra-t-elle. Les rois d'Eiru sont bien disposés. En vérité, ils sont impatients de rembourser leur dette envers la Bretagne. Tu n'as qu'un mot à dire.

— Cela ne ferait pas de mal de remplacer les chevaux et les cavaliers que nous avons perdus, plaida Bedwyr. L'arrivée des rois irlandais pourrait faire honte à ceux qui hésitent et encourager ceux qui sont restés loyaux.

— Ce ne serait pas une mauvaise chose », approuva Gwenhwyvar, qui ajouta : « Quiconque se tient à notre côté en ce combat est le bienvenu. »

Elle prit dans les siennes la main droite d'Arthur. « Pourquoi hésites-tu encore, mon époux ? Il n'y a ni honte ni mal à cela. » Elle lui étreignit la main avec insistance. « Plus tôt je serai partie, plus vite je serai revenue. Tu t'apercevras à peine de mon absence. »

Arthur réfléchit. Il hésitait, sur le point de céder. « Qu'en dis-tu, Myrddin ?

— Tes sages conseillers t'ont fait de bonnes recommandations, répondis-je. Pourquoi me demander mon avis ?

— Je te le demande néanmoins, grommela-t-il.

— Fort bien », dis-je. Mais avant que j'aie pu donner ma réponse, la corne de chasse retentit au-dehors… une courte sonnerie, suivie de deux autres : Rhys annonçait un nouveau venu au camp.

« Quelqu'un arrive », dit Cai en se levant d'un bond. Il s'immobilisa. « Veux-tu que je te l'amène, Ours ?

— Vois d'abord de qui il s'agit », dit aigrement Arthur.

Cai sortit et nous nous préparâmes à recevoir qui se présentait.

Un instant plus tard, Cai appela. « Arthur, tu devrais venir voir nos visiteurs. »

Arthur soupira, repoussa son siège — le grand fauteuil de campagne d'Uther — et se leva lentement. « Que se passe-t-il encore ? » Écartant le rabat de la tente, il sortit et je le suivis. Cai, debout non loin de la tente, regardait en direction du ruisseau, au pied de la colline.

Regardant à notre tour, nous vîmes un groupe d'hommes d'église qui gravissaient la pente : non moins de trois évêques, accompagnés d'une bonne trentaine de moines. Les prélats portaient de riches vêtements sacerdotaux : longues robes sombres toutes scintillantes d'ornements en or. Ils avaient aux pieds des bottes de cuir souple et tenaient à la main des bâtons de chêne à pommeau d'or. Ceux qui les accompagnaient, en revanche, étaient humblement vêtus de laine écrue.

« Le ciel nous protège, murmura à haute voix Gwalchavad. Que viennent-ils faire ici ?

— Paix, mon frère, lui conseilla Bedwyr. Il se peut qu'ils soient venus nous apporter leur aide contre la peste. Tout renfort en ce combat sera fort bienvenu.

— Ils n'ont pas l'air d'hommes venus proposer leur aide, fit remarquer Gwenhwyvar. Loin de là, me semble-t-il. »

Sa sensibilité féminine était aussi acérée que sa vue, car les sourcils froncés et les lèvres pincées de ceux qui approchaient suggéraient une détermination solennelle et une résolution inflexible. L'évêque qui marchait en tête frappait le sol de sa crosse comme pour écraser des serpents et ceux qui l'entouraient avançaient d'un pas raide, épaules rejetées en arrière et menton en avant. En d'autres circonstances, cela nous aurait fait éclater de rire. Mais pas ce jour-là : l'Ours de Bretagne n'était pas d'humeur joyeuse.

Rhys vint prendre place auprès d'Arthur tandis que les prêtres se dirigeaient vers nous. Je n'en connaissais aucun. Bien entendu, leur arrivée avait attiré l'attention de tous les hommes du camp, curieux d'entendre ce qu'avaient à dire ces importants visiteurs. Une centaine de guerriers, au moins, eut tôt fait de se rassembler, ce qui parut plaire aux évêques. Plutôt que de se présenter devant le Grand Roi, ils firent halte à une douzaine de pas... comme pour obliger Arthur à venir à eux. Cela me sembla de mauvais augure.

« Salut, frères dans le Christ ! Salutations et bienvenue, leur cria Arthur. Au nom de notre Seigneur Jesu, je vous souhaite le bonjour.

— Salut à toi », répondit le premier évêque. Il ne daigna pas accorder son titre au Grand Roi... pas plus que lui ni aucun des autres ne lui offrit l'habituel baiser, encore moins la simple amabilité d'une bénédiction.

Plus magnanime que moi, Arthur ignora l'insolence gratuite du prélat. « Votre présence honore notre rude camp de guerriers, mes amis. Encore une fois, je vous souhaite la bienvenue au nom de notre Seigneur et roi », dit-il aimablement... déversant, en vérité, des charbons ardents sur leurs têtes.

Pour ne pas être en reste, Gwenhwyvar ajouta d'un ton doucereux : « Nous vous aurions préparé un meilleur accueil si nous avions été avertis de votre venue. Mais nous ne sommes pas dépourvus de la plus ordinaire des courtoisies. » Je souris à ce subtil reproche des mauvaises manières des évêques. Elle se tourna vers Rhys. « Apporte la coupe de bienvenue, ordonna-t-elle.

— Non, gente dame », dit l'évêque en levant une main impérieuse. C'était un individu rondouillard, aussi solide qu'un tonneau de bière, vêtu d'une longue robe dont le principal ornement était une énorme croix en or accrochée autour de son cou par une lourde chaîne d'or. « Nous ne partagerons pas la coupe de bienvenue avec vous avant d'avoir dit ce que nous sommes venus dire.

— Parle donc, dit Bedwyr, bouillant de colère face à l'effronterie des hommes d'église. Dieu sait si votre impudence a réussi à piquer notre curiosité.

— Si vous nous trouvez trop hardis, répondit l'évêque d'un ton hautain, alors, en vérité, vous êtes bien plus timides que nous ne le présumions.

— Il me semble, répliqua Cador du même ton glacial, que vous présumez trop. » Puis, avant que l'irascible évêque n'ait pu répondre, il le prit à contre-pied. « Ah, mais pardonne-moi, poursuivit-il mielleusement, peut-être ne sais-tu pas qui s'adresse à toi de si bonne grâce. » Le jeune roi tendit la main vers Arthur et dit : « Je te présente Arthur ap Aurelius, roi de Prydein, de Celyddon et de Lloegres, Chef Dragon de l'Île des Forts et Grand Roi de toute la Bretagne. »

Le pompeux prélat faillit exploser. Il foudroya Cador du regard et marmonna : « Nous *savons* qui nous sommes venus voir. »

Cador tenait toute prête une autre réplique bien choisie. « Dans ce cas, je dois implorer à nouveau ton pardon, dit-il d'un air insouciant, car il m'avait semblé que tu avais un doute sur le rang de celui auquel tu t'adressais. Je ne songeais qu'à te soulager du fardeau de ton ignorance — s'il s'agissait bien d'ignorance — car je n'imaginais pas qu'une si grave insulte puisse être intentionnelle. »

Comprenant qu'il avait affaire à plus fort que lui, l'évêque inclina lentement la tête. « Je te remercie de ta prévenance », répondit-il. Se tournant vers Arthur, il dit : « Si j'ai offensé le puissant Pendragon, je dois implorer son pardon. »

Arthur commençait à perdre patience. « Qui êtes-vous et que venez-vous faire ? demanda-t-il avec brusquerie.

— Je suis Seirol, évêque de Lindum, annonça-t-il d'un ton sentencieux, et voici mes frères : Daroc, évêque de Danum, et l'abbé Petronius d'Eboracum. » Il désigna ses compagnons avec son bâton pastoral, et chacun tour à tour leva une main blême en signe de paix. « Nous sommes venus en compagnie de représentants de nos églises, comme tu peux le voir. » Il montra le groupe de moines qui les entouraient. « Nous sommes mandés par l'évêque Urbanus de Londinium, qui t'envoie ceci avec son signe. » Il sortit un rouleau de parchemin revêtu du sceau et de la signature de l'évêque.

« Vous êtes bien loin de chez vous, mes frères, fit remarquer Arthur. Lindum est à plusieurs journées de marche vers le nord... tout comme Eboracum. Et Londinium n'est pas tout près. La question doit être d'une certaine importance pour que vous vous soyez aventurés aussi loin par des temps si troublés.

— Tu le sais bien, seigneur, rétorqua Seirol avec arrogance. Nous avons bravé bien des épreuves... et ceci afin que tu ne puisses douter de notre résolution.

— Vous me paraissez effectivement fort résolus », répondit Arthur.

Bedwyr, qui sentait approcher le danger, dit dans un souffle : « Méfie-toi, Ours. »

Les narines de l'évêque Seirol se dilatèrent de colère. « J'avais entendu parler des manières frustes de notre grand roi, dit-il d'un air dédaigneux. Je m'attendais parfaitement à recevoir ma part d'insultes.

— Si vous nous trouvez trop frustes, déclara Cai, alors, en vérité, vous êtes bien plus délicats que je ne présumais. » Bon nombre de spectateurs éclatèrent de rire et les ecclésiastiques se tortillèrent nerveusement.

L'évêque regarda à la ronde d'un air renfrogné. Levant lentement sa crosse, il donna un coup sec sur le sol. « Silence ! s'écria-t-il. Tu me demandes ce que nous sommes venus faire. Je vais te le dire. Nous sommes venus accomplir notre très juste et saint devoir en te demandant à toi, Arthur ap Aurelius, de renoncer à la royauté et de céder à un autre le trône de Bretagne.

— Quoi ! » La voix incrédule était celle de Bedwyr, mais la pensée était dans toutes les têtes. « Arthur, renoncer au trône ?

— C'est effectivement une question d'une certaine conséquence, fit sèchement remarquer Arthur. À moins d'être plus insensé que tu ne sembles, tu dois avoir une bonne raison pour formuler une si grave demande. J'aimerais l'entendre sans tarder, prêtre. »

L'évêque Seirol fronça les sourcils, mais, dans l'incapacité de discerner si la réponse d'Arthur était ou non injurieuse, il se redressa de toute sa taille et se lança dans l'explication qu'il avait préparée. Brandissant sa crosse, il proclama : « Après avoir bravé de si nombreux périls, ne va pas croire que nous nous laisserons facilement décourager. La plus grande confusion règne dans le pays et la population est aux abois. Tout le long du jour, nous sommes en proie à l'affliction. La peste et la guerre ont fauché des vies par milliers et le pays crie justice.

— Nous ne sommes pas inconscients de ces épreuves, lui assura Cador. Mais si tu regardes autour de toi, tu remarqueras que tu te trouves en ce moment même dans un campement militaire en première ligne de la bataille. Peut-être pensais-tu te trouver à Londinium ou à Caer Uintan, bien en sécurité à l'abri de hautes murailles ? »

L'évêque Daroc explosa de colère. « Ton impertinence est déplacée, seigneur Cador. Oh, oui, nous te connaissons aussi. Tu ferais bien de tenir compte de nos accusations, dont dépend le salut de ton âme éternelle.

— Je pensais, répondit fraîchement Cador, que seul Dieu avait autorité sur mon âme. Et comme j'ai placé ma foi en lui, dis et fais ce que tu voudras… je ne crains nul mortel. »

L'évêque Seirol poursuivit son attaque. « Écoute-moi, fier roi ! Nies-tu que l'ennemi court le pays en toute impunité ? Nies-tu que la Bretagne est ravagée par la pestilence ?

— Comment pourrais-je, répondit lentement Arthur, nier ce que même l'œil le plus faible peut percevoir ? Tu dois savoir que j'ai envoyé par tout le pays des messagers prévenir la population. »

Une expression de triomphe métamorphosa le visage de l'évêque. Bras largement écartés, il se tourna d'un coté et de l'autre, exultant de sa victoire imaginaire. « Écoutez-moi, guerriers de Bretagne ! s'écria-t-il d'une voix tonnante. Les épreuves jumelles de la peste et de la guerre se sont abattues sur nous à cause de l'immoralité d'un seul homme ! » Il tendit brusquement une main vers Arthur et hurla : « Arthur ap Aurelius, Dieu t'a déclaré coupable.

En vérité, les maux qui ravagent le pays découlent de ta seule iniquité, et de la perversité de ton règne. »

L'accusation resta un long et terrible moment en suspens dans les airs. Puis la voix de Cai rompit le silence stupéfait. « L'iniquité et la perversité ? s'exclama-t-il d'un ton d'acerbe dérision. Ours, nous en avons entendu assez de la part de ce crapaud bouffi. Laisse-moi les chasser du camp avec le plat de mon épée.

— De quel droit êtes-vous venus ici salir le nom du roi de Bretagne ? demanda Gwenhwyvar d'un ton mordant.

— Je suis l'évêque de Lindum ! s'écria Seirol. Je parle au nom de la Sainte Église du Christ sur Terre. De même qu'il n'y a qu'un Sauveur, nous sommes unis en un même corps. Donc, quand je parle, c'est au nom de Dieu.

— Je suis Caius ap Ectorius de Caer Edyn », cracha Cai en s'avançant vers le prélat, la main sur le pommeau de son épée. « Je dis que tu es une outre pourrie gonflée de vent, et je parle au nom de tous les hommes qui se trouvent ici. »

L'absurdité de l'accusation de Seirol nous interdisait d'y accorder considération. Mais les évêques étaient mortellement sérieux. Ils s'étaient montés la tête avec cette grossière calomnie et n'étaient pas près d'en démordre.

L'évêque Petronius, les traits déformés par un rictus meurtrier, passa à l'offensive. « Tuez-nous si vous voulez, dit-il d'une voix sifflante. Nous n'en attendions pas moins de vous. Le monde entier saura que nous avons subi le martyre dans l'exercice de notre devoir des mains de méprisables et vicieux égorgeurs.

— Continue de parler ainsi à ton roi, l'avertit Bedwyr d'une voix lourde de menace, et tu ne seras pas déçu, prêtre.

— Le carnage et le meurtre, voilà tout ce que vous connaissez ! riposta l'évêque Daroc. La mort ne fera pas taire nos voix. La vérité ne se laissera pas réduire au silence ! Notre sang criera votre infamie des entrailles mêmes de la terre !

— Désires-tu que nous en fassions l'expérience ? » demanda Gwalchavad.

Arthur leva la main. « Paix, mes frères », dit-il d'un ton égal. Il regarda Seirol. « Tu as porté une grave accusation contre moi, mon ami. Je voudrais maintenant entendre quelle preuve tu en apportes. »

Les évêques s'entre-regardèrent et une expression voisine de l'inquiétude effleura fugitivement le visage empourpré de Seirol. Ils avaient pensé que l'accusation allait de soi et ne s'étaient pas attendus à se voir mettre au défi de la prouver. Ainsi les arrogants et les pharisiens sont toujours prompts à voir la paille dans l'œil de leur voisin, sans tenir compte de la poutre qui se trouve dans le leur. Ils tremblaient, à présent, commençant pour la première fois à douter d'eux-mêmes.

« Alors, j'attends, s'impatienta Arthur. Où est votre preuve ?

— Prenez garde, prêtres insultants, avertis-je en m'avançant d'un pas. Vous vous présentez devant un homme dont l'honneur est au-dessus de tout reproche, mais au lieu de chanter ses louanges comme il conviendrait, vous le couvrez d'infâmes calomnies. Honte et malheur à vous ! Si vous étiez hommes d'honneur, vous tomberiez face contre terre et imploreriez le pardon de vos péchés. Si vous étiez de vrais serviteurs du Christ, vous vous jetteriez à genoux pour demander grâce ! m'écriai-je d'une voix qui ébranla les airs. Implorez la pitié de celui qui détient de plein droit la souveraineté sur ce pays au nom du Roi suprême des Cieux. À genoux devant lui, car je vous le dis, en vérité : vous mériteriez qu'il soit mis un terme à vos misérables existences. »

Nul ne s'était jamais adressé ainsi à eux et les moines perfides restèrent bouche bée d'horreur et d'incrédulité. Mais ils étaient si dévorés par leur réprobation et imbus de leur importance qu'ils ne pouvaient accepter la vérité que je leur assénais.

L'évêque Seirol, rendu furieux par mon éclat, repassa témérairement à l'attaque. « Tu demandes une preuve ! s'écria-t-il. Tu demandes une preuve ! Je te dis que la preuve de mon accusation se tient auprès de toi, ô Roi. »

À ces mots, l'évêque leva son bâton pastoral et regarda à la ronde. D'un geste grandiloquent, il rabaissa sa crosse qu'il pointa devant lui. Je sentis le sang bouillir dans mes veines tandis que je me préparais à répondre à ses allégations : j'étais bien décidé à rendre coup pour coup à ce moine calomniateur. Mais ce ne fut pas moi qu'il désigna.

Non, cet honneur contestable échut à Gwenhwyvar.

« Voyez ! croassa l'évêque. Elle se pavane sans vergogne à la vue de tous. Quel besoin ai-je d'autres preuves ? »

Arthur et Gwenhwyvar furent abasourdis par cette stupéfiante déclaration. La nature de l'accusation leur échappait. Mais elle ne m'échappait pas, à moi : je savais exactement ce que voulait insinuer le malveillant prélat.

« Pour l'amour du Christ, l'ami, murmurai-je d'un ton âpre, reprends-toi et ne dis plus rien.

— Tu ne me feras pas taire ! » exulta Seirol. Il s'imaginait à présent avoir gagné et il s'empressa d'exploiter sa victoire. « Cette femme est Irlandaise ! dit-il d'une voix lourde d'insinuation. C'est une étrangère et une païenne. Ton mariage avec elle, ô Roi, est contraire à la loi divine. Aussi sûrement que tu te tiens auprès d'elle, tu es condamné. »

Enhardi par l'exemple de Seirol, Petronius renchérit. « Depuis le début des temps, commença-t-il, jamais la peste n'avait frappé la Bretagne… jusqu'à ce que tu deviennes roi et prennes pour reine cette païenne d'Irlandaise. »

Il était difficile de déterminer ce qu'il y avait de pire à ses yeux : que Gwenhwyvar fût païenne, ou qu'elle fût Irlandaise. Ou, tout simplement, qu'elle fût femme.

L'évêque Daroc intervint. « C'est le jugement de Dieu qui s'abat sur nous pour les crimes de ce roi immoral. On ne se moque pas de Dieu. Sa loi est éternelle et son châtiment exemplaire. »

Arthur, calme et grave, répondit d'une voix si égale et contenue qu'elle glaça la moelle de ceux qui le connaissaient bien. « Je ne suis pas érudit dans les saintes écritures, je l'avoue volontiers. Je consacre ma vie à tout autre chose.

— Tu consacres ta vie au carnage et au massacre », ricana Petronius, mais il fut promptement réduit au silence par le haussement de sourcils d'Arthur.

« Mais dis-moi donc, poursuivit Arthur en élevant légèrement la voix, n'est-ce pas un péché de porter un faux témoignage contre son frère ?

— Tu le sais bien, répondit Seirol d'un air suffisant. Selon la loi de Dieu, sont condamnés ceux qui travestissent la vérité en mensonge.

— Et cette même loi que tu invoques n'invite-t-elle pas celui qui veut en condamner un autre à se montrer d'abord sans reproche ? »

L'évêque faillit éclater de rire au nez d'Arthur. « Ne pense pas retourner pour ta défense ce grand enseignement, coassa Seirol. J'ai reçu l'absolution ce matin et il n'est pas l'ombre d'un péché qui puisse être retenu contre moi.

— Non ? s'étonna Arthur, d'une voix semblable au grondement annonciateur du tonnerre. Alors écoute-moi, moine impudent. Tu as péché trois fois depuis que tu es entré dans ce campement. Et de ces péchés je te demande de rendre compte.

— Tu oses calomnier un évêque du Christ ? riposta le prélat outragé. Je n'ai pas une seule fois péché, encore moins trois.

— Menteur ! » rugit Arthur, passant enfin à l'offensive. Il dressa le poing et déplia lentement un doigt. « Tu m'accuses de vice et d'iniquité, et tu appelles le jugement de Dieu sur moi. Mais quand je te demande la preuve de ces accusations, tu n'en donnes aucune. Au lieu de cela, tu t'attaques à l'épouse que Dieu en personne m'a accordée.

» En ce qui concerne Gwenhwyvar... » — il déplia lentement un deuxième doigt — « ... tu la traites de païenne, alors que c'est, tout comme toi, une chrétienne née de l'eau... baptême dont peuvent témoigner Charis d'Ynys Avallach et l'abbé Elfodd lui-même. Et puisque, ainsi que tu nous l'as heureusement rappelé, il est un seul Sauveur et que tous ceux qui en appellent à lui sont unis en un seul corps, tu portes sur elle un faux jugement et la traites de païenne, alors qu'elle est en vérité ta sœur dans le Christ. Ainsi, tu condamnes doublement une innocente. »

Ce fut alors que le moine sentit le sol se dérober sous ses pieds. Toute couleur reflua de son visage. Ceux qui l'accompagnaient n'avaient pas encore perçu le coup fatal qui venait de s'abattre sur leurs têtes.

Arthur déplia un troisième doigt. « Enfin, tu mens quand tu dis que tu n'as commis aucun péché, car tu as péché à la vue de ces nombreux témoins dès l'instant où tu as ouvert la bouche. Il ne fait pas de doute que tu persisterais à accumuler péché sur péché si je te laissais continuer. »

L'évêque Daroc se dressa de toute sa taille. « Ce n'est pas nous qui passons ici en jugement.

— Vraiment ? demanda Arthur. Celui qui porte un faux témoignage contre son frère est toujours passible de jugement. Le soleil n'a pas encore atteint son zénith et déjà tu as, selon tes propres termes, « travesti la vérité en mensonge »... et pas une seule fois, mais trois. Par cela, tu t'es condamné de ta propre bouche. »

Enflammé d'un juste courroux, Arthur le défia : « Qu'as-tu à dire, prêtre ? J'écoute, mais je n'entends pas ta réponse. Se pourrait-il que, quand tu n'as pas le mensonge à la bouche, tu n'aies rien à dire ? »

L'évêque mortifié, n'ayant aucune réponse à offrir, toisa Arthur d'un air menaçant, mais garda la bouche obstinément close.

« Tu fais bien tard preuve de sagesse, lui dit Arthur. Que n'as-tu pensé à l'exercer plus tôt ! Alors que tu as usé tes forces en un long et périlleux voyage pour venir faire étalage de ta stupidité. Je suis sûr que tu aurais pu en accomplir autant sans poser le pied hors de Lindum. Ou bien y aurait-il un autre but à ta visite ? Quelque autre doléance à adresser à ton roi ? »

L'évêque Daroc ne put se retenir de décocher un bref coup d'œil en direction de Cador, trahissant par là-même la véritable essence de ses griefs. Ses oreilles s'empourprèrent et le rouge lui monta aux joues.

« C'est donc cela ! » La compréhension, tel le soleil levant, illumina les traits d'Arthur. « Myrddin m'avait mis en garde contre les saints hommes et leur appétit pour les biens terrestres. Comme il connaît bien votre espèce.

— C'est la vérité, seigneur, déclara Cador. Tu aurais dû entendre leurs braillements quand j'ai suggéré que nous pourrions avoir besoin des breloques en or qui prenaient la poussière dans leurs coffres. »

Arthur s'adressa aux évêques d'une voix où grondait le tonnerre. « Vous avez menti à votre roi et porté un faux témoignage contre votre reine… et cela pour la simple raison que j'ai cherché les moyens de subvenir aux besoins de mes hommes en faisant appel aux richesses de l'Église que j'ai juré de défendre. Votre égoïsme et votre vanité — et eux seuls ! — vous ont amenés ici, et tous ceux qui ont été témoins de cette scène honteuse voient maintenant à nu votre cupidité et votre petitesse. » Il secoua lentement la tête. « Vous n'êtes pas des chrétiens.

» Écoutez-moi, fils de vipères. Pour vos péchés, vous serez dépouillés de vos vêtements avant d'être fouettés et chassés de ce camp. Vous serez conduits à Llandaff, où le pieux Illtyd, véritable prêtre du Christ, décidera de votre châtiment. Priez qu'il ait plus de compassion que moi, car je vous le dis sans détours, je lui conseillerai de vous expulser de l'Église, de crainte que votre suffisance impie n'attire le discrédit sur le Bienheureux Jesu en personne. »

À ces mots, le Grand Roi tendit le bras pour arracher la croix et la chaîne d'or du cou de Seirol. « Je pense que tu n'auras plus besoin de ceci. Tandis que nous pourrons en user afin d'acheter nourriture et boisson pour nos guerriers affamés. »

Il tourna le dos au prélat cramoisi. « Gwalchavad ! Cador ! Emmenez-les à Llandaff et racontez tout à Illtyd : chargez-le de leur trouver un châtiment approprié. »

Cai regarda les prêtres odieux que l'on entraînait. « Tu aurais dû me laisser m'occuper d'eux, Ours, dit-il. Dieu seul sait de combien de malheureux ils ont été la ruine.

— Il vaut mieux qu'ils reçoivent leur châtiment de la main d'Illtyd, répondit Arthur. Car c'est un saint homme et ils ne pourront se consoler à la pensée secrète d'avoir été mal compris ou déloyalement violentés par un païen. »

Il s'apprêtait à tourner les talons, mais Gwenhwyvar se tenait maintenant devant lui, mains sur les hanches, son joli front plissé et ses yeux sombres lançant des éclairs. « L'affaire n'est pas encore terminée, ô Roi, dit-elle. J'ai été insultée à la vue de chacun en raison de ma naissance. Mon honneur exige réparation. »

Soupçonnant quelque piège subtil, Arthur pencha la tête sur le côté. « Que proposes-tu ? demanda-t-il prudemment.

— Uniquement ceci : que je fasse voile sur le champ pour l'Irlande afin de convoquer des seigneurs qui, par la force de leur dévotion, feront partout défaillir d'envie les Bretons sans foi et les rendront malades de honte à voir l'hommage que peut offrir ma noble race. »

Les derniers nuages de colère quittèrent alors le front d'Arthur. Il regarda son épouse avec un air de profonde approbation mêlée d'admiration. Et de quoi d'autre ? De gratitude ? De reconnaissance, oui. Il voyait en elle une âme aussi ferme et ardente que la sienne, farouchement loyale et résolue en toutes choses et, comme lui, largement de taille à tenir tête à une poignée de moines fallacieux et de seigneurs pusillanimes.

L'Ours de Bretagne sourit. « Les hommes de valeur sont toujours les bienvenus à mes côtés, dit-il d'une voix assez forte pour être entendue de chacun. Et si les nobles d'Ierne s'avèrent de plus loyaux serviteurs de la Bretagne que ses propres fils, soit. Que ceux qui renoncent à leurs engagements supportent la honte de leur déshonneur. La fourberie et la félonie n'ont pas de place dans mon royaume et tout homme qui embrasse la vérité est mon ami. »

Gwenhwyvar lui donna alors un baiser qui fut salué par les bruyantes acclamations de tous ceux qui assistaient à la scène. La reine leva l'ancre à la marée descendante avec suffisamment de navires pour ramener les Irlandais : douze vaisseaux et leur équipage. À la demande d'Arthur, nous l'accompagnions, Llenlleawg et moi.

II

Nous accostâmes dans la baie au pied de Muirbolc. Après avoir ordonné à Barinthus et à ses hommes de se tenir prêts à hisser les voiles, nous nous mîmes aussitôt en route pour la forteresse de Fergus, que nous trouvâmes entièrement abandonnée. Les habitations étaient vides et le palais silencieux, bien que le bétail fût dans son enclos et qu'il y eût des chevaux dans les écuries. Nous mîmes pied à terre dans la cour, nous demandant où et depuis quand les habitants avaient pu partir. Gwenhwyvar se dirigea vers le palais.

« Avec ta permission », dit Llenlleawg en passant devant elle. Il disparut à l'intérieur et en ressortit un moment plus tard pour annoncer : « La forteresse n'est pas abandonnée depuis longtemps ! Les cendres sont encore chaudes dans la cheminée. »

Gwenhwyvar remonta à cheval. « Nous allons à Rath Mor, dit-elle. Conaire saura peut-être ce qui s'est passé ici. »

Nous tournâmes bride et suivîmes en hâte à travers bois le sentier menant à la forteresse de Conaire. Mais soudain, Llenlleawg, qui chevauchait en tête, fit halte et leva la main. « Écoutez ! »

Je m'arrêtai et tendis l'oreille. Des oiseaux pépiaient au-dessus de nos têtes et les chevaux rongeaient leur mors en grattant le sol de leurs sabots. Plus loin, une légère brise agitait les feuilles dans les hautes branches, et dans le ciel un faucon poussait son cri solitaire. Était-ce cela qui avait fait s'arrêter Llenlleawg ?

Non. Il y avait autre chose. Je l'entendais maintenant... comme nous parvenant sur une vague portée par le vent : un hurlement plaintif dans lequel je reconnus aussitôt le son des chalumeaux irlandais.

« C'est le *piobairachd* de bataille, dit le champion irlandais. Il doit y avoir combat.

« — Par ici ! » s'écria Gwenhwyvar en passant devant nous. Nous suivîmes quelques instants la piste, puis Gwenhwyvar quitta le sentier pour obliquer vers le cours d'un petit ruisseau, réduit à un simple filet d'eau sous la végétation.

Il faisait plus frais dans le petit vallon et le son des flûtes se rapprochait à mesure de notre progression. Nous chevauchâmes ainsi quelques instants, puis, escaladant la berge du ruisseau, nous quittâmes l'ombre des arbres pour déboucher dans une vaste clairière inondée de soleil.

Et là, au milieu de la prairie, nous vîmes deux troupes de cavaliers disposées en ordre de bataille. Entre les deux, seuls et à pied, Conaire et Fergus se faisaient face, brandissant à deux mains l'énorme *cláimor*, l'antique épée des clans irlandais. Les lames que les combattants faisaient tournoyer au-dessus de leurs têtes étincelaient au soleil.

Gwenhwyvar jeta un coup d'œil aux épées scintillantes et fouetta son cheval. « Yah ! » s'écria-t-elle, et elle galopa vers le centre de la prairie en hurlant : « Arrêtez cela ! Cessez, vous dis-je !

» Père ! » cria la reine en se précipitant entre les combattants. Elle sauta de selle avant que son cheval fût arrêté. « Êtes-vous fous ? Que faites-vous ?

— Tiens-toi en arrière, ma fille », répondit Fergus. Il était nu jusqu'à la ceinture, luisant de sueur et d'huile. Il s'était oint pour la bataille et le soleil faisait briller chacun de ses muscles. Il avait des bandes de cuir enroulées autour de ses poignets et de ses jambes, du genou à la cheville. Dans cette tenue, penché sur sa grande arme, essoufflé par l'effort, il ressemblait à un Celte d'un autre temps. « C'est un combat à mort.

— C'est absurde, protesta Gwenhwyvar. Déposez vos épées, tous les deux ! » En dehors d'une entaille sur le bras de Conaire, il y avait jusque-là peu de signes d'intentions meurtrières.

« Écarte-toi, femme, lui dit le roi Conaire. C'est une affaire entre Fergus et moi. »

Les chalumeaux continuaient à retentir bruyamment. « Silence ! » hurla Gwenhwyvar aux sonneurs qui s'arrêtèrent de jouer dans un concert de couinements. Elle se retourna vers les deux rois, poings sur les hanches, et, d'un ton à écarter tout faux-fuyant, demanda : « À présent, allez-vous me dire ce que vous faites là à vous tailler en pièces tels Finn mac Cumhaill et Usnach au Bouclier Bleu ?

— Ne cherche pas à te mêler de cela, grogna Conaire. Nous sommes décidés à régler cette affaire avant que midi soit passé.

— Je t'attends, Conaire Crobh Rua, dit Fergus en raffermissant sa prise sur la grande épée.

— Réponds-moi ! ordonna Gwenhwyvar, s'adressant à Conaire. Pourquoi vous battez-vous ? »

Fergus répondit le premier. « Il a jeté le déshonneur sur la tribu des Guillomar et je ne peux laisser impuni un tel affront.

— Viens donc ! cria Conaire. Nous allons voir qui sera puni. Écarte-toi, femme ! » Il leva l'épée au-dessus de sa tête.

Gwenhwyvar prit à pleine main la lame dénudée et la retint. Elle lui fit front, le visage à un cheveu du sien. « Conaire Main Rouge, tu vas me dire ce qui s'est passé, et tu vas me le dire maintenant.

— Non !

— Conaire !

— Je… c'était, je… bafouilla-t-il, son arme commençant à trembler. C'est la faute de Fergus. Demande-lui, car mon épée parle pour moi.

— Tu détiens la féauté de cinq seigneurs et es tenu de les protéger par des serments contraignants », lui dit Gwenhwyvar, qui n'avait pas lâché sa lame et lui maintenait les bras en l'air. « J'exige donc de savoir pourquoi tu attaques un de tes propres rois.

— Je ne dirai rien. Demande à Fergus !

— Je te le demande à toi ! »

Conaire était rouge de colère, ses bras tremblant sous le poids de la lourde épée qu'il brandissait au-dessus de sa tête. « Femme, tu commences à m'ennuyer ! gronda-t-il. Je t'ai dit que c'était la faute de Fergus.

— Menteur ! s'écria Fergus en s'avançant tout près. Écarte-toi, ma fille. Laisse-moi en finir avec lui.

— Père ! Reste tranquille. » Elle fit face à Conaire et demanda : « Vas-tu enfin parler, ou bien allons-nous devoir rester ainsi toute la journée ? »

Je jetai un coup d'œil à Llenlleawg et vis qu'il souriait, prenant manifestement plaisir à la querelle. Il tenait néanmoins sa lance à la main, prête à frapper.

L'énorme épée tremblant au-dessus de sa tête, Conaire roula des yeux et céda à Gwenhwyvar. « Tu es pire que ton père, renifla-t-il d'un air dégoûté. Laisse-moi baisser les bras et je t'expliquerai. »

Gwenhwyvar, satisfaite de sa réponse, lâcha l'épée et recula d'un pas. « Alors ?

— C'est ce maudit prêtre !

— Ciaran ne t'a rien fait ! » Fergus chargea, l'épée en avant.

Gwenhwyvar le repoussa et s'adressa à Conaire. « Qu'a fait le prêtre ?

— Il a volé six de mes vaches, se plaignit le roi d'une petite voix.

— Tes vaches se sont sauvées quand leur gardien est tombé endormi, dit Fergus. Le prêtre les a trouvées.

— Et il les a emmenées dans son propre enclos !

— Il a proposé de les rendre !

— Oh oui, il a *proposé* ! Il a proposé... *si* je venais les chercher, il me les rendait.

— Et alors ? demanda Gwenhwyvar, de plus en plus exaspérée.

— C'est une manœuvre pour me casser les oreilles avec son... sa foi, insista Conaire. Il me défie de l'écouter et dit qu'il fera enfin de moi un chrétien. Mais je m'y refuse !

— De quoi as-tu donc peur ? le provoqua Fergus. Écoute-le et fais-toi une opinion. Personne ne peut t'obliger à croire quoi que ce soit si tu ne le veux pas !

— Et toi, Fergus mac Guillomar, tu n'es qu'un imbécile ! rétorqua Conaire. Tu t'es laissé enjôler par les belles paroles de ce prêtre. Avec une malignité sans pareille, il t'a privé de ton esprit aussi bien que de ta raison. Les chrétiens ! Regarde-toi, Fergus, tu n'es même plus capable de te battre. Je vois ce qu'écouter les prêtres a fait de toi et je ne veux pas suivre ce chemin. »

Gwenhwyvar prit la parole. « Je suis chrétienne, moi aussi, Conaire, dit-elle d'un ton glacial. Me trouves-tu dépourvue de raison et d'esprit ? »

Conaire brandit un doigt menaçant. « Toi, reste en dehors de cela. Cette affaire ne te concerne pas.

— Vraiment ? demanda-t-elle. Je pense plutôt qu'elle concerne tous ceux qui tiennent le Christ pour leur seigneur.

— Dans ce cas, tire ton épée et va te placer derrière ton père, lui dit Conaire. Et tu auras droit à tout ce que je lui réserve.

— Viens donc ! cria Fergus. Je t'attends !

— Oh, arrêtez... tous les deux, gronda Gwenhwyvar. Conaire, nous n'avons pas le temps pour cela. Si c'est te battre que tu veux, écoute-moi, maintenant. L'armée vandale ravage Ynys Prydein. Je suis venue lever les armées d'Eiru pour venir en aide à Arthur. »

Fergus n'était que trop content de se laisser distraire de la querelle en cours. « Avais-tu l'intention de nous le cacher, ma fille ? Eh quoi, mes hommes et moi sommes prêts : nous prenons la mer sur le champ. » Il se tourna vers ses guerriers. « Dites adieu à vos familles, Arthur a besoin de nous. » Se retournant vers Gwenhwyvar, il dit : « Arthur a besoin d'aide ? N'en dis pas plus. Cela me suffit. »

Conaire fronça les sourcils. « Eh bien, pas moi. Je n'irai pas. »

Gwenhwyvar avait de la peine à croire une telle obstination. « Après tout ce qu'Arthur a fait pour toi ? l'interpella-t-elle. Est-ce là le remerciement d'un noble seigneur ? La Bretagne souffre en ce moment parce qu'Arthur t'est venu en aide.

— Quelle sorte de roi serais-je si je laissais mon royaume sans protection ? » dit Conaire d'un ton dédaigneux, affectant l'indifférence.

« Il l'a bien fait pour te sauver ! déclara Gwenhwyvar.

— Alors c'est un insensé, répondit le roi irlandais d'un air suffisant. Je n'ai jamais réclamé son aide, dont je n'avais d'ailleurs nul besoin.

— Sans Arthur, tu serais mort, aujourd'hui… avec tous les tiens, Conaire Main Rouge !

— Et si j'étais mort, je n'aurais plus à entendre parler d'Arthur ! »

Gwenhwyvar, le visage empourpré de colère, se détourna brusquement. « Va, Père, prépare tes hommes et tes navires. Llenlleawg et moi, nous allons rallier les seigneurs du sud.

— Ces seigneurs ne se rallieront pas, insista Conaire. Ni aucun de ceux qui me sont liés.

— Va ton chemin, Conaire, lui dit Gwenhwyvar. Tu n'es plus d'aucun poids.

— Je n'irai pas…

— Eh bien, tant mieux !

— … et je ne permettrai pas non plus à mes seigneurs de voguer vers la Bretagne, dit-il. Cela ne regarde en rien l'Uladh ou ses alliés.

— Arthur a besoin d'aide et je suis tenu de la lui apporter, dit Fergus. Tout ce que je possède, je le lui dois. Qui plus est, c'est mon parent par son mariage avec ma fille. Je l'aiderai.

— Et je dis que tu n'iras pas.

— Je dis que j'irai !

— Tu n'iras…

— Silence ! » hurla Gwenhwyvar. Elle se campa devant le roi irlandais. « Tu peux choisir de ne pas nous aider, dit-elle, la colère suintant de chacun de ses pores. C'est ton droit. Mais tu ne peux pas empêcher Fergus de partir s'il y est résolu.

— Non, lui accorda Conaire, l'air cauteleux. Je ne peux l'empêcher de partir. Mais… » — il tourna vers Fergus un regard chargé de défi — « … si tu pars, je te reprends tes terres.

273

— Serpent ! s'écria Fergus. Tu ne peux pas faire cela !

— Attends un peu et tu verras ce que je peux faire !

— Ne l'écoute pas, Père, dit Gwenhwyvar. Va et tiens tes hommes prêts.

— Puisque tu t'en vas, poursuivit Conaire, je te conseille d'emmener avec toi tes prêtres et ton peuple, car je te le dis, en vérité : il n'y aura pas de foyer pour toi si tu reviens.

— Reprends mes terres ! rugit Fergus en se redressant avec une immense dignité. Et je te reprends mon serment de loyauté. J'ai autrefois prêté allégeance à un vrai roi, mais tu n'es pas cet homme. Passe ton chemin, Conaire Crobh Rua. J'en ai terminé avec toi.

— Quel besoin ai-je d'un seigneur déloyal tel que toi ? ricana Conaire. Je donnerai tes terres à des hommes qui respectent leurs serments et ne passent pas leur temps à courir derrière des prêtres de religions étrangères. »

Fergus prit son souffle pour répondre. Gwenhwyvar lui posa les mains sur la poitrine et le fit retourner. « Va, maintenant. Ne dis rien de plus.

— Effectivement, répondit son père, il n'y a plus rien à ajouter. »

Il tourna les talons et rejoignit en hâte l'endroit où attendaient son armée et l'ensemble de sa tribu. Ils se mirent aussitôt en route.

« Je pars aussi, Conaire, dit Gwenhwyvar. Mon seul regret est de ne pas pouvoir te traiter comme tu le mérites. Mais écoute-moi bien : le jour viendra où tu regretteras ta conduite honteuse et, ce jour-là, puissent tes dieux de pierre te sauver. »

Elle tourna le dos, le laissant bouche bée. Puis elle sauta en selle, fit pivoter sa monture et partit au galop.

Conaire se tourna vers moi et leva une main, comme s'il désirait s'expliquer. « Tu as dit ce que tu avais à dire, ô Roi, lui déclarai-je. Puissent tes paroles hâtives t'être un réconfort quand tu te retrouveras sans amis dans ton palais déserté. » Je fis une pause afin de le laisser réfléchir. « Mais il n'est pas fatal que cela se termine ainsi. Laisse de côté la vanité : rejoins Arthur et aide-le comme il t'a aidé. »

Son beau visage se ferma tel un poing. « Jamais.

— Soit. » Je tournai bride et emboîtai le pas aux autres.

Quand Fergus arriva à Muirbolc, un peu plus tard, les conséquences de sa décision lui apparurent plus sombres. Il s'assit, abattu, sur un tabouret, pendant qu'autour de lui les membres de son clan se préparaient à quitter leurs foyers pour toujours. Gwenhwyvar fit de son mieux pour le consoler, mais elle était impatiente de se remettre en route.

« Je suis désolé, soupira Fergus. J'ai perdu nos terres… des terres que nos pères détenaient depuis les jours où la rosée de la création était encore fraîche sur la terre.

— Tu as agi comme il le fallait, lui répondit Gwenhwyvar. Mieux vaut un bol vide avec un véritable ami qu'un festin avec un ennemi.

— J'ai perdu nos terres. » Il poussa un soupir en secouant tristement la tête. « Je les lui ai données.

— Arthur possède des terres en abondance, lui dit-elle. Je suis sûre qu'il saura récompenser fort généreusement ta loyauté. » Ce fut tout ce qu'elle dit, mais je devais m'en souvenir.

Laissant Fergus superviser les préparatifs, nous repartîmes tous les trois. Llenlleawg, qui connaissait la route, chevauchait en tête. Nous nous rendîmes d'abord chez Aedd — peut-être le plus ardent partisan d'Arthur parmi les Irlandais du sud, et aussi celui dont le royaume était le plus proche — et y fûmes chaleureusement accueillis deux jours plus tard.

« Salut et bienvenue ! » s'écria Aedd lorsque nous mîmes pied à terre devant son palais. Le soleil était déjà bas, étirant nos ombres sur le sol : nous étions épuisés de notre voyage et heureux de quitter nos selles. « Je vous présente toutes mes salutations, mes amis. » Le roi irlandais ouvrit grand les bras en signe d'hospitalité. « J'espérais bien vous revoir, mais je ne pensais pas que ce serait si tôt. »

Nous le saluâmes et l'embrassâmes, puis Gwenhwyvar dit : « Ce n'est pas une heureuse circonstance qui nous amène.

— Vous avez des ennuis », dit Aedd en nous regardant successivement tous les trois. « Je le vois.

— Nous venons pour… » commença Gwenhwyvar.

Mais Aedd ne voulut pas la laisser s'abaisser à demander son aide. « Vous venez partager la coupe de bienvenue avec quelqu'un qui tient à compter parmi vos nombreux amis, dit-il vivement. Venez, prenez vos aises. »

Gwenhwyvar, énervée de ne pas être arrivée à se faire comprendre, insista. « J'aimerais bien, dit-elle, mais je crains que nous ne devions…

— Tu n'as à t'inquiéter de rien tant que tu es ici », dit Aedd. Il lui prit la main et l'entraîna vers sa grande salle.

« Tu devrais peut-être lui expliquer, seigneur Emrys, suggéra Llenlleawg en regardant sa reine disparaître dans le palais.

— Faisons confiance à Aedd, dis-je. De toute façon, il est tard et nous ne pouvons aller plus loin aujourd'hui.

— Je pourrais aller tout seul trouver Laigin, proposa le vaillant champion.

275

— Reste, lui conseillai-je. Nous allons manger et nous reposer, et nous verrons ce que demain nous réserve. »

Aedd n'aurait pu avoir plus d'égards pour nous. Il chargea des serviteurs de s'occuper de nous tant que nous séjournions chez lui... un homme pour Llenlleawg et pour moi, une jeune fille pour Gwenhwyvar. Il fit apporter ce qu'il avait de meilleur à boire et à manger, et il enjoignit à son chef barde et à ses harpistes de chanter une musique apaisante. Le repas terminé, il engagea avec nous une aimable conversation, mais sans nous laisser dire un mot des ennuis qui lui valaient notre visite. Nous gagnâmes donc nos lits satisfaits de notre soirée, quoique sans avoir pu remplir la partie la plus importante de notre mission.

« Je lui parlerai dès demain matin, promit Gwenhwyvar. Cette fois, je ne le laisserai pas remettre la chose à plus tard. C'est bien gentil de rester assis devant sa cheminée pendant qu'il tisse ses filets de belles paroles, mais je ne suis pas un saumon qui se laisse prendre si facilement. Je lui parlerai à la première heure, et il m'écoutera.

— Attendons donc demain matin, déclarai-je. C'est un beau présent qu'il nous a offert. Nous avons joui d'une soirée paisible et de l'amitié d'un seigneur généreux... loin du fracas de la bataille et des mesquineries des hommes à l'esprit étroit. »

La reine se mordit la lèvre d'un air indécis. « J'espère que tu as raison. Je ne cesse de penser à Arthur, et à quel point il a besoin de l'aide que nous devons lui ramener.

— Laissons ce souci au lendemain, Brillante Étoile. »

Cette épithète la fit sourire. « J'en resterai donc là. » Elle s'approcha, posa les lèvres sur ma joue et la baisa. « Dieu soit bon pour toi, Myrddin. Dors bien. »

La jeune servante de Gwenhwyvar apparut avec une torche pour conduire la reine à sa chambre. Je les regardai s'éloigner, songeant combien Arthur était fortuné d'avoir une épouse d'une telle intelligence et d'un tel courage. Et, dans le même temps, je demandai pardon à la Grande Lumière. « Trois fois insensé l'homme qui la sous-estime, murmurai-je. Sous cette poitrine d'une beauté sans égale bat le cœur d'une lionne. Oui, et cette svelte silhouette dissimule une volonté de fer. »

III

Je fus réveillé à l'aube par un bruit étouffé à l'extérieur de ma hutte. Je me redressai. Le soleil était tout juste levé. La lumière était pâle, le matin paisible, mais le bruit qui m'avait tiré du sommeil résonnait encore dans l'air : le cliquetis d'un harnais de cheval.

Puis je le réentendis, mais il n'y avait pas qu'un cheval. L'instant d'après, le claquement de pieds nus fit place à un murmure de voix excitées. Je rejetai ma couverture en peau d'agneau et enfilai rapidement mes vêtements. Prenant mon bâton, je sortis.

En émergeant de la hutte, je vis arriver les premiers chevaux et compris aussitôt ce qu'avait fait Aedd. Sans rien nous dire ni nous laisser soupçonner, le sagace roi avait envoyé des messagers chez chacun des autres seigneurs du sud, qui avaient immédiatement rassemblé leurs armées et chevauché toute la nuit pour arriver au plus tôt. Ceci, il l'avait fait par obligeance envers ses invités.

« Dieu le bénisse, dit Llenllcawg quand il vit les guerriers dans la cour. Ici demeure un noble Celte, en vérité. »

Tel un souverain des anciens temps, Aedd avait veillé aux besoins de ses invités avec une discrète et élégante générosité. C'était une vertu toujours louée dans les chansons, mais désormais bien rare. Il était loisible de croire qu'elle avait complètement disparu de ce monde. Mais voilà un homme, roi autrement que de nom, qui observait les anciennes coutumes. Cette noblesse l'exaltait à nos yeux, et dans l'estime de tous ceux qui en entendraient parler à l'avenir.

Les trois seigneurs du sud étaient venus : Laigin, Diarmait et Illan, avec leurs armées au complet... en tout plus de deux cents guerriers à cheval. La forteresse d'Aedd ne pouvait les contenir tous et la plus grande partie attendait de l'autre côté du fossé. Gwenhwyvar, également réveillée par le bruit, apparut et se dirigea en hâte vers l'endroit où Llenlleawg et moi nous tenions, regardant Aedd donner ses ordres aux guerriers.

Voyant que nous avions éventé sa surprise, il vint nous rejoindre. « Leur as-tu parlé des besoins d'Arthur ? demanda Gwenhwyvar.

— Et rabaisser ce grand roi ? répondit Aedd d'un ton d'aimable reproche. Jamais je n'aurais fait une telle chose. »

Gwenhwyvar parcourut du regard la cour bruissante d'activité et s'étonna : « Mais tu dois leur avoir révélé l'ampleur de notre détresse pour les avoir fait venir aussi vite.

— Noble dame... » — Aedd sourit largement — « ... j'ai simplement dit qu'Arthur était désireux de jouir du plaisir de leur compagnie pour diverses aventures. Peut-être ai-je aussi évoqué la vague éventualité d'une guerre. Ils se sont battus entre eux pour être les premiers à répondre à mon appel.

— Mon seigneur et moi te remercions, dit la reine. Dieu puisse te récompenser au centuple de ta prévenance. »

Aedd inclina la tête, puis, d'un geste vif, il lui prit la main et la baisa. Gwenhwyvar s'empourpra joliment. « Voici ma récompense, lui dit-il. Je ne désire rien de plus. Quant à eux... » — il montra de la main les seigneurs et les guerriers rassemblés — « ... leur unique souhait est d'avoir la chance de se battre aux côtés d'Arthur et de lui apporter le soutien de la vaillance irlandaise. »

Un des seigneurs, qui s'était entre-temps approché de nous — Illan, je crois — entendit cette remarque. « Arthur a dignement démontré ses vertus, dit-il. Nous devons maintenant lui montrer les nôtres, ou nous considérer à jamais comme des hommes sans honneur. »

De nouveau, j'entendis dans ces mots l'écho d'un sentiment plus ancien. Llenlleawg n'avait pas manqué de le reconnaître. Dans cette île d'émeraude, les coutumes d'antan étaient encore vivantes. Les Irlandais, malgré tous leurs défauts, conservaient les idéaux de leurs ancêtres et restaient attachés aux croyances d'une époque antérieure... où les rois étaient plus que des chiens assoiffés de pouvoir qui ne cessaient de s'attaquer les uns les autres et de tuer les membres les plus faibles de la meute.

Oh, il y avait bien des rois irlandais aussi cupides qu'aucun autre. Mais cela me réchauffait le cœur de voir que quelques-uns, au moins, ne ressemblaient pas à leurs frères.

« Je dois vous avertir, disait Gwenhwyvar, que la maladie ravage la Bretagne. La peste se répand et plus d'hommes périssent de la fièvre que de la main des Vandali.

— Un ennemi ressemble à un autre, répondit Aedd. Chacun doit être combattu à sa façon. La peste ne sera pour nous qu'un autre adversaire à vaincre. Nous ne refuserons pas le combat. »

Laigin cria : « Allons-nous attendre de vieillir sur place ? La gloire nous attend et je compte en glaner ma part.

— Bien parlé ! s'exclama Diarmait. Pourquoi tarder un instant de plus alors que nous pourrions conquérir une éternelle renommée ? » À ces mots, les Irlandais assemblés poussèrent une grande clameur d'impatience.

Gwenhwyvar, émue par l'ardente affection de ses compatriotes, se tourna une fois de plus pour remercier le roi. Mais il ne voulut rien entendre. « Tu vois ce qu'il en est, dit Aedd. Ils veulent leur part de gloire. Donne le signal du départ, car je ne puis les retenir plus longtemps. »

Gwenhwyvar fit quelques pas vers les seigneurs. « Cousins et amis, dit-elle, si Arthur était ici devant vous, il ne saurait vous remercier plus que moi. Allez le rejoindre… vous serez les bienvenus. Mais ne pensez pas accroître ainsi votre renommée. Car, en vérité, je vous le dis… » — elle s'interrompit, les yeux brillants de larmes — « … toute la gloire que vous gagnerez au combat ne pourra égaler celle que vous vous êtes acquise aujourd'hui. »

Les seigneurs irlandais, et ceux de leurs hommes assez proches pour entendre, conçurent un immense plaisir des paroles de Gwenhwyvar. Elle n'eut pas plus tôt terminé que Diarmait s'écria : « Une bénédiction ! Donne-nous ta bénédiction ! »

Aedd se tourna vers moi.

« Myrddin ? Tu veux bien ? »

Je pris place auprès de Gwenhwyvar et brandis mon bâton. Levant mon autre main, paume ouverte, je dis :

Que la force de la forteresse soit vôtre,
Que la force de la royauté soit vôtre,
Que la force de l'amour et la fierté de votre patrie
vous soutiennent en toutes choses.
Que l'auréole du Christ vous protège,
Que le bouclier des anges vous garde,
Que l'aide de Dieu vous soutienne
dans le feu de la bataille
et la fureur des combats.
Puisse le Christ Bienheureux se tenir entre vous
et toute force malfaisante,

Puisse le Dieu Unique des Cieux se tenir entre vous
et toute force pernicieuse,
Puisse le Très-Saint se tenir à vos côtés,
changer tout mal en bien
Et vous soutenir de sa Main Prompte et Sûre,
À jamais vous soutenir de sa Main Prompte et Sûre !

Puis je les envoyai vers Muirbolc et les navires qui attendaient à l'ancre. Aedd nous convia à manger avec lui avant de partir. Gwenhwyvar déclina l'invitation. « Je pense que nous déjeunerons en selle, de crainte de nous laisser distancer. »

Nous quittâmes la forteresse dès que nos chevaux furent sellés. Aedd fit appeler son chef barde et un de ses nobles pour leur confier le caer en son absence, disant : « Je vous donne toute liberté de me servir en toute circonstance pendant que je serai au loin. S'il devait survenir malheur, je vous charge d'agir au mieux pour le bien de notre peuple. Si la fortune vous sourit, je vous demande d'en faire profiter ceux que je confie à votre garde. »

Son barde et son chef promirent de respecter la volonté du roi et d'œuvrer à sa renommée, après quoi Aedd leur dit adieu et nous quittâmes la citadelle dans un nuage de poussière.

De retour à Muirbolc, nous mîmes pied à terre au sommet de la falaise surplombant la baie pendant que les guerriers et les hommes d'équipage se chargeaient de faire embarquer les chevaux, tâche rendue difficile par la forte houle. Néanmoins, une fois qu'ils eurent bandé les yeux des animaux, l'embarquement put avoir lieu sans heurts. Bientôt les premiers navires prenaient la mer.

Se tournant vers Aedd, Gwenhwyvar posa une main sur son bras. « Merci, mon ami, dit-elle. Tu ne peux savoir combien ta prévenance et ta courtoisie m'ont réconfortée.

— Ne dis pas cela, répondit Aedd. Ce que j'ai fait n'est qu'un petit service face à tout ce qu'Arthur et toi m'avez offert.

— Seigneur, s'étonna Gwenhwyvar, que t'avons-nous offert... sinon l'occasion de mourir sur un sol étranger en combattant un ennemi qui ne te menaçait plus ?

— Noble dame, répondit le roi irlandais, vous m'avez donné la chance de brandir l'épée aux côtés du plus grand héros de ce temps. Si je meurs, soit. Du moins mon sang sera-t-il mêlé à celui de champions et j'entrerai dans les célestes palais en compagnie d'hommes d'une grande et terrible renommée. Quel guerrier oserait espérer davantage ? »

Nous descendîmes alors vers la plage pour rejoindre les navires. Pendant que Llenlleawg faisait embarquer les chevaux, Aedd, Gwenhwyvar et moi gagnâmes rapidement notre navire qui attendait un peu plus loin dans la baie. Les Irlandais utilisèrent de petites embarcations de cuir circulaires — guère plus grandes que des boucliers — pour nous y emmener sans que nous ayons à nous mouiller.

Barinthus nous aida à monter à bord, penché par-dessus le bastingage pour stabiliser le petit coracle. « Le vent est favorable, pour une fois, et la marée redescend. J'aimerais lever l'ancre, seigneur Emrys, dit-il dès que nous fûmes tous à bord. La navigation sera bonne si nous partons tout de suite.

— Dans ce cas, n'attends pas, le pressai-je. Donne l'exemple, les autres suivront. »

Il courut à son poste et se mit à crier des ordres à tous ceux qui se trouvaient à portée de voix. La grande voile carrée monta dans un grincement de cordages, faseya au vent, se gonfla, puis le navire s'éloigna de la côte. Quelques instants plus tard, nous filions poussés par une brise fraîche. Les rayons du soleil déclinant se reflétaient sur les vagues vertes, embrasant leurs crêtes et ensemençant d'or leurs flancs.

Peu à peu, le vert et l'or des eaux et de la lumière se fondirent dans le bleu et le gris de la nuit, tandis que le crépuscule s'étendait sur les étendues marines. Sous un lumineux ciel semé d'étoiles, la mer dansait, miroitante, fendue par la proue effilée de notre navire qui laissait derrière lui des tourbillons de clair de lune en fusion. La nuit était douce et une brise vagabonde venait de temps en temps me caresser le visage. Je demeurais éveillé pour observer les cieux palpitants, suivant du regard la lente progression de la lune incandescente sous la voûte étoilée.

Être attentif au miracle ordinaire, songeai-je, *voilà* le véritable présent d'un Créateur éperdument généreux, qui toujours invite ses créatures à contempler l'exubérance de son sublime ouvrage. Il y a une joie profonde et immuable à l'œuvre en ce monde, et nous, qui toute notre vie sommes à la peine, l'oublions souvent. Mais voyez : elle est tout autour de nous ! Incessante, inlassable, aussi sûre que le lever du soleil et aussi constante que le rythme d'un battement de cœur.

Je restai, comme je l'ai dit, debout toute la nuit à la proue, avec pour seuls compagnons les étoiles et le silencieux et vigilant Barinthus. Vers le matin, je vis la profonde obscurité se dissiper à l'orient. Je regardai se lever le soleil, les yeux encore envoûtés par les mystères de la nuit.

L'aube striait le ciel de la couleur du sang et des étendards, teintant les eaux ténébreuses. Le jeu de la lumière liquide et des ombres sinueuses me plongeait dans une humeur mélancolique. Je ressentais la venue du jour comme l'approche d'une présence prédatrice. Le cuir chevelu me picotait, mon estomac se serrait. Ma vue se faisait plus acérée.

Le navire poursuivait sa course et sur la mer le soleil levant scintillait telle une coulée de métal en fusion, bouillonnante et tourbillonnante. Je tournai les yeux vers le rivage opposé, silhouette obscure sous un ciel embrasé. Il me semblait que le navire ne se déplaçait plus sur l'eau, mais glissait sur des nuages s'enroulant inlassablement sur eux-mêmes... qu'il passait comme un fantôme à travers l'essence même de ce monde.

Derrière moi le monde tangible, matériel, s'effaça. Devant moi s'ouvrit l'Autre Monde, insubstantiel et miroitant. Le navire, son robuste pilote et mes compagnons de voyage disparurent... comme dérobés à la vue par un brouillard impénétrable. Je sentis l'envolée de mon esprit qui se libérait de la chair pesante et insensible pour prendre son essor. Un brise fraîche me passa sur le corps, je goûtai la douceur de l'air sur ma langue. En l'espace de trois battements de cœur, mes pieds atteignirent un très lointain rivage.

Une femme vêtue d'une longue et chatoyante robe bleu outremer m'y attendait. Belle de visage et de corps, elle leva une main fine et me fit signe de la suivre. Je m'avançai tel un être dépourvu de toute pensée, de toute volonté, abritant de la main mes yeux éblouis. Je cherchai du regard le soleil, mais ne pus le voir. Le ciel lui-même brillait avec l'intensité d'un éclatant or blanc, radieux firmament diffusant une vaste et invisible source lumineuse qui était partout présente et ne projetait aucune ombre.

La femme me conduisit au pied d'une haute colline à courte distance du rivage : l'estuaire avait disparu et une mer étincelante s'étendait jusqu'à l'horizon. Nous gravîmes le mont aux larges flancs recouverts d'une herbe si verte qu'elle brillait dans la lumière dorée comme une émeraude au soleil.

Au sommet de la colline, une pierre dressée pointait tel un long doigt vers les cieux éclatants. La femme aux longs cheveux noirs comme le jais poli et dont les yeux verts brillaient du vif éclat de la sagesse leva la main vers la pierre et, d'une voix aussi douce que la

brise qui faisait onduler l'herbe au sommet de la colline, demanda :
« Peux-tu lire cette pierre, petit homme ? »

Je m'avançai vers le monolithe et vis que sa surface rugueuse était profondément gravée de spirales et de motifs entrelacés. Je scrutai les antiques symboles, suivant du regard le labyrinthe de lignes entrecroisées. Bien que je l'eusse vu d'innombrables fois, je ne pus y discerner aucun sens.

« Je ne peux pas les lire », avouai-je, et je me détournai de la pierre pour voir s'assombrir les traits de la femme et des larmes se mettre à couler de ses yeux adorables. Elle s'enfouit le visage dans les mains et ses épaules délicates furent secouées de sanglots. « Gente dame, dis-je d'une voix étranglée par l'émotion, pourquoi pleures-tu ?

— Je pleure de chagrin d'entendre cet aveu tomber de tes lèvres, dit-elle. Car, plus que tout autre homme, tu devrais prêter attention aux signes gravés dans la pierre.

— Pour lire, il me faut des mots, répliquai-je. Donne-moi des mots et je discernerai leur signification. »

Elle leva des yeux embués de larmes et me regarda avec une profonde détresse. « Hélas, dit-elle, la fatalité est maintenant sur nous ! Il fut un temps où tu aurais contemplé ces mêmes signes et où leur signification aurait été claire à tes yeux. Voici ce qui m'afflige : Ô Enfant de Poussière, tu les aurais alors lus comme les hommes lisent maintenant leurs précieux livres. »

En prononçant ces derniers mots, elle tourna le dos et s'éloigna. J'allai pour la suivre, mais elle leva la main et m'enjoignit de rester. « Il en viendra une autre après moi qui te reconduira d'où tu es venu. »

Ces paroles me firent penser que j'allai retourner vers le monde que j'avais laissé derrière moi. Mais je m'étais trompé, ou bien elle avait voulu dire autre chose, car j'attendis et personne n'apparut. Quelque chose me retint toutefois au sommet de cette colline un jour et une nuit.

Je dormis pendant la période d'obscurité et me réveillai pour voir approcher une jeune fille. Elle vint se placer près de la grande pierre. « Je te souhaite le bonjour », dit-elle, et elle sourit. Ses dents étaient blanches et régulières, son front haut et lisse, ses yeux brillants. Elle était vêtue d'un manteau vert et or et ses pieds étaient nus.

Dans ses mains, elle tenait un paquet enveloppé de toile qu'elle ouvrit pour révéler une harpe. Cette harpe n'était autre que la mienne, car je la reconnus.

« Qu'est ceci ? » demanda-t-elle d'une voix capable d'ensorceler les oiseaux dans le ciel. Et avant que je ne puisse répondre, elle ajouta sur un ton de mise en garde : « Bien que tu penses le savoir, tu ne le sais certainement pas.

— Je serais bien ignorant, en vérité, de ne pas reconnaître ce que j'ai tenu dans mes mains et dont j'ai mille fois joué, répondis-je. C'est ma harpe. »

Elle secoua tristement la tête. « Bien que tu dises que c'est une harpe, et que tu prononces sans hésiter ce mot, il est évident que tu ne la connais pas. Car si tu avais proféré la vérité, cet instrument aurait chanté son nom de lui-même. Le seul son de ta voix aurait fait naître la musique. »

La jeune fille tourna le dos et, avec une infinie tristesse, posa la harpe contre la pierre dressée gravée de runes. « Il en viendra un autre après moi qui te reconduira d'où tu es venu », dit-elle, et elle disparut, me laissant une fois de plus seul.

Trois jours et trois nuits passèrent et je me réveillai le quatrième jour pour voir un grand jeune homme debout près de la pierre... si immobile qu'il aurait pu ne faire qu'un avec elle. Comme la femme, ses cheveux étaient noirs et ses yeux verts. Son manteau était bleu comme le ciel, et sa tunique verte comme les feuilles, son pantalon jaune d'or et sa ceinture aussi blanche que les nuages. Il tenait une grande coupe, ou un bol, dans ses mains.

En le voyant, je me levai et vins me placer devant lui. « Je t'attendais, lui dis-je, soudain irrité de ce retard.

— Même si chaque battement de cœur durait un millier d'années, répondit-il, tu n'aurais pas attendu moitié aussi longtemps que je t'ai attendu. » La colère jaillit dans ses yeux tel un éclair embrasant de noires nuées d'orage. « Je t'ai attendu toute ma vie.

— Qui es-tu ? demandai-je.

— Je suis le Roi de l'Été », répondit-il.

Je m'agenouillai devant lui. « Seigneur, je suis ton serviteur.

— Debout, petit homme. Tu n'as jamais été mon serviteur, dit-il d'un ton chargé de mépris. Car comment se fait-il que le serviteur ne reconnaisse pas son maître ?

— Mais je ne t'ai jamais vu, protestai-je. Je n'en suis pas moins prêt à te servir en toutes choses.

— Loin de moi, Fourbe. Car si tu avais été mon serviteur, tu aurais entendu mon appel. Et tu aurais su ce que je tiens dans mes mains.

— Quand m'as-tu appelé, seigneur ?

— Myrddin, répondit-il d'une voix brisée par le chagrin, je t'ai toujours appelé. Depuis le commencement du monde, j'ai chanté ton nom.

— Je t'en prie, seigneur, m'écriai-je, pardonne-moi. Je n'ai pas entendu… je ne savais pas. »

Avec un air de tristesse mêlée de dégoût, il déposa la coupe qu'il portait devant la pierre, à côté de la harpe. Puis il repartit. « Seigneur, je t'en supplie ! » lui criai-je.

Il s'arrêta et regarda en arrière. « Il en viendra un autre après moi qui te reconduira d'où tu es venu. »

Le Seigneur de l'Été disparut alors et je me retrouvai seul une fois de plus. Je contemplai la pierre et les symboles qui y étaient gravés. Je regardai la harpe, mais je n'en jouai pas, et je réfléchis à la signification de la coupe.

Trois jours passèrent sur ma colline solitaire, et trois sombres nuits. Un bruit me parvint alors que je dormais, et je m'éveillai. Je me mis debout, l'oreille aux aguets. Presque aussitôt, j'entendis quelqu'un chanter d'une voix forte et claire. Mon cœur se mit à battre plus vite. Je connaissais cette voix… bien que je ne l'eusse entendue jusque-là qu'une fois — car il n'en est pas de semblable en ce monde ni dans aucun autre. Je l'entendis et, oh ! je la reconnus.

Taliesin !

IV

Je regardai de l'autre côté de la colline et vis un homme avancer vers moi d'un pas assuré : un être d'une grande beauté. Il avait les cheveux luisants comme la cire miroitante, sa tunique était blanche, son manteau aussi bleu qu'un ciel étoilé et il portait un pantalon de cuir souple. Il tenait dans sa main droite un solide bâton de sorbier et une harpe était accrochée par une lanière à son épaule. Tout en lui dénotait un puissant barde — Penderwydd, champion parmi les bardes. Mon cœur se serra de le voir, car je pris conscience qu'il n'en existait plus de son espèce dans le monde.

Grande Lumière, où sont les hommes de pouvoir et de vision, dont les paroles tirent la vie de la mort et allument la bonté dans les cœurs les plus froids ? Où sont les hommes qui osent de grandes choses, dont les gestes sont des légendes ?

« Salut, Taliesin ! » criai-je, oubliant mon chagrin et courant à sa rencontre.

Il semblait ne pas m'avoir entendu, car il continua son chemin comme pour me dépasser. « Taliesin, attends ! » hurlai-je. Il fit halte et se tourna, mais ne me salua pas.

« Te connais-je, petit homme ? » demanda-t-il, et sa question me transperça comme un coup d'épée.

« Me connaître ? Mais je… Taliesin, je suis ton fils. »

Il me regarda, m'examinant de la tête aux pieds. « C'est toi, Myrddin ? » demanda-t-il enfin. Sa bouche se tordit en une grimace désapprobatrice. « Qu'est-il advenu de toi, mon fils ?

— Pourquoi ? demandai-je, le cœur brisé. Ai-je tant changé ?

— À dire vrai, répondit-il, si tu ne m'avais pas appelé par mon nom, je ne t'aurais pas reconnu. »

Il montra l'instrument posé contre la pierre dressée. « C'est la harpe de Hafgan, dit-il. Que fait-elle ici ? »

Honteux de l'avoir ainsi abandonnée, je la ramassai et la nichai contre mon épaule. Mais j'eus beau en caresser les cordes, je ne pus en tirer que des bruits discordants. J'ouvris la bouche pour chanter, mais ne pus produire qu'un son hésitant, étranglé.

« Arrête ! s'écria-t-il. Si tu ne peux jouer mieux que cela, pose cet instrument. Il est aussi inutile entre tes mains qu'un morceau de bois vermoulu. »

Il me conduisit alors jusqu'à la crête de la colline et me montra la mer émeraude qui s'étendait à nos pieds, telle une immense pièce de soie ondulant au vent. Il m'enjoignit de regarder et de lui dire ce que je voyais.

« Je vois le royaume du Puissant Manawyddan, répondis-je, aussi vaste que profond, séparant les unes des autres les îles et les nations.

— Et là, que vois-tu ? » Il montra la longue courbure de la grève.

« Je vois les vagues incessantes, servantes frangées de blanc du seigneur de la mer aux flots impétueux. »

La main de Taliesin retomba contre son flanc. « Ce ne sont *pas* des vagues, dit-il. Regarde encore, Ignorant, et regarde attentivement, cette fois. Dis-moi ce que tu vois. »

Mais je voyais les vagues, et seulement elles, déferlant inlassablement sur le rivage. Taliesin ne fut pas satisfait de cette réponse. « Comment est-il possible que tu regardes et que tu ne voies pas ? La lumière du discernement t'aurait-elle abandonné ? »

Il leva la main vers l'horizon et écarta les doigts. « Ce ne sont pas des vagues, dit-il encore. Ce sont les navires de ceux qui fuient leur patrie. Les Bretons s'en vont, Myrddin, avec une telle hâte et dans un tel nombre qu'ils en agitent l'océan. »

Alors qu'il prononçait ces mots, les vagues se changèrent en navires dont les crêtes écumantes étaient les voiles et la houle le sillage. Il y en avait des centaines, des milliers, tous fuyant les rivages d'Ynys Prydein.

« Pourquoi s'en vont-ils ? » demandai-je, conscient d'assister à un désastre tel que n'en avait jamais vu l'Île des Fort depuis les jours de sa création.

« Ils fuient vers des royaumes mille fois moins beaux que le pays de leur naissance, répondit tristement Taliesin, où ils mèneront une rude existence sous l'autorité de rois indignes d'eux.

— Pourquoi ? demandai-je. Pourquoi abandonnent-ils leur roi et leur pays ?

— Ils fuient parce qu'ils ont peur, dit simplement Taliesin. Ils ont peur parce que leur espoir a été déçu et que la lumière qui leur donnait vie s'est éteinte.

— Mais Arthur est leur espoir et sa vie est leur lumière, protestai-je. Ils ont sûrement tort de partir, car le Grand Roi est encore vivant en Bretagne.

— Oui, acquiesça Taliesin, Arthur est vivant, mais comment le sauraient-ils ? Il n'y a personne pour chanter ses exploits, personne pour le glorifier en chanson, personne pour proclamer haut et fort ses louanges et enflammer l'âme des hommes. » Il tourna vers moi un œil accusateur. « Où sont les bardes qui chantent la vaillance d'Arthur et instillent le courage dans le cœur des hommes ?

— Je suis là, Père, dis-je.

— Toi ? Toi, Myrddin ?

— Puisque je suis Chef Barde de Bretagne, dis-je fièrement, c'est mon droit et mon devoir. Je chante les louanges d'Arthur.

— Et comment cela ? demanda-t-il. Tu ne peux lire ce qui est inscrit sur la pierre. Tu ne peux tirer aucune musique du Cœur du chêne. Tu ne peux boire à la glorieuse coupe. Chef Barde des Fourmis et des Insectes, peut-être l'es-tu, mais tu n'es pas Vrai Barde de Bretagne. »

Ses paroles me cinglèrent. Je baissai la tête, les joues brûlantes de honte. Il disait la vérité et je ne pouvais répondre.

« Écoute-moi, Fils de ma chair », dit Taliesin. Et, oh, sa voix, avec la force sauvage du vent, ébranla la colline de son juste mépris. « Jadis, tu aurais pu chanter la forme du monde et les éléments t'auraient obéi. Mais aujourd'hui ta voix est devenue faible à force de tenir des propos indignes d'un barde. Tu as dilapidé tout ce qui t'avait été donné, et il t'avait beaucoup été donné, en vérité. »

Je ne pus demeurer debout sous ce dur reproche. « S'il te plaît, Père, m'écriai-je en tombant à genoux, aide-moi. Dis-moi, n'y a-t-il rien que je puisse faire pour faire revenir les vagues ?

— Qui peut inverser la marée ? Qui peut rappeler la flèche en vol ? demanda Taliesin. Nul homme ne peut replacer la pomme sur la branche une fois qu'elle est tombée. Mais, si l'on ne peut arrêter l'exode, l'Île des Forts peut encore être sauvée. »

Je repris courage à ces mots. « Je t'en prie, seigneur, dis-moi ce que je dois faire, et je le ferai, jurai-je. Cela dût-il consumer jusqu'à mes dernières forces et à mon dernier souffle, je le ferai.

— Myrddin, mon fils bien-aimé, dit Taliesin, cela te coûtera bien davantage. Mais, si tu veux savoir ce qu'il faut faire, sache ceci : tu dois repartir d'où tu es venu. »

Avant que je ne puisse lui demander ce qu'il voulait dire, Taliesin leva les mains à la manière des bardes : l'une au-dessus de sa tête, l'autre à hauteur de son épaule, toutes deux paumes ouvertes. Faisant face à la pierre dressée, il ouvrit la bouche et se mit à chanter.

Oh, son chant m'emplit d'une telle ivresse que je craignis de m'évanouir. Entendre le son de cette voix enchanteresse et assurée vous faisait connaître le pouvoir de la Vraie Parole. Je l'entendais et tremblais intérieurement, car je comprenais ce que j'avais autrefois tenu dans mes mains et laissé échapper.

Taliesin chanta. Il redressa la tête et déversa sa chanson. Les tendons de son cou saillaient et ses mains se crispaient sous l'effort. Merveille des merveilles, la pierre dressée, froide chose inanimée, se mit à changer : le mince pilier de pierre s'arrondit, grossit et s'étira, montant de plus en plus haut. Des protubérances apparurent à son sommet... puis s'allongèrent et se ramifièrent pour devenir des branches qui se déployèrent pour former la superbe couronne d'un grand chêne. Une profusion de feuilles luisantes apparurent, vert sombre et argentées.

L'arbre étendait largement ses frondaisons au-dessus de la colline à l'appel de la glorieuse chanson de Taliesin. Je sentais mon cœur prêt à exploser devant la splendeur de ce chêne et du chant qui lui donnait forme et vie... un chant sans pareil dans sa mélodie : extravagante, spontanée, enivrante, et pourtant impétueuse à vous en couper le souffle. Puis, sous mes yeux, le chêne s'embrasa. Des flammèches naquirent telles des fleurs rouges dansant parmi les branches. J'eus peur de voir détruire l'arbre magnifique et m'apprêtai à pousser un cri d'alarme. Mais à l'instant où je tendais les mains vers le brasier, je vis que les flammes miroitantes partageaient l'arbre en deux, de haut en bas : une moitié se dressait, scintillante, dansante, vivante, vermeille contre le ciel nocturne, l'autre demeurait verte de toutes ses feuilles dans la brillante lumière du jour.

Voyez ! Dans le temps entre les temps, l'arbre brûlait, mais ne se consumait pas.

Taliesin cessa de chanter et se tourna vers moi. Me dévisageant avec la pénétrante intensité d'un professeur qui réprimande son élève indocile, il demanda : « À présent, dis-moi. Que vois-tu ?

— Je vois un arbre vivant là où naguère se trouvait une pierre, répondis-je. Je vois cet arbre moitié en flammes et moitié intact. La moitié qui brûle ne se consume pas, et la moitié qui résiste aux flammes se couvre de feuilles argentées. »

Mon père sourit. Je sentis son approbation et mon cœur battit plus vite. « Peut-être es-tu mon fils, après tout », dit-il fièrement.

Levant la main vers l'arbre, il écarta les doigts et les flammes bondirent plus haut, des étincelles jaillirent vers les cieux nocturnes et devinrent des étoiles. Des volées d'oiseaux convergèrent vers la moitié verte de l'arbre et trouvèrent refuge dans ses branches. De petites pommes jaunes apparurent parmi les feuilles et les oiseaux s'en nourrirent.

« Ceci, dit-il en se tournant vers moi, ceci est le chemin que tu dois suivre, fils de ma chair. Vois et n'oublie pas. » Il m'étreignit l'épaule. « Maintenant, tu dois repartir.

— Permets-moi de rester encore un peu, implorai-je. J'ai tant à te demander.

— Je suis toujours avec toi, mon fils, dit-il doucement. Porte-toi bien, Myrddin, jusqu'à notre prochaine rencontre. »

Soudain je me retrouvai seul au sommet de la colline devant l'arbre qui brûlait sans se consumer. J'y demeurai un moment — combien de temps, je ne saurais dire — à m'interroger sur le sens de cette énigme, me répétant les mots : *ceci est le chemin que tu dois suivre*. Mais je ne pus trouver de réponse. Le temps avait changé : un vent violent soufflait par rafales autour de moi, âpre et glacé. Une pluie cinglante qui brûlait la peau se mit à tomber et me chassa.

Me drapant dans mon manteau, je jetai un dernier coup d'œil par-dessus mon épaule. Le chêne solitaire était devenu un bosquet et je compris que je devais y entrer. Je restai quelque temps sur place, hésitant, empli de crainte. Le chemin du retour passait à travers le bosquet : il n'y en avait pas d'autre. Je le comprenais… et pourtant j'hésitais.

« Grande Lumière, finis-je par dire, pénètre devant moi dans ce lieu obscur. Sois mon Guide et mon Sauveur dans toutes les épreuves que je traverserai. Et si tu le veux bien, Seigneur, veille sur ma sécurité. Je me place sous la protection de ta Main Sûre et Prompte et t'implore de m'entourer de Célestes Champions. Si je descends dans la tombe, que je t'y trouve. Si je m'élève parmi la lune et les étoiles, que je t'y trouve. Où je vais, j'y vais en confiance, sachant que partout où je serai, tu y seras aussi : moi en toi et toi en moi. Dans la vie, dans la mort, dans la vie future, Grande Lumière, soutiens-moi. Je suis tien. »

Sur ces mots, j'entrai dans le bosquet.

Le sentier était silencieux, l'atmosphère lourde d'une odeur de tombeau. Nul rayon amical n'éclairait mon chemin. C'était comme si je marchais dans le pays des ombres, vivant mais coupé du royaume des vivants. Les arbres aux épais troncs noueux noircis par l'âge et balafrés par les ravages du temps se dressaient tels de robustes piliers soutenant un dais si vert et si sombre qu'il semblait peser comme un couvercle. J'avançais hardiment, mais aucun regard ne remarquait mon passage, mes pas n'éveillaient aucun bruit.

J'étais entré dans un sanctuaire, un refuge sacré à l'écart du monde, un *nemeton*. En me déplaçant parmi les arbres, j'éprouvai une étrange sensation de familiarité. Avec un frisson, je compris où j'étais : *Bryn Celli Ddu*, le bosquet sacré sur l'Île Sainte. Hafgan, le cher Hafgan, m'avait parlé de cet endroit quand j'étais enfant.

Au fond de ce refuge secret, je sentais les esprits des druides qui s'attardaient dans l'épais et ténébreux silence. D'une antiquité défiant l'imagination, ces arbres étaient déjà vieux quand Rome n'était qu'un bourbeux enclos à bétail. Ils avaient vu l'ascension et la chute de princes, de rois et d'empires, ils avaient été témoins du lent passage des années et vu tourner la Roue de la Fortune dans ses incessantes révolutions. Ces arbres avaient veillé sur l'Île des Forts depuis les tout premiers jours, quand la rosée de la création était encore fraîche sur la terre. Brutus de Troie, Alexandre, Cléopâtre et le grand Constantin étaient venus et repartis sous leur regard imperturbable. Les Initiés avaient tenu des discours sous leurs branches noueuses et beaucoup dormaient encore dans la terre à leur pied.

Hafgan m'avait aussi parlé de cette terrible journée, il y avait bien longtemps, où les légions de Rome avaient attaqué le bosquet de l'Île Sainte. Les Bardes de Bretagne, sans la protection d'aucune arme ni armure, avaient été abattus tels des arbres, taillés en pièces par les épées romaines. Malgré tout son génie, l'esprit guerrier romain n'avait su voir que son véritable ennemi était le bosquet, et non la Fraternité des Initiés. L'eût-elle brûlé ce jour-là, ou bien en eût-elle déraciné les arbres, Rome aurait triomphé, car elle aurait frappé au cœur la Communauté des bardes.

Réalistes impénitents, hommes à l'esprit pratique et à la froide logique, jamais les Romains n'avaient imaginé que c'étaient les arbres, les symboles druidiques, qui devaient être vaincus. Les druides avertis savaient que la chair est faible, qu'elle vit un temps, meurt et cesse d'exister. Ils sacrifiaient le périssable à l'impérissable. Le mortel servait le pérenne et gagnait ainsi l'éternité. Les froids généraux romains, regardant le massacre d'un œil impavide, n'avaient jamais soupçonné que c'était leur propre ruine qu'ils contemplaient. Car chaque goutte de sang versé assurait une victoire future, et la mort de chaque druide un triomphe.

Les Romains sont maintenant repartis, mais la Fraternité des Initiés vit toujours. Un grand nombre, un très grand nombre d'entre eux sont parvenus au terme de la quête de la Vérité dans la Croix de Jesu. Les Sages Compagnons du Chêne sont devenus la Fraternité du Christ. Le pouvoir du bosquet sacré est désormais l'assise de la Sainte Église. La Grande Lumière brille où elle veut. Ainsi soit-il !

Au bout de quelques instants, mes pas me conduisirent au tumulus que je savais devoir trouver au centre du bosquet : un dôme de pierre circulaire recouvert de terre et d'herbe dont l'entrée était tout juste visible dans la pénombre. C'était un tombeau… aussi bien réel que symbolique car, comme chacun sait, les symboles réels sont toujours les plus puissants. Réel, car des défunts y étaient réellement inhumés. Mais aussi symbolique : car ici, parmi les ossements des morts illustres d'antan, le Chercheur pouvait s'étendre dans une mort simulée afin que ses ossements vivants puissent communier avec les restes secs et cassants de ses pères.

C'était maintenant mon tour : j'étais le Chercheur.

Debout au seuil du tumulus, je levai le visage vers le ciel mais ne pus rien voir d'autre qu'une vague lueur dorée à travers la voûte des branches entrelacées. Les fûts des ifs majestueux se découpaient, noir de fer, sur cette étrange luminescence. C'était l'heure entre les heures et, avant de m'engager sur le chemin, je mis mes mains de chaque côté de ma tête et criai une ardente prière :

Dans chaque torrent, promontoire, crête et lande ;
À travers vaux et forêts,
    à travers longues et sauvages vallées,
Que le Doux Jesu me soutienne,
Que le Christ triomphant soit mon bouclier !
Grand Roi de Miséricorde, sois ma paix :
Dans chaque défilé, sur chaque colline,
Dans chaque torrent, promontoire, crête et lande ;
Toujours et en tous lieux,
Dans ce monde ou dans un autre.

Ainsi enhardi, je baissai la tête et pénétrai dans le tumulus. Une fois à l'intérieur, il y avait la place de se tenir debout. Je me redressai et m'enfonçai plus profond, passant devant des chambres de pierre. Je parvins devant un autre seuil, le franchis et continuai. D'autres chambres s'ouvraient de chaque côté, certaines conservant encore les ossements de morts antiques. Je parvins devant un troisième seuil et le franchis pour entrer dans une dernière salle... ronde comme une matrice et presque aussi sombre. Mon ombre se diffractait en dansant autour de moi sur les murs, animée par une étrange lumière tremblotante dans mon dos.

Les parois de cette salle avaient été blanchies à la chaux et ornées de motifs bleus : la spirale et le disque solaire, le Môr Cylch et la corne de Cernunnos. Mais le blanc s'était écaillé et le bleu n'était plus qu'une vague trace sur le roc. Il y avait des ossements soigneusement empilés contre un des murs : des crânes aussi ronds et blancs que des galets dans le lit d'une rivière, de minces côtes incurvées, des bras et des jambes.

Je songeai à la fragilité de toute chair et à l'instant intemporel qu'est l'éternité. Je me représentai l'Aigle du Temps en train d'aiguiser son bec sur la montagne de granit de ce monde : quand elle aurait été réduite à un simple grain de sable, l'aigle s'envolerait pour regagner son aire.

Je méditai sur ces choses tout en me penchant et en tendant la main vers un frêle tibia. Soudain le sol céda sous mes pieds... comme si un gouffre s'était brusquement ouvert sous moi. Il y avait une cavité sous la salle où je me trouvais et la voûte, fragilisée par les ans, n'en avait pu supporter mon poids. Je tombai dans la noirceur de l'*Annwfn* : le royaume Infernal m'avait avalé.

Je m'enfonçai en tournoyant dans l'abîme.

Les ténèbres, plus noires que la froide étreinte de la mort, se refermèrent sur moi. Le monde de la lumière et de la vie disparut loin au-dessus de moi, soufflé comme une torche par une rafale de vent. J'abandonnai tout espoir et m'accrochai à mes sens défaillants tel un homme projeté dans les crocs de la tempête.

Je tombai, tournoyant, tourbillonnant, de plus en plus bas. Je voyais défiler pierres et racines, sources et rivières souterraines. Loin, loin en dessous, j'entendis le fracas de l'eau qui se brisait sur les rochers en une vaste cataracte invisible. Tombant comme une pierre, je frappai les eaux noires et tentai de nager, de remonter, mais mes vêtements étaient pesants et mes membres gourds. Je sombrai sans espoir dans ma froide tombe aquatique.

Les muscles noués, durs comme de la pierre, je sentis mon corps aspiré, emporté par de rapides courants. Au-dessus d'arêtes vives et de crevasses béantes dans la nuit sans fin, au-dessus d'un paysage aussi morne que désolé, je volais. Loin sous les racines du monde, je flottais, plus profond qu'aucune baleine, dans les entrailles du royaume d'*Afanc* je m'élevais en un lent vol ondulant.

À travers les éons des âges de la terre, j'errais tel un spectre : sans respirer, sans rien voir, sans rien sentir, pur esprit entraîné par la lente circulation de l'océan invisible de l'*Annwfn*. Privé de toute volonté, j'allais où les courants me portaient. Aussi léger et ténu qu'une pensée, je ne possédais que l'implacable liberté d'une idée fugitive.

Ainsi fut réduit et défait Myrddin Emrys : je n'étais plus rien... moins que rien. Mon passage ne laissait pas de trace et nul ne le remarquait sinon Dieu lui-même. Dehors et dedans, planant au-dessus des perspectives tourmentées du monde souterrain et de mon âme aride, qui n'étaient pour moi qu'une seule et même chose. Les ténèbres du gouffre étaient mes ténèbres intérieures, son vide était le mien. J'étais une ride sur la crête d'une vague invisible. J'étais un tourbillon passager dans les profondeurs obscures.

Je n'étais rien.

Le silence de la tombe m'engloutit... une quiétude suffocante, solide comme le granit, et aussi pesante. De toutes mes forces, je criai mon nom en un geste de défi, mais ma voix ne pouvait pénétrer cette oppressante densité et le mot retomba à mes pieds tel un oiseau abattu en plein vol. Je sentais sur ma peau la masse de cet accablant silence, comme si j'étais immergé dans un océan de poix épaissie au feu.

J'errais je ne sais où, rampant avec une infinie prudence sur un sol de pierre raboteuse qui s'inclinait devant moi, descendant à chaque pas plus profond dans les ténèbres avides.

De temps en temps, je franchissais une fissure où j'entrevoyais le pâle tremblotement de flammes livides qui s'élevaient en crépitant des profondeurs abyssales. Au-dessus d'une de ces crevasses, je sentis une brûlante bouffée de gaz s'exhaler comme l'haleine putride d'un dragon cracheur de feu. Le souffle ardent déferla sur moi tel un râle sifflant. Son âcre puanteur sulfureuse me piqua les yeux et me brûla les narines.

Les larmes ruisselaient de mes yeux et respirer m'était atrocement douloureux. Hoquetant, suffoquant, j'avançais, plié en deux, les poumons en feu, aveuglé par la souffrance, faisant de chaque pas un hurlement de défi. Puis je sentis qu'il y avait quelqu'un d'autre dans le souterrain, qui marchait à une courte distance devant moi. Je dis que je pris conscience de sa présence, car je pense qu'elle était avec moi depuis le tout début, mais j'avais été trop absorbé par mes propres souffrances pour m'en apercevoir.

Oui, je savais, comme l'on sait dans un rêve, qu'il y avait une présence féminine devant moi, me guidant le long du sombre tunnel, accordant ses pas aux miens… s'arrêtant quand je m'arrêtais, repartant quand je repartais.

À un moment, je trébuchai et tombai à quatre pattes. J'entendis celle qui me précédait continuer sa route. « Attends ! » m'écriai-je, ne voulant pas me retrouver une nouvelle fois seul.

Ma voix frappa la surface rocheuse comme le plat de la main. Devant moi les pas s'arrêtèrent et firent demi-tour. Ils revinrent vers moi. J'entendis leur bruit étouffé s'approcher… de plus en plus près, jusqu'à ce que la femme s'immobilise à ma hauteur. Même si je ne pouvais la voir, je savais qu'elle était là.

« S'il te plaît, dis-je, attends un peu. Ne me laisse pas seul ici. »

Je n'attendais pas de réponse de ma fantomatique compagne. Il fut pourtant répondu à ma supplique. « Alors relève-toi, Merlin, m'intima-t-elle. Ou bien je te laisse. »

Cette voix… je la connaissais !

« Ganieda ! C'est toi ? »

Le bruit de pas recommença à s'éloigner. « Attends ! Je t'en prie, attends ! hurlai-je en m'efforçant de me relever. Ne m'abandonne pas, Ganieda !

— Je ne t'ai jamais abandonné, mon âme, répondit-elle d'une voix qui me parvint d'un peu plus loin. Et je ne t'abandonnerai jamais. Mais il faut faire vite. »

Je me remis debout et repartis en titubant, désespéré, à présent. Je devais la rattraper ! Je me traînai à sa suite, heurtant dans ma hâte les saillies de la roche avec la main, le bras ou le coude… quelle que pût être la vitesse à laquelle j'avançais, je ne pouvais rattraper, ne fût-ce que d'un demi-pas, mon guide bien-aimé.

Je courais à perdre haleine. De terribles élancements me déchiraient la poitrine mais je ne ralentis pas l'allure. À l'instant où je croyais que j'allais m'évanouir, je sentis une bouffée d'air frais sur mon visage et distinguai un éclaircissement des ombres devant moi… un léger mais perceptible grisaillement des ténèbres absolues au sein desquelles je me mouvais.

Une vague lueur grise, telle une fausse aurore, régnait dans la salle sur le seuil de laquelle je trébuchai. Une dizaine de pas devant moi se tenait ma chère Ganieda. Son apparence était la même que le jour de notre mariage : vêtue d'une fine tunique de lin blanc ornée de clochettes d'or tout le long de son ourlet, ses soyeux cheveux noirs tressés de fils d'or et, sur son beau front, un diadème de fleurs printanières. Elle portait, drapé sur une épaule, un manteau à carreaux pourpres et bleu ciel, selon les motifs des tribus nordiques, dont les plis étaient fixés par une splendide broche en or. Des bracelets en or ornaient ses bras et ses poignets délicats, et elle avait aux pieds des sandales de cuir blanc.

Tout cela, je le voyais sans peine, car une lumière émanait d'elle, pâle et diffuse, mais distincte… comme si de ses vêtements irradiait une lueur de feu follet. Elle me regardait intensément, le visage à la fois sévère et adorable, les mains croisées devant elle.

« Ganieda, tu es… » commençai-je en m'avançant vers elle.

Elle leva une main pour m'arrêter. « N'approche pas davantage ! » dit-elle d'un ton brusque, puis elle ajouta d'une voix plus douce : « Ce n'est pas permis, mon bien-aimé.

— Alors pourquoi es-tu venue ? Si nous ne pouvons être réunis…

— Ne me tourmente pas, mon aimé », dit-elle et, oh, je crus que mon cœur allait se briser. « Nous serons réunis — cela, je te le promets — mais pas encore, mon âme, pas encore. Il te faut souffrir encore un peu. Y es-tu prêt ?

— Je le suis… si par ma souffrance je peux prendre acte de ta promesse.

— Alors écoute-moi, mon époux. Il faut me croire si je te dis que la Bretagne tombera devant l'épée de l'envahisseur. Par rapine et par massacre le pays sera perdu et ses habitants détruits. Les rois mourront sans que nul ne les pleure, les princes descendront dans la tombe sans que quiconque y prête attention et les guerriers maudiront le jour de leur naissance. Les autels de Prydein seront baptisés dans le sang de ses saints et les flammes détruiront tout ce qu'elles toucheront.

— Ceci m'est plus amer que ma propre mort, répondis-je avec tristesse. Ce ne sont pas des paroles propres à raffermir un cœur défaillant.

— Mon amour, dit-elle avec une profonde compassion, plus que tout homme, tu devrais savoir que, là où menace un grand danger, réside l'espoir. La foi dresse sa tente à l'ombre de la peine. » Ganieda sourit en secouant lentement la tête. « Les ténèbres sont-elles plus fortes que la lumière ? Le bien, même le plus fragile, n'est-il pas toujours de loin plus puissant que le mal le plus absolu ? »

Elle étendit les mains et je vis, tout autour d'elle, des silhouettes de guerriers… des dizaines, des centaines de guerriers, tous harnachés pour la bataille : bouclier à l'épaule, mains puissantes étreignant lance et épée. Ils gisaient immobiles, les yeux clos.

« Dis-moi, Ganieda, sont-ils morts ou endormis ?

— Ils sont vivants, dit-elle. Aussi longtemps que les hommes chériront le courage et l'honneur, ils demeureront en vie.

— Dans ce cas, pourquoi dorment-ils ?

— Ils attendent que le cor les appelle à la bataille, expliqua-t-elle.

— Dis-moi simplement où il se trouve et j'en sonnerai, répondis-je. La Bretagne a besoin de tels hommes.

— Oui, acquiesça-t-elle, et elle en aura toujours besoin. Mais pour ceux-ci... » — elle fit un geste circulaire de la main — « ... leur temps n'est pas encore venu. Ne crains rien, quand il viendra, tu le sauras.

— Serai-je témoin de cette épreuve ? »

Ganieda tourna vers moi des yeux pleins de tristesse. « Oui, cœur de mon cœur, tu vivras. Car c'est à toi seul qu'il appartient d'appeler à leur tâche ces puissants guerriers. Et c'est à toi qu'il appartient de les conduire. » Elle fit une pause, laissant son regard s'attarder sur les silhouettes des guerriers qui l'entouraient. « Je te montre ceci afin de te faire savoir que tu ne seras pas seul au jour de l'épreuve. Tes frères d'armes marcheront avec toi, Merlin. Ils n'attendent que ton appel. »

Je regardai à nouveau les guerriers et vis parmi eux des visages que je connaissais : Cai était là, oui, et Bedwyr, et Gwenhwyvar, Llenlleawg et Gwalcmai, Gwalchavad, Bors, Ban et Cador, Meurig et Aedd. Il y en avait aussi d'autres, courageusement tombés au combat lors de guerres précédentes : Pelléas, Custennin, Gwendolau, Baram, Elphin et Gwyddno Garanhir, Maelwys, Pendaran Gleddyvrudd... hommes déterminés, guerriers intrépides et vertueux qui ne reculaient devant rien, tous vaillants héros.

« Ce n'est pas à moi de conduire de tels guerriers, protestai-je. Même si c'est avec joie que je marcherais aux côtés de ces héros, ce n'est pas à moi de lancer l'appel. Il est certainement possible de trouver un roi digne de les conduire.

— Si c'est ce que tu désires », dit-elle en faisant un pas de côté. Et je vis derrière elle un autre guerrier, une noble silhouette, quelqu'un que je connaissais bien.

« Arthur... m'exclamai-je. Dis-moi qu'il n'est pas mort.

— Je te l'ai déjà dit, répondit Ganieda.

— Aussi longtemps que les hommes chériront le courage... je sais. » Le désespoir me nouait la gorge. « Je t'en prie, dis-le tout de même.

— Il vit, déclara-t-elle d'un ton ferme. Mais, comme tous les autres, il attend ton appel. Et il conduira l'armée de Bretagne dans la bataille à venir. Veille à bien les utiliser, mon âme. Ce sont les derniers et, quand ils auront disparu, le monde ne verra plus jamais semblables guerriers. »

Elle tourna le dos et commença à s'éloigner. « À présent, viens avec moi, m'invita-t-elle, il y a encore une chose que je voudrais te montrer. Mais il faut faire vite, car mon temps avec toi est presque écoulé. »

Après avoir jeté un dernier coup d'œil aux guerriers endormis, je me hâtai de suivre Ganieda et me retrouvai bientôt dans un autre tunnel aux parois de pierre brute, une galerie naturelle. Au bout d'une centaine de pas, nous débouchâmes dans une caverne. Une eau sombre miroitait en son centre, sous des dents de pierre acérées d'où l'eau s'écoulait goutte à goutte.

Ganieda s'arrêta au bord de ce noir bassin. « Viens auprès de moi, Merlin, dit-elle en me faisant signe d'approcher. Regarde.

— Un Bol de Divination », dis-je, imaginant le bassin empli de la noire décoction de chêne des druides.

« C'est le Bol de Divination de l'Annwfn », confirma-t-elle. La crainte emplissait sa voix. Elle tendit la main. « Regarde, et dis-moi ce que tu vois. »

Je regardai et vis le sombre miroitement de la surface, agitée par la chute régulière des gouttes qui tombaient des dents de pierre. Mais sous les rides de l'eau, je distinguai une jeune femme. « Je vois une jeune fille », dis-je.

Celle-ci se tourna comme pour me regarder du fond de l'eau. Mais non, elle ne m'avait pas vu, car elle fit demi-tour et se mit en marche. D'un seul coup, je pus voir ce qui l'entourait. « Elle avance parmi des arbres, poursuivis-je. C'est une forêt très ancienne et le sentier est étroit, mais elle le connaît bien. La jeune fille se hâte, mais ce n'est pas par frayeur. Elle n'a pas peur, car elle sait où elle va. Ah, voilà, elle vient de déboucher dans une clairière au milieu des bois... »

Je regardai, fasciné, cette Vierge de la Forêt s'avancer dans la prairie au centre de laquelle s'étendait un étang alimenté par une source d'eau claire. Elle se dirigea vers l'étang, les mains tendues. Deux hommes apparurent entre les arbres : à leur allure et à leur comportement, je compris qu'ils mouraient de soif. Ils virent l'étang et coururent vers lui.

Le premier se laissa tomber à genoux près de la source, puisa de l'eau dans sa main et but, mais dans sa bouche le liquide se changea en poison et il mourut en s'étreignant la gorge. Le deuxième s'approcha de la Vierge de la Forêt et lui dit quelques mots. La jeune fille lui tendit une coupe.

Prenant le récipient entre ses mains, l'homme l'emplit à la source. Il y but et ses forces furent restaurées. Il repartit en se réjouissant de la sagesse de la jeune fille.

La scène se transforma et je vis à nouveau la jeune fille, mais adulte : elle se tenait debout, un pied sur le puissant Yr Widdfa, l'autre sur les rives de Mor Hafren. Sa tête touchait le ciel et des étoiles scintillaient dans les tresses de ses cheveux. Dans une main elle tenait une forêt et dans l'autre la coupe, la coupe merveilleuse. Sur son passage les anciens Bretons se réveillaient. Et l'Île des Forts redevenait prospère.

Ganieda me tira à l'écart de l'étang. Nous nous enfonçâmes plus avant dans la caverne dont le sol en pente nous menait plus profond au sein de la terre. De chaque côté, à travers des fissures et des crevasses, j'entrevoyais le rougeoiement de la roche en fusion qui montait des profondeurs. À cette sinistre lueur, j'apercevais d'étranges créatures prisonnières de la pierre... monstres titanesques aux griffes en lames de faux, couverts de plaques écailleuses, silhouettes fantasmagoriques figées dans des postures d'attaque ou de défense... reptiles menaçants à l'hideuse tête plate hérissée de piquants. Je les contemplais avec une fascination horrifiée, me demandant quel terrible dessein avait présidé à leur création.

Nous nous enfoncions de plus en plus profond, passant auprès de veines d'or, scintillantes à la lueur des brasiers souterrains, qui pailletaient les murs de mon palais infernal. J'apercevais de vastes salles de cristal et de pierres précieuses. Sans tourner à droite ni à gauche, Ganieda me guida à travers l'infinie succession des chambres de l'Annwfn jusqu'à ce nous parvenions enfin à une plate-forme rocheuse où nous fîmes halte.

Cet endroit était une plage de pierre au bord d'une immense mer souterraine éclairée par des flaques bouillonnantes d'huile enflammée flottant à sa surface. Debout côte à côte, nous contemplâmes les terribles profondeurs que jamais ne venait troubler le moindre souffle de vent ni la moindre houle. C'était une vaste et sombre tombe aquatique sous un ciel de pierre, un firmament couleur de fer, solide, immuable, inviolable.

« Je dois te quitter, maintenant, mon cœur » dit Ganieda en se tournant vers moi, les yeux emplis du chagrin de notre séparation. « Où tu vas je ne puis retourner, et où je vais tu ne peux entrer.

— Non, Ganieda… pas encore. » Je tendis la main vers elle, mais elle recula.

« Hélas, répondit ma bien-aimée, il faut nous séparer. Il n'y a rien de plus que je puisse faire. Si tu veux vivre, il faut repartir d'où tu es venu. »

Elle recula de deux pas, posa le bout de ses doigts sur ses lèvres, les baisa et leva vers moi sa main blanche et délicate. « Adieu, mon âme, dit-elle. Souviens-toi, je reviendrai un jour pour toi.

— S'il te plaît, Ganieda, m'écriai-je, le chagrin gonflant telle une vague en moi. Ne me quitte pas ! S'il te plaît !

— Dieu est toujours avec toi, Merlin. »

Sur ce, elle disparut, me laissant debout, seul, sur la corniche de pierre surplombant l'océan infernal. Mais je n'y restai pas longtemps, car je m'élançai soudain vers l'endroit où j'avais vu pour la dernière fois Ganieda. Mon pied glissa sur des éboulis et je tombai, heurtant violemment le roc du genou.

Je fermai de toutes mes forces les yeux pour résister à la douleur et, quand je les rouvris, les ténèbres s'étaient dissipées. Le ciel luminescent avait lui aussi disparu, et je me retrouvai debout à la proue du navire.

V

Barinthus lança une mise en garde et le navire s'immobilisa dans une embardée quand il s'enfonça dans la vase. Aedd et Gwenhwyvar débarquèrent aussitôt, se laissant glisser dans l'eau le long de la coque pour gagner le rivage où ils attendirent l'arrivée des autres navires. Je les regardai, toujours comme dans un rêve, puis je m'apprêtai à les rejoindre.

Alors que je me dirigeai vers le bastingage, Llenlleawg se pencha vers l'endroit où je m'étais tenu pour ramasser un objet enveloppé de toile. « Emrys, me cria-t-il. Vas-tu laisser ta harpe ici ? »

Ma harpe ? Je regardai le paquet dans ses mains. Comment était-il arrivé là ? Je revins vers lui et écartai le tissu pour découvrir la harpe que je savais fort bien avoir laissée au camp d'Arthur.

Tu dois repartir d'où tu es venu.

La compréhension se fit soudain dans mon esprit, et avec elle vint la certitude. Oui !

Je redressai la tête et élevai ma voix dans une chanson :

Je suis le Véritable Emrys, Immortel,
Malgré mes ans, je suis jeune à jamais.
Je suis le Véritable Emrys, Immortel,
Gratifié par le Généreux Dispensateur
D'un esprit pénétrant.
Je suis un barde,
Chef de guerre de la Connaissance ;
Même aveugle, je verrais toujours Dieu.
Je ne dispense pas les secrets de mon art
Aux créatures ignorantes.
Je suis un guide avisé ;

Je suis un juge équitable.
Je suis un roi dont le royaume est invisible.
Je suis le serviteur de la Grande Lumière ;
Même aveugle, je verrais toujours Dieu.
Tous les anges et tous les saints,
Toutes choses du ciel et de la terre témoignez pour moi :
Chanteur de Mots, Chanteur de Mondes,
Myrddin ap Taliesin est mon nom.

Llenlleawg me regarda fixement. « Ceci, lui dis-je en montrant ma harpe, est le Cœur du Chêne. Dans les mains d'un Vrai Barde il brûle d'un chant dispensateur de vie, mais ne se consume pas. C'est le chemin que je dois suivre. »

Sur ces mots, je frappai la harpe du plat de la main et les cordes retentirent d'une vibrante clameur. Comme le son en était doux ! Mon cœur tressaillit de l'entendre.

Que le Grand Dispensateur soit bon pour toi, Taliesin ! Puisses-tu goûter la paix et l'abondance dans le palais du Roi suprême des cieux et puisses-tu chanter à jamais les louanges du Seigneur de Vie !

« Viens ! m'écriai-je. Il faut faire vite. Arthur attend et je suis resté éloigné bien trop longtemps.

— Mais cela ne fait qu'une journée que nous sommes partis, me rappela Llenlleawg.

— Non, mon ami, répondis-je. Je suis resté au loin beaucoup plus longtemps que cela. Mais je suis maintenant de retour. Prie, Llenlleawg ! Prie qu'il ne soit pas trop tard ! »

Impatient de partir, j'enfourchai mon cheval dès qu'il toucha le rivage. « Attends les autres navires et suis-nous quand toutes les armées seront rassemblées, dis-je à Aedd. Nous partons en avant pour le camp breton afin de dire à Arthur qu'il se tienne prêt à vous accueillir. »

Tous les trois — Llenlleawg, Gwenhwyvar et moi — nous voyageâmes aussi vite que nous le pûmes, chevauchant jour et nuit, ne nous arrêtant que pour boire... mais nous ne trouvâmes à l'arrivée qu'un campement abandonné. Seule une petite poignée de guerriers était restée pour protéger les serviteurs, les femmes et les blessés. « Ils sont partis avant l'aube, nous dit l'un d'eux. Les Vandali se sont regroupés dans Glen Arwe. Cinq bandes guerrières... leur armée presque au complet. » Il leva la main pour indiquer la direction : l'effort le fit grimacer de souffrance et je remarquai que son bras était livide et enflé.

302

« Glen Arwe ? demanda Llenlleawg.

— Oui... à une demi-journée de cheval vers le nord, confirma le guerrier blessé. Il n'y a qu'à suivre le bruit... vous ne pouvez pas vous tromper.

— Aedd et les seigneurs irlandais nous suivent, lui dit Llenlleawg. Envoie-les nous rejoindre dès qu'ils seront là. »

Avec un claquement de rênes, nous reprîmes la route. Aussi épuisé que nous fussions, nous fîmes le plus vite possible, ne rencontrant personne en chemin. Mais, comme nous l'avait promis le guerrier, nous entendîmes le tumulte du combat longtemps avant de découvrir le champ de bataille. Le bruit se répercutait le long de la rivière — hurlements rauques, fracas des armes, grondement de tonnerre des sabots des chevaux et des tambours vandales — comme si les armées du monde entier se trouvaient massées devant nous. Llenlleawg fit halte à l'entrée de la vallée. Un nuage de poussière et de fumée nous bouchait la vue.

« Je veux voir comment se présente la bataille, dit Gwenhwyvar.

— Nous aurons une meilleure vue de là-haut. » Llenlleawg montra un point au sommet d'une falaise qui surplombait la vallée.

Nous tournâmes bride, franchîmes à gué la rivière — tout juste un maigre filet d'eau qui courait sur la terre — et gravîmes le versant de la colline. Quand nous fîmes de nouveau halte, la vallée s'étendait à nos pieds sous un voile de poussière. Mais, alors que nous nous efforcions de distinguer quelque chose, un vent chaud se leva et les nuages se dissipèrent. Le champ de bataille nous apparut, masse grouillante d'hommes et de chevaux inextricablement mêlés.

Les seigneurs bretons avaient engagé le combat avec les forces du Sanglier Noir et avaient réussi à scinder la horde ennemie en trois. La tactique habituelle aurait été de continuer à harceler chacun des groupes pour les séparer en groupes de plus en plus petits. Mais les Vandali résistaient pied à pied.

Après avoir jeté un coup d'œil, Llenlleawg dit en secouant lentement la tête. « Cela se présente mal. À moins de pouvoir repousser l'ennemi, et sans tarder, Arthur ferait aussi bien d'arrêter l'attaque : il ne peut rien faire. »

La charge semblait effectivement s'être enlisée et se trouver sur le point de tourner au désastre.

« Je ne le vois pas, dit Gwenhwyvar en scrutant la foule hurlante à nos pieds. Et toi ? »

Llenlleawg regarda à son tour en se mordant la lèvre inférieure. « Étrange, finit-il par répondre. Où est Arthur ? »

303

Je parcourus le chaos du regard, cherchant l'endroit où les combats semblaient le plus acharnés, en quête du spectacle familier : le tournoiement de Caledvwlch et l'intrépide caracolement de l'impétueux Chef de Guerre de Bretagne. Mais je ne pus le trouver.

Ma gorge se serra d'appréhension. J'imaginai le corps d'Arthur gisant, désarticulé, sur la terre détrempée de sang, sa vie s'enfuyant par une douzaine de blessures pendant que la bataille faisait rage autour de lui. J'imaginai sa tête tranchée ornant une lance barbare. Je l'imaginai taillé en pièces...

« Là !

— Arthur ? Où ?

— Non... pas Arthur. Quelqu'un d'autre. » Llenlleawg plissait les paupières, penché en avant sur sa selle. Il pointait un doigt vers la mêlée confuse à nos pieds. « Cai, je pense. Oui... et il a des ennuis ! » Le champion irlandais attrapa sa lance derrière sa selle et se prépara à se joindre au combat. Il dit à Gwenhwyvar : « Reste ici... si Arthur est en bas, je le trouverai. »

Sa monture bondit en avant et il disparut derrière l'épaulement de la colline. Quand je le revis, il était parvenu au fond de la vallée et galopait droit vers une poignée de Cymbrogi qui s'étaient fait couper des autres et se trouvaient sur le point d'être submergés.

Je regardai Llenlleawg voler au combat, dispersant l'ennemi devant lui, plongeant tête la première dans la mêlée. Il en est certainement qui mettront en doute la capacité d'un seul guerrier à renverser une situation aussi désespérée. Mais il n'en est pas d'autre que je préférerais voir voler à mon secours, quelles que soient les chances. Et quiconque est enclin à douter qu'une épée de plus ou de moins puisse changer la face de la bataille n'a jamais vu le champion irlandais en proie à la frénésie du combat. En vérité, je vous le dis, nul ennemi, confronté au spectacle de Llenlleawg sous l'emprise de l'awen du combat, ne conservait très longtemps ses doutes.

Mais où était Arthur ?

Je mis pied à terre et m'avançai au bord de la falaise pour mieux scruter la masse grouillante à mes pieds. Le fracas de la bataille me parvenait tel le rugissement d'une tempête sur la mer, les hommes s'élançaient à l'assaut comme des vagues qui venaient se briser les unes contre les autres. La plupart des Bretons étaient à cheval, mais le nombre supérieur des Vandali et l'étroitesse de la vallée annulaient cet avantage. C'était peut-être pour cela que l'attaque avait été repoussée et menaçait de tourner à la catastrophe.

Je distinguai Cai, à la tête de son armée, qui essayait de se frayer un passage à grands coups d'épée dans la confusion. Il tentait d'unir ses forces à celles de son plus proche compagnon, mais l'ennemi comblait si bien la brèche que, loin de se tailler un chemin, c'était tout juste s'il réussissait à ne pas se faire repousser.

Bedwyr, je pense, menait le détachement le plus proche de Cai, mais il avait fort à faire pour empêcher ses hommes de se faire encercler. Cador — ou Cadwallo, peut-être, je ne pouvais en être sûr — se faisait refouler malgré lui pas à pas, de plus en plus loin des deux autres. Ainsi, les Vandali, se répandant tel un fluide autour des Cymbrogi à cheval, inversaient lentement le cours de la bataille.

Où était Arthur ?

« Regarde ! s'écria dans mon dos Gwenhwyvar. Cador est en difficulté ! » Suivant l'exemple de Llenlleawg, elle talonna sa monture et dévala le versant de la colline. Il n'y avait pas moyen de la retenir : je n'essayai même pas.

Les Vandali mettaient à profit leur nombre et l'encaissement de la vallée pour contrer l'attaque. Il était évident que les chefs de guerre de Bretagne couraient au désastre. Il fallait faire quelque chose, et vite, si l'on voulait que les Bretons échappent à une cruelle défaite.

Où était Arthur ?

Je balayai la plaine du regard, mais sans voir la moindre trace de lui. Où pouvait-il être ? Et s'il était tombé au combat ? J'écartai aussitôt cette idée... s'il avait été blessé, j'en aurais vu un signe. Les rangs bretons se seraient aussitôt débandés autour de lui. Non, me consolai-je, je ne le voyais pas parce qu'il n'était pas là.

Llenlleawg avait rejoint Cai encerclé et pris place au premier rang des combattants. Sa soudaine et miraculeuse apparition rendit courage aux Cymbrogi qui redoublèrent d'efforts pour se sortir de leur délicate situation.

Sous la conduite de Llenlleawg, ils réussirent à ouvrir une brèche dans les rangs ennemis et ne perdirent pas un instant pour rejoindre l'armée de Bedwyr. Cette tactique s'avéra malheureusement peu efficace car, au moment où les deux armées fusionnaient, les barbares comblèrent la brèche. À présent, au lieu de deux armées à demi cernées, il n'y en avait plus qu'une totalement encerclée.

Arthur ! Où es-tu ? La bataille est perdue et l'Ours de Bretagne demeure introuvable. Que pouvait-il lui être arrivé ?

Le Sanglier Noir, sans doute stupéfait de se retrouver à portée de lance d'une victoire assurée, abandonna toute retenue. Je vis son étendard s'agiter furieusement tandis que le battement des tambours s'accélérait, résonnant tel un tonnerre insistant et rageur. Aussitôt la masse des Vandali s'épaissit, s'agglutina, avant de se jeter contre l'armée de Bretagne.

Gwenhwyvar avait atteint le champ de bataille et aussitôt rassemblé une petite troupe de guerriers autour d'elle. Mais, malgré tous leurs efforts, ils étaient contenus aux marges de la mêlée : quoi qu'ils fissent, ils ne pouvaient trouver moyen de passer et en étaient réduits à harceler l'arrière-garde... ce qu'ils faisaient avec ardeur, mais sans grande efficacité, pendant que le gros de la bataille se poursuivait plus loin.

Sentant le danger, les Bretons redoublèrent d'acharnement contre le cercle des assaillants. Bedwyr sembla comprendre ce qui se passait et tenta une contre-attaque, chargeant la muraille humaine et se taillant un chemin à la seule force de son épée. Un groupe de cavaliers se forma en coin derrière lui pour essayer désespérément d'ouvrir une trouée jusqu'aux Cymbrogi encerclés.

Pas à pas, ils avançaient. Farouche était le combat, sauvage la résistance : l'ennemi ne cédait du terrain que contraint et forcé. Je voyais des hommes vaciller sous le poids des boucliers en s'efforçant de parer les coups de l'ennemi à l'aide d'armes brisées. J'en voyais d'autres jetés à bas de leurs montures à l'instant même où ils frappaient à mort leurs adversaires. D'autres tombaient sous les sabots des chevaux, ou hurlaient, brusquement privés de membres.

Bedwyr était maintenant à deux longueurs de lance des Cymbrogi encerclés. Ils étaient si près ! Une dernière poussée, un ultime coup d'épée aurait suffi à enfoncer la ligne ennemie. Bedwyr le vit aussi : il se dressa sur sa selle et brandit son épée pour exhorter ses guerriers à la tâche.

Les Cymbrogi resserrèrent les rangs. Ils rentrèrent la tête dans les épaules et montèrent à la charge, piétinant morts et blessés.

Hélas ! L'ennemi, lui aussi, vit le front de bataille qui s'infléchissait vers l'intérieur, prêt à se rompre. Un des chefs de Twrch Trwyth apparut et, avec une stupéfiante bravoure, se porta à l'aide de ses guerriers. Bondissant, virevoltant, il rendit à Bedwyr coup pour coup et arrêta son avance. Les Vandali reprirent courage et se regroupèrent derrière leur chef intrépide. Avec un puissant hurlement, ils déferlèrent telle une lame de fond, submergeant les Bretons.

Bedwyr fut repoussé. En l'espace de trois battements de cœur, ses vaillants efforts se trouvèrent réduits à néant.

Je posai les yeux sur le grouillement tumultueux comme la surface d'un chaudron en ébullition. Partout, les Bretons étaient encerclés ou se faisaient repousser, cédaient le terrain durement gagné, tombaient sous les coups…

La poussière et la fumée s'épaississaient, voilant le soleil d'un nuage opaque. Les cris des hommes et des chevaux, le craquement sec du bois et de l'os, le tintement du métal contre le métal montaient vers les cieux livides. Ma main se serra comme pour étreindre une épée et je sentis l'appel du combat dans mes veines.

Je courus à mon cheval, l'enfourchai et empoignai mon épée. J'essayai de dégainer mon arme, mais ne pus la sortir du fourreau malgré tous mes efforts.

Je restai assis un moment, déconcerté. Puis mon œil se posa sur mon bâton de sorbier, soigneusement fixé en place derrière ma selle. Je suis le Barde de Bretagne, me dis-je. Quel besoin ai-je d'une épée ?

Je pris mon bâton et le brandis au-dessus du champ de bataille dans le geste immémorial du barde pour soutenir son peuple au combat. Au même moment, j'entendis les paroles qu'avait prononcées Taliesin dans ma vision : *Tu dois repartir d'où tu es venu.*

La compréhension se fit brusquement en moi, aveuglante comme un éclair jailli d'un ciel sans nuages. Étreignant le bâton de toutes mes forces — comme si, le laissant glisser de mes mains, je risquais de laisser s'échapper une fois de plus la signification de ma vision — je restai pétrifié sur la selle de mon cheval bai, grisé par la révélation. Oui ! Oui ! C'est… c'est la voie que je dois suivre. Pas par l'épée, mais par le sorbier !

Je mis pied à terre et allai m'agenouiller au bord de la falaise, serrant contre moi le bâton de sorbier comme si c'était le salut en personne. Quand je baissai les yeux sur le champ de bataille, mon esprit se glaça. Je vis la mort se répandre tel un nuage gris dans la vallée et une odeur putride, écœurante, vint me piquer les narines. Les vapeurs mêlées à la puanteur s'étalaient tel un poison sur toute la Bretagne. C'étaient la peste et la guerre combinées à la peur et à l'ignorance des hommes terrifiés. C'était la puanteur de la corruption planant au-dessus de la Bretagne.

À cet instant retentit haut et clair, tranchant comme un coup d'épée à travers le tumulte, l'appel bref et strident de la corne de guerre de Rhys. Son éclatante sonnerie fendit les airs telle une lance projetée vers le cœur de l'ennemi… un hurlement perçant, rageur et pénétrant.

Puis apparurent Arthur et le Vol des Dragons, dévalant la colline pour plonger dans la mêlée. Ils avaient surgi si brusquement, leur course était si rapide, que le Sanglier Noir n'eut pas le temps d'organiser ses forces pour parer à cette nouvelle attaque. L'armée vandale, prise au dépourvu par cette soudaine irruption, se dispersa sous l'assaut d'Arthur.

L'élan de la charge porta le Vol des Dragons au cœur de la horde, éparpillant les ennemis devant lui. Le temps que le Sanglier Noir reprenne le contrôle de ses guerriers, Arthur avait réussi à briser la ligne de front. En quelques instants, la face de la bataille fut transformée et la muraille ennemie se disloqua.

Voyant la victoire leur échapper, les Vandali furent pris de frénésie. Hurlant, gémissant, tremblant de fureur, ils se jetèrent contre les chevaux des Cymbrogi. Ils se battaient avec le courage du désespoir, se lançant dans les brèches pour arrêter les Bretons avec leurs propres cadavres.

Même Arthur ne pouvait tenir contre une telle détermination. Plutôt que de risquer de se retrouver de nouveau encerclé et de s'enliser sans espoir dans un combat qu'il ne pouvait gagner, Arthur choisit la fuite et abandonna le terrain.

Ainsi, quand la horde vandale contre-attaqua, l'Ours de Bretagne lui avait déjà échappé. Bien d'autres chefs de guerre, encouragés par le fugace succès de leur apparition inattendue, se seraient mépris et auraient cru avoir remporté la victoire. Pas Arthur. Avant que l'ennemi n'ait eu l'occasion de se regrouper, les Cymbrogi repartaient au galop.

Le Grand Roi s'était détourné d'une victoire incertaine et avait choisi la sécurité de ses hommes, usant de l'avantage momentané de la surprise pour leur ouvrir un couloir par lequel ils puissent s'échapper. C'était une manœuvre imposée par la pure nécessité. Oh, mais le prix en fut terrible.

Horrifié, je contemplais le vallon sanglant. Là où le combat avait été le plus acharné, le sol disparaissait sous les cadavres : ils gisaient les uns sur les autres, entassés tels des fagots de bois. Je voyais partout des membres éparpillés... des entrailles lovées comme des serpents cramoisis... des têtes aussi, disséminées parmi les corps, la bouche béante et les yeux vides. Et la terre, Dieu du Ciel, la terre était rouge de sang.

Quel épouvantable gâchis !

Écœuré par la répugnante extravagance de la mort, je sentis mon estomac se soulever. Je serrai les dents, mais ne pus me retenir. Je vomis de la bile à mes pieds, puis je m'écroulai, sanglotant d'humiliation d'avoir été témoin d'une telle vilenie — non, de l'avoir encouragée, d'y avoir prêté la main. Je pleurai, et maudis l'aveuglement de mon âme.

Grande Lumière, combien de temps la haine et le carnage devront-ils régner en ce monde ?

Je fermai les yeux et élevai la voix en une complainte funèbre pour les morts des deux camps. Lorsque j'eus terminé, je vis que le dernier Breton avait quitté le terrain. Les Vandali s'étaient retirés plus haut dans la vallée et un terrible silence planait sur le champ de bataille.

Le seul mouvement était celui des corbeaux qui sautillaient de façon obscène de cadavre en cadavre, le seul bruit leur croassement rauque tandis qu'ils se repaissaient de leur macabre festin. Je sentais la souillure de la mort dans mon cœur et dans mon âme. Malade de honte et de chagrin, les mains tremblantes, je remontai à cheval et pris le chemin du campement.

VI

Les guerriers étaient étendus sur le sol à l'endroit même où ils s'étaient effondrés. Trop exténués pour faire un geste, ils gisaient, haletants, à peine plus vivants que les cadavres abandonnés dans le vallon. Certains contemplaient l'étendue de leurs blessures comme si elles révélaient la source du chagrin du monde. Des femmes et de jeunes garçons circulaient parmi eux avec des cruches d'eau pour essayer de les ranimer.

Des regards mornes me regardaient passer sans paraître me reconnaître. Je me dirigeai droit vers la tente d'Arthur. Devant, l'Ours de Bretagne tenait conseil avec ses chefs.

« Nous nous en sommes fort mal sortis aujourd'hui, disait Arthur. Ce n'est que par la grâce de Dieu que nous en avons réchappé.

— C'est vrai, acquiesça Cador. Les Vandali nous attendaient de pied ferme…

— Plus que ferme, déclara amèrement Bedwyr. C'était comme s'ils étaient avertis de chacun de nos mouvements avant même que nous bougions. »

Cela déclencha un concert d'approbations. « Oui, dit Cai, le Sanglier se décide enfin à faire preuve de qualités guerrières. Plus il s'enfonce dans les terres, mieux il se bat. » Il termina en secouant la tête avec lassitude : « Je ne comprends pas.

— Nous sommes en train de perdre cette guerre, déclarai-je en me joignant à eux. Et si nous persistons dans cette voie, nous la *perdrons*, et la Bretagne avec elle. »

Arthur prit une profonde inspiration. « Nous sommes fatigués, dit-il, et nous avons tous des devoirs qui nous attendent ailleurs.

Nous reparlerons de cela quand nous nous serons occupés de nos hommes et aurons pris un peu de repos. » Il les congédia alors et, pendant qu'ils s'éloignaient, dit : « Rejoins-moi sous ma tente, Myrddin. Nous avons à parler. »

Dès que nous fûmes seuls, il se tourna vers moi. « Je ne puis croire que tu parles ainsi devant les hommes, Myrddin ! Essayerais-tu de les démoraliser ?

— Je n'ai dit que la vérité.

— Tu as parlé de défaite. Je ne trouve pas que cela soit très encourageant... particulièrement après une bataille comme celle d'aujourd'hui.

— Ce n'était pas une bataille, répliquai-je. C'était un désastre.

— Je suis tombé dans une embuscade ! déclara-t-il. Ces barbares perfides avaient disposé une armée qui nous guettait dans le défilé. C'était un piège ! Pour l'amour de Dieu, Myrddin, c'était un piège. Ils ont anticipé mes mouvements et m'ont pris par surprise. C'était une malchance... un désastre, oui. Mais je ne vois pas à quoi cela sert de le ressasser.

— Je ne dis pas cela pour te chagriner, ô roi. Je le dis pour ouvrir tes yeux à la vérité.

— Mais cela me chagrine, Myrddin. Je suis accablé ! Tu parles de défaites et de désastres... comme si je ne le savais pas. Eh bien je le sais ! Je suis le Chef de Guerre, la faute m'en incombe.

— Non, rétorquai-je, s'il faut faire retomber la faute sur quelqu'un, c'est moi qui suis à blâmer. Je ne t'ai pas servi comme je l'aurais dû. Je t'ai failli, Arthur.

— Toi ? s'étonna-t-il, surpris par cet aveu spontané. Tu t'es toujours tenu à mon côté. Tu as été mon plus sage et mon meilleur conseiller.

— Tu n'avais pas besoin d'un conseiller de plus, lui dis-je d'un ton sec. Tu avais besoin d'un barde. La Bretagne avait besoin d'un Vrai Barde... et il lui a fallu subir un intrigant aveugle à la place. Moi seul suis à blâmer. »

Arthur se passa la main dans ses cheveux englués de sueur. « Je ne te comprends pas, Myrddin. J'ai entraîné des braves dans le plus simple des pièges. J'ai pourchassé Twrch Trwyth tout l'été, j'aurais dû savoir. J'aurais dû m'en apercevoir tout de suite. Mais pourquoi rester ici à geindre pour savoir qui est à blâmer ? Quelle vertu y a-t-il en cela ?

— Grande est la vertu si elle mène au salut.

— Notre salut est aussi proche que la prochaine bataille, protesta Arthur. L'embuscade du Sanglier Noir m'a tenu trop longtemps éloigné du combat, sinon tu aurais vu une autre issue à la bataille d'aujourd'hui. Je ne referai plus la même erreur, crois-moi. Et maintenant que les seigneurs irlandais sont arrivés...

— Tu n'as pas écouté un mot de ce que j'ai dit, m'emportai-je. Il n'est pas question d'une simple bataille, ni même d'une guerre. Il est question de l'échec d'une *vision* ! Sommes-nous meilleurs pour la simple raison que nous avons de meilleurs guerriers, ou de meilleures armes ?

— Avec les Irlandais à nos côtés, insista Arthur, nous allons enfin chasser les barbares de ce pays.

— Écoute-moi, ô roi : le royaume se meurt. La peste et la guerre nous saignent à blanc. Si nous persistons, nous allons mourir.

— La situation n'est pas si catastrophique, dit platement Arthur.

— Le monde court à sa perte ! »

Maussade et contrarié, il me foudroya du regard. « Nous allons enfin chasser l'envahisseur de ce pays. C'est la vérité que je te dis.

— Et tous ces morts, sur le champ de bataille... que disent-ils ?

— Ah ! Il n'y a pas moyen de parler avec toi. »

Arthur me tourna le dos et se laissa tomber sur le siège de campagne d'Uther. Il se prit la tête entre les mains et se massa le visage. Je vins me placer debout devant lui.

« Nous devons changer, sinon nous mourrons à coup sûr. Nous devons repartir d'où nous sommes venus, déclarai-je. Songes-y, lui enjoignis-je. Réfléchis-y bien et longtemps, Arthur. Car tant que tu n'auras pas compris ce que je te dis, la Bretagne est perdue. »

L'atmosphère confinée de la tente était suffocante : je ne pouvais pas respirer. Laissant le Grand Roi à ses pensées, je me mis en quête d'un endroit où je serais seul. Je traversai le camp plongé dans l'amertume de la défaite : silencieux et immobile en attendant que les ombres de la nuit viennent s'emparer de lui.

Les guerriers, pitoyables et las, assis ou étendus devant des feux dont personne ne s'occupait, parlaient à voix basse, quand ils trouvaient la force de parler. De jeunes garçons menaient les chevaux à l'attache et les femmes s'affairaient à panser les plaies des blessés. Une chape de plomb pesait sur le camp, une torpeur plus profonde que la simple fatigue... comme si tous comprenaient la vanité de leurs efforts.

Je vis des hommes endormis et sus que certains ne se réveilleraient pas au matin. Jesu, aie pitié ! Je vis plusieurs seigneurs, penchés tête contre tête pour tenir conseil : ils cessèrent de parler à mon approche, me regardant d'un air sombre. Je les ignorai et poursuivis mon chemin.

Mes pieds trouvèrent le sentier menant au ruisseau. Passant entre les corps de ceux qui étaient venus boire et s'étaient effondrés sur place, je traversai le cours d'eau et continuai ma route. Le chemin remontait, gravissant la colline, et je le suivis parmi les fougères et les genêts odorants. J'atteignis enfin une petite cuvette herbeuse à flanc de colline. D'un côté, un rocher couvert de lichen formait un mur, bordé de bouquets de sureaux et de prunelliers. Deux hêtres se dressaient de part et d'autre, encadrant une vue dégagée sur le camp breton.

Je m'assis les jambes croisées sur l'herbe tendre entre les arbres et regardai l'ombre bleutée du crépuscule envelopper peu à peu la vallée. Une pâle clarté s'attarda longtemps dans le ciel avant de céder place à la nuit. Du haut de mon poste de guet, je voyais le monde s'enfoncer lentement dans les ténèbres.

Mon cœur se serrait, car à mesure que la nuit étendait sa sombre main sur la vallée, le poids du chagrin s'installait dans mon âme. La mort avait emporté ce jour-là beaucoup de braves dont le sacrifice serait complètement oublié. En tant que chef barde, mon devoir était de conduire le deuil des hommes pour leurs cousins disparus. Et pourtant j'étais là, assis à l'écart des soucis de mes frères. Une fois de plus, j'étais Myrddin, aujourd'hui comme toujours, un homme à part, portant tout sur ses épaules, que ce soit dans le triomphe ou la tragédie, seul.

Tu dois repartir d'où tu es venu ! Telle était la vérité énoncée par ma vision, et j'y croyais. Mais comment ? Hélas, je n'avais aucune idée de la façon dont je pouvais accomplir une telle chose, ni de l'endroit où commencer.

Assis, je contemplais la vallée dans le crépuscule qui s'obscurcissait. Perdu dans mes pensées, je n'entendis pas les pas qui s'approchaient par derrière. Quand enfin je les remarquai, je me retournai, supposant qu'Arthur avait envoyé Rhys à ma recherche… des visages inconnus surgis des ombres ténébreuses se ruèrent sur moi. Avant d'avoir pu faire un geste, j'étais prisonnier.

Quatre immenses Vandali armés de courtes lances trapues m'encerclaient. Je n'esquissai pas un geste : toute résistance aurait été vaine, j'en fus immédiatement convaincu. Je restai donc simplement assis et m'efforçai de paraître calme et serein.

C'était une petite chose, mais les grands événements pivotent souvent sur de modestes charnières. Les Vandali, confrontés à un ennemi sans armes qui ne semblait ni effrayé ni le moins du monde troublé, hésitèrent. Cela m'enhardit. Je les regardai, impassible, et levai les mains en un geste de bienvenue... comme si je les avais attendus.

« Je vous salue », dis-je, sachant fort bien qu'ils ne me comprendraient pas. Mais cela n'avait pas d'importance : je voulais seulement être le premier à parler, dans l'espoir de refroidir leur ardeur. « Posez vos armes et discutons en hommes raisonnables. »

Ma ruse n'eut pas l'effet escompté. Un des Vandali brandit sa lance. La lame effilée s'apprêtait à frapper, suspendue dans les airs, mais sa main fut retenue par un ordre bref jailli de l'ombre. Au son de cette voix gutturale, le guerrier s'immobilisa.

J'attendis, mon cœur battant violemment dans ma poitrine. La lance hésitait encore au-dessus de moi. J'étais à un cheveu de la mort.

Puis la voix s'éleva de nouveau. Cette fois, à ma totale surprise, elle dit : « Ne bouge pas. Tu es en grand danger. »

À ces mots, une silhouette émergea de l'obscurité et vint se camper devant moi. Quoique grand et presque aussi puissant que ceux qui l'accompagnaient, l'homme était plus jeune qu'eux. Je le reconnus aussitôt pour l'un des marcassins du Sanglier Noir : le jeune chef qui avait pour nom Mercia.

« Je suis bien conscient d'être en danger, répondis-je calmement. Tu n'as pas besoin d'avoir peur de moi, Mercia. Je ne suis pas armé. »

À l'énoncé de son nom, il me dévisagea. « Comment sais-tu qui je suis ? »

Je me souvenais de lui comme de celui qui avait fait une réflexion sur la jeunesse d'Arthur lors de notre première rencontre. « Tu parles bien notre langue, lui dis-je. Hergest est un bon professeur. »

Il me regarda fixement. « Tu sais aussi cela ? »

Eh bien, il ne pouvait en être autrement. Mais je ne lui en laissai rien voir. Au lieu de cela, je me touchai le front d'un air pénétré et dis : « Je suis barde : je sais beaucoup de choses. »

Il plissa les paupières d'un air matois. « Alors dis-moi ce que je suis venu faire ici. »

Sans hésitation, je répondis : « Tu es venu espionner le campement breton comme tu le fais depuis bien des nuits. Amilcar se repose sur les renseignements que tu lui rapportes pour dresser son plan de campagne. C'est comme cela qu'il a pu battre Arthur aujourd'hui. »

Il ouvrit de grands yeux. « Hergest a dit que tu étais un homme très sage et très puissant. Il dit toujours la vérité... même si c'est à son propre détriment. »

Manifestement, ce grand respect de la vérité l'impressionnait. « Veux-tu t'asseoir auprès de moi, Mercia ? dis-je. Il y a quelque chose que je voudrais te dire.

— Tu m'attendais ? »

Je ne le détrompai pas. « Assieds-toi et parlons. » Je n'avais aucune idée de ce que j'allais lui dire. Mon seul espoir était de gagner sa confiance et de trouver un moyen de le persuader de me laisser repartir. Toutefois, en le voyant dressé devant moi, frissonnant d'indécision, un plan se forma dans mon esprit.

« S'il te plaît, dis-je en souriant d'une manière que j'espérai confiante et persuasive, nous n'avons pas beaucoup de temps. On va bientôt venir à ma recherche. »

Faisant signe à ses hommes, il grogna un ordre bref. Ils prirent leurs lances et s'éloignèrent. Mercia s'assit par terre devant moi, les jambes croisées, la lance sur les genoux. Nous nous regardâmes dans la lumière déclinante. « Qu'as-tu à me dire ? demanda-t-il enfin.

— J'ai dans l'idée qu'Amilcar n'a pas la confiance de tous ses chefs », dis-je lentement, l'observant pour m'assurer qu'il comprenait bien mes paroles. J'avais deviné un peu au hasard, mais sans prendre de grands risques : je n'avais encore jamais connu de chef de guerre qui jouisse de la pleine et entière confiance de tous ses seigneurs. Dieu sait, même Arthur, qui se battait pour la survie de la Bretagne, devait faire face à l'hostilité des siens.

Il m'étudia un long moment, comme s'il cherchait à se faire une opinion. Finalement, il dit : « C'est vrai, il y a eu beaucoup de controverses depuis que nous sommes arrivés ici. » Il fit une pause. Je hochai la tête d'un air entendu afin d'inciter le jeune homme à poursuivre sa confession. Il m'obligea en ajoutant d'un air de tranquille provocation : « Notre renommé Chef de Guerre ne jouit pas de la faveur de tous.

— Je crois que votre Chef de Guerre s'oppose souvent à ceux qui lui conseillent la sagesse... » avançai-je en guettant ses réactions. Je vis ce que j'attendais et poursuivis : « Surtout quand ceux-ci sont tenus en piètre estime en raison de leur jeunesse. »

Les yeux du jeune chef étincelèrent et je sus que j'avais mis le doigt sur la plaie à vif de ses doléances. « C'est un seigneur fort entêté, accorda prudemment Mercia. Une fois qu'il s'est mis une idée en tête, il n'en démord jamais... même quand cela serait de loin plus sage. »

Sa façon de dire « de loin » était lourde de sens. Et je commençai à entrevoir le faible éclat doré de l'espoir.

« Écoute-moi, Mercia, dis-je. Tu es plus près de l'objet de ton désir que tu ne le crois. Fais-moi confiance. »

Il me regarda d'un air soupçonneux et je craignis d'être allé trop loin. Mercia jeta du coin de l'œil un bref regard à ses hommes qui nous observaient attentivement. Il grogna un ordre à voix basse, mais ils ne firent pas un geste.

Se retournant vers moi, il dit : « Connais-tu vraiment mes pensées ?

— Comme je te l'ai dit, je sais beaucoup de choses.

— Je ne trahirai jamais mon seigneur, dit-il, et je sentis la crainte que celui-ci lui inspirait.

— Je cherche un accord honorable, lui assurai-je. La traîtrise n'y a aucune part, ni la félonie. » Je le tenais par l'assurance absolue de ma voix. « Mais j'exige honneur contre honneur : la loyauté doit être payée de retour. Comprends-tu ? »

Il hocha la tête. Il n'y avait rien de retors dans son acceptation, mais je voulais en être sûr.

« Écoute-moi bien, Mercia, l'honneur que je demande a un coût. Le prix en sera le sang.

— Je comprends », murmura-t-il impatiemment. Il jeta un nouveau coup d'œil de côté, puis il dit : « Que dois-je faire ?

— Simplement ceci. » Je parlais d'un ton inquiétant tout en levant la main dans le geste d'autorité. « Quand le moment sera venu de parler en faveur de la paix, tu ne devras pas rester silencieux. »

Il ne s'attendait pas à cela. Je le voyais s'efforcer de trouver un sens caché à mes paroles. « Rien d'autre ?

— C'est suffisant. En vérité, c'est plus que n'oseront bien des hommes courageux. »

Il se raidit. « Personne n'a jamais mis en doute mon courage.

— Je te crois.

— Quand cela doit-il se passer ?

— Bientôt. »

Il se leva brusquement et se campa devant moi, à la fois menaçant et sur ses gardes. « Je pourrais te tuer et personne n'en saurait rien.

— C'est vrai.

— Tu m'as demandé de te faire confiance, mais tu ne me donnes aucun gage en échange. » Ses mains se crispèrent sur sa lance.

« Alors accepte cela pour un signe, répondis-je en me remettant lentement debout pour lui faire face. Il n'y aura pas d'attaque contre vous demain. Les Bretons resteront au camp pour panser leurs blessures. Dis cela à Amilcar. »

Il pivota sur ses talons et, lançant un ordre à ses hommes, se renfonça dans les ombres. Ils restèrent à me surveiller et je craignis que Mercia n'eût ordonné ma mort. Je demeurai immobile… toute résistance était impossible, et fuir n'aurait servi à rien. Leurs lances se relevèrent d'un mouvement décidé. Je dus faire un effort pour rester impassible.

En l'espace de trois battements de cœur, les guerriers avaient disparu, se fondant silencieusement dans les ténèbres.

Je tendis l'oreille, mais n'entendis que le murmure ténu des voix qui montaient du campement breton. Je me retournai pour voir les feux de camp qui brillaient telles des étoiles tombées à terre et mon soulagement fit soudain place à l'appréhension.

Grande Lumière, que venais-je de faire ?

VII

Je veillai toute la nuit, le cœur et l'esprit cramponnés de toutes mes forces au mince espoir qui m'avait été accordé : le salut de la Bretagne et du Royaume de l'Été. Puisque même les plus convaincants des rêves peuvent se dissiper quand vient les effleurer la lumière crue du soleil, j'attendais ce que le jour allait apporter... un renouveau d'espoir ou la confirmation du désespoir.

La détermination me vint avec l'aube. Je me levai, remerciant le Roi Suprême des Cieux, tous ses saints et tous ses anges pour l'arme qui m'avait été déposée dans la main. Tandis qu'un soleil rouge sang se levait au-dessus des collines, je retournai au camp pour trouver l'armée déjà éveillée, en train de se préparer pour la bataille de la journée.

Je me rendis à la tente d'Arthur, qui m'invita à entrer en bâillant et en se grattant. Une fois à l'intérieur, je ne pus m'empêcher de remarquer que Gwenhwyvar était absente. « Elle préfère se baigner de bonne heure, dit Arthur.

— J'aimerais te parler seul à seul », dis-je, et je lui racontai ma rencontre avec Mercia, ainsi que ce que le jeune chef de guerre m'avait révélé des dissensions chez les Vandali. Assis dans son fauteuil devant moi, le roi me regardait en secouant la tête. « Comprends-tu ce que je te dis ? »

Arthur plissa le front. Non, il ne comprenait rien du tout. « Pourquoi devons-nous rester au camp ?

— Parce que je l'ai promis à Mercia, expliquai-je. Je lui ai donné ce gage en échange de ma vie. »

Avant qu'Arthur n'ait pu élever de nouvelle objection, Bedwyr se présenta devant la tente et appela le roi. « Je suis ici, frère, répondit Arthur. Je te rejoins dans un petit moment.

« — Alors ? demandai-je. Que vas-tu faire ? »

Arthur hésitait : il me regarda en fronçant les sourcils et se frotta la figure à deux mains. « Oh, très bien, dit-il enfin. Je ne ferai pas de toi un menteur. De toute façon, il en est beaucoup parmi nous qui accueilleront avec joie une journée de repos. »

Nous sortîmes de la tente pour saluer Bedwyr. « L'armée est prête, dit-il. Les chefs attendent ton ordre.

— Il n'y aura pas de bataille aujourd'hui », lui dit Arthur sans préambule.

Bedwyr me regarda d'un air surpris. « Pourquoi, Ours ? Que s'est-il passé ?

— J'ai changé d'idée. J'ai décidé d'accorder aux hommes une journée de repos.

— Mais tout le monde est prêt ! Nous avons rassemblé là la plus vaste armée depuis…

— Va le leur annoncer, Bedwyr. Dis à tous que nous ne nous battrons pas aujourd'hui.

— Je vais le leur dire », grommela-t-il. Tournant les talons, il s'éloigna rapidement.

Bedwyr n'était pas plus tôt parti que nous entendîmes des cris s'élever à l'entrée du camp. « Que se passe-t-il encore ? » grogna Arthur en me dévisageant comme si la chose était mon fait. Bedwyr, entendant le tumulte, revint en hâte vers le roi.

Rhys apparut au pas de course. « Les Vandali ! cria-t-il.

— Autant pour ta journée de repos, Ours, grogna Bedwyr. Donneras-tu l'ordre ?

— Attends ! dis-je. Pas encore. »

Rhys accourut vers nous. « Des Vandali, dit-il, hors d'haleine. Cinq. Ils avancent avec des branches de saule. L'esclave les accompagne. Je pense qu'ils veulent parlementer. »

Bedwyr et Rhys regardèrent Arthur, attendant sa décision. Arthur tourna les yeux vers moi. « Je ne suis au courant de rien, lui dis-je.

— Très bien, dit Arthur. Qu'ils viennent à moi, nous allons entendre ce qu'ils ont à dire. »

Nous attendîmes devant la tente pendant que Rhys conduisait vers nous les émissaires ennemis. Comme il l'avait dit, ils étaient cinq : les quatre seigneurs que nous avions déjà rencontrés, dont Mercia, et le prêtre qu'ils tenaient prisonnier, Hergest. Les seigneurs bretons avaient accouru voir ce qui se passait, si bien que les émissaires arrivaient au milieu d'une vaste foule. Gwenhwyvar, Cai et Cador se frayèrent un chemin pour venir se placer près d'Arthur et de moi.

« Salutations, seigneur Arthur, commença Hergest. Nous venons solliciter la faveur de te parler et de regagner notre camp sains et saufs.

— Parle sans crainte, prêtre, dit Arthur. Je te donne ma parole qu'il ne vous sera pas fait de mal tant que vous serez sous ma protection. Que voulez-vous ? »

Avant que le prêtre n'ait pu répondre, un des chefs barbares — le dénommé Ida, je pense — montra tous les hommes qui se pressaient autour de nous et émit une longue protestation dans leur langue gutturale. « Il dit que ta parole est sans valeur, nous informa Hergest. Merlin a promis que vous ne chevaucheriez pas aujourd'hui, et pourtant nous pouvons voir que vous vous préparez à la bataille. »

Bedwyr me jeta un regard interrogateur que j'ignorai. Arthur répondit : « Je n'ai été informé de la promesse de Myrddin qu'il y a quelques instants et je viens juste de donner l'ordre de ne pas bouger. Mais nous sommes prêts à nous battre si l'on nous y oblige. »

Pendant que l'esclave répétait les propos d'Arthur, je cherchai le regard de Mercia. Il me vit qui l'observait et, d'un mouvement de menton léger mais résolu, me fit savoir qu'il acceptait l'explication.

« Nous sommes aussi prêts à nous battre, reprit Hergest. Toutefois Amilcar est d'avis que le Chef de Guerre Arthur s'est assez longtemps abrité derrière ses guerriers. Le Sanglier Noir suggère que les deux rois se rencontrent et prouvent devant leurs deux nations lequel est le plus grand chef de guerre.

— Très bien, déclara Arthur. Et Amilcar a-t-il dit comment il se propose d'apporter cette preuve ? »

L'esclave transmit la réponse d'Arthur à Ida, qui réagit par un sourire méprisant et une autre longue tirade. « Ida dit qu'Amilcar rencontrera Arthur seul, muni des armes qu'il voudra, sur la plaine près de la rivière qui coule entre nos deux camps. Quand le soleil sera au zénith, tous deux se battront. Le combat durera jusqu'à la mort de l'un ou de l'autre. » Hergest se tut et Ida reprit la parole. « Amilcar lance ce défi, bien qu'il ne s'attende pas à ce qu'Arthur l'accepte, ajouta l'esclave.

— Dis à Amilcar que je vais réfléchir à sa proposition, répondit calmement Arthur. Je lui apporterai ma réponse à midi sur la plaine. »

Hergest répéta les paroles d'Arthur, après quoi les chefs de guerre ennemis, satisfaits d'avoir délivré leur message, tournèrent les talons pour repartir. « Owain ! Vrandub ! cria Arthur. Veillez à ce qu'ils quittent le camp sans qu'il leur soit fait de mal. » À ses autres seigneurs, il dit : « Allez rejoindre vos hommes et mettez-les au courant. Nous nous rassemblerons à midi pour nous rendre sur la plaine. »

Pendant que les nobles s'éloignaient, Arthur demanda à ses conseillers de le suivre sous la tente du conseil. Avec Cai, Bedwyr, Cador, Gwenhwyvar et Llenlleawg, nous nous joignîmes au Grand Roi pour décider de ce que nous allions faire.

« C'est un très bon signe, dit Bedwyr tandis que nous prenions place à table. Cela signifie que le Sanglier Noir sait que nous avons reçu des renforts et qu'il a peur.

— Qu'est-ce que c'est que cette promesse de ne pas livrer bataille aujourd'hui ? » demanda sèchement Gwenhwyvar. La question m'était adressée.

J'expliquai rapidement comment je m'étais laissé surprendre et capturer par Mercia. Cador s'avoua stupéfait et dit : « Il t'a laissé partir à condition que nous ne nous battions pas aujourd'hui ?

— Non, répondis-je, cela ne s'est pas passé ainsi. Nous avons d'abord discuté. Il m'a donné à savoir qu'il y avait des dissensions dans le camp vandale. Amilcar a perdu la confiance de certains de ses seigneurs et...

— Vous voyez ! s'écria Bedwyr. J'avais raison ! Le Sanglier Noir est apeuré. Les Vandali ne peuvent tenir tête plus longtemps à la puissance de la Bretagne.

— Un combat singulier est la seule bataille qu'il ait une chance de remporter, renchérit Cai. Je dis qu'il faut attaquer en force. C'est l'occasion que nous attendions.

— Peut-être est-ce l'occasion de mettre fin à la guerre sans autre effusion de sang, répondit Arthur.

— C'est peut-être un piège ! fit remarquer Gwenhwyvar d'un ton sec.

— On ne peut faire confiance aux barbares, dit vivement Cador. Même si Amilcar était vaincu, comment savoir s'ils respecteraient leur promesse de faire la paix ? »

C'était une bonne question... la première qui viendrait à l'esprit de tout guerrier breton. Ma réponse était prête. « Cela ne fait aucune différence », dis-je.

Leur silence était lourd de désapprobation. « En vérité, cela ne change rien, insistai-je, car sans Amilcar, la guerre finira par s'éteindre. Ne le voyez-vous pas ? » Leurs regards incrédules me disaient que non.

« Écoutez ! dis-je. Qu'il s'agisse d'un piège... » — je tournai la tête vers Gwenhwyvar en disant cela — « ... qu'Amilcar ait menti ou quoi que ce soit... cela ne fait pas pour nous la moindre différence. Car à l'instant même où il mourra sur le champ de bataille sous les yeux de son armée, l'invasion cessera et la guerre prendra fin.

— Comment le sais-tu ? demanda Cador.

— Mercia me l'a dit, répondis-je.

— Et tu l'as cru ?

— Oui. Il tenait ma vie entre ses mains. Qu'il n'y ait pas de doute : un mot de lui et j'étais mort. Mais il m'a laissé la vie pour que je sache qu'il disait la vérité.

— C'est un barbare ! s'exclama Cador. Il t'aurait dit n'importe quoi pour te faire croire ce mensonge. Mais je ne me laisse pas si facilement convaincre.

— C'était peut-être un mensonge, répondis-je, ou peut-être pas. Je dis qu'il nous faut le mettre à l'épreuve si nous voulons savoir. Si j'ai raison, la guerre prendra fin.

— Mais si tu te trompes ? demanda Cai. Que se passera-t-il ?

— Dans ce cas, la guerre continuera, répondis-je solennellement, et la Bretagne sera le tombeau des champions. »

Ils réfléchirent à cela en silence. Avant qu'ils n'aient pu renouveler leurs objections, Rhys passa la tête dans la tente pour dire que le prêtre Paulinus était de retour au camp. « Fais-le entrer », dit Arthur.

Le moine, décharné comme un os rongé jusqu'au cartilage, entra et s'effondra pratiquement aux pieds d'Arthur. Sans plus réfléchir, le roi le releva et le fit asseoir sur son fauteuil. « À boire, Rhys, cria Arthur. Vite !

— Pardonne-moi, seigneur », dit Paulinus. Il vit les autres qui le regardaient et tenta de se remettre debout.

Arthur le repoussa dans le fauteuil du plat de la main. « Assieds-toi. Repose-toi. Tu as eu une rude chevauchée, comme nous pouvons le voir. Reprends des forces et dis-nous quelles nouvelles tu rapportes. »

Rhys apparut avec une coupe et la mit entre les mains du moine. Paulinus but avidement et s'essuya la bouche avec la manche. « Je voudrais avoir de meilleures nouvelles, seigneur, dit-il.

— Elles sont si mauvaises ? demanda Gwenhwyvar en se rapprochant.

— Elles ne sont pas bonnes, répondit Paulinus. La fièvre se propage malgré tous nos efforts. Les routes venant de Londinium sont fermées, mais les gens continuent à voyager sur la rivière : il semblerait que nous ne puissions rien faire pour les en dissuader et la peste se répand par la voie des eaux. » Il s'interrompit, but à la coupe et conclut : « Nous avons réussi à sauver quelques villages où la maladie ne s'était pas encore déclarée, mais la plus grande partie du pays au sud de Londinium est touchée. »

Paulinus but de nouveau et rendit la coupe à Rhys. « Trois des nôtres sont tombés malades et l'un d'eux est mort. Et il ne faut pas s'attendre à ce que les autres survivent. »

Arthur se campa devant le prêtre, bras ballants, les poings serrés, mais il n'y avait rien à frapper. Paulinus, voyant la frustration de son roi, se releva lentement. « Je suis navré, seigneur. Je voudrais avoir de meilleures nouvelles. J'avais espéré… nous avions tous espéré…

— Vous faites votre possible, nous le savons, dit Gwenhwyvar. Va, maintenant, nous en reparlerons quand tu seras reposé. »

Faisant signe à son intendant, Arthur dit : « Rhys, veille à ce que notre ami ait quelque chose à manger et un endroit où poser sa tête. » Paulinus prit congé et, quand il fut sorti, Arthur se tourna vers les autres. « Je ne puis vaincre la peste, dit-il doucement. Mais si je peux mettre fin à la guerre avec le Sanglier Noir, j'estime que cela vaut la peine d'en prendre le risque. J'affronterai Amilcar. »

Peu avant midi, les seigneurs de Bretagne et leurs chefs de guerre se rassemblèrent une fois de plus et se présentèrent devant la tente du Grand Roi. Arthur les salua l'un après l'autre et loua leur loyauté. Puis il dit : « Frères d'armes, vous avez tous entendu le défi du Sanglier Noir. J'ai mûrement réfléchi et j'ai décidé que s'il y avait une chance de mettre un terme à la guerre en vainquant Amilcar en combat singulier, il fallait la saisir. Je vais donc relever le défi du barbare et le rencontrer sur la plaine. »

Cette déclaration provoqua une clameur générale.

« Est-ce bien sage, Arthur ? protesta à haute voix Ector. Nous nous tenons tous prêts à chevaucher à tes côtés. » Une vingtaine de voix exprimèrent leur accord.

« De cela, je n'ai aucun doute, répondit Arthur en levant les mains pour obtenir le silence. De fait, bien des braves se sont déjà tenus à mes côtés et, hélas, beaucoup trop sont morts. En vérité, sans la loyauté des nobles bretons, nous n'aurions pu pousser l'ennemi à ce coup de dés désespéré. Je suis convaincu que la volonté de poursuivre cette guerre incombe à Amilcar. Par conséquent, quand il sera mort, la guerre s'arrêtera.

— Mais si c'est toi qui te fais tuer ? cria Cunomor d'une voix qui s'éleva au dessus du tumulte. Qu'arrivera-t-il ?

« — Si je suis tué, répondit Arthur, il appartiendra à ceux qui resteront de suivre la voie qu'ils choisiront. La mort d'un seul homme n'a que peu de poids face aux morts et aux destructions déjà survenues et à celles qui ne manqueront pas de suivre.

— Nous sommes venus nous battre pour toi ! cria Meurig. Pas te regarder combattre seul sans rien faire. »

Ogryvan renchérit : « Nous nous battons pour Arthur ! Ce n'est pas lui qui se bat pour nous ! »

Cela déclencha une clameur qui dura un long moment. Quand elle commença à s'apaiser, une autre voix s'écria : « Seigneur Arthur ! » Cette voix était étrangère à beaucoup d'oreilles. Les seigneurs bretons se tournèrent vers Aedd. « L'homme qui remportera ce combat jouira d'une gloire éternelle et son nom sera chanté à jamais dans les palais des rois. Par conséquent, comme je suis le moindre parmi tes seigneurs, j'implore la faveur de te servir. Laisse-moi affronter le barbare Amilcar à ta place. Grand Roi, permets-moi d'être ton champion en ce combat. »

Aedd, Dieu le bénisse, était sincère : il aurait volontiers donné sa vie pour celle d'Arthur, mais le Grand Roi ne pouvait le laisser faire. « Je te remercie, seigneur Aedd, dit-il, et je n'oublierai pas ton offre. Mais il semblerait qu'Amilcar me prenne pour un tyran à son image… dans le sens où, si je suis vaincu, les défenses de la Bretagne s'effondreront. Nous devons l'encourager dans cette idée. Ma vie doit en être le prix. »

Les petits rois n'étaient en rien satisfaits de cette décision. Mais ils eurent beau être nombreux à protester, aucun ne put suggérer de meilleur plan. Arthur imposa donc finalement sa volonté.

« Bien ! L'affaire est décidée, conclut le Grand Roi. Rassemblez vos armées. Nous allons maintenant rencontrer Amilcar. »

VIII

Je me suis bien des fois demandé ce que j'aurais pu — ou peut-être dû ? — faire d'autre en ces jours terribles. Mais les événements avaient rapidement échappé à mon contrôle. Comme c'est toujours le cas, les circonstances que nous façonnerions le plus volontiers demeurent à jamais hors de notre portée, et nous sommes contraints de porter des fardeaux inattendus vers des destinations insoupçonnées. Chacun reste démuni face à un pouvoir trop grand pour être contenu, trop immense pour être appréhendé. Ainsi soit-il !

Ainsi moi, qui aurais voulu modeler les jours à ma convenance, je fus obligé de me tenir avec le reste de l'armée bretonne alignée en rangs sur la plaine, simple spectateur empli d'appréhension.

Je la revois encore devant mes yeux comme ce jour-là, cette même terrible image : Arthur debout seul dans la lumière crue du soleil, sans heaume ni bouclier, avec juste Caledvwlch à son côté. Le ciel est blanc, décoloré par une chaleur intense, l'herbe brune et cassante sous nos pieds.

Debout, Arthur attend, l'ombre qu'il projette est minuscule, comme si elle n'osait s'étendre de tout son long dans une telle fournaise. À l'autre bout de la plaine, la horde vandale apparaît — guerriers, femmes, enfants. Tous avancent lentement vers le lieu de la rencontre : la vaste plaine de Luit Coed, au confluent de la Tamu et de l'Ancer. Une forteresse se dressait naguère non loin de là, mais les Vandali l'ont incendiée et les villages environnants ont été détruits, leurs habitants massacrés ou forcés de fuir.

Je regarde avancer les barbares en une confuse ligne noire, la poussière soulevée par leurs pieds s'élève derrière eux en épaisses volutes blanches. Ils approchent lentement et nous attendons. Nous pouvons encore les attaquer, ou bien ils peuvent fondre sur nous. Il n'y a rien pour les en empêcher, sinon le Grand Roi de Bretagne debout, seul sur la plaine calcinée, qui attend en toute confiance que le Sanglier Noir des Vandali tienne parole et vienne l'affronter face à face.

Une seule question occupe l'esprit de tous : Les armées livreront-elles bataille, ou bien Amilcar se mesurera-t-il avec Arthur comme il l'a promis ?

L'avance ennemie cesse brusquement et un pesant silence s'abat sur la plaine écrasée de chaleur. Puis le tonnerre se déchaîne. L'air retentit du roulement sourd des tambours de guerre vandales et, pendant un terrible instant, je pense qu'ils vont attaquer.

« Ne bougez pas ! » crie Bedwyr, et son ordre est répété tout le long des rangs. « Conservez la position. »

Les tambours sont destinés à nous effrayer, à nous faire perdre contenance. Mais Arthur ne cille pas, aussi ne faisons-nous pas un geste... le visage dur, ruisselants de sueur, l'estomac noué d'appréhension tandis que les tambours résonnent à nos oreilles. C'est un bruit difficile à oublier une fois qu'on l'a entendu. Je l'entends encore maintenant.

L'ennemi se remit en marche. Lorsqu'il fut arrivé à portée de lance, le battement des tambours s'interrompit soudain et la longue ligne mouvante fit halte. Les Vandali nous dévisageaient dans un silence aussi terrible que le tonnerre de leurs tambours. Ils se tenaient immobiles, rangée sur rangée, sans bouger un muscle, leurs armes luisant d'un éclat terne, leurs hideux étendards à tête de sanglier dressés au-dessus de leurs têtes, exhibant le redoutable spectacle de leur puissance.

Arthur attendait patiemment, l'air détendu, contemplant l'effroyable horde guerrière d'un œil impassible. Au bout d'un moment, un des porte-étendard sortit des rangs, avança de quelques pas et s'arrêta. Il fut rejoint par un groupe de chefs vandales, parmi lesquels Mercia, et par l'esclave Hergest. Puis, tous ensemble, ils s'avancèrent à la rencontre du Grand Roi de Bretagne. Après un bref échange de paroles — à voix trop basse pour qu'on les entende — le porte-étendard reprit sa place dans les rangs.

« Je ne puis supporter cela, murmura Gwenhwyvar. Je vais me tenir près de lui. »

Bedwyr tenta de la retenir, mais elle repoussa sa main, se laissa glisser de selle et alla promptement rejoindre Arthur avant que l'on ait pu l'en empêcher. Le roi la salua d'un bref hochement de tête et tous deux attendirent côte à côte tandis que la tête de sanglier noire portée sur une perche ornée de crânes et de crinières s'avançait de nouveau. Cette fois elle annonçait l'arrivée d'Amilcar en personne.

Les deux seigneurs se dévisagèrent à une distance de moins de trois pas. Je vis Arthur lever la main en signe de paix. Amilcar ne fit pas un geste. L'Ours de Bretagne dit quelques mots auxquels le Sanglier Noir répondit par le truchement d'Hergest. Quand le prêtre eut fini de parler, Arthur se tourna vers Gwenhwyvar qui fit une réponse en regardant Amilcar droit dans les yeux.

Pendant qu'Hergest répétait ses paroles, je vis la lèvre du Sanglier Noir se retrousser sur une grimace féroce. Il grogna une réponse d'un air de profond mépris, rejeta hautainement la tête en arrière et cracha. Peut-être était-ce la réaction qu'elle avait voulu susciter, car en un clin d'œil son épée à la fine lame se retrouva dans sa main et elle porta un coup d'estoc au roi vandale. Elle avait été rapide — plus rapide que la main d'Arthur quand il chercha à la retenir — et Amilcar ne fut sauvé d'une grave, sinon fatale, blessure que par la prompte réaction d'un de ses chefs qui dévia l'épée du fût de sa lance à l'instant même où la lame fendait les airs à un cheveu de sa gorge.

Amilcar recula, brandissant sa lance du même mouvement. Arthur poussa un cri, saisit Gwenhwyvar par le bras et la tira en arrière. Le Sanglier Noir, la lance toujours brandie, dévida une brève tirade rageuse à laquelle Arthur fit une réponse solennelle.

Ils échangèrent encore quelques mots, puis Gwenhwyvar et Arthur tournèrent brusquement le dos et revinrent vers les rangs bretons.

« Nous nous rencontrons demain à l'aube », dit Arthur sans un mot de plus à propos de ce qui s'était passé sur la plaine.

Alors commença une longue et insupportable attente pour l'armée de Bretagne. Les guerriers se reposèrent durant la chaleur de la journée tandis que le soleil descendait lentement vers le couchant, mais lorsque le disque incandescent disparut derrière les collines, ils se réveillèrent... et commencèrent à s'inquiéter.

Il était temps, me dis-je, de leur rappeler quelle récompense nous attendait, et en quel seigneur nous avions placé notre foi. Après que je me fus brièvement entretenu avec lui, Arthur convoqua ses chefs de guerre pour leur dire de rassembler leurs hommes sur le versant de la colline au-dessus de la tente du conseil.

Quand l'armée de Bretagne fut réunie, et alors qu'un livide crépuscule s'étendait sur la vallée, je m'avançai. La chaleur étouffante avait commencé à relâcher son étreinte sur la terre et une légère brise faisait onduler l'herbe rare. Un grand feu avait été allumé, un bûcher de Beltane destiné à raviver le passé dans les mémoires. La lune montante projetait des ombres brutales sur le sol et au-dessus de nos têtes le ciel scintillait d'étoiles.

La foule était houleuse : nerveuse, inquiète, l'assemblée des guerriers attendait dans une atmosphère tendue, en proie à l'incertitude et à l'appréhension. Tous savaient le danger qu'allait affronter leur roi. Et si Arthur était tué ? se disaient-ils. Qui les mènerait alors contre les Vandali ? Ils étaient des milliers à devoir leur vie à l'habileté d'Arthur comme Chef de Guerre : comment feraient-ils sans lui ? Ils m'observaient d'un œil soupçonneux. Je pouvais presque entendre leurs murmures : Une chanson ? Mieux vaudrait, et de loin, être en train d'aiguiser les armes.

La harpe calée contre mon épaule, j'égrenai au hasard des notes que je lançai comme des galets dans une mer bouillonnante. Tout d'abord, personne ne m'écouta — mais je continuai de jouer — puis ils *refusèrent* de m'écouter. Ils continuaient de murmurer, mais leurs yeux s'égaraient de temps à autre vers l'endroit où je me tenais, caressant ma harpe comme si je n'avais pas conscience de leurs murmures.

Puis, alors que le chant de la harpe vrillait l'atmosphère chargée de crainte, ma vision flamboya à nouveau en moi, brillant avec l'intensité du soleil. Je revis l'arbre moitié embrasé, moitié vivant, et mon esprit prit son essor en songeant à la signification de l'énigme. Pour la première fois depuis très longtemps, je me sentais barde.

Donnant sa voix à la harpe, je jouai jusqu'à ce que tous les yeux soient sur moi et que j'occupe tous les esprits. Peu à peu, la musique prit pied tandis que les murmures se taisaient. Lorsque tout fut silencieux au flanc de la colline, je proclamai d'une voix forte : « Écoutez-moi ! Je suis barde et fils de barde : ma véritable demeure est la Région des Étoiles d'Été.

» Depuis les premiers jours de notre race, les Gardiens de l'Esprit ont enseigné que la sagesse réside dans le Cœur du chêne. » Je levai la harpe au-dessus de ma tête pour que tous pussent voir. « Je tiens dans mes mains le Cœur du chêne. Par son art, le barde libère l'âme de la sagesse afin qu'elle accomplisse sa volonté dans le monde des hommes.

» Écoutez donc et prêtez attention à ce que je vais dire… pour bien vous souvenir de ce que vous êtes et pouvez devenir ! »

À ces mots, je calai ma harpe contre mon épaule et me remis à jouer. Tel un tisserand entrelaçant fils d'or et d'argent, mes doigts élaborèrent la mélodie sinueuse qui fournirait un écrin chatoyant au conte que j'allais dire. Je jouais en regardant les visages de tous ces guerriers… venus de toutes les régions de la Bretagne : de Prydein, de Celyddon et de Lloegres, ainsi que d'Ierne. Ils m'apparaissaient vides, les yeux caves : comme leurs seigneurs, ces hommes avaient soif de la Vraie Parole. J'en pris conscience et mon cœur se porta vers eux.

Grande Lumière, je me tiens humble devant la puissance de ton amour. Descends en moi, Seigneur, que je puisse toucher le cœur des hommes !

Au même instant je sentis l'envolée de l'*awen*... tel un oiseau depuis longtemps captif relâché dans le ciel. La mélodie vint la première, entraînant dans son sillage miroitant les mots qui prenaient forme en touchant ma langue. Je m'abandonnai au chant : il n'y avait plus de Myrddin, seule la chanson existait et je n'étais qu'un réceptacle, creux, vidé de moi-même, mais empli du vin exquis de l'*Oran Mor*.

Je chantai et la Grande Musique jaillit, prodigue de ses bénédictions. Une nouvelle chanson prit forme cette nuit-là, et les hommes furent stupéfaits de l'entendre. Voici ce que je chantai :

« Dans les Temps Anciens, quand la rosée de la création était encore fraîche sur le sol, régnait un puissant roi et Manawyddan était son nom. Le monde entier était son royaume et chaque clan, chaque tribu lui devait allégeance. Tout ce sur quoi il portait la main prospérait et partout où il tournait les yeux quelque chose de beau et de bon flattait son regard.

» Un jour, de mauvaises nouvelles parvinrent au seigneur Manawyddan et le plongèrent dans une profonde affliction. L'Autre Monde, lui fut-il dit, était tombé sous la coupe d'un usurpateur qui traitait ses habitants avec la plus grande cruauté. Le Grand Roi décida aussitôt de remettre la souveraineté de son royaume à l'homme le plus digne qu'il pourrait trouver afin de partir délivrer les habitants de l'Autre Monde du méprisable oppresseur. Et voici ce qu'il en fut :

» Le Grand Roi fit appeler ses nobles et leur exposa le problème. "Je m'en vais pour quelques temps, leur dit-il. Je ne sais si mon absence sera de longue ou de courte durée, mais je ne reviendrai pas avant d'avoir vaincu l'Usurpateur qui en ce moment-même dépouille l'Autre Monde et dévaste ce beau royaume."

» Ses nobles et ses seigneurs confessèrent : "Nous sommes fort chagrinés d'apprendre ton projet. C'est peut-être une bonne chose pour les habitants de l'Autre Monde, mais pour nous ce n'est rien d'autre qu'une calamité."

» À cela le roi répondit : "Ce n'en est pas moins ce que j'ai décidé. Je remettrai la royauté entre les mains de l'homme que je désignerai et il servira à ma place jusqu'à mon retour." La question se posa alors de savoir lequel d'entre eux serait digne d'assumer la souveraineté. La décision n'était pas facile, car chacun était aussi estimable que son voisin, et non moins digne que son frère.

» À la fin, toutefois, Manawyddan imagina une épreuve. Il demanda à son Chef Barde de fabriquer un joyau en or de la forme d'une sphère. Puis il prit cette sphère qu'il présenta à ses seigneurs. "On a fabriqué ceci pour moi, leur dit-il. Qu'en pensez-vous ?"

» Ils répondirent : "C'est très beau, seigneur."

» Le roi acquiesça. "C'est effectivement fort beau. Et plus que vous ne le pensez, car c'est le symbole de mon règne." Il éleva la sphère d'or devant eux. "Voici ! cria-t-il. Attrapez !"

» Sur ces mots, le Grand Roi lança la boule d'or à ses seigneurs. Le premier tendit le bras et l'attrapa, la serrant tranquillement contre sa poitrine. Le roi dit : "Merci, noble ami. Tu peux aller."

» Le seigneur tourna le dos pour partir, mais le roi le retint pour reprendre l'ornement d'or. La boule ne lui avait pas plus tôt été rendue qu'il la relança à un autre qui l'attrapa dans son poing. "Merci, noble ami. Tu peux aller," lui dit le Grand Roi.

» Le chef tourna les talons pour partir, mais le roi le retint jusqu'à ce que sa précieuse sphère lui eut été rendue. Et ainsi de suite. Chaque fois que le roi lançait la sphère, quelqu'un la rattrapait et la lui rendait... jusqu'à ce que vienne le tour de Llud.

» La sphère s'éleva dans les airs et redescendit. Mais le noble ne parvint pas à la rattraper. Voyant le joyau sans prix échapper à sa main, Llud tomba à genoux. "Pardonne-moi, mon roi, s'écria-t-il. Je ne suis pas digne de toucher un aussi précieux objet."

» Mais le roi le fit relever. "Certes non, Llud, lui dit-il. Toi seul est digne d'occuper mon trône jusqu'à mon retour." À ces mots, le Grand Roi prit la sphère qu'il plaça fermement dans la main de Llud et il s'adressa à lui en ces termes : "Toute l'autorité dont je jouis, je la remets entre tes mains. Exerce-la jusqu'à ce que je revienne dans mon royaume."

» Après cela, personne ne revit le roi Manawyddan, bien que l'on entendît souvent des échos de ses exploits dans les royaumes de l'Autre Monde. De son côté, Llud gouvernait avec sagesse. Et les royaumes confiés à ses soins prospéraient et se développaient. Afin que nul ne soit privé des fruits de sa sagesse, Llud nomma des seigneurs dans chaque royaume pour le servir et lui rapporter les besoins de leurs habitants.

» L'un d'entre eux était Mab Rígh, un de ses frères, qui veillait sur son royaume insulaire avec bienveillance et dévotion. Jour et nuit, quels que fussent les problèmes qu'on lui exposât, il y consacrait toute son attention.

» Or il arriva que le royaume de Mab Rígh fut attaqué par un étrange et formidable ennemi qui fit s'abattre sur lui trois fléaux, chacun plus singulier que le précédent.

» Le premier de ces fléaux était une horde d'envahisseurs qui se donnaient le nom de Coranyid et dont toutes les connaissances provenaient du fait qu'ils pouvaient entendre n'importe quel mot prononcé en n'importe quel lieu. Si bas que vous puissiez parler, le vent leur portait vos paroles. Nul ne pouvait donc rien dire contre eux et il était impossible de les attaquer, car ils apprenaient toujours le plan de campagne et y échappaient. Les Coranyid dévastaient tout, rien ne subsistait après leur passage.

» Le deuxième fléau était un terrible cri qui retentissait le jour de Beltane au sommet de chaque colline, au-dessus de chaque foyer et sous chaque toit du royaume. Ce cri exprimait un tel tourment qu'il transperçait le cœur de tous ceux qui l'entendaient, et il n'y avait pas un être vivant qui ne l'entendît. Les hommes en perdaient leurs forces et les femmes leur vigueur. Les enfants défaillaient et les animaux perdaient la tête. Si une créature était enceinte, elle faisait une fausse-couche. Arbres et champs dépérissaient et les eaux devenaient amères et se tarissaient.

» Le troisième fléau était la disparition inexplicable de nourriture dans les demeures des nobles et des chefs. Quelle que fût la quantité que l'on préparât à manger, il n'en restait rien le lendemain matin : si c'était de la viande, on ne retrouvait pas même un os, si c'était du pain, pas même une miette, si c'était un ragoût, pas même une cuillerée de bouillon. Vous pouviez apprêter assez de mets pour une année, à l'aube la table était vide.

» Affligés par de telles calamités, les habitants du royaume élevaient de pitoyables lamentations. Mab Rígh s'en émut et rassembla toutes les tribus pour décider de ce qu'il fallait faire. Chacun était confondu par ces fléaux : personne ne savait ce qui les avait amenés et nul ne pouvait dire comment en débarrasser l'île. Pendant trois jours et trois nuits ils réfléchirent en vain à ce qu'ils pouvaient faire, si bien qu'à la fin Mab Rígh fit appeler ses chefs et, leur confiant la garde de son peuple, quitta son île pour chercher conseil auprès de son frère, seigneur sage et avisé.

» Il fit gréer un navire en secret et hisser les voiles au plus noir de la nuit afin que nul ne puisse deviner où il se rendait. La nef vola telle une mouette sur les vagues et, quelques jours plus tard, Llud, regardant la mer, vit venir vers lui les voiles de son frère. Il ordonna aussitôt d'apprêter un navire et vogua à sa rencontre. Il accueillit Mab Rígh avec effusion, l'embrassa chaleureusement et lui offrit des cadeaux de bienvenue.

» Mais, malgré cet accueil, le sourire de Mab Rígh s'effaça bien vite et un pli soucieux lui barra le front. "Que t'est-il arrivé pour prendre un air si affligé ?" demanda Llud quand ils furent dans son beau palais.

» Mab Rígh répondit : "Malheur sur malheur et tourment sur tourment." Il secoua tristement la tête. "Tu sais que je ne suis pas mélancolique de nature."

» Llud acquiesça de tout cœur. "C'est vrai. Mais raconte-moi, veux-tu, si tu peux t'y résoudre. Je voudrais bien savoir ce qui t'a plongé dans une telle détresse.

» — Je suis le plus malheureux des hommes, mon frère, répondit Mab Rígh. Mon île est ravagée par trois fléaux, tous pires l'un que l'autre. Bref, nous sommes à chaque instant harcelés et tourmentés. Je suis venu chercher ton aide et ton conseil, car j'ai beau réfléchir, je ne vois vraiment plus quoi faire.

» — Tu as bien fait de venir me voir, lui dit Llud. Ensemble nous allons trouver le remède aux maux qui t'accablent. Parle, mon frère, et nous allons voir ce que nous pouvons faire."

» Mab Rígh reprit espoir en entendant ces mots de réconfort et rassembla son courage. "Je vais donc parler, dit-il, mais nous devons d'abord imaginer un moyen de protéger nos paroles." Et il expliqua le fléau des Coranyid et la façon dont chaque mot que l'on prononçait leur parvenait, porté par le vent.

» Llud sourit et lui répondit : "Aucune difficulté." Et il ordonna à son forgeron de fabriquer une corne en argent de son invention à travers laquelle ils pourraient se parler. Ainsi, le vent ne pourrait porter leurs paroles aux malveillants Coranyid. Mais quand ils l'essayèrent, la corne d'argent produisit un résultat différent de celui qu'il avait escompté : tout ce qu'ils disaient à un bout ne parvenait à l'autre que sous une forme hostile et haineuse.

» Cela plongea Llud dans une grande perplexité, mais il finit par comprendre qu'un démon s'était installé dans la corne et que cette malfaisante créature déformait tous leurs propos afin de semer la discorde entre eux. "Comme tu le vois, celui qui te persécute ne renonce pas facilement, déclara Llud. Mais ne t'inquiète pas. Je sais fort bien comment t'aider."

» Des prêtres étaient arrivés d'un lointain pays et le roi leur fit demander du vin, puis, quand celui-ci lui eût été apporté, il le versa dans la corne d'argent. La puissance du vin chassa aussitôt le démon. Llud et Mab Rígh purent ensuite s'entretenir sans être dérangés. Et Mab Rígh raconta tout sur les trois fléaux dévastateurs à son frère qui l'écoutait, la mine grave et solennelle.

» Quand Mab Rígh eut terminé, Llud se retira pendant trois jours et trois nuits pour réfléchir à ce qu'il fallait faire. Il fit venir ses prêtres et ses sages bardes et tint conseil avec tous les érudits du royaume. Au bout de trois jours, il retourna dans sa grande salle et fit dire à son frère de le rejoindre.

» Llud salua Mab Rígh en disant : "Réjouis-toi, mon frère ! Tes ennuis sont bientôt terminés."

» Mab Rígh demanda : "As-tu réussi là où les autres ont échoué ?

» — Oui, répondit Llud. Voici le remède à tes malheurs." Ce disant, il brandit un sac de grain.

» Mab Rígh regarda le sac et le bonheur mourut dans sa poitrine. "Pardonne-moi mes doutes, frère, dit-il d'un air lugubre, mais il me semble voir un sac de grain dans ta main. Si le seul grain pouvait m'aider, je n'aurais pas eu besoin de te déranger."

» Llud n'en sourit que plus largement. "Oh, cela dénote simplement à quel point tu t'es égaré. Car ceci n'est pas un grain ordinaire. Certes non ! C'est un grain au pouvoir merveilleux dont les vertus sont efficaces contre tout mal. À présent, écoute bien. Voici ce que tu dois faire." Et il entreprit de lui expliquer comment débarrasser son île des trois fléaux.

» Levant le doigt, Llud dit : "Le fléau des Coranyid, aussi pénible et dangereux soit-il, est celui auquel il est le plus facile de remédier. Prends un tiers de ce grain et mets-le dans des baquets propres emplis d'eau puisée à une source claire. Recouvre les baquets et laisse-les reposer pendant trois jours et trois nuits. Pendant ce temps fais savoir à travers tout ton royaume que tu as découvert une boisson plus délicieuse que la meilleure bière et plus désaltérante que l'eau fraîche. Invite ton peuple à venir goûter cette boisson merveilleuse. Naturellement, les Coranyid accourront en masse et viendront grossir vos rangs. Tu n'auras qu'à prendre l'eau où aura macéré le grain pour leur en asperger la tête. Tes propres sujets vivront, mais les malveillants Coranyid périront."

» Les propos de Llud rendirent confiance à Mab Rígh. Son cœur s'enfla de joie en entendant la façon dont pourrait être délivré son peuple. Mais ce que dit ensuite Llud le replongea dans le désespoir. "Remédier au deuxième fléau, lui dit le roi, sera aussi difficile qu'il aura été facile de le faire pour le premier. Le cri terrifiant qui ravage le pays est poussé par un serpent malfaisant qui sort de son nid la nuit de Beltane pour chercher à manger. Sa faim est si grande qu'il pousse un terrible hurlement, et c'est ce cri que vous entendez."

» Mab Rígh secoua la tête, consterné. "Comment faire pour nous débarrasser d'une telle créature ?"

» Llud répondit : "Il serait impossible à des hommes ordinaires de la détruire, mais ce grain merveilleux y parviendra. Voici ce que tu dois faire : mesure la longueur et la largeur de ton île pour en trouver le centre exact. Une fois que tu l'auras trouvé, creuse en cet endroit un puits profond que tu recouvriras d'un drap solide fait de laine vierge. Puis prends un tiers du grain et place-le dans un baquet que tu rempliras du sang de neuf agneaux. Pose ce baquet au centre du drap. Quand le serpent passera à proximité, en quête de quelque chose à dévorer, il sentira le sang des agneaux et rampera sur le drap pour atteindre le baquet. Son poids le fera tomber au fond du puits. Tu devras alors saisir promptement les coins du tissu pour les nouer solidement. Remonte le drap et jette-le dans la mer avec le serpent à l'intérieur."

» Mab Rígh était fou de joie. Il battit des mains et vanta la sagesse de Llud à grands cris. Mais ce qu'il entendit ensuite le plongea dans un si sombre désespoir qu'il eut l'impression de n'avoir jamais connu un jour de bonheur de sa vie. "Le troisième fléau est le plus difficile à vaincre, dit Llud. Et sans le pouvoir du grain, il n'y aurait pour toi aucun espoir.

» — Malheur ! Et encore malheur, s'écria Mab Rígh. Je craignais cela depuis le début !"

» Llud saisit son frère par les épaules et lui parla sévèrement. "N'as-tu pas entendu un mot de ce que j'ai dit ? Le grain que je te donne est le remède à tous les maux qui t'accablent. Mais écoute-moi attentivement. Le troisième fléau est causé par un énorme géant venu chercher refuge dans ton royaume. Ce géant est aussi un puissant sorcier et, quand quelqu'un prépare un festin, ses charmes et ses enchantements plongent chacun dans un profond sommeil. Pendant que le royaume est endormi, il vient voler le festin. Il te faut donc rester vigilant si tu veux avoir un espoir d'attraper ce géant. Garde près de toi un baquet d'eau froide : quand tu te sentiras gagné par le sommeil, entre dans l'eau pour te réveiller. Mais ce n'est que le début : il y a encore autre chose." Et il expliqua à son frère comment débarrasser son île du géant malfaisant.

» Quand ce fut terminé, Mab Rígh dit adieu à son frère, prit le sac de grain et vogua vers son royaume aussi vite que le lui permirent ses voiles. Dès son arrivée il sauta à terre et se rendit droit à son palais pour préparer la libation exactement comme il lui avait été indiqué, mélangeant le grain et l'eau dans des baquets propres. Il rassembla ensuite son peuple pour goûter la merveilleuse boisson. Bien entendu, les malveillants Coranyid en eurent vent et affluèrent vers le lieu de rassemblement, animés de fort mauvaises intentions.

» Quand tout le monde fut là, Mab Rígh plongea une coupe dans l'eau et aspergea la foule sans la prévenir. Les gens s'entre-regardèrent, dégoulinants, et les Coranyid poussèrent des hurlements de colère. Ignorant leurs protestations, Mab Rígh emplit de nouveau rapidement la coupe et arrosa l'assemblée. Les gens rirent, et les démons hurlèrent, reprenant la forme grotesque qui leur est habituelle. Ils supplièrent Mab Rígh de renoncer à son entreprise, mais le roi fit la sourde oreille à leurs cris et, emplissant une fois de plus la coupe, en jeta le contenu sur la foule.

» Les vils Coranyid se racornirent et moururent, et le royaume en fut aussitôt délivré. Et tous acclamèrent le roi et sa sagesse, célébrant les vertus de l'eau salvatrice. Sans perdre un instant, Mab Rígh entreprit de faire mesurer la largeur et la longueur de l'île. Une fois cela fait, il en détermina le centre. Il ordonna alors d'y creuser un puits profond et de tisser un grand drap avec la laine de la première tonte de tous les agneaux du royaume.

» Le tissu de laine vierge fut tendu au-dessus de l'énorme fosse. Un tiers du grain fut placé dans un baquet avec le sang de neuf agneaux et ce baquet disposé au centre du drap. Or, la nuit suivante était celle de Beltane, aussi le serpent sortit-il de son refuge souterrain et ne tarda-t-il pas à sentir le sang des agneaux. La créature maléfique, attirée vers le baquet, rampa sur le drap et s'enroula autour du récipient, impatiente de se repaître. Mais avant même qu'elle eût plongé la langue dans le baquet, le tissu s'enfonça sous elle dans le puits.

» Mab Rígh, qui se cachait à proximité, accourut et attrapa les coins du drap, les noua ensemble et serra le nœud avec de grosses cordes. Ses hommes et lui hissèrent le ballot hors du puits pour le traîner au sommet d'un promontoire. Puis ils le poussèrent au bord de la falaise et jetèrent dans la mer le serpent qui se débattit et hurla tout le temps que dura sa chute. Ainsi fut-il mis fin au cri terrifiant, et nul ne l'entendit plus jamais.

» Et les habitants du royaume, qui s'étaient rassemblés en haut de la falaise, entonnèrent un chant de délivrance pendant que le serpent sombrait dans la mer, disparaissant aux regards. Ils prirent Mab Rígh sur leurs épaules et le ramenèrent à son palais pour célébrer sa victoire. Ils préparèrent un grand et merveilleux festin, se servant du dernier tiers du grain pour faire une pâte qu'ils mirent à cuire. Cette pâte fournit assez de pain pour nourrir tout le royaume pendant trente-trois jours.

» Quand le festin fut servi, chacun s'assit pour manger. Mais avant même d'avoir pu toucher du bout du doigt le plus petit morceau, les convives furent pris de somnolence. Avec force bâillements, ils posèrent tous la tête sur la table et sombrèrent dans un profond sommeil. Mab Rígh se prit lui aussi à bâiller et à se frotter les yeux. Il avait atrocement envie de dormir, mais il se souvint de ce qu'avait dit son roi. Alors que ses yeux se fermaient et que sa tête tombait vers sa poitrine, il entra dans le baquet d'eau qu'il avait fait disposer près de lui. Le froid le réveilla brutalement.

» Tandis qu'il frissonnait dans la bassine d'eau froide, il entendit un lourd bruit de pas sur le dallage. Un battement de cœur plus tard, une ombre envahit la pièce et un homme gigantesque se dirigea vers la table du banquet. Il était vêtu de cuir de la tête aux pieds et portait un énorme marteau de pierre. Un long bouclier de chêne renforcé de bandes d'acier était accroché sur son dos et dans sa large ceinture était passée une hache de fer. Il avait aussi un panier d'osier qu'il entreprit de remplir : pain, viande et victuailles de toutes sortes disparaissaient dans son panier sans fond. Mab Rígh regardait avec stupéfaction, se demandant comment celui-ci pouvait engloutir tant de choses sans jamais être plein.

» Le géant avait fini par nettoyer la table jusqu'à la dernière miette. Alors seulement il s'arrêta pour voir s'il avait oublié quelque chose et, constatant que la table était vide, tourna les talons pour se renfoncer dans la nuit. Aussitôt Mab Rígh bondit hors de l'eau et s'élança à sa suite. "Halte ! Au nom de celui qui est notre seigneur à tous, je t'ordonne de t'arrêter !"

» C'était ce que lui avait dit de dire Llud et le géant s'arrêta, se retourna et leva son marteau de pierre. "À moins que tu ne sois plus habile au maniement des armes que tu ne l'es pour surveiller ton festin, répondit le géant d'une voix qui fit trembler les collines alentours, je vais bientôt ajouter ta pitoyable carcasse à mon panier d'osier."

» Mab Rígh avait sa réponse toute prête. "Bien que tu aies commis des crimes innombrables et changé la joie de beaucoup en lamentations désolées, dit-il, je te dis que tu ne feras pas un pas de plus."

» Le géant se moqua de lui, disant : "Ne veux-tu pas défendre ton festin, petit homme ? Car je te le dis, je ne me laisse pas si facilement convaincre contre ma volonté." Il brandit son marteau au-dessus de sa tête et l'abattit d'un mouvement sauvage.

» Mab Rígh sauta prestement de côté et le marteau retomba sans lui faire le moindre mal. Le géant tourna le dos et se remit en marche. Il fit un pas, puis un autre, et au troisième il fut cloué au sol par le poids du panier d'osier. Il fit appel à toutes ses forces pour avancer d'un autre pas, mais le panier était devenu si pesant qu'il ne pouvait plus le porter. "Quel genre de pain est-ce là ? geignit-il. Il se fait plus lourd à chaque pas !"

» Sur ce, le panier lui glissa des mains et son contenu se répandit à terre. Voyant les miches de pain et les quartiers de viande rouler sur le sol, le géant se jeta à quatre pattes pour récupérer son butin. Il saisit un pain entre ses mains et le souleva. Mais le pain était trop lourd pour lui et, malgré sa force colossale, le poids surnaturel eut raison de lui et il s'effondra, comme écrasé sous la plus lourde meule qui eût jamais moulu du grain.

» Surmontant sa stupéfaction, Mab Rígh marcha jusqu'à la plus proche miche de pain, la ramassa d'une main, la souleva et la tint au-dessus de la tête du géant. "J'ai un autre pain pour toi, dit le seigneur de l'île. Puisque tu es un géant insatiable, je vais te le donner. Ajoute-le à celui que tu serres contre ta poitrine."

» Le géant vit le pain en suspens au-dessus de sa tête et s'écria : "Pitié, seigneur, je me rends. Ne me fais pas de mal car, bien que tu ne puisses le savoir, je suis affaibli à mort par le pain que je tiens."

» Soupçonnant une ruse, Mab Rígh dit : "Comment pourrais-je te croire, toi qui as volé la vie dans la bouche de mon peuple ?"

» Le géant se mit à pleurer et s'écria que le pain l'écrasait. "Seigneur, je ne puis supporter plus longtemps ce poids, dit-il. Si tu ne me délivres pas, je suis mort. Si c'est ma vie que tu désires, tu l'as, seigneur, et ma parole avec elle. Délivre-moi et je ne tourmenterai plus jamais qui aura goûté au pain par lequel tu m'as vaincu."

» Tenant toujours le pain, Mab Rígh dit : "Ta vie est une bien petite contrepartie pour les torts que tu as causés à mon peuple, mais pour le bien de tous, je vais te délivrer." Sur ces mots, il souleva le pain qui avait vaincu le géant. "Va-t'en, dit le seigneur. Tu n'auras plus jamais de nous le moindre morceau ni la moindre miette."

» Le géant se releva et s'ébroua. Puis, respectant le serment par lequel il s'était lié, il prit congé de Mab Rígh avant de s'éloigner vers l'est, et jamais plus personne ne le revit dans l'île. Ainsi le royaume fut débarrassé des trois fléaux et ses habitants virent la fin de leur longue épreuve. Leur bonheur fut aussi grand qu'avait été doulou-reuse leur affliction. Ils se réjouirent de leur délivrance et goûtèrent leur libération.

» Pendant trente-trois jours, les habitants du royaume festoyèrent du pain de leur délivrance, et ils eurent beau en manger d'énormes quantités, il en restait trois fois plus quand ils eurent fini. En vérité, leur festin durera à jamais !

» Ici se termine la chanson de Mab Rígh et du Grain de Salut. L'entende qui voudra. »

IX

Tandis que les dernières notes tourbillonnaient dans la nuit telles les étincelles brasillantes du feu dans mon dos, je parcourus du regard le flanc de la colline. Les guerriers, en extase, ne faisaient pas un geste, de crainte de briser le charme qui les tenait sous son emprise. Ils avaient goûté au pain de vie et répugnaient à quitter la table.

Oh, mais ce n'était pas ma voix qui avait convié ces âmes affamées au festin : c'était la Grande Lumière qui, se levant en elles tel le soleil du matin, les avait invitées à rompre leur long jeûne.

J'entendis quelqu'un approcher et Arthur apparut près de moi, grand et fort, le visage baigné par la lueur dorée du feu sur fond de nuit étoilée. Il avait Caledvwlch à la main, brandissant la lame dénudée comme s'il voulait repousser toute objection. Je m'écartai et Arthur prit ma place.

« Cymbrogi ! s'écria-t-il en levant son épée, vous avez entendu le chant d'un Vrai Barde et, si vous êtes comme moi, vos cœurs se serrent devant la beauté de ce que nous ne pouvons nommer. Et pourtant... et pourtant je vous dis qu'elle a un nom. En vérité, ce nom est le Royaume de l'Été. »

Le Grand Roi parlait simplement, mais avec la ferveur d'un homme qui sait ses plus grands espoirs près de se réaliser. La vitalité rayonnait de lui, illuminant ses traits d'un feu sacré. Il était le Seigneur de l'Été et avait entrevu son royaume, encore lointain, mais désormais plus proche qu'il n'avait jamais été.

« Le Royaume de l'Été, reprit-il d'une voix presque révérencieuse. Myrddin Emrys dit que ce pays merveilleux est proche. Il est à portée de main, mes amis, n'attendant que notre volonté d'y donner vie. Qui parmi vous reculerait devant une si glorieuse entreprise ? S'il est en notre pouvoir de fonder le Royaume de l'Été, comment pourrions-nous nous en détourner ?

» Je ne sais pas si nous réussirons, poursuivit-il. La tâche peut être plus difficile que nous l'imaginons. Nous pouvons tout y sacrifier et échouer malgré tout, mais qui dans les âges à venir nous pardonnerait si nous ne tentions rien ? Consacrons donc nos cœurs et nos mains à une chose qui est digne — non, plus que digne — de nos plus grands efforts. Qui fera avec moi ce serment ? »

À ces mots, les guerriers poussèrent un cri à ébranler la terre et les cieux. Ma chanson les avait emplis d'un ardent désir pour le Royaume de l'Été, et voir leur Grand Roi rayonnant et assuré devant eux leur avait donné un aperçu du seigneur qui y régnerait. Ils s'engageaient librement et de tout leur cœur.

Mais Arthur n'avait pas fini. Quand les acclamations se turent, il regarda Caledvwlch dans sa main. « Cette lame est puissante, mon bras est fort, leur dit-il.

» Cymbrogi, vous savez que j'aime la Bretagne plus que ma propre vie. Je pourrais avoir dix vies, celles-ci seraient sans valeur si je ne les passais dans l'Île des Forts. »

Cela souleva un concert d'approbations qu'Arthur accepta humblement. « Croyez-moi si je vous dis que je ne ferais jamais rien pour rabaisser ce pays, et encore moins pour lui faire du mal. Croyez-moi aussi si je vous dis que cette guerre ruineuse doit cesser. » Il s'interrompit, captant tous les regards. « Je vais donc rencontrer demain le Sanglier Noir sur la plaine et me battre contre lui. » Le Grand Roi, serrant toujours son épée dans sa main, écarta largement les bras. « Cymbrogi ! s'écria-t-il, je vous demande de me soutenir au jour de l'épreuve. Soutenez-moi, mes frères ! Demain, quand je m'avancerai sur cette plaine, je veux que vos cœurs et vos prières soient unis aux miens dans la bataille. Rejetez le doute, mes frères. Rejetez la peur. Priez, mes amis ! Priez avec moi le Dieu qui nous a créés de m'accorder la victoire… non pas pour moi, mais pour le Royaume de l'Été. »

Il se tut, contemplant la mer de visages silencieux. « Allez, maintenant, dit-il, retournez à vos prières et à vos rêves. Réveillons-nous demain dans la force qui vient du cœur et de l'âme unis d'un plein accord. »

Nous dormîmes donc. Et quand le roi et la reine émergèrent de leur repos nocturne à l'heure où la nuit s'effaçait à l'orient, Gwenhwyvar se tenait résolument au côté d'Arthur, le visage impassible.

339

Arthur déjeuna et tint conseil avec ses chefs. «Vous avez promis de me soutenir en toutes choses, dit-il, leur rappelant leur serment de fidélité. J'apprécie votre ardeur à guerroyer, mais maintenant je vous demande d'avoir la volonté de faire la paix. J'affronte aujourd'hui Amilcar et je réclame votre appui. Écoutez-moi : personne ne doit donner aux Vandali une raison de penser que je ne m'en tiendrai pas aux termes de l'épreuve en toute bonne foi.

» Si quelqu'un parmi vous ne peut accepter cela, qu'il s'en aille maintenant car il n'est plus l'ami d'Arthur. Mais si vous restez, vous me ferez grand honneur. »

Beaucoup d'entre eux avaient encore des doutes sur les intentions du barbare. Je ne les en blâmais pas. Un homme peut douter, il peut nourrir de grandes craintes, et pourtant respecter son serment.

C'est, je crois, le plus grand accomplissement de l'esprit... s'accrocher à sa foi par la seule force de sa volonté quand le feu de la certitude s'est éteint. Car lorsque soufflent les rafales embrasées de l'ardeur, même l'âme la plus faible peut prendre son envol. Mais quand meurt la flamme et que retombe le vent se mesure la véritable valeur d'une âme. Ceux qui persévèrent au milieu des difficultés acquièrent une grande force et trouvent grâce devant Dieu.

Ce jour-là, Arthur ne chercha pas à tromper les seigneurs de Bretagne, mais il leur fit savoir ce qu'il exigeait d'eux et ce que leur coûterait leur soutien. À leur crédit, les nobles demeurèrent loyaux malgré leurs craintes : aucun d'entre eux n'abandonna le Grand Roi ni ne murmura contre lui.

Donc, alors que le soleil commençait à monter sur le lointain horizon, le Grand Roi s'arma, revêtit sa solide cotte de mailles et son heaume de guerre, puis il accrocha son bouclier cerclé de fer à son épaule. Taillefer sur sa hanche, il glissa une dague dans sa ceinture et choisit une lance neuve. Cai et Bedwyr firent ce qu'ils pouvaient pour l'aider, inspectant ses armes, serrant lanières et courroies, offrant conseils et encouragements. Quand il fut prêt, il monta sur son cheval et partit pour le lieu de la rencontre, suivi des armées de Bretagne assemblées.

Quand il fit halte sur la plaine, quelques instants plus tard, Arthur ordonna à ses capitaines de gagner leur place et demanda à Rhys de guetter son signal, puis il recommanda à ses chefs de rester vigilants et de maintenir, quoi qu'il advienne, l'ordre parmi les guerriers.

Il se pencha vers Gwenhwyvar, stoïque à son côté, passa la main derrière sa nuque et attira son visage près du sien. «Tu as chevauché à mon côté dans la bataille, dit doucement Arthur. Chaque fois que j'ai pris l'épée, j'aurais pu me faire tuer. En fait, j'aurais pu mourir un millier de fois. Ce jour n'est pas différent, alors de quoi as-tu peur ?

— Une épouse est toujours heureuse de partager le sort de son mari, répondit Gwenhwyvar, les larmes lui montant soudain aux yeux. Je me suis battue à ton côté, oui, affrontant joyeusement la mort avec toi. Mais je n'ai aujourd'hui aucune place dans ton projet, et cela m'est plus amer que tout ce que je connais.

— Je ne me soucie pas de moi, lui dit Arthur. Ce que je fais, je le fais pour la Bretagne. Dans cette bataille, je *suis* la Bretagne. Personne ne peut prendre ma place ni partager mon sort, car ce combat appartient au roi seul. »

Il lui avait succinctement résumé la situation. Si la paix devait être obtenue pour toute la Bretagne, elle devait l'être par celui qui la tenait dans sa main. Donc nul autre que lui. Le sacrifice serait sien, ou la gloire. Mais, dans un cas comme dans l'autre, c'était un acte souverain qu'il était seul à pouvoir accomplir.

La noble Gwenhwyvar le comprit et, bien que cela ne lui plût pas, elle l'accepta par amour pour lui. « J'attendrai, murmura-t-elle. Je voudrais seulement pouvoir me persuader que ce barbare respectera sa parole.

— Mon cœur, dit Arthur en lui étreignant la main, notre sort n'est pas entre les mains d'Amilcar. En vérité, il est entre celles de Dieu. Et si le Roi suprême des cieux nous soutient, qui peut se dresser contre nous ? »

Gwenhwyvar esquissa un pâle sourire. Elle releva la tête et carra les épaules, redevenue reine guerrière. Durant tout ce qui suivit, elle demeura ferme. Même si plus d'un brave sentit son cœur défaillir, Gwenhwyvar ne laissa jamais rien apparaître de ses doutes ou de ses craintes. Quelles que fussent les angoisses qu'elle pouvait encore éprouver, elle n'ouvrit plus la bouche. Pas plus qu'elle ne laissa soupçonner — par son humeur ou par son attitude — qu'elle n'approuvait pas l'entreprise. Quand elle eut enfin compris qu'Arthur ne se laisserait pas ébranler, Gwenhwyvar prit place auprès de lui aussi loyalement que ses chefs. Et si Arthur l'avait désiré, elle aurait sans un murmure pris la place du roi sur la plaine… telle était sa vraie noblesse.

Arthur embrassa son épouse, puis il descendit de selle et s'avança seul sur le champ de bataille. Les Bretons étaient alignés en rangs derrière leurs chefs de guerre, d'ardentes prières aux lèvres.

Grande Lumière, préserve notre roi ! Entoure Arthur de tes anges protecteurs ! Fais-lui un bouclier de ta Main Prompte et Sûre !

À l'autre bout de la plaine, la horde des Vandali s'avança jusqu'à ce que nous puissions voir leurs yeux sombres briller dans la lumière implacable. Leur expression grave ne laissait rien entrevoir. Ils approchaient — plus près, encore plus près — et je crus qu'ils allaient finir par nous submerger. Mais, quand la distance séparant les deux armées ne fut pas plus grande que deux jets de lance, les Vandali firent halte. Amilcar, avec Hergest et deux de ses chefs, s'avança.

Voyant qu'il arrivait avec ses porte-étendard, je criai à Cai et Bedwyr de me suivre et nous courûmes rejoindre Arthur sur la plaine. Il jeta un bref coup d'œil par-dessus son épaule en nous entendant. « Il est peut-être vrai qu'il te faut affronter seul Amilcar, lui dis-je, mais tu n'es pas obligé d'avoir une confiance aveugle en son sens de l'honneur. Cai, Bedwyr et moi allons t'accompagner et veiller à ce que le Sanglier Noir tienne parole. »

Arthur vit notre expression résolue. « Fort bien. Nous irons donc ensemble. »

Nous marchâmes tous trois avec lui à la rencontre du Sanglier Noir et je décidai de faire tout ce que je pouvais pour assurer la loyauté du combat. Nous rencontrâmes le chef vandale au milieu de la plaine et fîmes halte à quelques pas de distance.

Le Sanglier Noir était encore plus grand et puissamment musclé que dans mes souvenirs. Dénudé pour la bataille, il présentait un aspect d'une féroce sauvagerie. Il s'était enduit la figure et les membres de graisse noircie à la suie. Nu jusqu'à la taille, son torse était une masse d'anciennes cicatrices et ses fortes cuisses saillaient sous son pagne de cuir. Il était nu-pieds et portait la courte épée à large lame, la lance trapue et le lourd bouclier des guerriers de sa race. Son cou épais était ceint d'un collier à trois rangées orné de phalanges et de dents humaines. Ses cheveux aussi étaient huilés et pendaient en lourdes torsades noires.

Il y avait effectivement quelque chose du sanglier sauvage dans son aspect. Il attendait tranquillement, dévisageant le Grand Roi avec un léger mépris, sans aucune crainte dans ses insondables yeux noirs. Amilcar semblait impatient de rencontrer enfin Arthur face à face. Il apparaissait comme un guerrier d'une totale assurance, profondément confiant en sa vaillance.

Le chef vandale débita dans sa langue gutturale une série de grognements que le prêtre captif nous rendit intelligibles. « Amilcar dit qu'il est bien content qu'Arthur ne se soit pas dérobé à ce combat. Il désire que vous sachiez qu'il considère comme un honneur suprême de tuer le roi breton. La tête d'un si grand seigneur lui apportera une grande renommée. »

Arthur éclata de rire. « Dis à Twrch que je ne me séparerai pas de ma tête aussi facilement qu'il le pense. Beaucoup ont essayé mais tous ont échoué. »

Hergest se fit un plaisir de répéter les propos d'Arthur à Amilcar qui répondit brièvement en faisant cliqueter les os de son collier. « Twrch Trwyth dit qu'il en est de même pour lui. Toutefois il sera fort heureux d'ajouter les phalanges et les dents d'un roi breton à sa tenue de combat. »

Amilcar reprit la parole. « Twrch est prêt, traduisit Hergest. Assez bavardé, il est temps de se battre.

— Pas encore, dis-je en levant la main. Avant que commence le combat, je voudrais entendre le serment du guerrier.

— Quel serment est-ce là ? demanda Amilcar par le truchement de son esclave érudit.

— Que tu observeras la triple loi. »

Hergest transmit la réponse et le seigneur vandale demanda : « Quelle est cette loi ?

— Ceci : aucun homme de l'un ou l'autre camp ne doit intervenir ou gêner le combat, il sera accordé merci à celui qui le demandera, le combat ne devra se poursuivre que tant que les deux adversaires auront la force de brandir une arme. »

Amilcar me foudroya du regard pendant qu'Hergest lui répétait mes paroles, puis il se fendit d'une réponse moqueuse. « Twrch dit que vos lois sont bêlements de mouton à ses oreilles. Il ne veut rien avoir à faire avec elles.

— Alors ce combat n'aura pas lieu », répondis-je d'un ton ferme. Cai et Bedwyr bandèrent leurs muscles, la main sur la poignée de leur épée, sans crainte. « Car, à moins que tu n'acceptes de respecter cette loi, poursuivis-je, la guerre continuera et les seigneurs bretons vous pourchasseront d'un bout à l'autre de cette île. Vous serez traqués et réduits en poussière. »

Amilcar écouta cela avec une grimace de mépris. En guise de réponse, il cracha un mot. « C'est d'accord, dit Hergest. Amilcar prête ce serment. »

Je me tournai vers Arthur. « D'accord, dit-il avec un mouvement sec du menton. Je suis tenu.

— Alors soit ! » Je m'écartai des deux combattants. « Que la bataille commence ! »

X

Cai et Bedwyr, fermes et résolus, prirent place à mon côté. « Garde la main sur ton épée, mon frère, et surveille chacun de ses gestes, souffla Bedwyr à Cai. Amilcar est un menteur et on ne peut lui faire confiance. »

Avec une grimace féroce, Twrch Trwyth leva sa lance dont il posa la courte lame bien aiguisée contre sa poitrine dénudée avant de la faire glisser sur sa chair. Un mince filet de sang se mit à suinter sur son torse barbouillé de noir.

J'avais déjà vu faire cela. Les barbares croient que faire couler le premier sang assure la victoire grâce à l'esprit de l'arme ainsi éveillé. De son côté, Arthur dégaina Caledvwlch et mit un genou en terre. Prenant la lame à deux mains, il la brandit devant lui, garde vers le haut, pour former le signe de la croix et adressa une prière au Dieu Sauveur.

Amilcar l'observa en plissant les paupières. Tandis qu'Arthur était agenouillé pour prier, le roi barbare s'approcha, baissant les yeux sur lui avec une expression de mépris. Puis il prit une profonde inspiration et lui cracha au visage.

« L'animal ! gronda Cai. Je vais...

— Du calme. » Bedwyr le retint en posant la main sur son bras droit.

Arthur ouvrit les yeux et regarda Amilcar avec une glaciale indifférence. Pas un seul de ses muscles ne frémit. Refermant les yeux, il termina sa prière, puis se releva lentement. Nez à nez, sans même la largeur d'une main pour les séparer, ils s'affrontèrent du regard. Je pouvais presque sentir la chaleur de leur colère.

« Dis à Twrch Trwyth que je lui pardonne son insulte envers moi, dit doucement Arthur au prêtre. Et que, quand il sera mort, je prierai

Jesu de lui pardonner son insulte envers Dieu et d'avoir pitié de son âme. »

Lorsque Hergest lui répéta les paroles d'Arthur, le barbare se retourna et détendit brusquement le bras, frappant le prêtre esclave avec le dos de la main. La tête du moine fut projetée en arrière et une marque livide apparut sur sa joue.

« Le barbare regrettera amèrement ce geste », murmura Cai à côté de moi.

Tandis qu'Amilcar allait se mettre en position, Arthur fit un geste dans son dos. Rhys, qui guettait ce signal, lança une longue et vibrante sonnerie de cor. Le bruit fit sursauter la horde vandale. Twrch jeta un coup d'œil vers les lignes bretonnes.

Arthur en profita pour lui décocher : « Meurs, Twrch Trwyth ! »

Nous reculâmes, Cai, Bedwyr et moi, de quelques pas. Mercia, Hergest et les seigneurs barbares se retirèrent du côté opposé. Arthur et Amilcar se mirent à tourner précautionneusement l'un autour de l'autre. C'est la façon d'agir des hommes qui veulent prendre la mesure de leur adversaire. Tous deux avaient choisi la lance, qu'ils tenaient à mi-longueur. Amilcar balançait son épieu d'arrière en avant, cherchant une ouverture, une faille à exploiter. Pour sa part, Arthur tenait son arme immobile, prêt à frapper.

Je les regardai tourner l'un autour de l'autre et les soupesai mentalement : aucun des deux ne le cédait à l'autre en taille. Arthur était plus large d'épaules, mais Amilcar avait le torse plus puissant. Si Arthur avait le pied sûr et ferme, le Sanglier Noir était agile. Arthur, robuste et puissamment charpenté, possédait une force issue des sauvages collines du nord. Le chef des Vandali possédait la stature et la vigueur de sa race. Tous deux, en conclus-je, étaient à peu près égaux en force et en endurance, même si Amilcar, habitué à se battre à pied, avait peut-être un léger avantage sur Arthur, qui livrait généralement bataille à cheval.

Mais un guerrier ne se mesure pas à la seule force de son bras. Si la puissance brute était tout ce qui importait, une reine guerrière telle que Boudicca ou Gwenhwyvar n'aurait jamais eu la moindre chance. Les femmes ne possèdent pas la puissance du bras ou de l'épaule de l'homme moyen, mais elles sont intelligentes, et de loin plus rusées. Leur cerveau est plus rapide, plus agile et plus subtil. Au combat, la ruse surpasse facilement le bras le plus puissant. En vérité, l'intelligence d'un guerrier est le premier de ses attributs. Le courage ne vient qu'ensuite.

Et pour cela Arthur n'avait pas d'égal. Même si le rare et précieux don de l'*awen* du combat, dont bénéficiait Llenlleawg, ne lui avait pas été accordé, il jouissait d'un avantage certain : il ignorait la peur. Rien ne faisait reculer Arthur. Se retrouver face à une seule lance ou à un millier ne changeait rien pour lui. Qu'Amilcar se batte seul ou avec la totalité de la horde vandale à ses côtés, je ne crois pas que cela aurait le moins du monde troublé l'Ours de Bretagne. Il n'aurait peut-être pas survécu à la rencontre, mais la peur n'aurait joué aucun rôle dans sa mort.

Lorsque les hommes songent à Arthur, ils l'imaginent tout en muscles, repoussant tout devant lui à la seule force de son bras. À dire vrai, jamais guerrier plus habile ou courageux n'a brandi la lance ou ceint l'acier sur sa hanche. Il était vigoureux, bien sûr, mais il était aussi sage... un véritable druide du combat.

Le Sanglier Noir des Vandali et l'Ours de Bretagne tournaient donc l'un autour de l'autre, prêts à tirer profit de la moindre faute. Celle-ci ne se fit pas attendre. Tandis que tous deux se déplaçaient prudemment d'un mouvement latéral, Amilcar trébucha... un léger dérapage sur le sol inégal, mais Arthur fut instantanément sur lui. Il frappa de sa lance de bas en haut, sous le bouclier d'Amilcar.

Chacun vit le faux-pas et eut le souffle coupé par la vivacité de la réaction d'Arthur. Mais Amilcar évita le coup tout en faisant décrire à sa lance un mouvement circulaire. Les acclamations des Bretons moururent sur leurs lèvres, car si Arthur avait accompagné son coup pour lui donner plus de force, comme font souvent les guerriers, il se serait fait trancher la gorge.

Amilcar se releva avec une telle aisance que je me demandai si son faux-pas n'avait pas été une ruse — une feinte subtile destinée à surprendre un adversaire impatient. Mais Arthur, malgré ses succès passés contre les Vandali, n'escomptait pas une victoire trop rapide : il s'était contenté de sonder son adversaire sans se précipiter sur la première occasion qui se présentait.

Le soleil incandescent scintillait sur les lames effilées, et dans les yeux des combattants qu'il forçait à plisser les paupières. Lentement, lentement, les deux guerriers tournaient, se déplaçant latéralement tout en guettant l'occasion de frapper. Arthur semblait prêt à laisser se poursuivre indéfiniment cet exercice : il ne voulait pas se laisser pousser à l'erreur. Pas plus que le Sanglier Noir ne paraissait impatient d'offrir à Arthur une autre ouverture, illusoire ou non.

Nous attendions donc sous le soleil brûlant — la horde barbare silencieuse, rang après rang, face à la cavalerie de Bretagne... à un jet de lance l'une de l'autre — suivant des yeux la terrible danse. Ils continuaient de tourner, sans jamais faire un faux-pas. Sans cesse sur leurs gardes, clignant à peine des yeux, ils tournaient, leurs pieds dessinant un large cercle sur le sol. Le premier à perdre patience lancerait une attaque, et l'autre l'attendrait. Mais tous deux conservaient leur sang-froid.

Quelqu'un perdit néanmoins patience, car de l'autre côté du champ de bataille un hurlement s'éleva dans les rangs vandales… je ne saurais dire s'il s'agissait d'un grossier cri d'encouragement pour Amilcar ou de dérision pour Arthur. Toujours est-il qu'il retentit brutalement dans le silence et que le Sanglier Noir regarda dans sa direction. Le Grand Roi vit son adversaire détourner les yeux et bondit au même instant, la lance à l'horizontale.

Le soleil étincela sur la lame et je clignai des yeux. Quand je regardai à nouveau, le bouclier d'Amilcar avait détourné l'arme d'Arthur tandis que jaillissait sa propre lance. Cela s'était passé si vite que je me dis que la lame s'en était sûrement enfoncée entre les côtes d'Arthur. L'Ours de Bretagne projeta alors son bouclier au visage d'Amilcar, le forçant à reculer. Je cherchai du sang mais n'en vis pas : sa cotte de maille avait sauvé Arthur d'une terrible blessure.

Le Sanglier Noir se permit un sourire sournois, me donnant à savoir que le cri, et l'erreur dont il avait apparemment été cause, était une autre ruse. Manifestement, l'homme était subtil et il avait pris soin de préparer plusieurs feintes. Arthur avait évité la première et échappé de justesse à la seconde : je me demandais ce que tenterait Amilcar la prochaine fois… et si Arthur s'en apercevrait à temps pour sauver sa vie.

Ils recommencèrent à tourner précautionneusement en rond, visiblement prêts à continuer ainsi un moment : en fait, ils s'étaient installés dans un rythme monotone et régulier, quand soudain Arthur trébucha. Il chuta sur un genou, sa lance claquant sur le sol.

Amilcar bondit aussitôt sur lui. Sa courte lance noire jaillit. Arthur se pencha en avant, empoigna de sa main libre la lance qui le visait et la tira à lui. Amilcar, déséquilibré, tomba en avant avec un grognement de surprise.

Arthur se releva d'un bond, ramassant sa lance du même mouvement. Amilcar, retrouvant l'équilibre, pirouetta en brandissant devant lui son lourd bouclier. Mais la lance d'Arthur lui avait éraflé les côtes et le sang coulait maintenant sur le flanc luisant du Sanglier Noir. Les Cymbrogi poussèrent une grande clameur pour saluer l'audacieuse manœuvre.

Le roi de Bretagne avait fait couler le premier sang et — peut-être plus important — avait averti le seigneur barbare que l'Ours n'était pas lui-même dépourvu de quelque ruse. Je n'avais jamais vu Arthur recourir à cette feinte et je présumai qu'il l'avait mise au point pour rendre la pareille à Amilcar. L'armée ennemie n'avait pas apprécié l'exploit et hurlait sa désapprobation de l'autre côté de la plaine.

Le soleil montait impitoyablement dans le ciel et le combat se poursuivait, prudent assaut d'endurance et de volonté. De temps en temps, un des guerriers tentait une attaque à laquelle ripostait l'autre, mais aucun des deux hommes n'était irréfléchi ou inexpérimenté au point de se laisser entraîner dans un échange impulsif de coups.

Ils tournaient l'un autour de l'autre, aucun ne dévoilant de faiblesse dont aurait pu tirer profit son adversaire. Ils tournaient et le soleil brûlant atteignit son zénith, puis il entama sa lente descente vers le couchant. Les Bretons s'abritaient les yeux de la main pour observer le combat, les sens engourdis par la chaleur et la lumière. La danse sans fin se poursuivait et la journée s'avançait.

La lumière baissa avant qu'aucun des deux hommes ne cède à la fatigue ou à l'erreur. Je pris sur moi d'arrêter le combat lorsque le soleil se coucha et que les ombres commencèrent à envahir le champ de bataille. Je fis signe à Hergest que je désirais parlementer et il me rejoignit en compagnie de Mercia.

« Il fera bientôt noir, dis-je. Nous pouvons laisser ce combat se poursuivre toute la nuit, ou bien nous pouvons nous mettre d'accord pour l'arrêter et le reprendre demain. »

Le prêtre captif traduisit mes paroles à Mercia, qui hésita, regardant les combattants d'un air songeur. Je sentais en lui une certaine répugnance à intervenir, aussi ajoutai-je : « Cela ne fera de mal à aucun des deux adversaires de se reposer pour la nuit et de reprendre le combat demain midi.

— C'est d'accord », répondit le barbare par le truchement du prêtre, et tous deux s'approchèrent des combattants, leur criant de déposer les armes et de se retirer pour la nuit. Ce qu'ils firent, non sans réticence.

Ainsi la journée finit-elle sans apporter de victoire.

XI

Les Cymbrogi étaient soulagés de saluer le retour de leur roi sain et sauf, mais déçus que l'issue du combat demeurât en suspens. Pour sa part, Arthur était fatigué, affamé et mort de soif. Il ne désirait rien tant qu'un moment de tranquillité pour reprendre des forces. Mais les Cymbrogi, après avoir souffert de l'incertitude tout le long de cette interminable journée, avaient besoin d'être rassurés sur le fait que leur roi demeurait fort et apte à se battre.

Arthur comprenait leur désir. « Annonce-leur que je leur parlerai après avoir mangé », me dit-il comme nous entrions dans sa tente. Il retira son casque avec un soupir et se laissa tomber avec lassitude sur son fauteuil de campagne. « Rhys ! Où est cette coupe ?

— Dis-leur de le laisser en paix », ordonna Gwenhwyvar d'un ton sec. Elle s'agenouilla près de son époux pour délacer sa cotte de maille. « Il en a assez supporté pour aujourd'hui.

— Laisse-moi faire, répondis-je. En attendant, reposez-vous. »

Sortant de la tente, je m'adressai à la foule assemblée. « Votre seigneur va bien, mais il est fatigué et il a faim. Laissez-lui le temps de reprendre des forces et il tiendra conseil quand il aura mangé et se sera reposé. Allez, maintenant. Retournez à vos devoirs et laissez un moment de tranquillité à votre roi.

— Y a-t-il quelque chose que nous puissions faire ? demanda Bedwyr en s'approchant. Tu n'as qu'un mot à dire.

— Veillez à ce que personne ne le dérange, répondis-je. Cela lui sera aussi bénéfique que la nourriture et le repos.

— C'est comme si c'était fait », répondit Bedwyr en contemplant la foule. Un instant plus tard, après avoir enrôlé Cador, Fergus et Llenlleawg, il commença à pousser les guerriers vers le campement, leur rappelant que la vigilance était toujours nécessaire, car les Vandali n'étaient pas loin.

J'appelai Rhys pour lui demander d'apporter à boire et à manger. « Je m'en suis déjà occupé », dit-il, légèrement irrité que je me sois senti obligé de lui rappeler une tâche aussi évidente. « Le repas est bientôt prêt et je l'apporterai, seigneur Emrys, ne crains rien. »

Arthur passa une bonne nuit. Il mangea bien, dormit d'un profond sommeil et se réveilla, toute son énergie retrouvée... non moins impatient de continuer le combat que la veille. Il salua ses seigneurs et ses guerriers avec bonne humeur et passa la matinée à entretenir ses armes, choisissant une lance neuve parmi toutes celles que lui présentèrent avec empressement ses Cymbrogi. Juste avant midi, il déjeuna de pain dur et d'eau. Puis, revêtant son casque et sa cotte de maille, il prit ses armes et repartit au combat.

Comme la veille, les deux combattants se rencontrèrent sur la plaine, leurs armées alignées derrière eux. Le Sanglier Noir prit place, ses chefs de guerre à ses côtés, l'air suffisant. En fait, j'eus l'impression en contemplant son visage impassible qu'Amilcar paraissait encore plus sûr de lui. Peut-être la précédente rencontre avait-elle dissipé toute inquiétude qu'il aurait pu nourrir avant d'affronter Arthur. Ou, plus vraisemblablement, il s'était armé de nouvelles ruses qui, espérait-il, feraient tourner le combat à son avantage.

Arthur ne voulut pas lui laisser le premier mot. « Salut, Twrch Trwyth ! lui cria-t-il de loin. Tu sembles fort impatient de mourir. Viens, je vais t'accorder ce à quoi ton cœur aspire ! »

Par le truchement d'Hergest, le chef vandale reçut le sarcasme d'Arthur. En guise de réponse, il cracha.

Arthur répliqua d'un ton acide : « Comme toujours, ton esprit est charmeur. »

Le combat s'engagea comme la veille... les deux guerriers tournant l'un autour de l'autre, cherchant l'occasion de porter le premier coup. Je pris ma place, Cai et Bedwyr à mes côtés, et les chefs vandales la leur : nous nous tenions face à face, observant les efforts de nos champions.

Comme je m'y attendais, le Sanglier Noir s'était armé de nouveaux stratagèmes. Ceux-ci auraient pu tromper un guerrier moins expérimenté, mais Arthur les déjoua facilement. La journée s'écoula donc, rythmée par le bruit de la lance sur le bouclier. Les deux guerriers étaient tout à leur tâche, se rendant coup pour coup, chacun tentant de venir à bout de la résistance de l'autre, mais sans jamais remporter d'avantage décisif. Je voyais passer le temps avec un sentiment croissant d'impuissance et de frustration.

Une fois, au plus chaud de la journée, Hergest s'approcha pour offrir à boire aux guerriers. Je le vis debout entre les deux combattants et revins à moi en sursaut : je m'étais enfoncé dans la rêverie, oublieux de la bataille. Mais je vis le prêtre en train de tendre la cruche d'eau — offrant aux deux adversaires une salutaire gorgée — et ces mots me revinrent à l'esprit : *Tu dois repartir d'où tu es venu !*

Je l'ai fait, pensai-je. Que puis-je faire de plus ?

Mais les mots devinrent une voix — la mienne, sans être tout à fait la mienne — et celle-ci se fit insistante : sévère, accusatrice, elle répétait, opiniâtre, noyant toute pensée jusqu'à ce que je n'entende rien d'autre : *Repars d'où tu es venu ! Si tu veux vaincre, tu dois repartir d'où tu es venu !*

Clignant des yeux dans le soleil, je regardai Arthur qui buvait, appuyé sur sa lance. Quand il eut terminé, il leva sa coupe et se versa de l'eau sur la tête. Je vis le Grand Roi de Bretagne, la tête renversée en arrière, son visage en sueur dans la lumière crue du soleil, tenant la coupe en l'air tandis que l'eau ruisselait sur lui.

C'était une vision aussi vieille que la Bretagne : un guerrier fatigué en train de se rafraîchir avant de retourner au combat.

Dans ma tête, la voix cessa son insistant refrain, comme réduite au silence par cette vision. Mais ce silence ne dura pas longtemps. Car, alors que je contemplais Arthur en train de s'asperger d'eau, une autre voix s'éleva : *Aujourd'hui je suis la Bretagne.*

C'étaient les paroles d'Arthur, les paroles du roi à sa reine, prononcées pour lui rappeler son rang et ses responsabilités. Des paroles véridiques, assurément, mais alors que l'eau fraîche baignait son visage, j'entendis en elles l'écho d'une vérité depuis longtemps oubliée… depuis trop longtemps oubliée, ou négligée dans notre course aveugle à la victoire.

Grande Lumière, pardonne-moi ! Je suis ignorant et lent d'esprit. Tue-moi, Seigneur : ce serait miséricorde.

Le combat reprit et se poursuivit jusqu'à ce qu'un pâle crépuscule descende sur le champ de bataille. La journée était finie et aucun des deux guerriers n'avait réussi à prendre le moindre avantage sur l'autre. Comme la veille, je fis signe à Mercia et nous allâmes trouver les combattants pour leur proposer de cesser le combat afin de le reprendre le lendemain. Tous deux, à bout de forces, acceptèrent aussitôt. Posant leurs armes, ils s'écartèrent l'un de l'autre.

Je me tournai pour inviter Cai et Bedwyr à aider Arthur, et les chefs d'Amilcar s'avancèrent pour aider leur roi. À l'instant où je détournais la tête, la lance du Sanglier Noir étincela. Je vis le vif mouvement de son bras et criai : « Arthur ! »

La pointe toucha l'Ours à l'épaule. La force du coup le fit tomber en avant, son bouclier heurtant bruyamment le sol. La lance ricocha et retomba dans la poussière. Cai bondit, ramassa le bouclier et se plaça entre Arthur et Amilcar.

Avec un cri farouche, Mercia se précipita et se saisit d'Amilcar, l'entraînant à l'écart avant qu'il puisse frapper de nouveau. Bedwyr et moi, ayant rejoint Arthur, nous penchâmes pour examiner sa blessure. « Ce n'est rien, dit-il entre ses dents serrées. Aidez-moi à me relever. Ce n'est rien. Allez, ne laissez pas les Cymbrogi me voir ainsi.

— Oui, oui, dans un instant. Je veux examiner ta blessure. » Je tendis la main vers lui, mais il la repoussa d'un mouvement d'épaule.

« Myrddin ! Aide-moi à me relever ! Je ne veux pas qu'on me voie allongé ici ! »

Bedwyr, le visage livide de stupeur et de colère, prit Arthur par son bras indemne et l'aida à se mettre debout. « La brute, gronda-t-il. Donne-moi ton épée, Artos. Je vais l'étriper comme un porc.

— Paix, mon frère, dit Arthur d'une voix calme et unie. Ce n'est rien. Je ne voudrais pas qu'il pense avoir pris le moindre avantage sur moi. Laissons-le croire que le choc ne m'a fait que trébucher. »

Je regardai en direction des Cymbrogi qui attendaient. Tous les yeux étaient sur leur roi : plus d'un avait tiré son arme et se préparait à l'attaque. Gwenhwyvar accourait vers nous, partagée entre l'inquiétude et la fureur. Arthur leva une main pour l'arrêter et lui fit signe de reculer.

« Cai, Bedwyr… ne regardez pas en arrière, ordonna Arthur. Partez.

— Puisse l'âme de ce barbare brûler à jamais en Enfer, marmonna Cai. Prends mon bras, Ours. Allons-nous en d'ici. »

Nous quittâmes le champ de bataille avec toute la dignité que nous pûmes. Gwenhwyvar, Llenlleawg et Cador amenèrent les chevaux et aidèrent Arthur à monter. « Cymbrogi ! s'écria ce dernier. Ne craignez rien pour moi. Je suis fatigué par le combat et le jet de lance de Twrch m'a pris par surprise. Mais ma cotte de maille m'a protégé et je n'ai pas de mal. »

Sur ce, il leva la main dans leur direction — pour montrer que son bras n'était pas blessé — fit claquer ses rênes et s'éloigna vers le camp avec Gwenhwyvar à son côté. Cai, Bedwyr et moi le suivîmes tandis que l'armée bretonne surveillait les barbares et attendait leur départ.

Comme Arthur l'avait dit, sa cotte de maille lui avait rendu un fier service et sa blessure n'était pas trop grave. « Alors ? demanda-t-il après que je l'eus examinée comme il fallait.

— Ce n'est pas rien, comme tu sembles le croire, répondis-je. La lance a été jetée avec force, sinon avec précision. La pointe a transpercé ta cotte de maille et tu as une vilaine entaille.

— Mais cela aurait pu être pire, ajouta Gwenhwyvar. Bien pire.

— Je n'en aime toutefois pas l'aspect, leur dis-je sans ménagement. Je pense qu'il vaut mieux laisser saigner la blessure autant qu'elle le veut, puis la baigner à l'eau tiède. Mets un peu de sel dans l'eau pour aider à nettoyer la plaie, puis panse-la. Garde son épaule au chaud toute la nuit et je l'examinerai à nouveau demain matin. »

Tous deux saisirent ce que sous-entendaient mes instructions. « Pourquoi, Myrddin ? Ne seras-tu pas là ?

— Non. J'ai quelque chose à faire, répondis-je. Gwenhwyvar, occupe-toi de lui. Je serai de retour avant l'aube. »

Gwenhwyvar roula les yeux d'un air exaspéré, mais ne posa pas d'autre question. « Va, dans ce cas », dit-elle, puis elle tourna son attention vers son époux.

Je laissai Arthur entre les mains compétentes de Gwenhwyvar et sortis de la tente. Déjà je réfléchissais à tout ce que je devais faire avant que le soleil ne se lève le lendemain. Cai et Bedwyr, l'air inquiet, attendaient à l'extérieur.

« La blessure n'est pas grave, leur dis-je. Je veux que vous aidiez Gwenhwyvar et que vous veilliez sur le repos du roi. Je pars, mais je serai de retour avant le matin… Gwalchavad m'accompagnera, Llenlleawg aussi. »

Je pouvais voir les questions qui se formaient déjà sur leurs lèvres, mais je les écartai, disant : « Ne vous inquiétez pas. Faites-moi confiance.

— Et que dirons-nous aux seigneurs quand ils réclameront leur roi ? me cria Bedwyr.

— Dites-leur de respecter sa tranquillité et tout ira bien ! » Je tournai les talons et m'éloignai rapidement. « Cador ! Fergus ! » appelai-je. Ils sortirent de la foule des guerriers rassemblés, impuissants, devant la tente et vinrent aussitôt à moi. Je leur demandai d'aller chercher les outils dont j'aurais besoin pour ma tâche de la nuit. Tous deux partirent en hâte, appelant d'autres guerriers pour les aider. « Gwalchavad ! Llenlleawg, venez ici ! » criai-je.

Tous deux furent près de moi en un instant. « Préparez vos chevaux et trouvez-vous quelque chose à manger si vous avez faim. Nous quittons le camp et ne reviendrons pas avant le matin.

— Où allons-nous ? demanda Gwalchavad.

— Nous repartons d'où nous sommes venus », lui dis-je.

Il prit cela pour une plaisanterie. « Si loin que cela ? demanda-t-il d'un ton léger. Et en une seule nuit ?

— Si Dieu le veut, répondis-je, ce pourrait être plus près que nous le pensons. »

XII

Le ciel était presque noir quand nous sortîmes du camp. Nous n'allâmes pas très loin — à quelques collines de distance — mais largement à l'écart des yeux indiscrets. Je fis arrêter ma petite compagnie près du lit d'un torrent à sec et, pendant que Gwalchavad attachait les chevaux, Llenlleawg m'aida à décharger le chariot qu'avait trouvé Cador.

« Pourquoi as-tu apporté tout cela ? s'étonna Llenlleawg en soupesant un marteau. Pelles, pioches, tarières, scies... à quoi vont te servir ces outils ?

— Tu verras », répondis-je avant d'appeler Gwalchavad. « Écoute, dis-je quand il nous eut rejoints, nous n'avons pas beaucoup de temps. Nous devons avoir accompli deux tâches avant le lever du soleil : tout d'abord, il faut préparer une grande quantité de chaux...

— Aucune difficulté à cela, dit Gwalchavad. Il y a suffisamment de pierre à chaux et de bois sec le long de la rivière.

— Oui, répondis-je, j'espérais que l'un de vous le remarquerait. Ce sera ton travail.

— Et l'autre tâche ? s'enquit Llenlleawg.

— Nous allons construire un char.

— Un char ! s'exclama l'Irlandais à mi-voix. En une nuit ?

— En une nuit, oui. »

Gwalchavad éclata de rire, mais Llenlleawg se contenta de hocher pensivement la tête... comme si construire un char au plus profond de la nuit était une tâche parfaitement ordinaire. « Quand tu as dit que nous repartions d'où nous sommes venus, je n'avais pas compris que ce serait si loin, répondit-il. Mais tu peux compter sur moi, Myrddin Emrys. Je t'aiderai dans toute la mesure de mes moyens.

— C'est bien pourquoi je t'ai choisi, expliquai-je. Et pour une autre raison : vous avez tous les deux une chose qui vous distingue des autres Cymbrogi, et ce soir j'ai besoin de vos qualités particulières. »

Ils échangèrent des regards intrigués, essayant de deviner ce que je pouvais voir en eux qui les mettait à part. « Vous ne le verrez pas sur vos visages, dis-je. Ce qui vous différencie, c'est que vous êtes des insulaires.

— Sage Emrys... » — Gwalchavad rit à nouveau — « ... serais-tu dérangé ? Rester toute la journée debout en plein soleil t'a peut-être grillé la cervelle.

— Peut-être, accordai-je, mais il me semble que vous avez vécu plus près des anciennes coutumes que la plupart des hommes du Sud.

— C'est juste, déclara fièrement le fils d'Orcadie. Les Aigles n'ont jamais pu soumettre les îles sauvages. Les Seigneurs du Nord n'ont jamais subi la férule de Rome.

— L'île d'Eiru non plus, ajouta vivement Llenlleawg.

— Précisément. Je savais que vous comprendriez. À présent... » — je claquai dans mes mains — « ... au travail ! »

Ils se mirent de bon cœur à la tâche sans demander pourquoi. Tels les Celtes d'antan, ils travaillaient simplement pour leur barde à sa demande : si le Chef Barde voulait un char, il aurait un char. Mon cœur s'enfla de fierté devant leur naïve confiance. Cela vous semble-t-il, des sommets culminants de votre époque éclairée, chose insignifiante ?

Je vous dis que non ! La foi est *tout*.

Ces hommes confiants auraient travaillé jour ou nuit avec ardeur parce qu'ils croyaient... en moi, dans les vieilles coutumes, dans la loyauté qui les liait à leur roi. Ils vivaient leur foi et, si on le leur avait demandé, ils seraient mort pour elle avec joie. Dites-moi donc qui, en votre glorieuse époque, possède une foi si forte ?

Nous nous mîmes donc, comme je l'ai dit, à la tâche. Le clair de lune était plus que suffisant pour Gwalchavad, qui entreprit de creuser une légère excavation sur la berge de la rivière afin de construire un four qu'il remplirait de bois et de morceaux de pierre à chaux arrachés à la falaise. J'allumai un feu pendant que Llenlleawg se chargeait de retirer les roues avant et l'essieu du chariot.

Tandis qu'ils s'activaient à leurs tâches, j'allai chercher de la guède. Les plantes étaient fanées et rabougries par la longue séche-resse, mais comme je n'avais qu'un torse à badigeonner et non toute une armée, j'eus bientôt ramassé tout ce dont j'avais besoin. Je hachai les feuilles et le haut des tiges dans un petit chaudron que je remplis d'eau et mis à bouillir sur les flammes. Puis j'allai aider Llenlleawg.

Il n'est pas si difficile de fabriquer un char de guerre — ou du moins quelque chose qui y *ressemble* — à partir d'un chariot. Une fois enlevés l'essieu, les petites roues avant et les parois latérales, nous détachâmes le timon pour le monter à l'arrière après y avoir fixé le tablier pour fournir de quoi se tenir au conducteur. Nous entreprîmes ensuite d'ajouter au timon un harnais pour un second cheval. Il est possible de faire tirer un char par un seul cheval, mais c'est beaucoup plus facile avec deux.

Nous travaillions calmement en parlant à voix basse, enveloppés par la fumée du four de Gwalchavad. Une ou deux fois, je regardai le jeune guerrier appuyé sur le bâton dont il se servait pour attiser son brasier, le visage rougeoyant à la lueur du feu. Et j'observai Llenlleawg, nu jusqu'à la taille, le reflet des flammes jouant sur son dos pendant qu'il travaillait le bois et le fer.

Un Celte des anciens temps tombant sur nous aurait reconnu un spectacle familier et nous aurait salués comme des frères. Si c'est un enchantement de voir de braves gens œuvrer ensemble en courageux compagnons, nous fîmes naître cette nuit-là une puissante magie.

La lune descendit vers l'horizon avant de finir par disparaître dans un halo blafard. Quand elle fut couchée, je rajoutai du bois au feu et le tisonnai plus souvent pour nous éclairer. La nuit passa dans le froid tintement du marteau et le chaud crépitement des flammes. Le ciel pâlit à l'orient avant que nous eussions terminé.

Gwalchavad ouvrit son four et étala la fine poudre blanche sur des pierres plates pour la laisser refroidir, puis il vint voir le résultat de notre travail. « Les hordes vandales peuvent venir ! s'écria-t-il en sautant sur la plate-forme. D'ici, je les vaincrais toutes. Il est superbe.

— Tu le penses vraiment ? demanda Llenlleawg en regardant le véhicule d'un œil dubitatif. Pour moi, cela ressemble toujours plus à un chariot qu'à un char. »

Un véritable char de guerre aurait été beaucoup plus léger, les roues plus larges et le tablier fait d'une robuste claie d'osier. Le timon aurait également été plus long… afin d'empêcher les sabots des chevaux lancés au grand galop de venir heurter le bâti. Malgré tout, notre grossière imitation serait amplement suffisante pour mon dessein.

« Si j'avais un tel char, répliqua joyeusement Gwalchavad, l'ennemi apprendrait vite à redouter le tonnerre de mes roues.

— Par chance, répondis-je, nous n'avons besoin que d'un petit grondement de tonnerre. Je ne pense pas qu'Arthur sache même comment se battre du haut d'un char. J'espère simplement qu'il parviendra à le conduire.

— Ne crains rien, Sage Emrys, répondit Llenlleawg. Je le conduirai pour lui. C'est ainsi que les rois d'antan allaient à la bataille. Je ne vois pas Arthur s'accommoder de moins.

— Tu as bien travaillé, le félicitai-je, et je jetai un coup d'œil vers le soleil levant. À présent, il faut rentrer en vitesse. Le camp va bientôt s'éveiller et je veux être là quand Arthur se lèvera. »

Pendant que Gwalchavad et Llenlleawg attelaient le cheval, j'enfermai la chaux dans un sac et pris le chaudron de pastel. « Laissez les outils », leur dis-je en montant en selle. Puis j'ajoutai à l'intention de Llenlleawg : « N'oublie pas ce que je t'ai dit.

— Écouter c'est obéir, Emrys, répondit le champion irlandais.

— Bien. » Je tournai bride, fouettai ma monture et regagnai le camp au galop.

Comme je m'y attendais, les guerriers commençaient à s'éveiller. Quelques minces panaches de fumée s'élevaient déjà vers les cieux sans nuages. Les premiers rayons du soleil avaient franchi la crête des collines et je sentais leur chaleur sur mon dos lorsque Gwalchavad et moi entrâmes dans le camp. Ne souhaitant avoir à parler avec personne, je me rendis directement à la tente d'Arthur.

« Va trouver Bedwyr, Cai et Cador, ordonnai-je en mettant pied à terre. Transmets-leur mes instructions. »

Gwalchavad me passa le sac de chaux et s'éloigna en hâte. Après un bref coup d'œil à la ronde, je soulevai le rabat et entrai dans la tente du roi. Le spectacle qui m'apparut fit fondre mon cœur dans ma poitrine : Gwenhwyvar tenant dans ses bras Arthur profondément endormi, la tête posée sur son épaule. En dehors de sa cotte de maille, il portait encore ses vêtements de la veille.

Elle leva les yeux en me voyant approcher. « Il était trop fatigué pour se déshabiller, murmura-t-elle en lui effleurant le front des lèvres.

— L'as-tu soutenu ainsi toute la nuit ? demandai-je en m'agenouillant devant elle.

— Il est tombé endormi dans mes bras, répondit-elle. Je n'ai pas voulu le déranger.

— Mais toi-même tu n'as pas eu de sommeil.

— Arthur doit retourner se battre aujourd'hui, répliqua-t-elle en lui caressant les cheveux. J'ai simplement voulu passer la nuit

357

avec lui comme cela. » Elle ne voulait pas avouer qu'elle craignait que ce fût leur dernière nuit.

Bien que nous parlâmes à voix basse, le son de nos voix réveilla Arthur, qui ouvrit alors les yeux. Il se redressa, s'écartant de son épouse. Elle le laissa faire, mais garda un bras sur son épaule.

« Oh, ma dame, je… commença-t-il. Je me suis endormi. Je suis navré, je…

— Chut, dit-elle en lui posant un doigt sur les lèvres. Tout va bien. Tu étais épuisé : tu avais besoin de sommeil. » Elle se pencha vers lui et lui baisa les lèvres. Il l'attira dans ses bras et la serra contre lui, puis il me remarqua.

« Myrddin, dit-il, tout le camp s'est-il levé si tôt ?

— Peut-être pas tout le camp, répondis-je. Mais je voulais vous voir, tous les deux, avant quiconque. Montre-moi ton épaule, Arthur. »

Gwenhwyvar retira délicatement le pansement et je vis une vilaine estafilade rouge, enflée et chaude au toucher. L'entaille n'était pas longue — à peine la longueur d'un pouce — mais quand je pressai les bords de la plaie, un liquide transparent en suinta.

« Comment te sens-tu ? lui demandai-je.

— Bien. » Arthur mentait. « Une piqûre d'abeille est de loin plus douloureuse.

— Bouge le bras. »

À contrecœur, Arthur bougea son bras et fit rouler son épaule. « Satisfait ? demanda-t-il avec impatience. Je t'ai dit que ce n'est rien. Cette nuit de sommeil m'a fait beaucoup de bien.

— C'est possible, lui accordai-je. Mais je pense qu'il vaudrait mieux accorder une autre journée de repos à ton épaule.

— Quoi ? Et laisser le barbare penser qu'il l'a emporté sur moi ? Pas question !

— Laisse Amilcar croire ce qu'il veut. Tu dois soigner ton épaule. À quoi cela servirait-il à la Bretagne que tu te fasses tuer aujourd'hui pour satisfaire ton orgueil ?

— Twrch Trwyth et les Vandali vont bientôt se rassembler sur la plaine. Que feront-ils si je ne suis pas là ?

— Amilcar a violé son serment, soulignai-je. Je ne crois pas qu'il insistera. Laissons-le attendre, te dis-je… jusqu'à demain, si besoin est.

— Tu me donnes des ordres, barde ? » demanda-t-il, commençant à se fâcher.

J'hésitai, puis je secouai la tête et dis : « Je ne t'interdis pas d'y aller, je te dis que tu ne devrais pas. Je te laisse décider. Agis à ta guise.

— Alors j'irai me battre, déclara Arthur. Et, avec l'aide de Dieu, je vaincrai.

— Peut-être Dieu t'a-t-il déjà envoyé son aide, suggérai-je.

— Comment ? » Ses yeux passèrent de moi à Gwenhwyvar avant de revenir se poser sur moi. « Qu'as-tu fait ?

— J'ai préparé une surprise pour Amilcar, dis-je.

— Une ruse, dit Gwenhwyvar d'un ton de feinte désapprobation. Et venant de toi, Myrddin Emrys. Je suis déçue.

— Pas une ruse », répondis-je, et j'expliquai vivement à quoi Gwalchavad, Llenlleawg et moi avions passé la nuit.

« Comment ? dit Arthur quand j'eus terminé. Personne d'autre que moi n'a-t-il dormi cette nuit ?

— Un char de guerre, s'enthousiasma Gwenhwyvar. Mais c'est magnifique.

— Il faut que j'aille voir cette merveille sur le champ, dit Arthur en se mettant debout.

— Bientôt, mais pas encore, dis-je. Je préférerais que personne ne te voie avant le combat.

— Vais-je devoir rester prisonnier sous ma propre tente ?

— Uniquement jusqu'à ce que tous les guerriers soient partis pour le champ de bataille. » Je leur expliquai ce que j'avais imaginé. Ils m'écoutèrent jusqu'au bout d'un air stupéfait.

« Aucun roi n'a jamais eu meilleur barde », déclara Gwenhwyvar lorsque j'eus fini. Se levant, elle sourit et m'embrassa sur la joue. « C'est splendide, Sage Emrys. J'applaudis à ton stratagème et je vais prier pour sa réussite. »

Arthur s'étira en bâillant, puis il se rassit sur le lit en frottant d'un air songeur ses joues noires de barbe. « Eh bien, cela me fera certainement du bien de me raser.

— Je vais chercher une cuvette et un rasoir », dit Gwenhwyvar en sortant de la tente. Cela me fit plaisir qu'elle accueillît mon plan avec autant d'empressement. « Et quelque chose à manger, ajouta Arthur en bâillant. Je meurs de faim. » Il s'étendit sur le lit et ne tarda pas à sombrer de nouveau dans un profond sommeil.

XIII

Les armées adverses étaient alignées sur le champ de bataille comme les jours précédents… rangée après rangée derrière leurs chefs, se dévisageant d'un air farouche, face à face sur la plaine. Il était près de midi et tous attendaient l'arrivée d'Arthur, mais celui-ci demeurait invisible.

Un cri prématuré s'éleva à mon apparition, mais il mourut brusquement quand les guerriers virent que j'étais seul. Ils échangèrent des regards intrigués et reprirent leur attente.

La tension n'était pas moins grande chez les Vandali : ils tendaient aussi le cou pour guetter l'arrivée d'Arthur, et avec une encore plus grande nervosité. Car si le roi breton ne se présentait pas, Amilcar serait tenu pour vainqueur. Plus il tardait, plus l'espérance du triomphe croissait en leur cœur.

Je ne savais pas combien de temps le roi vandale s'accommoderait de patienter. J'avais espéré qu'il en profiterait pour se gausser de son adversaire, mais il semblait attendre tranquillement, et plus il attendait, plus je sentais se dissiper mes espoirs, craignant que tout mon travail ait été vain. Le rusé Sanglier Noir avait-il deviné les projets d'Arthur ?

Non. Impossible.

Alors pourquoi Amilcar attendait-il si calmement ? Pourquoi ne couvrait-il pas Arthur de sarcasmes ou bien ne se proclamait-il pas vainqueur ?

Le soleil montait dans un ciel incandescent, projetant des ombres crues sur la terre desséchée. Je regardai les rangées de guerriers debout, mal à l'aise, en sueur, les yeux réduits à de simple fentes par la lumière éblouissante. De l'autre côté de la plaine, les barbares s'agitaient avec une impatience de plus en plus mal contenue. Pourtant Amilcar attendait.

Quand les tambours de guerre vandales se mirent à résonner, je me dis : *Enfin ! Voilà le moment que nous attendions, Arthur. Saisis-le !*

Amilcar s'avança vers sa place habituelle en compagnie de ses gardes du corps et du prêtre. Il resta un moment à scruter les rangs, puis il se redressa de toute sa taille et cria d'une voix forte que traduisit Hergest : « Où est votre champion ? Où est votre grand roi ? Se cache-t-il ? A-t-il peur de m'affronter ? »

Ses paroles tombèrent dans un silence glacial. « Pourquoi personne ne me répond-il ? La peur vous a-t-elle privés de vos langues ? Venez vous battre ! Prouvez que vous n'avez pas peur ! »

Comme il ne recevait pas de réponse, ses hurlements se muèrent en injures. « Chiens ! Lâches ! Vous montrez maintenant votre vraie nature ! Rois des couards, où est votre couard de roi ? »

Cela continua ainsi pendant un moment. Les Bretons se renfrognaient, de plus en plus nerveux, sous les insultes. Je pouvais voir les graines du doute et de l'inquiétude prendre racine. Tant mieux... mon plan n'en réussirait que mieux si les Cymbrogi eux-mêmes étaient pris par surprise. Et les injures d'Amilcar commençaient à irriter nos hommes.

Bedwyr accourut à mon côté, le front barré d'un pli soucieux. « Je pensais que tu allais l'amener.

— Oui, et je l'ai fait.

— Alors où est-il ? Amilcar n'attendra pas éternellement. Quoi que tu aies manigancé...

— Paix, Bedwyr, le calmai-je. Retourne à ta place. Tout se déroule comme il faut.

— Avec toi, Myrddin, *rien* ne se passe jamais comme il faudrait. » Il se retira à quelques pas derrière moi en disant à Cai : « Cela ne sert à rien, mon frère. Il ne nous dira rien.

— Où est Arthur ? insista Cai.

— Attends, répondis-je. Il n'est pas loin.

— Eh bien, si Arthur ne se montre pas bientôt, me cria Cai, dis à Twrch Trwyth que c'est *moi* qui me battrai contre lui. Cela le fera peut-être taire. »

Amilcar se sentait encouragé par le refus des Bretons de réagir à ses sarcasmes. Il se pavanait et prenait des poses, marchant de long en large, criant ses insultes aux Bretons intimidés et de plus en plus indécis. Je voyais dans ses bravades l'assurance d'un homme qui se sent déjà victorieux.

Oui, me dis-je, *il est prêt. Viens, Arthur, c'est le moment.*

Mais Arthur n'arrivait pas. Et ce fut mon tour de m'inquiéter. Où était-il ? Pourquoi attendait-il ? Et s'il lui était arrivé quelque chose ?

J'endurai cette incertitude pendant un moment, ne sachant que faire, et j'étais sur le point d'envoyer Cai et Bedwyr le chercher quand je l'entendis : un sourd grondement, comme un lointain tonnerre. Le bruit crût rapidement, enflant régulièrement comme le vent d'une tempête imminente.

Dans les deux camps, tous les yeux se tournèrent dans sa direction. À cause de ses cris, le Sanglier Noir fut le dernier à entendre l'étrange grondement de tonnerre. Sa voix mourut dans sa gorge et il regarda vers l'ouest où s'élevait une colonne de poussière.

Le bruit devint un puissant roulement de tambour et Arthur apparut, comme surgi de la tourmente. Mais c'était Arthur tel que personne ne l'avait jamais vu : debout sur la plate-forme d'un char au grand galop, brandissant sa lance. Llenlleawg, peint comme lui en bleu, tenait les rênes, menant deux des rapides étalons irlandais de Fergus. Le char — car il ressemblait tout à fait à un char de guerre — était recouvert d'une peau d'ours et des lances étaient fixées à ses montants, lui conférant un aspect encore plus menaçant. C'était Llenlleawg qui avait eu l'idée de ce dernier détail : pressé par le temps, je n'y avais pas songé.

Toutefois, aussi remarquable qu'ait pu être la soudaine et inattendue apparition du char, je crois qu'il fut à peine remarqué. Car tous les yeux étaient sur Arthur, et ils les tenait sous le charme. Sa chevelure était une masse blanche hérissée, raide de chaux. Encore plus surprenant, il ne portait ni cuirasse ni cotte de maille. En vérité, il ne portait rien d'autre que son torque d'or royal : les champions des anciens temps allaient souvent nus à la bataille, dédaignant toute armure, ne se fiant qu'à leur propre vaillance pour se protéger. Son corps et son visage étaient rasés de frais et sa peau badigeonnée de guède — spirales, mains, éclairs et rayures... partout sur les bras, la poitrine, les jambes et les cuisses — symboles et signes aujourd'hui oubliés, mais qui avaient jadis possédé un grand pouvoir.

L'impact de cette soudaine apparition n'aurait pu être plus grand. C'était comme si un héros d'antan s'était réincarné... Morvran au Poing d'Acier en personne, surgissant en chair et en os de la poussière à leurs pieds, ne les aurait pas surpris davantage. Certains ne reconnurent tout d'abord pas Arthur, et même ceux qui l'avaient reconnu étaient frappés de stupeur.

« Voyez ! m'écriai-je. Le Pendragon d'Ynys Prydein qui vole au secours de son royaume.

— Combien de temps cela fait-il qu'un roi breton n'est pas apparu ainsi devant son peuple ? » Je sentis un contact sur mon bras tandis que Gwenhwyvar venait se placer près de moi. Son visage était rayonnant de joie. « Quel homme magnifique.

— Certes.

— Et ne songe pas à me renvoyer dans les rangs, dit-elle. Après ce qui s'est passé hier, je n'irai pas.

— Fort bien, répondis-je. Reste. » Nous attendîmes ensemble, la reine et moi, nous enivrant d'un spectacle qui ne s'était pas vu dans l'Île des Forts depuis dix générations ou davantage. Et quel spectacle ! Si fiers et si hardis, debout sur leur char, le torque scintillant au soleil, couverts du bleu d'un autre âge... ils étaient des héros, en vérité.

Lancés au grand galop, Arthur et Llenlleawg paradèrent devant les lignes bretonnes, encouragés par les acclamations et les cris sauvages des Cymbrogi... un bruit à prendre d'assaut les cieux ! Quand ils eurent plongés les Bretons dans une frénésie extatique, Llenlleawg fit virer les chevaux et conduisit le char au centre du champ de bataille où il fit halte. Arthur brandit sa lance et la planta dans le sol à quelques pas de lui, puis il descendit. Llenlleawg repartit avec le char.

Prenant son épée et son bouclier — tous deux passés au blanc de chaux — le Grand Roi de Bretagne cria au seigneur vandale : « Twrch Trwyth, j'ai entendu tes vaines bravades ! Prends tes armes et finissons-en. En vérité, je te le dis, le monde est las de ta présence et je commence moi-même à être fatigué de toi. Viens, la mort t'attend ! »

Amilcar, fort impressionné par l'apparence d'Arthur, fut lent à répondre. « En vérité, un seul d'entre nous quittera le champ de bataille, l'autre y restera. » Le roi barbare parlait désormais avec beaucoup moins d'assurance.

« Soit. Les dieux que tu pries puissent-ils recevoir ton âme. »

La danse de mort recommença donc : les guerriers se déplaçaient l'un autour de l'autre, tournant, tournant, glissant de côté, guettant une ouverture. Gwenhwyvar se mordait la lèvre sans jamais détacher les yeux du combat. Je remarquai qu'une de ses mains était posée sur la poignée de son épée, l'autre sur sa dague. Debout à mon côté, sur le qui-vive, elle pressait Arthur d'engager le combat. « Tue-le, Ours, murmurait-elle. Tu peux y arriver. Frappe ! »

Et, comme en réponse à ses encouragements, Arthur fit un rapide pas en arrière et Amilcar, soupçonnant une feinte, hésita. Cette défaillance momentanée était tout ce dont avait besoin Arthur : en fait, je voyais maintenant qu'il l'avait cultivée, retournant contre lui la nature retorse du Vandale. Un homme qui recourt à la traîtrise guette toujours celle-ci chez les autres et Amilcar pensait l'avoir décelée à cet instant.

Mais Arthur n'avait pas recours à la traîtrise. Son rapide pas en arrière n'était que la préparation à une attaque franche et directe qui, à l'instar du changement d'apparence d'Arthur, prit Amilcar au dépourvu.

Arthur recula, lâchant son épée qu'il laissa tomber à terre. Il allongea le bras et sa main se referma sur la lance qu'il avait plantée en terre. Il ramena brusquement son bras vers l'avant. Le Sanglier Noir, qui n'était pas encore revenu de son hésitation, tenta d'esquiver. Mais trop tard. La lance frappa son bouclier en plein milieu.

C'était un lancer d'une suprême précision, mais je doutais de sa prudence... il n'avait causé aucun mal au Sanglier Noir et à présent Arthur n'avait plus de lance. « Non, non, non », gémit Gwenhwyvar.

Mais nous nous trompions. La manœuvre d'Arthur était le génie même : le fer de lance s'était profondément planté au centre du bouclier d'Amilcar, où ce dernier ne pouvait l'atteindre. Pour s'en débarrasser, Twrch devait soit abaisser son bouclier, soit frapper la lance avec la sienne pour essayer de la dégager. Il ne pouvait la laisser en place... un bouclier déséquilibré était trop incommode et son bras se serait vite fatigué du simple fait de le porter.

Le Sanglier Noir était en mauvaise posture et l'expression de colère incrédule qui déformait son visage disait qu'il le savait. Il porta un coup inefficace à la lance avec le fût de sa propre arme. Arthur était prêt : il ramassa prestement Caledvwlch et se rua en avant, faisant siffler la grande lame comme pour trancher la main droite d'Amilcar.

Cela déclencha un grognement d'exaspération du Sanglier Noir, un rugissement approbateur des Bretons et un cri de joie de Gwenhwyvar. « Oui ! s'exclama-t-elle. Bien joué, Ours ! »

Amilcar esquiva le coup par un bref pas de côté, mais Arthur poussa son avantage. Il chargea, son épée tournoyant au-dessus du bouclier de son adversaire, repoussant le Sanglier Noir.

Amilcar, désespéré, le visage figé sur un rictus de colère, eut l'idée d'utiliser contre Arthur la lance importune. Il projeta devant lui son bouclier, visant Arthur au visage avec le fût de l'arme.

Arthur, que ne gênait pas le poids de la cuirasse et de la cotte de maille, plongea sans difficulté sous la lance et chargea Amilcar tandis que le bouclier décrivait un large arc de cercle. La poitrine et le ventre du Sanglier Noir se retrouvèrent momentanément exposés et l'arme d'Arthur atteignit sa cible.

Amilcar tomba en arrière et roula sur le dos. Arthur se jeta sur lui pour l'achever.

Mais Amilcar se débarrassa de son bouclier inutile en le lançant au visage d'Arthur. La lance plantée en son centre détourna l'épée du roi breton, permettant à Amilcar d'éviter par une contorsion la lame qui ne fit que lui entailler la hanche. Il se remit aussitôt debout et recula. Il avait échappé à une terrible blessure, mais il faisait maintenant face à Arthur sans bouclier, et perdant son sang de deux profondes entailles. Aucune n'était mortelle, mais la perte régulière de sang ne pouvait que l'affaiblir.

L'avantage avait basculé en faveur d'Arthur, qui avait mis son adversaire dans une situation critique. Qu'allait faire Amilcar ? Le prochain mouvement augurerait vraisemblablement de la fin.

Gwenhwyvar en avait elle aussi conscience. Je sentis soudain sa main sur mon bras, les ongles plantés dans ma chair. « Tue-le, Arthur, le pressait-elle, les yeux brillants, sourcils froncés pour se protéger du soleil. Oh, achève-le vite ! »

La réaction d'Amilcar fut immédiate et décisive. Il attaqua.

Tel le sanglier acculé par la meute, il poussa un hurlement perçant, baissa la tête et chargea. Je ne pus que m'émerveiller de son audace. « Vraiment, murmurai-je, c'est un véritable sanglier au combat. Son nom est bien mérité. »

Gwenhwyvar n'apprécia guère mon commentaire. Elle grimaça en poussant un grognement ironique et retira la main de mon bras.

Acte de fureur concentrée, l'attaque du Sanglier Noir fut d'une férocité époustouflante. Une pierre projetée par une fronde n'est pas plus implacable. Ni moins rapide.

Ramassé sur lui-même, pesant de tout son poids derrière sa lance, Amilcar chargea droit devant lui, risquant le tout pour le tout.

Arthur subit le choc en plein bouclier. J'entendis un craquement sonore lorsque l'épaisse lance du Vandale se fracassa. Arthur chancela et manqua tomber. Amilcar jeta le fût éclaté de son arme à la figure de son adversaire, dégaina sa courte épée et, avant qu'Arthur n'ait pu esquisser un geste, chargea de nouveau, s'élançant avec un féroce cri de rage et de désespoir.

Mais Arthur ne répondit pas à cette attaque : au dernier moment, il fit un pas de côté et laissa passer le Sanglier Noir sans une égratignure. Je m'en étonnai. Cela ne ressemblait pas à Arthur de laisser échapper même la moindre occasion... mais...

Il paraissait avoir des difficultés avec son bouclier... son bras pendait...

« Non ! gémit soudain Gwenhwyvar. Mon Dieu, non, je t'en prie ! »

Puis je le vis aussi. Et mon cœur se serra comme un poing dans ma poitrine.

XIV

La lance d'Amilcar avait traversé la robuste épaisseur de chêne et s'était enfoncée dans le bras d'Arthur. Le sang ruisselait sur la face interne du bouclier du roi. L'avant-bras transpercé, Arthur ne pouvait se dégager.

Cherchant désespérément à exploiter cet avantage inespéré, Amilcar prit à deux mains la poignée de son épée et, bondissant sur Arthur, fit pleuvoir à travers le bouclier une furieuse grêle de coups sur son bras blessé. La lame s'élevait et retombait sans relâche, martelant la lance brisée qu'elle enfonçait chaque fois plus profondément dans la blessure.

Arthur chancela, se tordant de douleur. Il essaya de parer les coups, faisant d'inutiles moulinets avec Caledvwlch. Le Sanglier Noir frappa de toutes ses forces et l'épée sauta des mains d'Arthur. La lame atterrit en tournoyant à ses pieds sur la terre tachée de sang.

Gwenhwyvar poussa un gémissement, mais elle ne détourna pas les yeux.

Ne cessant de reculer, incapable de résister à l'assaut du Sanglier Noir, Arthur vacillait sous les coups. Entrevoyant sa chance de remporter la victoire, Amilcar éleva la voix en un rugissement de triomphe.

Bondissant, hurlant, cognant à toute volée, encore et encore... et encore — des coups féroces, sauvages, impitoyables, chacun porté avec une puissance à fracasser les os.

Grand Dieu du ciel, comment Arthur pouvait-il encore tenir debout ?

Des éclats de bois arrachés à son bouclier volaient dans les airs. Le sang ruisselait en pluie drue du bord du bouclier fendu, détrempant le sol.

Ma gorge se serra. Je ne pouvais plus déglutir. Je ne pouvais ni regarder ni détourner les yeux.

Crac ! Crac ! Le grand bouclier commençait à céder sous la fureur de l'assaut. Des morceaux de chêne éclatés tombaient à terre.

Je vis la pointe de la lance d'Amilcar qui saillait du bras d'Arthur. La lame était passée entre les os, rendant impossible tout mouvement du bras. Arthur était cloué au bouclier.

Amilcar, terrible dans sa fureur, leva sa lourde lame au-dessus de sa tête pour l'abattre sur le bord du bouclier brisé. Arthur rejeta la tête en arrière, les traits tordus de douleur.

Les muscles de ses épaules roulant sous sa peau, le Sanglier Noir abattit son épée de toutes ses forces. *Crac !* Le bord du bouclier éclata et le chêne se fendit de haut en bas.

Encore un coup et le bouclier se briserait complètement.

« Arthur ! hurla Gwenhwyvar. Arthur ! »

Twrch Trwyth poursuivait impitoyablement son assaut. Les Vandali emplirent les airs d'une clameur d'encouragement pour leur roi... un bruit à frapper de terreur les Bretons désemparés.

À nouveau la courte lame noire s'éleva et retomba.

Arthur s'effondra.

Ses jambes avaient cédé sous lui et il s'écroula lourdement, se recevant sur la hanche. Il roula sur le côté, comme pour essayer de ramper au loin. Mais Amilcar fut aussitôt sur lui, frappant furieusement. Un autre morceau de bouclier se détacha.

Amilcar poussa un rugissement. Il se jeta sur Arthur avec un rire dément. Arthur, s'efforçant de se relever, tenait le bouclier brisé au-dessus de sa tête. Tous les guerriers qui le voyaient savaient qu'il ne faisait que retarder le terrible, l'inévitable dernier coup fatal.

Le Grand Roi se remit debout. Le Sanglier Noir lança son pied en avant et faucha la jambe d'Arthur. Arthur retomba à terre.

« Dieu lui vienne en aide ! s'écria Gwenhwyvar. Doux Jesu, viens à son secours ! » Je lui fis écho par une prière tout aussi fervente et concise.

Toujours le Sanglier Noir frappait, sa lame de fer heurtant à grand fracas les restes disloqués du bouclier du Grand Roi. Arthur roula sur le flanc, son bras indemne battit les airs. Il avait l'air égaré, sa main tâtonnait inutilement dans la poussière.

Grande Lumière, sauve ton serviteur !

Arthur se tortillait sur le dos tandis que l'épée du Sanglier Noir finissait de briser son bouclier. Le bois délabré se disloqua complètement, éclatant en mille morceaux. Sa dernière défense l'avait abandonné.

« Caledvwlch ! cria Gwenhwyvar. Arthur ! Caledvwlch ! »

Au même instant la main d'Arthur trouva son épée à terre. Je vis ses doigts se refermer sur la lame et l'attirer à lui.

« Il l'a ! m'exclamai-je.

— Lève-toi, Ours ! cria Gwenhwyvar. Debout ! »

Arthur replia les jambes et se redressa sur un genou. Twrch lui décocha un coup de pied qui atteignit son épaule blessée. Arthur retomba.

« Arthur ! » hurla Gwenhwyvar. Elle avait son épée à la main, prête à s'élancer.

Amilcar, exultant, leva une dernière fois son arme en poussant un rugissement de victoire.

Saisissant à pleine main la lame dénudée de Caledvwlch, Arthur fit une ultime fois face.

Et je me rappelai la fois où, il y avait bien longtemps, un jeune garçon s'était dressé seul au flanc d'une montagne face à un cerf en pleine charge. Aujourd'hui, comme alors, Arthur ne tenta pas de frapper : il leva simplement sa lame à la rencontre de celle de son adversaire.

L'épée d'Amilcar s'abattit tandis que s'élevait celle d'Arthur. Il y eut un tintement métallique, une gerbe d'étincelles, et la lame du Sanglier Noir se brisa, tranchée en deux.

La sauvage expression de triomphe du chef vandale se mua en incrédulité tandis qu'il contemplait la lame gisant à ses pieds. Taillefer avait bien servi son maître.

D'un suprême effort, Arthur ramena ses jambes sous lui et se releva. Il se mit debout, chancelant, son bras blessé où était toujours fichée la pointe de lance pendant inutilement le long de son corps. Le bleu vif de la guède était maintenant mêlé de sueur et de sang rouge sombre. La tête penchée en avant, il regardait sans ciller son adversaire.

Les Vandali, frappés de stupeur par le brutal retournement de situation, se turent, leurs cris de victoire moururent dans leurs gorges. Le silence s'abattit sur la plaine. Arthur se campa sur ses jambes et carra les épaules.

La poignée de l'épée avec son moignon de lame toujours serrée entre ses mains, le Sanglier Noir dévisagea le Grand Roi d'un air furibond. Avec un hurlement de défi, il se jeta en avant, tailladant sauvagement l'air devant lui.

Incapable de parer les coups, Arthur fit un écart et abaissa Caledvwlch. Mais son courage ne l'avait pas abandonné : tout en évitant le chef vandale, il rassembla ses dernières forces. Comme Amilcar bondissait, la main d'Arthur s'avança posément, amenant l'épée à l'horizontale. La charge du Sanglier Noir le précipita droit sur la lame. Amilcar rejeta la tête en arrière et poussa un rugissement — un cri de surprise et de pur défi — puis il baissa les yeux pour voir l'arme enfoncée sous ses côtes. Il s'était empalé sur l'épée d'Arthur.

Le Sanglier Noir releva la tête, le regard vitreux, et ses lèvres se figèrent en un rictus grimaçant. Il fit une embardée vers Arthur, enfonçant plus profondément la lame dans sa poitrine. Le sang jaillit de la blessure en un jet écarlate. Il ouvrit la bouche pour parler : sa langue s'agita pour former les mots, mais ses jambes cédèrent et il tomba à terre, agité de tremblements et de convulsions.

Se penchant sur le corps d'Amilcar, Arthur arracha Caledvwlch de la poitrine de son ennemi. Serrant les dents pour vaincre la douleur, il leva la lame à hauteur d'épaule et la laissa brusquement retomber, tranchant le cou du Sanglier Noir. La tête d'Amilcar roula sur le sol et les atroces convulsions cessèrent.

Arthur demeura un moment immobile, puis il se retourna et revint en titubant vers nous. Au même instant, un hurlement déchira le silence de la plaine. Un des seigneurs vandales — Ida, je crois — se précipita sur le champ de bataille, brandissant sa lance.

« Arthur ! cria Gwenhwyvar. Derrière toi ! »

Arthur tourna la tête, encore inconscient du danger qui fondait dans son dos.

« Arthur ! » hurla-t-elle, courant déjà à son côté. Llenlleawg s'élança aussitôt à sa suite.

Le roi de Bretagne se tourna à demi pour affronter son nouvel assaillant, mais ses jambes se dérobèrent sous son poids. Il s'écroula sur les genoux. Il tenta de se relever, mais son attaquant se rapprochait rapidement. Un prompt coup de lance et le Grand Roi de Bretagne était mort.

La dague de Gwenhwyvar scintilla tel un disque ardent au soleil, tournoyant dans les airs. Cela n'arrêta pas le barbare : il parcourut encore quelques pas avant que sa main ne perde ses forces et que sa lance ne lui glisse entre les doigts. Il baissa les yeux pour voir la dague de la reine enfoncée jusqu'à la garde dans son bras.

Il se pencha pour ramasser sa lance. L'épée de Gwenhwyvar décrivit en chantant un bref arc de cercle et le frappa à la base du cou. Le barbare s'écroula face contre terre, raide mort.

« Je suis là ! cria Gwenhwyvar, la voix vibrante de défi. À qui le tour ? » Elle était campée au-dessus du cadavre, son épée rouge du sang de l'assaillant d'Arthur, hurlant, mettant les Vandali au défi d'attaquer. Llenlleawg, l'air menaçant, prit place au côté de la reine. Un autre chef barbare eut l'air de vouloir prendre Gwenhwyvar au mot : il tira son épée, mais n'eut que le temps de faire un pas. Mercia l'agrippa et le jeta à terre. Tout en essayant de se relever, le barbare envoya sa lance à la figure de Mercia. Saisissant d'une main le fût de l'arme, celui-ci décocha un vicieux coup de pied qui cueillit son belliqueux camarade à la pointe du menton. Le barbare s'effondra comme une masse.

Cai et Bedwyr accoururent aux côtés de Gwenhwyvar et de Llenlleawg. Tous quatre se postèrent devant Arthur, l'épée à la main, défiant l'ennemi d'attaquer. De mon côté, je courus auprès d'Arthur.

Mercia sortit hardiment des rangs barbares. Il appela d'une voix forte et fit signe à Hergest de le rejoindre. Ensemble, ils s'avancèrent vers les quatre Bretons.

« Aide-moi à me relever ! grogna Arthur entre ses dents serrées.

— Dans un instant, lui dis-je doucement. Je dois d'abord examiner ta blessure. » Il était couvert de sang, de sueur, de terre et de guède.

« Aide-moi à me lever, Myrddin. » Il me repoussa et, prenant appui sur Caledvwlch, se mit à genoux. Son bras blessé pendait, inerte, le long de son corps. Le sang coulait de sa blessure en un sombre filet régulier. Je l'aidai à se mettre debout et il se tourna pour faire face aux Vandali qui approchaient.

Mercia, Hergest à son côté, se présenta au Grand Roi. « Le seigneur Mercia dit qu'il reconnaît la victoire d'Arthur, expliqua Hergest. Il respectera les termes de la paix. Faites de nous ce que vous voulez. »

À ces mots, Mercia jeta aux pieds de Cai la lance du chef qu'il avait désarmé. Il tira ensuite son épée à courte lame de sa ceinture, la posa en travers de ses paumes étendues et l'offrit à Arthur, courbant la tête en signe de soumission. « Je suis ton esclave, seigneur roi », dit-il.

Le Grand Roi fit signe à Gwenhwyvar, qui prit l'épée.

« J'accepte ta reddition », dit Arthur d'une voix caverneuse sans desserrer les dents. À l'intention de Cai et de Bedwyr, il murmura : « Occupez-vous de cela. »

Il voulut se retourner, trébucha, et il serait tombé sans la prompte réaction de Llenlleawg. Le champion irlandais lança un bras autour des épaules du roi et l'aida à garder son équilibre. « Pour l'amour de Jesu, Arthur, assieds-toi et laisse-moi te soigner. »

Mais Arthur ne voulut rien entendre. « Aide-moi à aller jusqu'au char, dit-il à Gwenhwyvar.

— Laisse-moi au moins bander ton bras, protestai-je.

— Je quitterai le champ de bataille comme je suis venu », grogna-t-il. Son teint était pâle et terreux : il était sur le point de s'évanouir. « Rejoins-moi quand les choses seront terminées ici. » Il m'agrippa le bras. « Pas avant. »

Arthur se dirigea avec une lente et douloureuse dignité vers le char, soutenu par Llenlleawg et Gwenhwyvar. Quand ils l'eurent atteint, Llenlleawg dut pratiquement hisser son roi blessé sur la plate-forme, puis la reine prit place près de lui pour le soutenir et l'aider à se tenir droit. Ils quittèrent le champ de bataille sous les acclamations enthousiastes des Bretons. Les Cymbrogi le saluaient bruyamment au passage, mais Arthur gardait les yeux fixés sur l'horizon.

Je demandai à Mercia d'appeler les autres chefs vandales et là, au-dessus du cadavre de leur roi, je reçus leur reddition.

Mercia, prenant le commandement, prit la liberté de répondre pour tous. Par le truchement du prêtre captif, il dit : « Le combat a été loyal. Notre roi est mort. Nous acceptons tes conditions et sommes prêts à accorder le gage que tu nous réclameras, que ce soient des otages ou des victimes à offrir en sacrifice. »

Cai se méfiait. « Ne leur fais pas confiance, Myrddin. Ces barbares sont tous des menteurs.

— Vous serez désarmés, dis-je à Mercia. Ton peuple devra regagner son camp pour y attendre la décision du Pendragon. »

Hergest répéta mes paroles dans leur langue puis, sous le regard autoritaire de Mercia, les chefs de guerre vandales jetèrent leurs armes sur le sol. Quand ils furent désarmés, le jeune chef reprit la parole et Hergest traduisit : « Tu as appelé le roi de Bretagne d'un nom étrange : Pendragon. Est-ce bien cela ?

— Oui », répondis-je.

S'adressant directement à moi, Mercia demanda : « Que veut dire ce mot ?

— Pendragon… cela signifie Chef Dragon, expliquai-je. C'est le titre que les Cymry donnent au chef suprême et protecteur de l'Île des Forts. »

Hergest relaya mes paroles et Mercia posa une main sur son cœur, puis se toucha la tête. « Je remets ma vie entre les mains du Pendragon de Bretagne. »

Laissant Bedwyr, Cai, Cador et le reste des seigneurs se charger des Vandali, je regagnai nos lignes, montai sur le plus proche cheval et rejoignis le camp aussi vite que pouvait galoper la bête.

Je me frayai un chemin à travers la foule rassemblée devant la tente d'Arthur. Les quelques femmes et guerriers invalides qui n'avaient pas assisté à la bataille — mais avaient été témoins du retour de leur roi blessé — se pressaient avec inquiétude devant sa tente. Les écartant, j'entrai pour trouver Gwenhwyvar qui tenait Arthur dans ses bras, moitié assis, moitié allongé sur son lit. Elle avait les vêtements maculés de guède bleue et de sang rouge. « C'est fini, mon âme, disait-elle d'un ton apaisant en épongeant son avant-bras blessé avec un morceau de tissu. C'est terminé.

— Gwenhwyvar, je... c'est... » commença Arthur, puis il grimaça, les traits déformés par la souffrance. Il ravala ses paroles et ses paupières se fermèrent.

« Reste tranquille, Ours », dit-elle en lui embrassant le front, puis elle redressa la tête et regarda autour d'elle d'un air furieux. « Llenlleawg ! » cria-t-elle, puis elle me vit et dit : « Myrddin, aide-moi. Il ne cesse de s'évanouir.

— Je suis là. » M'agenouillant près d'elle, je pris le tissu et, doucement, doucement, avec la plus grande délicatesse, je soulevai le bras d'Arthur. Il gémit. Ce qu'elle vit fit hoqueter Gwenhwyvar.

La pointe de la lance avait transpercé le bras, passant entre les deux os. Le fût brisé saillait d'un côté, l'épaisse pointe de fer ressortait de l'autre. Mais il y avait plus. La force du coup avait fait pénétrer le fer de lance, après avoir traversé le bras, au creux de l'aine, où les veines sont nombreuses. Une de celles-ci avait été sectionnée. Le sang se répandait à l'intérieur de l'abdomen. Je pressai le tissu contre la plaie et m'assis pour réfléchir.

« Où est Llenlleawg ?

— Je l'ai envoyé chercher de l'eau pour nettoyer la blessure.

— Tiens-le bien, lui dis-je en montrant le bras d'Arthur.

— Que vas-tu faire ? » demanda Gwenhwyvar.

Tenant le bras bien droit, je saisis fermement de l'autre main le fût brisé de la lance du Sanglier Noir et tirai d'un coup sec.

« Ahhh ! hurla de douleur Arthur.

— Arrête ! s'écria Gwenhwyvar. Myrddin ! Arrête !

— Il le faut, lui dis-je. Encore une fois. »

Je raffermis ma prise sur le tronçon éclaté visqueux de sang. Gwenhwyvar, les lèvres serrées, tenait le bras d'Arthur entre les siens, serré contre sa poitrine. Le sang giclait de la blessure, ruisselant sur ses mains.

« Maintenant ! » criai-je, et je tirai de toutes mes forces.

Arthur poussa un cri étranglé, sa tête roula sur son épaule. Le tronçon de lance se détacha de la pointe, mais le fer ne vint pas. Je n'avais réussi qu'à faire saigner plus librement la blessure.

Llenlleawg entra dans la tente avec une bassine d'eau. Il me l'apporta et s'agenouilla pour me la tenir. Je pris le morceau de tissu qu'il me présentait, le trempai dans l'eau et me mis à nettoyer la blessure du sang et de la terre.

« Son bras est-il cassé ? demanda Llenlleawg.

— Non, répondis-je en explorant la plaie du bout des doigts, mais ce n'est pas le pire. » Je leur parlai de la blessure à l'aine. « À vrai dire, cela m'inquiète beaucoup plus que son bras. »

Je me levai, prenant soudain une décision. Je me tournai vers Llenlleawg. « Il y a de la place pour trois sur le char. Tu vas conduire : Arthur et Gwenhwyvar iront avec toi. Je pars en avant prévenir Barinthus qu'il prépare un navire. » Je tournai le dos et me dirigeai vers la sortie. « Installez-le aussi confortablement que possible et venez tout de suite.

— Où allons-nous ? demanda Gwenhwyvar.

— À Ynys Avallach », criai-je par-dessus mon épaule.

XV

Charis, l'air grave et soucieux, sortit de la chambre où reposait Arthur. « Je crois que le saignement s'est enfin arrêté, dit-elle d'un ton solennel.

— Dieu merci », soupira Gwenhwyvar. Son soulagement était presque tangible.

« Mais… », poursuivit Charis — il n'y avait aucun réconfort dans sa voix — « … il est très faible. » Elle se tut, ses yeux passant de Gwenhwyvar à moi. « En vérité, je crains pour sa vie. »

Gwenhwyvar secoua la tête, refusant de croire ce que disait Charis. « Sa blessure n'est pas si grave, insista Gwenhwyvar, d'un ton de plus en plus incertain. Une fois la lame retirée, je pensais… je pensais qu'il… » Sa voix se brisa, proche des larmes.

« Arthur a perdu beaucoup de sang, dit Charis en posant le bras sur les épaules de la reine. Il arrive souvent que la perte de sang soit plus pernicieuse que la blessure elle-même. Nous devons prier qu'il se réveille bientôt.

— Et sinon ? demanda la reine, horrifiée à cette pensée, mais sans pouvoir s'empêcher de poser la question.

— Son sort est entre les mains de Dieu, Gwenhwyvar, dit Charis. Il n'y a rien de plus que nous puissions faire. »

Après une haletante chevauchée au fond de la vallée et une brève traversée à bord du navire de Barinthus, nous avions atteint le palais du Roi Pêcheur. Charis et Elfodd avaient pris en charge Arthur. Avec une adresse affûtée par une longue expérience, ils avaient précautionneusement extrait le fer de lance du bras d'Arthur et lui avaient donné à boire des potions vulnéraires.

Au début, Arthur avait eut l'air de reprendre vie : il s'était assis dans son lit et nous avait parlé. Puis il s'était endormi et nous avions pensé que le repos lui ferait du bien. Mais sa blessure à l'aine s'était rouverte pendant la nuit et, au matin, il avait sombré dans une profonde léthargie. Il avait dormi toute la journée, et maintenant, à l'heure où le soir s'étendait sur les collines silencieuses, il était impossible de le réveiller.

Charis était manifestement inquiète. Elle étreignit l'épaule de la reine. « Son sort est entre les mains de Dieu, chuchota-t-elle. Prie et espère. »

Gwenhwyvar m'agrippa le bras, m'enfonçant ses ongles dans la chair. « Fais quelque chose, Myrddin, implora-t-elle. Je t'en prie ! Sauve-le. Sauve mon époux. »

Je pris sa main et la lui étreignis. « Va avec Charis et prends un peu de repos. Je vais rester près de lui et je te ferai chercher s'il y a du nouveau. »

Charis entraîna Gwenhwyvar et j'entrai dans la chambre où Arthur gisait sur la litière qu'utilisait le Roi Pêcheur lorsque sa vieille affliction revenait le tourmenter. L'abbé Elfodd leva la tête à mon entrée. Il vit la question dans mes yeux et secoua la tête.

« Je vais le veiller, maintenant », chuchotai-je.

Le bon abbé refusa de partir, disant : « Nous allons le veiller ensemble. »

Nous gardâmes un long moment le silence, écoutant la respiration d'Arthur, lente et ténue. « Dieu ne le laissera pas mourir », dis-je, m'efforçant d'y croire de toutes mes forces.

Elfodd me regarda avec curiosité. « Je me souviens d'un autre jour où je me tenais au même endroit et où un autre a prononcé ces mêmes mots. » Il s'interrompit et montra Arthur endormi. « Mais c'était toi, Myrddin, qui gisais dans le sommeil de la mort, et c'était Pelléas qui se tenait là, refusant de te laisser partir ainsi. »

Les souvenirs affluèrent à ma mémoire : nous étions allés en Armorique, Pelléas et moi, où Morgian avait cherché à me détruire par ses maléfices. Pelléas m'avait ramené à Ynys Avallach pour m'y faire soigner, tout comme j'y avais amené Arthur.

« Je me souviens, dis-je, songeant à cette étrange et malheureuse époque. Grâce à toi, j'ai été sauvé.

— Pas grâce à moi, protesta l'abbé. C'est Avallach qui t'a sauvé et non moi.

— Avallach ? » Je n'avais jamais entendu cette partie de l'histoire. « Que veux-tu dire ? »

Elfodd me regarda avec une expression proche de la suspicion. « Tu ne sais pas ? » Il détourna la tête. « J'en ai peut-être déjà trop dit. Je me suis laissé emporter.

« — De quoi s'agit-il, Elfodd ? Dis-le moi, je t'en conjure. Il y a là un mystère et je veux le connaître. » Il ne me donna pas de réponse. « Elfodd ! Dis-le moi, de quoi s'agit-il ?

— Je ne peux pas, dit-il. Ce n'est pas à moi de le faire.

— Alors dis-moi qui peut parler ?

— Demande à Avallach, dit l'abbé. Demande à ton grand-père. Il sait. »

Mon cœur se mit à battre plus vite. Laissant Arthur aux soins de l'abbé, je sortis en trombe et partis à la recherche d'Avallach. Cela ne me prit pas longtemps. Je le trouvai en prière dans la petite chapelle qu'il avait fait installer dans une salle de l'aile ouest. J'entrai et allai m'agenouiller près de lui. Il termina sa prière et releva la tête.

« Ah, Merlin, c'est toi, dit-il de sa voix qui évoquait un doux roulement de tonnerre. Je pensais bien que tu viendrais ici. Comment va Arthur ?

— Il est de plus en plus faible, répondis-je, exprimant la pleine force de mes craintes. Il ne survivra peut-être pas à cette nuit. »

Une expression de poignant chagrin se peignit sur les traits généreux d'Avallach. « Je suis désolé, dit-il.

— L'ours de Bretagne n'est pas encore mort », répondis-je, et je lui dis ce qu'avait évoqué Elfodd.

« Je m'en souviens bien, déclara Avallach. Oh, nous étions inquiets pour toi, Merlin. Nous avons failli te perdre.

— Elfodd a dit que sans toi je *serais* mort. Est-ce vrai ?

— C'était un miracle du Dieu miséricordieux, répondit le Roi Pêcheur.

— Et quand je lui ai demandé ce qu'il voulait dire, Elfodd m'a répondu qu'il en avait dit plus qu'il n'aurait dû. Il n'a rien voulu ajouter de plus. Il m'a suggéré de te poser la question. » Je le regardai fixement. « Eh bien, Grand-père, je te le demande : qu'a-t-il voulu dire ? »

Avallach me dévisagea un long moment en silence, puis il baissa sa tête aux boucles sombres. « C'est le Graal, répondit-il enfin à voix calme et basse. Il parlait du Graal. »

Les souvenirs me revinrent : la sainte coupe du Christ. Elle était arrivée en Bretagne avec l'homme qui avait prêté la salle où Jesu avait pris son dernier repas, Joseph d'Arimathie, le marchand d'étain. Je l'avais entrevue une fois, des années plus tôt, alors que je priais dans le sanctuaire.

« J'ai toujours cru que c'était une vision, dis-je.

— C'est plus que cela, répondit Avallach. Beaucoup plus. »

Mon cœur bondit soudain de joie. « Alors il faut t'en servir pour guérir Arthur, comme tu t'en es servi pour moi. » Je me relevai d'un bond et me dirigeai vers la porte.

« Non ! »

Le brutal refus d'Avallach me fit arrêter avant d'avoir fait deux pas. « Pourquoi ? Que veux-tu dire ? Arthur est mourant. Le Graal peut le sauver. S'il est en ta possession, tu dois t'en servir pour le guérir. »

Le Roi Pêcheur se mit lentement debout. Je pouvais voir le chagrin peser tel un énorme fardeau sur ses épaules. « Ce n'est pas possible, dit-il doucement. Il ne m'appartient pas de décider de telles choses. C'est à Dieu que cela revient : c'est Lui qui doit décider.

— Il est toujours du bon vouloir de Dieu de guérir les affligés, insistai-je. Comment peux-tu refuser cette guérison si elle est en ton pouvoir ? »

Il se contenta de secouer la tête. « Le Graal, dit-il doucement, le Graal, Merlin, n'est pas comme cela. On ne peut s'en servir ainsi. Il faut comprendre.

— Je ne comprends pas, déclarai-je sèchement. Je vois simplement qu'Arthur est mourant et que, s'il meurt, le Royaume de l'Été meurt avec lui. Si une telle chose arrive, la Bretagne tombera et l'Occident périra. Toute lueur d'espoir s'éteindra et les ténèbres nous engloutiront.

— Je suis navré, Merlin, répéta Avallach. J'aimerais qu'il en soit autrement. » Il se replongea dans ses prières.

Ce fut mon tour de le défier et de refuser. « Non ! m'écriai-je. Ne songe pas à prier pour la guérison d'Arthur alors que tu détiens celle-ci entre tes mains et refuses de la lui accorder.

— La mort, répondit tristement le Roi Pêcheur, Dieu en dispose aussi selon son bon vouloir. Penses-tu que ce soit facile pour moi ? Tous les jours je reste assis, impuissant, et je regarde mourir les gens. Ils viennent au sanctuaire — cette peste nous a cruellement éprouvés ! — et nous faisons ce nous pouvons pour eux. Quelques-uns survivent, mais la plupart meurent. Comme je l'ai dit, c'est à Dieu d'en décider. Lui seul possède le pouvoir de vie et de mort.

— Il t'a donné le Graal ! protestai-je. Pourquoi l'a-t-il fait s'il ne voulait pas que tu t'en serves ?

— C'est un fardeau plus terrible que tout ce que je connais, gémit Avallach.

— Tu t'en es pourtant servi autrefois pour me guérir, insistai-je. Tu as alors pris sur toi d'en décider. Tu m'as sauvé la vie. Où est le mal ?

— C'était différent.

— En quoi ? demandai-je. Je ne vois aucune différence. »

Il détourna les yeux en poussant un profond soupir. « Tu es le fils unique de ma fille : le seul enfant de ton père. Tu es ma chair et mon sang, Merlin, et je suis faible. Je n'ai pas pu m'en empêcher. Je l'ai fait pour te sauver.

— Vraiment ! m'écriai-je d'une voix qui résonna contre les murs de pierre. Ma vie a été sauvée afin que le Royaume de l'Été ne meure pas. Peut-être ai-je été guéri afin de pouvoir me trouver ici ce soir et plaider pour la vie d'Arthur. »

Le roi Pêcheur m'observa pensivement. « Qui peut le dire ?

— Tu m'as arraché à la mort, et tu as ainsi préservé la vision du Royaume de l'Été. Écoute-moi, Avallach, le Royaume de l'Été est proche... plus proche aujourd'hui qu'il ne l'a jamais été. Comment peux-tu laisser mourir le Seigneur de l'Été ? »

Il ne dit rien, mais je voyais bien qu'il fléchissait.

« Si tu es le gardien du Graal, dis-je d'un ton solennel, il te revient d'exercer pour le bien de tous le pouvoir que t'accorde ta position. En vérité, je te le dis, il n'y a pas une autre vie qui ait la valeur de celle d'Arthur et elle est en train de nous échapper. De son salut dépend le sort des générations à venir. »

Avallach porta avec lassitude une main à son front. « Ne sais-tu pas que j'implore le Trône céleste en son nom ? Je n'ai pas cessé un seul instant depuis son arrivée.

— Dieu accueillera Arthur en son temps, affirmai-je. Mais son heure n'est pas encore venue. Je le sais. S'il faut donner une vie, je suis prêt à sacrifier la mienne. » Je levai les mains vers lui en un geste de supplication. « Sauve-le. S'il te plaît, sauve-le.

— Très bien, concéda Avallach. Je ferai ce que je peux. Bien que je ne commande pas au Graal, comme tu sembles le penser. Je ne peux que le solliciter. Le Graal répond s'il le veut. »

Je ne savais pas quelle forme prendrait l'intervention d'Avallach, mais, tandis que nous retraversions en hâte la cour vers la chambre d'Arthur, j'offris de l'aider dans toute la mesure de mes moyens. « Dis-moi ce qu'il faut faire, grand-père, et je le ferai. »

Avallach s'arrêta sous le portique. « Nul ne peut m'aider, Merlin. Ce que je fais, je dois le faire seul.

— Comme tu voudras.

— Il faut éloigner d'ici toute créature vivante, poursuivit Avallach. Mâle ou femelle, toute chair mortelle, humaine ou animale, doit se retirer à l'extérieur des murs du palais. Seul Arthur peut rester. »

Je m'en étonnai, mais j'acceptai ses ordres. « Il en sera comme tu le dis. »

Pendant qu'Elfodd et moi courions à travers le palais du Roi Pêcheur pour tirer chacun du lit, Llenlleawg réveilla les valets d'écurie et entreprit de faire sortir les animaux des étables et des enclos. À la lueur des torches, nous descendîmes l'étroit chemin tortueux vers le lac. Certains menaient les chiens en laisse, d'autres les chevaux. D'autres encore poussaient devant eux le bétail : moutons, vaches et chèvres. Deux ou trois tenaient à la main des cages à oiseaux et un enfant avait dans les bras une portée de chatons. En peu de temps, tous ceux qui vivaient au palais — mortels, Fées, bêtes et oiseaux — se trouvèrent rassemblés au bord du lac, au pied de l'abbaye. Le bétail et les chevaux paissaient tranquillement dans les hautes herbes.

Charis et Gwenhwyvar furent les dernières à quitter le chevet d'Arthur. « Viens, noble dame, nous ne pouvons rien faire de plus pour lui, dit Charis en prenant Gwenhwyvar par la main. Il est temps de le laisser entre les mains d'un autre.

— Je répugne à le quitter, dame Charis », dit Gwenhwyvar, les larmes aux yeux. Elle se pencha sur Arthur pour l'embrasser. Une larme s'écrasa sur la joue du roi : elle la sécha d'un baiser.

« Viens, dis-je doucement, car si tu ne pars pas, il ne peut être guéri. »

Nous éloignâmes, Charis et moi, la reine du lit où gisait Arthur. À la porte, je fis halte pour regarder son corps enfoui dans les coussins de la litière, si immobile et silencieux, comme s'il s'enfonçait déjà dans la putréfaction. Gwenhwyvar hésita et se retourna : elle revint en courant vers la litière et, détachant la broche épinglée à son épaule, ôta son manteau pour l'étaler sur lui.

Tandis que Gwenhwyvar recouvrait Arthur d'un manteau, je l'enveloppai d'une prière : *Grande Lumière, éloigne l'ombre de la mort du visage d'Arthur, ton serviteur. Protège-le ce soir de la haine, de la souffrance et de tout mal qui pourrait lui advenir. Ainsi soit-il !*

Elle l'embrassa une nouvelle fois et murmura quelque chose à son oreille, puis elle nous rejoignit, les yeux secs et résolue. Nous nous hâtâmes à travers le palais abandonné. Je cherchai à apercevoir Avallach, mais ne vis aucun signe de lui en traversant rapidement la grande salle et le vestibule déserts avant de franchir la cour et le portail grand ouvert.

Dans le noir, nous dévalâmes l'étroit sentier et rejoignîmes les autres qui attendaient près du lac. Elfodd et Llenlleawg étaient là avec des torches. Le reste des habitants du palais étaient éparpillés le long de la berge, assis par petits groupes ou bien debout. Nous avions l'air d'une population exilée, chassée de son pays au cœur de la nuit. L'air était doux et calme. Bien que la lune fût déjà couchée, une pâle lumière argentée se déversait des cieux constellés d'étoiles.

« Tu es sûr que tous les animaux ont été emmenés ? demandai-je.

— Chaque chien jusqu'au plus petit chiot, répondit Llenlleawg. Chaque cheval et poulain, chaque mouton, chaque agneau et chaque vache. Il n'est rien resté là-haut qui se tienne sur deux ou quatre pattes. »

Elfodd parcourut l'assemblée du regard, son doigt voltigeant en l'air comme pour compter des moucherons. « Je pense que oui, dit-il quand il eut terminé, tout le monde est ici.

— Bien », dis-je, et nous bavardâmes un moment, mais nos yeux ne cessaient de se tourner vers le palais du Roi Pêcheur. Bientôt notre conversation s'arrêta et nous attendîmes en silence, nous demandant si nous allions voir quelque chose. Un groupe de frères de l'abbaye descendit s'enquérir de ce qui se passait. Ils restèrent avec nous, les yeux levés vers l'édifice obscur au sommet du Tor.

Une jeune femme — une des servantes de Charis, je pense — se mit à chanter d'une voix aussi douce et tendre que celle d'un rossignol. Les paroles de sa chanson ne m'étaient pas familières, mais j'en connaissais la mélodie. Un à un, d'autres se joignirent à elles et bientôt leur chant emplit la nuit... l'espoir rendu audible au cœur des ténèbres.

Quand la première chanson fut terminée, quelqu'un en entonna une autre, puis une autre. De cette façon, nous passâmes la nuit : en chantant, tous les yeux tournés vers le palais du Roi Pêcheur, dans l'attente d'un miracle. Je sentis la main de Gwenhwyvar se glisser dans la mienne. Elle la serra fort et je lui rendis son étreinte, puis elle éleva ma main jusqu'à sa bouche et la baisa.

Il n'y avait pas de mots pour ce que nous ressentions, aussi restions-nous simplement là, main dans la main, écoutant les voix dans la nuit. Les chants se poursuivaient et les étoiles tournaient dans le ciel. J'avais l'impression que les chansons étaient devenues une prière qui s'élevait vers les cieux. *Ainsi soit-il*, pensai-je. *Puisse le Grand Roi des Cieux honorer son Grand Roi sur terre comme nous l'honorons par le sacrifice de notre chant.*

Soudain une voix s'écria : « Écoutez ! » Un jeune moine, jusque-là assis un peu plus loin à flanc de colline, s'était levé d'un bond. Tendant le bras en direction de l'orient, il dit : « Regardez ! Ils arrivent ! »

Je regardai ce qu'il montrait mais ne vis rien que le scintillement des étoiles. Un profond silence s'était abattu sur le lac et sur la colline. Nous regardions tous le ciel miroitant.

« Ils arrivent ! » cria un autre, et j'entendis un son semblable à celui d'une harpe quand elle chante d'elle-même dans le vent... une musique à la fois émouvante et mystérieuse. Il aurait pu s'agir du vent, mais c'était plus profond et plus sonore : le ciel lui-même s'était mis à chanter.

L'air vibrait doucement, comme sous le frémissement d'ailes duveteuses. Je sentis une soyeuse caresse sur mon visage, tel un souffle frais, et un goût de miel sur ma langue. J'inhalai un parfum surpassant en douceur tout ce que j'avais jamais connu : fragrances mêlées de chèvrefeuille et de pommiers en fleurs.

Une présence invisible était passée parmi nous, traînant dans son sillage une musique parfumée. Mes sens s'exacerbèrent. Ma peau se mit à me picoter sur tout le corps et mon cœur battit plus vite.

Je vis, comme du coin de l'œil, une image fantomatique, de pâles silhouettes, à demi voilées, descendant du ciel pour tourbillonner autour du palais du Roi Pêcheur. D'étranges lumières s'étaient mises à jouer derrière les fenêtres obscures.

Me tournant vers Gwenhwyvar, je vis son visage baigné d'une lueur dorée. Elle avait les mains jointes sous le menton, la figure renversée vers les étoiles, les lèvres tremblantes. « Bienheureux Jesu, l'entendis-je dire. Bienheureux Jesu. »

La lumière dorée se répandait par toutes les fenêtres du palais du Roi Pêcheur. La sainte musique avait enflé, résonnant à travers les vastes salles du royaume céleste. Les mouvantes formes tourbillon-nantes, papillonnantes, visibles et pourtant invisibles, semblaient s'être multipliées au point que le ciel ne pouvait plus les contenir. Elles étaient partout !

« Les anges... s'exclama l'abbé Elfodd en un chuchotement respectueux. Les célestes champions sont venus pour Arthur. »

Je tournai les yeux vers la lumière dorée qui enrobait maintenant d'un vif éclat le palais sur le Tor, accusant le relief de tout ce qui l'entourait, découpant brutalement sur le sol les ombres des hommes et des animaux. La lumière était vivante : éblouissante, elle pulsait d'une force ardente, plus brillante et plus puissante que l'éclair.

Et puis, aussi soudainement que tout avait commencé, ce fut terminé.

La lumière décrut et la musique se tut dans un écho qui s'amenuisa rapidement... disparaissant si vite que je me demandai si j'avais vraiment vu ou entendu quelque chose. Peut-être avais-je été le jouet de mon imagination. Peut-être tout n'avait-il été qu'un rêve.

Mais la présence invisible repassa comme elle était venue à travers la foule en attente. Je sentis mon âme prendre son essor dans ma poitrine, et mon cœur battre à tout rompre. Un frisson me passa sur la peau. Puis la présence s'éloigna et disparut, ne laissant qu'un parfum fugace et un goût suave dans l'air.

Nous étions de nouveau seuls dans la nuit, qui nous parut plus noire que jamais.

Il n'y avait plus de musique, il n'y avait plus de lumières. Tout était calme et silencieux, comme si rien, jamais, ne se passait d'un éon à l'autre. Mais nous levions toujours les yeux vers le palais et, derrière lui, le ciel constellé d'étoiles, y cherchant les merveilles auxquelles nous venions d'assister.

Ce fut ainsi que nous le vîmes : Arthur, fièrement dressé devant les portes du palais du Roi pêcheur, frais et vigoureux, vêtu de ses plus beaux habits, le torque royal miroitant à son cou. Le Seigneur de l'Été leva une main vers nous... signe qu'il était guéri. Puis il s'engagea sur le sentier.

Je vis Gwenhwyvar s'élancer et gravir en courant le chemin. Je vis Arthur descendre à sa rencontre, la prendre dans ses bras et la soulever de terre. Je vis leur fervent baiser... Puis je ne vis plus rien à travers les larmes qui m'emplissaient les yeux.

Épilogue

Eh bien, Gerontius ! Riche est la vie d'un exilé ! Ne la savoures-tu pas ? Et toi, Brastias, encore et toujours en train de tourner les yeux vers le pays que tu as laissé derrière toi. La honte dans laquelle vous vous vautrez vous tient-elle chaud la nuit ?

Ulfias, velléitaire et si facile à retourner : si tu dois suivre un roi, pourquoi pas celui à qui tu avais prêté serment de fidélité ? Les regrets te rendent-ils la vie plus douce ? Et Urien, jeune intrigant, ton lit étranger est-il rendu plus luxueux par la conscience de ta traîtrise ?

Faux seigneurs ! Les chiens qui mendient une miette sous votre table en savent plus que vous en matière de loyauté. Pensiez-vous vraiment que les Cymbrogi vous suivraient ? Imaginiez-vous pouvoir prendre la place d'Arthur ? Ou bien cet espoir, à l'instar de vos serments si promptement reniés, n'était-il aussi que du vent ?

Hommes sans foi, écoutez-moi maintenant : le Royaume de l'Été était plus qu'un rêve ! Plus qu'un conte pour amuser les enfants. De courageux guerriers sont morts pour son avènement... sacrifiant leur vie à leur foi. Un royaume édifié sur le roc d'une telle foi ne peut faillir.

Cela vous surprend-il que les seigneurs de Vandalia, de Rögat et d'Hussa aient reçu le pardon d'Arthur ? Je vous dis qu'ils l'obtinrent. Car c'est dans la victoire que se révélait la grandeur d'Arthur. Il prenait ses ennemis en pitié, les nourrissait et leur offrait la paix. Le Pendragon de Bretagne, après avoir prouvé son héroïsme dans l'adversité, pratiquait la charité chrétienne dans le triomphe. Arthur secourait ses ennemis, faisant ainsi prendre conscience de sa noblesse à de cruels adversaires qui en étaient venus à respecter sa vaillance. Mercia, le seigneur vandale, se fit baptiser à l'invitation d'Arthur, et le Grand Roi le salua en frère.

Et si ses anciens ennemis bénéficièrent de la clémence d'Arthur, combien les seigneurs irlandais ne reçurent-ils pas davantage ? Ceux qui avaient perdu terres et foyer pour lui venir en aide obtinrent tout et plus en retour. Ainsi la fidélité trouve-t-elle sa récompense.

Quoi que vous puissiez prétendre, la Bretagne était alors au faîte de sa gloire. Non, nous n'échappâmes pas aux tourments de la peste et de la sécheresse. La Mort Jaune avait profondément planté ses crocs dans notre chair et les vents brûlants avaient emporté nos récoltes dans un tourbillon de poussière. Mais, pour ceux qui savaient où regarder, le Royaume de l'Été lançait déjà ses premiers rayons ténus.

Car le Grand Roi des Cieux nous avait accordé la bénédiction de l'objet le plus sacré en ce monde : la coupe du Christ,... ce Graal qui devait devenir l'éclatant soleil du Royaume de l'Été. Arthur décida que ce très saint objet serait le symbole de son règne, qu'il l'abriterait dans une chapelle qu'il ferait construire. En vérité, la Bretagne entière trembla quand elle apprit l'existence de ce Très Saint Graal...

Mais ceci est une autre histoire.

Cet ouvrage a été composé en
en Aldine corps 11
par DESK
Laval - Tél. 02 43 01 22 11
et achevé d'imprimer
sur les presses de l'Imprimerie
de l'Indépendant 53200 - Château-Gontier

N° d'éd. : 1431
N° d'impr. : 980356
Dépôt légal : 2ᵉ trim. 1998

(Imprimé en France)